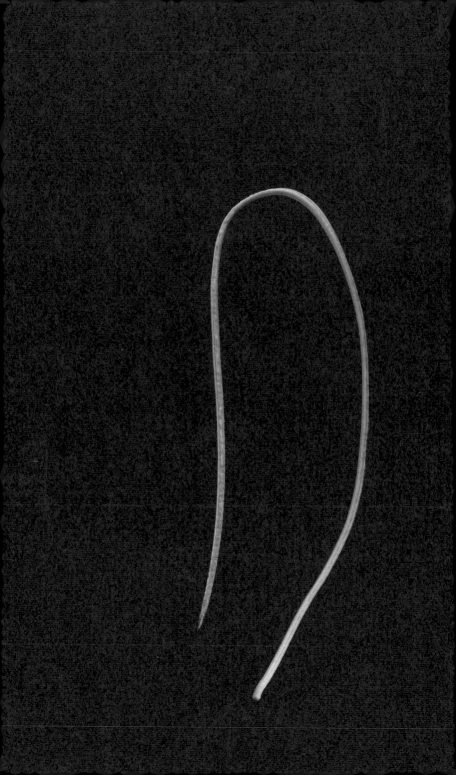

Klabund   Der himmlische Vagant

# Klabund  Der himmlische Vagant

Eine Auswahl aus dem Werk
Herausgegeben und mit einem Vorwort
von Marianne Kesting

Kiepenheuer & Witsch

Klabund Der himmlische Vagant
© 1968 by Phaidon Press Oxford
Eine Auswahl aus dem Werk herausgegeben
und mit einem Vorwort von Marianne Kesting
© 1968, 1978 Verlag Kiepenheuer & Witsch Köln
Gesamtherstellung Clausen & Bosse Leck
ISBN 3 462 01304 1

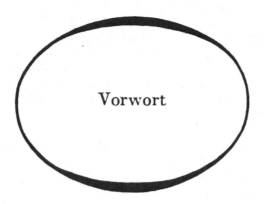

Vorwort

Alfred Henschke, der unter dem Pseudonym Klabund in die deutsche Literatur einzog, gab seinem selbstgewählten Namen zweierlei Interpretation:

> Mein Name ist Klabund,
> Das heißt Wandlung.

Die zweite lautet, der Name sei eine Kontamination aus »Klabautermann« und »Vagabund«. Im Grunde treffen beide Deutungen zu. Klabund hatte als Poet viele Gesichter. Zwanglos wechselte er vom schnodderigen Zivilisationsliteraten zum fromm-naiven Nacherzähler von Heiligenlegenden und östlichen Gleichnissen, vom glühendtrunkenen Liebesdichter zum Sänger dreister Chansons, und gern stülpte er sich die Maske des fernöstlichen Weisen und Poeten auf, wenn er sich in der realen Welt nicht mehr zurechtfand. Unter solch vielen Verwandlungen, Rollen und Posen verbarg sich einer unserer letzten Romantiker, für den in einer technischen Zivilisation, die der Dichtung eine Außenseiterposition zugewiesen hatte, die Poesie zum allumfassenden Traumbereich wurde, in dem er nach Herzenslust und ohne große Skrupel herumvagabundierte. Zustatten kam ihm seine leichte Produktivität. Er scheint, wo er ging und stand, geschrieben zu haben, oft mit einer gewissen Sorglosigkeit. In seinem kurzen Leben, dem früh eine Lungentuberkulose ein Ende setzte, verfaßte er 25 Dramen und 14 Romane, wovon allerdings manche nur im Manuskript vorliegen, viele verschollen sind. Er hinterließ 21 Gedichtbände, eine Reihe Erzählungen, dazu Herausgaben und Nachdichtungen die Fülle. Diese permanente Fruchtbarkeit veranlaßte Gottfried Benn in seinem Brief vom 4. 9. 26 an Gertrud Zengen zu der Bemerkung: »Ich wollte, ich wäre so fingerfertig wie Klabund, der ja heute abend schon wieder einen *Cromwell* im Lessingtheater hervorkarnickelt.«

Daß sich in solch leicht hervorgebrachtem Oeuvre viel Ephemeres findet, ist selbstverständlich. Und schon darum scheint, eine Auswahl zu treffen, ein Gebot der Notwendigkeit.

War es zu seiner Zeit reizvoll, die vielen, meist hübsch ausgestatteten Klabund-Bändchen zu besitzen, die manchen Sammeleifer entfachten, so ist heute angezeigt, etwas strengere Gesichtspunkte walten zu lassen, weniger auf Vollständigkeit denn auf Konzentration Wert zu legen und eine Auswahl seiner besten und charakteristischsten Leistungen zu treffen. Klabund war vor allem Lyriker; er war es auch, im übertragenen Sinne, als Erzähler und Dramatiker. Das lyrische Werk, einschließlich seiner bezaubernden Nachdichtungen fernöstlicher Lyrik, die ihn berühmt machten, nimmt daher einen Schwerpunkt in unserer Auswahl ein; nicht zuletzt seine Chansons und Brettl-Lieder, die fast vollständig aufgenommen wurden. Von seinen Erzählungen sind diejenigen berücksichtigt, die ihrer zeitkritischen Tendenzen, ihrer denkwürdigen Pointen oder ihrer grotesken Stilmittel wegen bemerkenswert sind; von seinen Romanen nur *Bracke,* weil sich hier, im Lebenslauf des märkischen Eulenspiegels und Vagabunden Johann Clavert, eine zeittypische Selbstpoetisierung verbirgt, die in einzelnen Zügen Verwandtschaft zeigt mit Brechts *Baal.* Seine historischen Romane im lyrisch-expressionistischen Telegrammstil sind heute in ihrem abgehackten Pathos nicht mehr recht genießbar, wenn sie auch zu seiner Zeit manche Liebhaber fanden. Den Liebesroman aus Schwabing *Marietta* nahmen wir als besonders charakteristisch für den Bohemien Klabund auf. Aus seinem biographisch interessanten *Roman eines jungen Mannes* wurden die besten Kapitel als eigenständige Erzählungen bewahrt, ein Verfahren, dessen sich Klabund selbst in seinem *Lesebuch* bediente. Von seinen Dramen wählten wir die Nachdichtungen *Der Kreidekreis* und *Das Kirsch-blütenfest*, außerdem das vielgespielte X Y Z aus, eine spieleri-sche Parodie der Boulevard-Komödie.

Der Schwerpunkt des Klabundschen Werks liegt wie gesagt in seiner Lyrik. Auch hier erscheint er in mancherlei Masken und Verwandlungen. Vor allem aber lebt in ihr die Tradition der deutschen Romantik noch einmal auf, allerdings, nach Heine, mit manchem Bruch. Neben dem lyrischen Überschwang, der sich in Bilderreichtum und klangliche Musikalisierung hin-überrettet, lauert die Parodie, kündigt sich das Chanson an. In seiner Liebeslyrik und seinen Volksliedern erweist sich Klabund oft als ein später Nachfahre Clemens Brentanos. Der eigent-liche Inhalt verflüchtigt sich in Stimmungen; Bilder und Worte assoziieren sich nach Klang und Rhythmus, spielerischen Inver-sionen, werden tönende Suggestion, beschwörende Wortmusik, in der, fern eines rationalen Sinnes, ein Wort das andere her-beiruft:

> O ich liege weit
> Außer Raum und Zeit,
> In der Sonne lieg ich still und weiß.
> Schnee bekränzt mich leicht,
> Himmel mein Gedicht,
> Und die Wälder läuten laut und leis.

> Aus der Tiefe steigt
> Blond ein Haupt und neigt
> Seiner Locken liebliches Gespenst,
> Seele du der See,
> Seele du der Schnee,
> Seele, Seele, Sonne wie du brennst!

Oder:

> Ich hab am lichten Tag geschlafen.
> Es weint das Kind. Es blökt das Rind.
> In meinem Weidentraume trafen
> Sich Leiseklug und Lockenlind . . .

Wie Clemens Brentano entwickelte Klabund noch einmal einen spezifischen Sinn für das Volkslied, und zwar aus gleichen

Gründen. Im älteren Volkslied, wie es Brentano in *Des Knaben Wunderhorn* gesammelt hat, setzt oft eine irrationale Assoziationstechnik von Klängen und Bildern ein. Virtuos bemächtigt sich Klabund dieser Technik und führt sie zu eminent musikalischen Steigerungen, oft um mit einer ironischen Dissonanz oder einer Sentimentalität abzubrechen.

Die romantisch ästhetisierende Auffassung, die Klabunds Dichtung durchzieht, erlaubte ihm auch, sich mancherlei Themen aus der Vergangenheit und der Lyrik der Weltliteratur in Nachdichtungen zu bemächtigen. Wo die alltägliche Gegenwart sich nicht mehr poetisieren ließ, außer in Liebesdichtungen und reinen Phantasien, wurden für ihn Ferne und Vergangenheit zu Möglichkeiten des rein Poetischen, das dort noch gewährleistet war. In einem aufschlußreichen Aufsatz *Der neue Dichter* schreibt er: »Je maschineller und mechanischer, je lauter und reklametoller das äußere Leben sich gestaltete, um so inniger und romantischer offenbarte sich der Geist der neuen Dichtung ... Noch scheint die Ferne nur und die bunten Ausschweifungen Indiens und Japans die wild ersehnten und verfluchten Abenteuer herzugeben ... Josua Kraschunke« – das ist Klabund selbst – »erschuf sich die Poesie als zweite Wirklichkeit, nicht wie die bisherigen Literaten aus Not und Zwang ..., sondern aus Lust und Willkür. Die anderen spielten das Leben und lebten die Literatur, er lebte das Leben und spielte mit seinen Versen, wie ein Kind mit Puppen spielt.« Dieser Selbstcharakteristik ist wenig hinzuzufügen, was den poetisierenden Teil seiner Dichtung betrifft. Zugute kam ihm seine leichte Hand, seine Kindlichkeit, seine immer etwas pubertäre Gemütsverfassung, die freilich auch einer gewichtigeren Dichtung im Wege war.

Der interessantere Teil des Klabundschen Werkes allerdings scheint mir der zu sein, in dem er sich seiner Zeitgenossenschaft bewußt ist. Nicht von ungefähr schleichen sich in seine Legenden und Volksgeschichten oft ironische Töne ein, sind seine Erzählungen oft von verzweifelter Skepsis durchtränkt, nicht von ungefähr waren seine besten Gedichte oft zivilisatorische Volkslieder, nämlich Chansons. Die romantische Position war – und dessen muß sich Klabund früh bewußt gewesen sein –

durchlöchert, selbst wenn in der Zeit vor dem ersten Weltkrieg bei vielen Dichtern sich noch einmal so etwas wie eine traditionell romantische Haltung bemerkbar machte. Der erste Weltkrieg wies sie in den Bereich des Unverbindlichen. Schon Klabunds erster Gedichtband, mit dem er Aufsehen erregte, *Morgenrot! Klabund! Die Tage dämmern!*, enthält neben manch romantischen Poesien burleske Chansons, die Alfred Kerr, sein Förderer, im *Pan* vorstellte als »Lieder eines Desperado«: »Es winkte hier ein absonderlicher Galgenhumor. Ich hatte vor mir die ungewöhnlich begabten Poesien eines, der sein Sach' auf nichts gestellt.« Freilich, Klabund war geistig schizoid. Immer wieder bemächtigte er sich, und sei es in seinen Nachdichtungen, Bearbeitungen und Sammlungen, die ein gutes Drittel seines Werkes ausmachen, des »rein Dichterischen« und einer unverbindlich ästhetisierenden Haltung (*Narziß*) mit Anklängen an Oscar Wilde (*Der letzte Kaiser*), an Rilke (*Hiob*), an George (*Es schaukelt unser Boot zu jenen Inseln*), die er virtuos zu imitieren wußte. Er war ein genialischer Nachempfinder und Anempfinder; auch darum schon schlüpfte er spielerisch leicht in viele Masken, war er ein überzeugender Übersetzer, Nacherzähler, Nachdichter und Bearbeiter älterer Dichtung, und darum sind viele seiner Dichtungen unkonturiert. Man begreift Ernst Lissauers hartes Urteil: »Klabund ist nach meinem Eindruck durchaus ein Virtuose, das ist: jemand, der Ausdruck besitzt ohne Auszudrückendes.« Richtig daran ist, daß Klabunds Werk, wenngleich er sich gerne in der poetischen Maske eines Weisen zeigte, nicht von einer denkerischen Position oder einer genauer zu umreißenden Intention ausging. Er gehörte zu jenem Poetentypus, der sich der Willkür seiner Intuition überläßt, ein etwas bedenkliches Verfahren, das neben berückenden ästhetischen Gebilden eben auch manch Zufälliges und Überflüssiges zutage förderte.

Thema war für Klabund vor allem die eigene Biographie, die er poetisierte in einem zeittypischen Gemisch aus Erlebtem und Phantastischem, aus drastischer Realitätsschilderung und maskenhafter Verkleidung (*Roman eines jungen Mannes, Die Nachtwandler, Spuk*). Zahlreich sind seine teils tragischen, teils flotten Liebesgeschichten, zahlreich seine Liebesgedichte. Ein

weiteres biographisch initiiertes Thema war für Klabund die
Schwindsucht. Im Alter von sechzehn Jahren wurde bei ihm
eine Lungentuberkulose festgestellt. Fortan war sein Leben
unterbrochen durch Kuraufenthalte in den Lungensanatorien
der Schweiz und Italiens, und nicht zuletzt war es diese Krankheit, die ihn in einen fieberhaften Lebens-, Liebes- und Schaf-
fensrausch stürzte. Ihre spezifischen inneren und äußeren Er-
fahrungen griff Klabund, noch vor Thomas Mann, als Thema
auf: den Schwebezustand zwischen hektischer Lebenslust und
stiller Verzweiflung, die makabre Hygiene der Sanatorien, ihre
Insassen, die auf den Zauberbergen in erzwungener Untätig-
keit residierten und jede Liebesregung, jede Lebensäußerung
mit dem Ansteigen ihrer Fieberkurve oder mit einem Blutsturz zu zahlen hatten (*Spuk, Die Krankheit, Franziskus, Roman eines jungen Mannes, Il Santo Bubi*). In einem Lungen-
sanatorium begegnete Klabund 1916 Brunhilde Heberle, seiner
ersten Frau, die nach kurzer Ehe starb. Einen Sommer lang
währte das Liebesglück, das ihn zu überschwänglichen Versen
inspirierte. Die junge Frau starb bei der Geburt des ersten
Kindes, und fortan machte Klabund sich Vorwürfe, die mit diesem Kind ermordet zu haben. So schrieb er noch im Januar
1919 an seinen Freund Walther Unus: »Denn mit dem Kinde
hab' ich sie getötet. Meine höchste Seligkeit wurde meine tiefste Schuld.« Er widmete der Toten die Gedichtzyklen *Irene
oder die Gesinnung, Irene auf das Grab gelegt, Die kleinen
Verse für Irene, Totenklage, Neue Oden auf Irene, Die Sonette
auf Irene* und das szenische Gedicht *Der Totengräber*.
Neben dieser biographisch bedingten Thematik tauchen bei
Klabund zeitkritische und zeittypische Sujets auf, die er größ-
tenteils mit dem jungen Brecht gemeinsam hatte.
Klabund, der 1890 in Crossen (Oder) geboren wurde, immatri-
kulierte sich 1911 zum Pharmaziestudium in München und ist
dort dem um acht Jahre jüngeren Brecht begegnet, der sich seit
1917 an der Münchner Universität als Medizinstudent einge-
tragen hatte. Beide, die ihr eigentliches Studium nur sehr vage
betrieben, besuchten das Seminar des Wedekind-Biographen
Prof. Arthur Kutscher, der es sich angelegen sein ließ, junge
Talente zu fördern. Wie es scheint, hat er Klabund geschätzt,

Brecht mit seinem *Baal* hingegen abgewiesen. (In Klabunds
*Roman eines jungen Mannes* und in seinem Dramolett *Brigitta* ist Kutscher als Prof. Arthur Bodenlos nicht ohne Ironie
gezeichnet.) Klabund war mit Brecht befreundet. Zusammen
mit dem Komiker Karl Valentin traten sie zum Beispiel nach
der Uraufführung von Brechts *Trommeln in der Nacht* in
einem Vortragsabend auf und sangen ihre Chansons und Balladen. Klabunds zweite Frau, die Schauspielerin Carola Neher,
spielte die Polly in Brechts *Dreigroschenfilm* und das Heilsar-
meemädchen Lilian Holiday in *Happy End*, hatte wohl auch
zeitweilig intimere Beziehungen zu Brecht.
Beide, Brecht wie Klabund, hatten Wedekind zu ihrem Vorbild
erkoren. Klabund kannte Wedekind, wohl durch die Vermittlung Kutschers, sogar persönlich und schrieb über ihn eine
*Revue Wedekind*, die aber nur im Manuskript überliefert ist.
Überraschend vielfältig sind die thematischen Überschneidun-
gen in Brechts und Klabunds Werk. Es ist nicht immer mit
Sicherheit festzustellen, wer wen beeinflußt hat. Zweifellos
aber ging Klabund in seiner Vorliebe für ostasiatische Dichtung
und Weisheit, in seinen Übertragungen chinesischer Lyrik
Brecht voran.
Er bearbeitete schon vor Brecht (1928) den Lenzschen *Hofmeister*, dessen Manuskript allerdings verschollen ist. Brecht hat
nicht nur Klabunds *Kreidekreis*-Bearbeitung zu seinem *Kauka-
sischen Kreidekreis* benutzt, sondern auch etliche Verse aus Klabunds Laotse-Übertragungen übernommen, und sein Gedicht
*Legende von der Entstehung des Buches Taoteking auf dem
Weg des Laotse in die Emigration*, sein Dramenfragment *Leben
des Konfutse* gehen vermutlich auf Anregungen zurück, die er
durch Klabunds Beschäftigung mit fernöstlicher Philosophie
empfangen hat. – Wie Klabund in seinem *Lesebuch*, seinen
*Alt-Crossener Geschichten* und seinen *Heiligenlegenden* versuchte sich auch Brecht gern als Erzähler und Nacherzähler
volkstümlicher Parabeln, so in seinen *Kalendergeschichten*.
Während Klabund sich in eine unverbindlichere Volkstüm-
lichkeit zurückzog, nutzte Brecht derlei Erzählungen zur Vermittlung volkstümlich marxistischer Erkenntnisse.
Gemeinsam behandelten sie aber auch entlegenere Sujets. So

griffen beide das Rimbaud-Thema von den Abenteuern in fernen Ländern auf aus der Zeit der frühen Kolonisation, aber nicht etwa zur sozialen Anklage. Das Historische dient einer Flucht aus dem zivilisatorischen Gepräge der Gegenwart in einen exotischen Bereich, in die Befreiung von jeglichem europäisch sozialen Reglement. Klabund und Brecht identifizieren sich mit den Eroberern wie mit den Geschändeten, und zwar, weil beider Art Figuren – auch dies ein Rimbaud-Motiv – das zivilisatorische Europa hinter sich gelassen haben, weil sie Abenteurer, Exoten, Barbaren sind. Brecht besang in seiner *Hauspostille* generell Piraten und Seeräuber, er schilderte in der Ballade *Von des Cortez' Leuten*, wie die Eroberer vom wuchernden Dschungel aufgefressen werden. Klabund behandelte den Piraten Störtebecker und den Eroberer Cortez in einer Novelle, Montezuma, den mexikanischen Herrscher, der von Cortez getötet wurde, in einer Ballade.

Vom Thema her verwandt ist beider Vorliebe für den Vaganten und Dichter François Villon, dessen Verse Brecht in der *Dreigroschenoper* verwandte; Klabund widmete ihm, auch unter Verwendung von Villon-Versen, im *Himmlischen Vaganten* einen ganzen Gedichtzyklus. In Brechts dramatischem Selbstporträt *Baal* und in Klabunds fast gleichzeitig entstandenem *Bracke* wiederum tauchen manche seiner Züge auf. Der Vagabund hatte wie die Figur des Piraten beider Interesse als gesellschaftlicher Outcast, der gegenüber der sozialen Reglementierung seine Individualität in einem anarchischen Lebensgefühl bewahrt. Der gesellschaftlichen Loslösung entsprach die Nähe zu einer ebenfalls als fremd und anarchisch gesehenen Natur. Bei Brecht ist diese Natur wuchernd, schillernd und gefräßig, gezeichnet vor allem vom Prozeß der Verwesung, durch den sie den Menschen wieder in sich zurücknimmt. Bei Klabund findet sich dieses Einssein mit der Natur ästhetischer formuliert:

> Ich liege auf dem Grunde alles Seins
> Und bin mit Kiesel, Hecht und Muschel eins.

Zum Zeichen ihrer Wiedervereinigung mit der Natur sterben Baal wie Bracke im Wald, unter freiem Himmel.

Korrespondierendes Thema zur wuchernden Natur ist der
Dschungel der Großstadt, den Klabund in seinen autobio-
graphischen Romanen und seinem Drama *Die Nachtwandler*
als Kulisse braucht, Brecht im Drama *Im Dickicht der Städte*
zum Thema werden läßt. In seinem *Lesebuch für Städtebe-
wohner* zeichnet er in harten Gesten, welche die Beckettscher Figuren vorwegnehmen, die Haltung, die diese Städte provozie-
ren: Fremdheit, moralische Gleichgültigkeit, Abbruch der zwi-
schenmenschlichen Beziehungen. Klabund lyrisiert nur den Zustand der Bindungslosigkeit in schwermütig treibenden Stimmungen: »Man soll in keiner Stadt länger bleiben als ein
Jahr...« Die gesellschaftliche Entfremdung formulierten beide als Emigration aus der bürgerlichen Moral, als Preisung
der kreatürlichen Unschuld des Mords, Brecht in *Apfelböck*
*oder die Lilie auf dem Felde*, Klabund in *Der kleine Mörder*.
Von dieser Loslösung aus dem Kanon bürgerlicher Moral bis
zur Hymnisierung einer anarchischen Zerstörung war nur ein
Schritt, den Brecht wie Klabund anhand des gleichen Themas
von der bolschewistischen Revolution vollzogen, Brecht in seinem, ursprünglich in der *Hauspostille* abgedruckten *Gesang*
*von der roten Armee*, Klabund in seiner *Ballade vom Bolschewik*.
Die Gedichte sind sich sogar in der Diktion ähnlich:

> Weil unser Land zerfressen ist
> Mit einer matten Sonne drin
> Spie es uns aus in dunkle Straßen
> Und frierende Chausseen hin.
>
> (Brecht)

> Wir töteten, doch sanft und nicht gehässig.
> Wir soffen literweise Schnaps und Bier.
> Man schlug uns lachend. Und wir lasen lässig
> Der Popen zart zerlesenes Brevier.
>
> (Klabund)

Aus beiden Gedichten spricht Liebe zum Bürgerschreck des ent-
fesselten Bolschewiken, aber auch Skepsis gegenüber dem Ziel
der Revolution. Während Brechts Gedicht in den Refrain ver-
fällt

> Sehr viele Höllen kamen noch.
> Die Freiheit, Kinder, die kam nie ...,

annonciert Klabund, nach der Revolution, den neuen Polizei-
staat:

> Eh' wird nicht Friede hier auf Erden.
> Ein Stern erglänzt – es spricht der neue Christ! –
> Ein Echo wie von Polizistenpferden,
> Und jauchzend bricht ins Knie der Rotgardist.

Wem hier die Priorität gebührt, ist schwer zu ermitteln, zumal
Brecht 1927 in seiner *Hauspostille* Gedichte veröffentlichte, die
viel früher geschrieben worden waren. Umgekehrt scheint Klabund seine Novelle *Gestellung*, die 1922 in *Kunterbuntergang
des Abendlandes* abgedruckt wurde und thematisch mit Brechts
*Ballade vom toten Soldaten* übereinstimmt, rückdatiert zu haben, um sich die Priorität zu sichern. Er versah sie mit dem
Entstehungsvermerk »1915«. Dieses Entstehungsdatum ist jedoch mehr als zweifelhaft, da Klabund im Jahre 1915 noch
keineswegs Pazifist war, vielmehr in einem Brief an Walther
Heinrich noch im Oktober 1915 lebhaft bedauerte, wegen seiner Gesundheit nicht am Militärdienst teilnehmen zu können.
Es ist also wenig wahrscheinlich, daß er im gleichen Jahre eine
pazifistische Groteske geschrieben haben sollte, in der er schil-
dert, wie ein Soldat noch als Gerippe k. v. geschrieben wird.
Von dergleichen Rivalitäten abgesehen, ergaben sich aber The-
menüberschneidungen schon durch die gleiche geschichtliche
Situation, in die Brecht und Klabund gerieten. Er schrieb im
Juni 1917 einen offenen Brief an Wilhelm II., einen Appell,
den Krieg zu beenden. Er formulierte seine naive Bestürzung
darüber, daß der Kaiser auf seinen Friedensruf nicht rea-
gierte, in einer chinesischen Parabel *Der Dichter und der Kaiser:* »Der junge Dichter liebte sein Vaterland sehr. Die Liebe zu
ihm hatte ihm den Pinsel zum Brief in die Hand gedrückt und
das Kästchen mit schwarzer Tusche. Aber seine wahrhaft unschuldig getane Tat wurde falsch gedeutet. Die Denunzianten
bemächtigten sich seiner, während er fern der Heimat weilte,
und beschuldigten ihn bei den Behörden des Kaisers des Vater-

landsverrates, der Majestätsbeleidigung, der Desertation.« Man
holte Klabund recht schnell aus dem chinesischen Milieu in die
deutsche Realität herab und sperrte den schwer Lungenkran-
ken zehn Tage unter ziemlich üblen Umständen in Untersu-
chungshaft, weil man in ihm einen Spartakisten vermutete.
Das *Tagebuch im Gefängnis* berichtet darüber. Es ist ein denk-
würdiges Zeugnis nicht nur des gesetzlichen Tohuwabohus der
damaligen Zeit, sondern auch für Klabunds poetische Zeit-
klagen, die wenig realistisch anmuten. Immerhin zeigten
manche seiner Gedichte nicht nur pazifistische, sondern auch
stark sozialkritische und revolutionäre Akzente, durch die er
sich bei der in Deutschland wieder die Macht ergreifenden
Reaktion nicht beliebt machte. In Wirklichkeit war Klabunds
Stellungnahme politisch allerdings nicht eindeutig, zeigte er
doch auch dem Sozialismus gegenüber mancherlei Skepsis. In
seinen grotesken Erzählungen *Der Volkskommissär* und *Der
Absolutismus bricht an* erweist er sich zum Beispiel als enra-
gierter Kritiker der bayrischen Räterepublik. Dem positiven
Engagement an den Marxismus wich Klabund, anders als
Brecht, aus, ohne jedoch je den Kontakt zur Linken zu verlie-
ren.
Seine zweite Frau, Carola Neher, heiratete den deutsch-ru-
mänischen Ingenieur Anatol Bekker, einen Kommunisten, und
emigrierte mit ihm nach Moskau. Sie wurde in den Stalin-
schen Säuberungsprozessen als »Agentin« zu zehn Jahren
Zwangsarbeit verurteilt und starb 1942 in einem sowjetischen
Gefängnis. Jedenfalls fehlt seit jener Zeit von ihr jede Spur.
Klabund selbst blieb erspart, in das Mühlwerk weiterer politischer Entscheidungen zu geraten. Er starb 1928 in Davos.
In seiner Heimatstadt Grossen an der Oder wurde er begraben.
Sein Freund Gottfried Benn hielt ihm die Totenrede. Er kenn-
zeichnete Klabunds Dichtung als eine »Wahrheit jenseits der
Empirie«: »Die Realität, von einer zivilisatorischen Mensch-
heit geschaffen und behauptet, keines Blickes, keines Lächelns
wert.« Und er schickte ihm einen Satz Joseph Conrads nach:
»... dem Traume folgen und nochmals dem Traume folgen
und so ewig – usque ad finem.«
Klabunds Nachruhm bot noch ein traurig absurdes Schauspiel,

an dem er selbst sogar mitinszeniert hatte. Dem nationalisti-
schen Literaturhistoriker Adolf Bartels, der die deutsche Literatur nach Juden abgraste, kam eine spaßhafte Äußerung Klabunds über seine »jüdische Großmutter« zu Ohren, woraufhin
er Klabund als jüdisch apostrophierte. Diese Charakterisierung
mußte er allerdings später revidieren.

Trotz seiner sozialkritischen und pazifistischen Verse geriet
Klabunds Werk nicht in die nationalsozialistische Bücherver-
brennung, aber nur ein unpolitischer Teil seiner Bücher durfte weiter ausgeliefert werden. Ein groteskes Nachspiel ergab
sich, als gegen Ende des zweiten Weltkrieges die Polen in
Crossen einrückten und dort Klabunds Grabmal zerstörten,
weil sie in Klabund eine Nazigröße vermuteten. Was in der
Zeit des Dritten Reiches tatsächlich erwogen wurde, nämlich
das Denkmal zu beseitigen, vollbrachten nun die Polen.

Ein merkwürdiges Schicksal traf auch Klabunds Nachlaß, soweit er sich im Besitze Carola Nehers befand. Während des
letzten Krieges saßen in Berlin mehrere Theaterleute in einer
Kneipe zusammen und sprachen über Carola Neher. Plötzlich
drehte sich am Nebentisch eine ältere Hure um und behauptete, eine Freundin der Neher zu sein und ihre Hinterlassen-
schaften zu besitzen. Der Regisseur Karlheinz Stroux suchte
sie auf und bekam tatsächlich, neben Kostümen und Kleidern
der Neher, eine ganze Kiste mit Klabund-Manuskripten zu
sehen. Er versprach, wiederzukommen, um für Gustaf Gründ-
gens, dem er davon erzählt hatte, den Nachlaß aufzukaufen.
In der folgenden Nacht war ein schwerer Luftangriff auf Berlin. Und als Stroux nach einigen Tagen zurückkam, war das
Haus vom Erdboden verschwunden. Von der Frau wie von
ihrem Klabund- und Neher-Besitz hat man nie wieder gehört.

Klabund überlebte im Gedächtnis der älteren Generation. Seine Bücher und Sammlungen tauchten nach dem Krieg zerstreut wieder in Bibliotheken auf und rechtfertigen, sein Andenken durch eine Neuauswahl seiner Werke zu bewahren.

MARIANNE KESTING

# Kleine
# Selbstbiographie

Ich bin, da ich dieses schreibe, siebenundzwanzig Jahre alt. Aber ich könnte auch schreiben: drei Jahre, oder: fünfzigtausend. Ich stamme irgendwo aus der Mark. Ich bin ein Preuße. Und meine Farben, die ihr kennt, sind schwarz und weiß. Schwarz, das ist die Nacht, und weiß, das ist der Tag. Ich bin Tag und Nacht. Ich bin in der Mark geboren, aber früher lebte ich einmal in China und schrieb, mit einer großen Hornbrille betan, kleine Verse auf große Seidenstreifen. Mein Weg ist noch weit. Wer mich eine Stunde begleiten will, soll mir willkommen sein. Immer wieder muß ich geboren werden. Ich kann mich noch gut erinnern, daß ich einmal ein Hase war und über die Felder hoppelte und Kohl fraß. Später war ich ein Geier, der den Hasen die Augen auszuhacken pflegte. So mordete ich mich selbst. Ich war gut. Ich war schlecht. Ich war schön und häßlich; liebreizend und entsetzlich, feige und tapfer, herrisch und knechtisch. Ich liebe die Menschen. Aber ich liebe sie nicht mehr als die Tiere oder die Sterne, mit denen ich gerade so zu sprechen vermag wie mit dir, mein menschlicher Bruder. Ich liebe die Frauen. Allen voran die liebste Frau, die mir Tochter und Mutter Gottes war. Sie ist längst an Gottes Thron zurückgekehrt. Dort steht sie, die Lilie in der Hand, und lächelt und weint auf mich herab. — Was ihr kennt, ist nur ein Teil dessen, was ich dichtete. Oft hat mir der Wind die Blätter verweht, auf denen ich schrieb. Ich habe bei meinen vielen

Wanderschaften zwei ganze Dramenmanuskripte verloren. Wer sie gefunden hat, soll sie behalten, ob er nun sein Zimmer damit tapeziert oder ob er sie seiner Frau nach dem Nachtmahl vorliest. Immer wieder muß ich mit heißer Klinge die klingenden Kämpfe in mir zu Ende fechten. Den Kampf der roten und der weißen Rose. Wenn ich einmal verblutet dahinsinke, soll man mir weiße und rote Rosen aufs Grab werfen. Das soll geschmückt sein wie ein Brautbett, und ein liebendes Paar soll wie Goldregen darauf niederstürzen. Und noch im Tode werde ich das neue Leben segnen.

*Locarno*, 1919

Romane

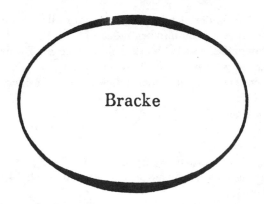

Bracke

Wer bist du?

Tritt näher, daß ich dir ins Gesicht sehe. Deine Wangen sind gefurcht, deine Augen verschleiert. Ahnungen hängen dir wie Fransen in die Stirn.

Wo ist dein Wissen? Dein Gewissen? Deine Wissenschaft?

Du weißt nichts.

Du weißt nicht einmal »nichts«. Du weißt nicht das Nichts und nicht das Etwas und nicht und nichts von dir.

Heute ergeht der Ruf an dich: mir zu lauschen und mir zu folgen.

Es ist nicht das erstemal, daß ich dich rufe. Erinnerst du dich jener Gewitternacht, als du aus dem Schlafe schrakst und den Blitz aus deinem Auge fahren sahst?

Übermüdet warst du: und also schliefest du wieder ein – und vergaßest – dich.

Als du am Grabe deines Weibes standest: einsam im hohen heißen Mittag: fuhr nicht ein Wind durch dich hindurch, als seist du ein Strauch? Und war der Wind nicht mild, und ent- zückte dich nicht sein Atem, und duftetest du nicht selbst wie eine Magnolie – schaukeltest Blüten und Äste?

Mein Freund, warum vergaßest du dich so sehr? Und warum vergaßest du meiner, der ich dir den Blitz und den Wind und heute das Wort sende?

Jede Stunde, jede Minute, jede Sekunde darfst du beginnen:

den neuen Weg, der dich in alle Tiefen, auf alle Höhen führen
wird. Gesegnet seist du und begnadet.

Die goldnen Schwestern warten des silbernen Bruders. Der
Mammut hat sich aufgemacht, dir den Pfad durch den Urwald
zu bahnen. Die Bambushecken knirschen unter seinem stamp-
fenden Hufe.

Glaube meinem Wort.

Liebe die Schwestern.

Hoffe auf den Helfer.

Es ist ein Regen niedergegangen, der hat die Ähren gebeugt,
aber sie werden sich wieder aufrichten und werden herrlicher
reifen denn je.

Es haben sich Wolken zusammengeballt, die Sonne zu ver-
dunkeln.

Die Wolken werden zerreißen, und die Sonne wird strahlen:
heller und heißer und holder denn je.


Hier hebt an ein löbliches und nützliches, ein leichtes und
schweres, ein lichtes und dunkles Buch: das Buch vom Bruder
Bracke.

Frühling lag wie eine rosa Wolke über Trebbin, als der Schnell-
läufer Bartolomäo, der, wie alle Vaganten und Maulwürfe, den
Winter verschlafen hatte, auf einem gescheckten Pferde, auf
dem er sich gleich einem berittenen Gestirn funkelnd bewegte,
Einzug hielt. Von Kindern und jungen Frauen umstaunt und
wie das Licht von Faltern umgaukelt, begab er sich auf das
Magistratsbureau, um die Erlaubnis zu seinem Schauspiel ein-
zuholen.

»Wir haben im Mai euresgleichen in Trebbin soviel wie Maikäfer«, schrieb der Bürgermeister; »der Frühling schüttelt euch
von den Bäumen. Ihr seid Volksverderber. Das Volk glaubt an
eure lächerlichen Sprünge, weil ihr euch ein paar bunte Lappen um den Bauch hängt. Laßt einmal einen Bauernburschen
siebenmal um den Markt herumlaufen: sie würden ihn aus-
lachen und ihn für einen Verrückten erklären.«

»Auch sonderbare Menschen wollen leben«, sprühte der Italiener, der sich nicht recht verständlich auszudrücken vermochte.

»Sonderbar! Sonderbar!« eiferte der Bürgermeister. »Ihr seid
es, der das Volk aus seiner Ruhe bringt. Aufruhr stiftet ihr an
und Krieg und Mord und Brand!«
Des Bürgermeisters dicke Backen flammten.
»Vater!« begütigte seine Tochter, Gattin des Bürgers Bracke
und im siebenten Monat schwanger, die dem Italiener aus der
ewigen Verwandtschaft des Weibes mit dem Vagabunden ge-
heimnisvoll zulächelte. »Der Fremde ist doch kein Mörder und
auch kein Soldat. Er ist ein Künstler. Er hat sogar einen Kunst-
schein vom Kurfürsten von Brandenburg. Er ist ein Schnell-
läufer. Ist es nicht ein hoher Genuß und verstärkt es nicht den
Glauben an die Menschheit, einen Menschen so schnell laufen
zu sehen, wie man selber nie laufen könnte? Und wenn er
dabei kuriose Gebärden und Sprünge vollführt: ist er nicht ein
Spiegelbild des Genies, erschüttert und erheitert er nicht zugleich?«
Der Italiener hüpfte verständnisvoll zustimmend.
Der Bürgermeister polterte.
»Dummes Geschwätz. Dir haben die Skribenten den Kopf ver-
dreht. Aber mag der welsche Leichtfuß und Springinsfeld auf
dem Markte für seine paar Groschen tanzen. Das Volk sorgt
schon durch karge Bezahlung, daß die Bäume des Genies nicht
in den Himmel wachsen.«
»Das Genie ist kein Baum, sondern ein Vogel oder eine Wolke«, sagte Maria.
Sie erschrak über ihre Worte. Verneinte und vernichtete sie damit nicht ihr und ihres Vaters und aller Trebbiner Werk und
Leben?
Der Italiener zog sich mit spiralenförmiger Verbeugung zurück.

Trebbin ist eine kleine Stadt im Märkischen.
Kinderspielzeug.
Man erwacht in den winzigen Gassen und meint, Augenauf-
schlag bedeute: ganze Welt, ganze Sonne, ganzer Mond.
Kiefer ist Traum aller Kiefern. Mutter: Mutter aller Mütter.
Auge erblickt den Kirchturm: kahl gewachsen. Baum aus rotem
Sandstein. Maikäferflug erscheint, zu Pfingsten unter den

Obstbäumen schwirrend. Seiltänzertruppe schwankt auf dünnen Seilen läppisch.

Gleich einem Dachfenster klappt das Auge zusammen, und das Ohr öffnet sich wie ein Scheunentor ererbten Klängen:
Pferdegetrappel an rostiger Karosse. Horn des Nachtwächters im violetten Abend. Brunnengeplätscher unter Sternen. Liebesseufzer hinter schattiger Gardine. Gespräch der Alten über Erde und Himmel, Krieg und Frieden, Braunbier und Speck auf braven Bänken unterm Torgeböge.

Jemand zerrt am Klingelzug der Witwe Murz, städtisch bestallter Hebamme.

Still! Still!

Augen geöffnet und Ohren und Herzen:

Ein Mensch, ein neuer Mensch ist geboren.

Als der Schnelläufer mit seinen Spinnenbeinen, seinem Molchleib, auf dem der Kopf sich im schweren und stoßweisen Atem wie eine Hornisse brummend bewegte, prahlerisch wie ein König und lächerlich wie ein Kasperle um den Markt lief, da wurde die Frau des Bürgers Bracke, die im siebenten Monat schwanger war und aus dem Fenster ihrer Wohnung das Komödienspiel betrachtete, dermaßen von einem Lachkrampf erschüttert, daß sie ohnmächtig hintenübersank und ihr vor Gelächter und Schmerz zuckender Leib zwei Monate zu früh eines Kindes genas, welches, da niemand es für lebensfähig hielt, die Nottaufe empfing, das aber im Gefolge sich kräftiger und stärker erweisen sollte als alle Athleten, alle Bürger Trebbins und manche Herren und Fürsten der Welt und das mit einem Lächeln seiner Augen, einem schiefen Zucken seines Mundes einen Kurfürsten und Kaiser selbst zu Boden zwang.

Furchtsam wie eine Muschel öffnet sich des Bürgers Herz. Aber schon schließt es sich wieder gewaltsam: denn eine bittere Flüssigkeit spritzt aus dem süßen Wasser, darin sie leben, in ihr Gehäus.

Wie unter den eleganten Arkaden der Renaissance aus der himmlischen Luft Italiens die Pest sich nebelhaft plötzlich ballte: wie eine tausendjährige Eiche aus Rache an ihrer stämmigen Beständigkeit plötzlich einen kolbenhaften Auswuchs er-

zeugt, der ihre Wurzel bedroht: wie aus uralt angesehener Bür-
gerfamilie, die jahrhundertelang Priester, Geheimräte, Kaufleute, Hofkonditoren und Offiziere züchtete – nachdem Dreck
und fremde Stoffe ihr plötzlich ins Blut gedrungen –, mit eins
ein fabelhafter Bastard springt: Maler unheimlicher Gemälde,
Erfinder teuflischer Töne, himmlischer Musik, Dichter unwah-
rer Wörtlichkeit: – so war Trebbin eines Tages nicht es selbst.
Schwer trächtig an Sturm und Leben nach soviel hundert Jahren Tod und Ruhe, brachte es einen Drachen zur Welt, der es
anschnaubte mit grünlichen Dämpfen, darin die Schlechten
elend krepieren, die Guten emporblühen sollten: ein Fabel-
wesen, Kröte und Schmetterling, Storch und Stier zugleich.

Es ist dunkel um mich her, sprach Bracke, als er in seiner Mutter
lag, aber ich will zum Licht.
Da gebar sie ihn.
Nun, da er das Licht sah und seine Finsternis, die Wolken, welche Sonne, Mond und Sterne verhüllten, den Nebel, der vor
den Augen der Menschen, die Bosheit, die vor ihren Herzen
lag – da glaubte er vordem unter seiner Mutter Herz in dunkler Höhe dennoch hell im Hellen gelebt zu haben.

Der Maimond wanderte bleich am Fenster vorüber. Die Maikäfer rasselten leise im Laubwerk der Bäume.
Physikus Bracke war zu seinem monatlichen Schoppen in den
»Bären« gegangen. Nur einmal im Monat gönnte er sich an-
derthalbe Bier. Sein dürftiges Einkommen gestattete nur diese
einmalige Ausschweifung; sein pedantischer Sinn legte der
unfreiwilligen Abstinenz sittliche Motive zugrunde.
Die Bürgerin Bracke hatte mit dem Kinde gespielt und selig
ihn gerufen: »Bracklein! Brücklein! Brücklein zum Himmel!
Regenbogen! Zitronenfalter!«
Sie war müde geworden, und nun atmete das Kind im Schlaf
an ihrer Brust.
Unhörbar fast wehten die Flügel der Tür auseinander.
Sie rief: »Bracke!« ihren Gatten vermutend. Aber wie sie sich
matt emporrichtete, sah sie, daß ein Reigen schöner Frauen,
neun an der Zahl, die Kammer betrat.

»Ihr kommt zu später Stunde, Nachbarinnen, mein Wochen-
bett zu besuchen«, lächelte sie, nun ganz ermuntert, denn sie
glaubte in der ersten der Frauen im gelben Zwielicht die Frau
des Gerichtsassessors zu erkennen.

»Wir kommen noch immer zur rechten Zeit«, sagte Kalliope, an
Antlitz und Gestalt der Frau Gerichtsassessorius gleichend und
doch von ihr entfernt durch eigenen Adel der Bewegung und
der Sprache.

»Euer Gatte wäre gewiß nicht gut auf uns zu sprechen«, sagte
Klio, die zweite, und ihre Sprache tönte dunkel wie das Echo
ferner Kriegstrompeten.

»Mich wohl würde er niemals begreifen«, sprach ernst und
voll verhaltener Trauer Melpomene, die dritte. Eine kleine silberne Keule trug sie in der rechten Hand. »Ich bringe Euch,
Bürgerin Bracke, für Euren Sohn mein Patengeschenk, und
danke Euch für Eure Einladung, Pate bei ihm zu stehen.«
Damit legte sie die kleine silberne Keule auf die Bettdecke.
Das Kind begann im Traum zu weinen.

»Ich nenne sie Ananke, diese kleine Keule, sie wird Eures Sohnes
Hammer sein zum goldenen Amboß: Schmerz und Andacht. Ich
habe sie aus Silber gewählt. Meinen früheren Patenkindern
mußte das graue Eisen für Hammer und Amboß genügen.«
Die Bürgerin Bracke sah der schönen Frau, welche die Züge der
Frau Apotheker trug, erstaunt ins Gesicht. Acht von den neun
Frauen schienen ihr Gevatterinnen und Freundinnen und doch
in der Dämmerung der Mainacht wunderlich und geisterhaft
verwandelt.

Thalia, die lustige Frau des Aktuars, trat vor und lachte. Sie
kitzelte das Kind leise mit einer Gänsefeder unterm Kinn. Da
lachte es im Schlaf, und auch die Bürgerin Bracke lachte.

Urania, die kleine verwachsene Frau des Küsters, stand am
Fenster und betrachtete den Mond und die Sterne.

Terpsichore und Erato, die beiden hübschen Töchter des Kauf-
mannes, die immer Hand in Hand gehen, versuchten einige
Pas eines französischen Menuetts.

Euterpe, die kunstfertige Frau des Brauers, hatte ihre holzge-
schnitzte Flöte mitgebracht und blies den schönen Schwestern
zum Tanz.

Da trat die letzte der Frauen, das Antlitz im Schleier verhüllt, ans Bett. Die Bürgerin Bracke erinnerte sich nicht, sie je gesehen zu haben, doch dünkte es sie, als vereine sie Sprache, Kleidung, Gebärde und Tugend aller acht in sich, und als müsse es süß sein, eine solche Freundin zu haben.

Die Verhüllte sprach: »Dein Sohn, Mutter, ist nicht dein Sohn allein: er ist unser aller Sohn: er wird weinen und tanzen, Flöte spielen, lachen und die silberne Keule schwingen lernen. Er wird zu den Gestirnen blicken und auf Kalliopes Tafel die himmlischen Ziffern schreiben, aber am Ende ist er doch mein Sohn, und ob er vielleicht mich nie erkennt: er wird wie ich verhüllt durchs Leben schreiten, und seine wahre Anmut und seine tiefste Weisheit wird wie hinter Schleiern sein.«

»Wie ist Euer Name?« wagte Bürgerin Bracke zu fragen.

»Polyhymnia.«

Die Bürgerin Bracke hörte rumoren auf der Treppe. Furcht schlug ihr ins Angesicht, die Frauen möchten zu so später Stunde ihrem jähzornigen Gatten begegnen – da verneigten sie sich stumm und schwebten durch die Tür und an ihrem Manne vorüber, der soeben schimpfend die Kammer betrat.

»Was ist das für ein parfümierter Gestank im Zimmer? Ich werde das Fenster öffnen.«

»Tu es nicht, Mann«, flehte die Frau, »die feuchte Nachtluft ist Gift für Wöchnerinnen.«

Brummend begann der Physikus sich zu entkleiden.


Bracke lächelte.

Da ließ sich ein Schmetterling auf seiner Stirne nieder, vermeinend, daß sie eine Blüte sei.

Bracke weinte.

Da fiel der Himmel in Wehmut.

Unaufhörlich regnete es.

Die Weidenbüsche an den Teichen von Trebbin seufzten. –

Die Mutter brachte ihm einen Ball.

Er spielte.

Er warf ihn so hoch in den Himmel, daß er nicht mehr auf die Erde zurückfiel.

Er kam mit leeren Händen zur Mutter.

Ihr hölzernes Antlitz spaltete sich wie ein Holzblock, in den eine Axt fährt.

»Wo hast du den Ball?«

Bracke wußte es nicht.

Da hob sie die harte Hand und schlug ihn.

Aber sie traf nicht seine Wange, sondern wo ihm der Kopf zu sitzen pflegte, da glänzte ihr, ohne Augen, Mund und Nase: glatt und spielerisch, doch ernst und drohend, der Ball entgegen.

Sie erblaßte und wischte sich mit der Hand über die Stirn.

Bracke war sechs Jahre alt, als er eines Tages vor seinen Vater trat und sprach: »Ich will –«

Der Physikus, der vom Schröpfen kam und ein wenig mit Blut bespritzt war, schnaubte sich ärgerlich entsetzt die Nase.

»Was ist das für ein ungehöriger Ton seinem Herrn Vater gegenüber! Was heißt das: Ich will ... ich will. Was will Er? Wenn sein Wille mit dem meinen korrespondiert, soll sein Wille geschehen.«

Bracke äugte freimütig und sagte klar und deutlich:

»Ich will ein Tier werden.«

Der Physikus zuckte einen Schritt zurück. Er hob die Hand, zauderte, warf die Arme auf den Rücken und begann mit seinen hölzernen Pantoffeln den Steinfußboden des Erdgeschosses zu klopfen.

Bracke lauschte dem Geräusch der klappernden Holzsohlen. Es dünkte ihm von einer dumpf geahnten Gesetzlichkeit und einem harmonischen Rhythmus gleichartig wiederkehrender Töne. Klappert weiter, ihr Sohlen, bis ich Worte zu eurem Geräusch gefunden und Sinn zu eurem Singen.

Er vergaß völlig die Gegenwart seines Vaters. Er dachte: Worte! und begann sinnlos zum Geräusch der Pantoffeln zu schreien: »Hei ... hei ... hei ... hei ...«

Der Physikus blieb stehen.

»Ist Er verrückt? Was brüllt Er so? Er ist doch kein kleines Kind mehr.«

Bracke dachte: Kind: und sah sich unter den Kindern der Straße: Sand im Gesicht, mit kotigen Füßen und schmieriger Jacke.

»Hör' Er«, sagte der Physikus, »Er ist ein Mensch, ein kleiner Mensch. Weshalb will Er ein Tier werden? Wer hat Ihm diesen gottlosen Unfug eingegeben?«

Bracke streckte seine zur Faust geballte linke Hand vor und öffnete sie.

Auf der Fläche seiner Hand lag eine Schnecke.

»Die habe ich gefunden«, sagte Bracke, »und deshalb will ich ein Tier werden.«

Die Schnecke bog vorsichtig ihre Fühler aus und kroch langsam, weißen Schleim auf der Haut zurücklassend, am Zeigefinger empor.

»Die Schnecke hat ihr Haus immer bei sich«, sagte Bracke, »wenn man ihr weh tut, kriecht sie hinein. Wenn man mir weh tut, habe ich kein Haus.«

Er sah groß und gerade dem Physikus ins Gesicht.

Der errötete vor dem Kinde. Scham ließ seine Knie zittern.

Ich kann dieses Kind nicht lieben. Es ist ein Tuch voll unreinen Wesens. Gott straft mich mit seiner Unbotmäßigkeit.

»Ungeziefer«, bellte er und schlug dem Kind die Schnecke aus der Hand.

Sie fiel auf den Boden. Er zertrat sie knirschend.

»Zertretet mich, Herr Vater«, flehte Bracke.

»Besser wäre es vielleicht, ich erschlüge Ihn, ehe Er wie Unkraut hochwuchert und es zu spät ist zum Jäten.«

Bracke saß in der Schule, im Dunkeln halb, auf letzter Bank.

Aus halbem Dunkel träumte er sich ins Dunkel ganz. Eulen kreischten von steinernen Türmen, Raubritter schlichen durch den Forst. Kaufleute jammerten, ihrer Gewürze und Teppiche beraubt. Ein blasses Kind, ihm selbst nicht unähnlich, entfloh und versank im Sumpf.

Der Lehrer, krumm und kantig, schrie wie falsche Töne auf der Orgel, wenn man danebengreift:

»Bracke, dreimal eins ist –?«

»Eins«, sagte Bracke, aus dem Dunkel ins Grelle gerissen.

»Falsch«, sagte der Lehrer, »du träumst.«

»Ist Gott nicht drei: Vater, Sohn und Heiliger Geist – dreimal eines – und doch eins?«

Der Lehrer krümmte sich tiefer – wie ein Kater, der einen
Buckel macht: »Was in der Religion richtig, das ist im Rechnen
und in der Mathematik falsch. Setz dich einen Platz herunter,
Bracke.«

Soldaten des Kurfürsten marschierten unter ihrem Hauptmann
Eustachius von Schlieben mit Trommeln und Flöten durch
Trebbin. Sie sahen in ihren bunten Wämsen aus wie Perlhüh-
ner und Fasanen und krähten und gackerten wie Hähne und
Enteriche.
Bracke lief neben dem Falben des Hauptmanns.
Der hob ihn zu sich aufs Pferd:
»Wer bist du, Kleiner?«
»Ein Mensch wie du«, sagte Bracke.
»Aber ohne Helm, Panzer und Schwert«, lächelte der Haupt-
mann.
»Aber mit Kopf, Herz und Händen«, lächelte Bracke.
Der Hauptmann ließ ihn sanft wieder vom Pferde gleiten.
»Ich will mir deinen Namen merken, kleiner Mensch. Viel-
leicht, daß ich statt eines Soldaten einmal eines Menschen be-
darf.«

Bracke traf einen Juden auf der Straße, der Katzenfelle kaufte.
Kinder und Halberwachsene kamen mit weißen, schwarzen
und gesprenkelten Katzenfellen, die noch von frischem Blute
trieften.
Bracke schrie.
Er lief durch die holprigen Gassen: leise, eilfertig. Überall,
wo er eine Katze sah, sprach er ihr leise ins Ohr: »Lauf, Katze,
flink aufs Feld! Kehre sobald nicht zurück! Der Katzentod ist
in der Stadt und trägt einen schwarzen, wehenden Kaftan. Er
hat einen spitzen Bart, einen Sack über den Schultern und
riecht nach Zwiebeln.«
Die Katzen rieben sich schnurrend an seinen Beinen, wehten
mit dem Schwanz wie mit einer Fahne und entsprangen:
dankbar ihn begreifend.

Der Physikus brach den lateinischen und griechischen Unterricht, den er Bracke gegeben, plötzlich ab.
»Was hast du?« fragte seine Frau. »Willst du einen Dummkopf
aus ihm machen?«
Der Physikus klopfte an die Fensterscheibe.
»Leider ist er kein ehrlicher Dummkopf, sondern ein unehrlicher Philosoph, so klein er ist. Er glaubt, er sei klüger als ich.
Er weist sich von dem unerträglichen Wahn seiner kleinen Größe und Bedeutsamkeit besessen. Ein zehnjähriges Kind – und
will mich lehren, Virgil zu begreifen. Ich habe kein Geld, dieses
kindliche Monstrum studieren zu lassen. Woher nehmen, wenn
nicht stehlen. Stehlen? Er, glaube ich, wäre zum Diebstahl
fähig. Er hat keine moralischen Qualitäten.«
»Mann«, sagte die Frau, die furchtsam lauschte, »die sollst du
ihn doch lehren.«
»Papperlapapp. Man *ist* tugendsam oder nicht. Das Kind ist
vom Teufel besessen. Du hast dich in deiner Schwangerschaft
an dem fahrenden Volk, das damals Trebbin verpestete, versehen. Er ist nicht mein Kind. Er ist das Kind eines Schnell-
läufers und Seiltänzers. Er muß in strenge Zucht kommen. Er
muß ein ehrenwertes Handwerk lernen. Mag er Brauer oder
Stellmacher oder Metzger werden.«
»Metzger! Mann!« entsetzte sich die Frau. »Er kann kein Tier
töten! Keine Pflanze aus dem Boden reißen!«
»Um so schlimmer, so wird er auch das Tier in sich nicht
töten.« – Die Frau weinte.
»Warum darf er kein Gelehrter werden? Er ist klüger als alle
seine Altersgenossen, und seine Augen sind die eines erwachsenen Mannes: groß und leidenschaftlich und wie Pfeile nach
einem Ziele gerichtet.«
»Nimm ihn auf deine Reise nach Berlin zu deiner Verwandtschaft mit. Er soll die große Stadt sehen. Entweder sie erfüllt
ihn mit Ekel und gibt ihm die Würde seines Menschentums
zurück, oder er wird sich an ihrem Bildnis zugrunde richten.«

Die Bürgerin Bracke erzählte morgens, wenn ihr Mann auf
Krankenbesuchen war, dem kleinen Bracke von der großen
Stadt.

»Da wohnen in einer Gasse soviel Menschen wie hier in ganz Trebbin. Sie tragen modische Kleider, lederne Schuhe und weißgepuderte, elegante Perücken. Sie essen den ganzen Tag Tauben und Fischragout und gebratene Krammetsvögel und junge Saatkrähen und trinken die feinsten und teuersten Ungar- und Spanierweine dazu. Sie reiten durch die Straßen auf glänzenden Pferden und schwenken die Federhüte vor den schön wandelnden Frauen. Musik erschallt aus den Häusern und munteres Lachen der Kinder vom Bad am Fluß. Ich denke«, die Bürgerin Bracke seufzte, »die Menschen sind dort glücklicher als hier. Ich habe die schönsten Tage meiner Kindheit und Jugend in Berlin verlebt.«
Bracke saß mit brennenden Wangen da.
»Mutter«, sagte er, »laß uns nach Berlin gehen.«

Unter strömendem Regen fuhr die Postkutsche in Berlin ein.
Bracke fror.
Er hustete, und seine Augen waren entzündet.
Er mußte zu Bett gebracht werden und lag wochenlang krank.
Das, dachte er, ist nun das Glück. Das ist Berlin, die Stadt der Buden und Karusselle, der funkelnden Herren und rauschenden Damen!
»Mein kleiner Freund«, sagte der Medikus, der täglich an sein Krankenlager kam, »nur nicht den Kopf verlieren. Eine kleine Lungenentzündung ist doch nicht das Schlimmste im Leben. Bedenke Er, wenn sein Hirn entzündet wäre und Wahnsinn und Verbrechen gebäre! Er hat einen klugen und klaren Kopf, und wenn Ihm auch der Besuch in Berlin verregnet, vereitert und vereitelt ist, bedenke Er, daß Er einmal etwas darstellen muß im Leben und daß Er einmal etwas Exzellentes prästieren soll. Darauf muß sein Trachten gehen, aber nicht auf einen Sonnentag, einen Sonntag mehr oder weniger.«
Ohne viel mehr als nasse Straßen und mißmutige Menschen gesehen und den gleichförmigen Tropfenfall des Regens gehört zu haben, kehrte Bracke mit seiner Mutter nach Trebbin zurück. —
Eines Tages entdeckte ihn seine Mutter auf dem Schutt- und Abfallhaufen hinter dem Hause bei der Regentonne im Gebet

versunken. Und sie hörte ihn beten zu Gott, daß Gott ihn möge
einst etwas Exzellentes prästieren lassen.
Da ging sie leise und abgewandt in das Haus, setzte sich auf die
Küchenbank, faltete ruhig und wie erlöst die Hände im Schoß.

»Mutter«, sprach Bracke, »erzähle mir ein Märchen!« Und die
Mutter erzählte: »Es war eines heidnischen Königs Tochter;
das ist viele Jahrhunderte her, und ihren Namen weiß niemand mehr. Die war von großer Schönheit, Sanftmut und
Klugheit und wurde von einem heidnischen Fürsten zur Ehe
begehrt. Sie aber hatte sich insgeheim Jesus Christus versprochen und wies das Ansinnen des Fürsten zurück. Darob erzürn-
te ihr Vater und ließ sie in ein finsteres und feuchtes Gefängnis
zu Ratten, Würmern, Schlangen und Molchen werfen. Da geschah es, daß selbst die bösen Tiere gut zu ihr waren. Sie teilte
mit den Ratten schwesterlich das Brot, die ihr zu Dank wie
kleine Hunde ihren Schlaf behüteten. Die Schlangen, die sie
aus ihrer Schale tränkte, spielten am Tage listig und lustig mit
ihr. Einmal ging das Tor, und Christus selber trat herfür. Er
streichelte ihre Wangen und tröstete sie. Sie aber bat ihn, daß
er ihr eine Gestalt möge verleihen, darin sie niemand mehr ge-
fiele denn ihm allein, damit sie keinerlei Anfechtungen mehr
ausgesetzt sei unter den Menschen. Da hob Christus die Hand,
segnete sie und verwandelte sie in ein häßliches, affenähnliches
Geschöpf. Als ihr Vater, der heidnische König, sie also sah, erschrak er heftig und machte eine Gebärde des tiefsten Ab-
scheus. ›Dies‹, sprach er, ›ist nicht meine schöne und kluge und
sanfte Tochter. Dies ist ein schmutziges und abscheuliches
Tier.‹ Sie jedoch lobpreiste den Herrn und sprach: ›Ich war
Eure Tochter und bin es nicht mehr, da ich mich dem gekreu-
zigten Gott versprochen habe.‹ Da sprach der heidnische König: ›So sollst auch du gekreuzigt werden wie dein Gott.‹ —
Und seine Häscher ergriffen sie, und sie wurde gekreuzigt wie
einst der Heiland. Wer sie aber anruft in Bedrängnis und Not,
dem wird geholfen alsobald. Und da ihr Name, der ein heidni-
scher war, längst vergessen wurde, so rufe in deiner Kümmernis nur nach Sankt Kümmernis. Die Heilige weiß alsdann, daß
sie gemeint ist.«

Es lebte in der Stadt ein italienischer Conte namens Gaspuzzi;
der war aus Mailand gebürtig und viele Jahre alt, die niemand
zu zählen vermochte.

Er hauste in einem ärmlichen Zimmer des Gasthauses zum
Stern; darin war nichts als ein Bett, eine Bank, ein Stuhl und
ein Kleiderhaken; im Winter aber wehte eine solche Kälte in
seiner Kammer, daß er wohl wochenlang im Bett blieb, denn
das Zimmer besaß keinen Ofen.

Man hatte den Conte nie weder essen noch trinken sehen, und
wunderliche Gerüchte gingen über ihn um.

Es hieß, daß er von der Musik lebe, denn überall, wo Musik zu
hören war, sei es in der Kirche das Orgelspiel oder das Dudel-
sackpfeifen der Komödianten, war der Conte anzutreffen und
stand, den Kopf leicht seitwärts geneigt und lauschte.

Da er aber vermögenslos und zu arm war, ein musikalisches
Instrument zu besitzen, hatte er sich unbeholfene Zeichnungen
von Instrumenten verfertigt, die hingen nun an den kahlen
Wänden seines Zimmers: da hingen Bratsche, Flöte, Zimbel,
Orgel, Handharmonika und Dudelsack.

Er aber hatte viele Notenblätter italienischer Musik, weltliche
und kirchliche, die verstand er ganz ohne Vermittlung eines
Instrumentes zu hören, und las sie, in seinem Bette spitz zu-
sammengekauert, verzückt mit den Händen taktierend.

Als der Conte Bracke zum erstenmal begegnete, da trat er auf
ihn zu und sprach: »Bleibe stehen!«

Und der Knabe stand.

Da neigte er den Kopf und lauschte wie einem Musikstück.

Dann sprach er: »Du hast einen sonderbaren Ton in dir. Du
bist nicht wie andere Menschen. Du singst. Laß hören«, und er
legte sein Ohr an des Knaben Brust und horchte wie in einen
Brunnen hinein.

Er schnellte den Kopf in die Höhe:

»Moll und Dur widerstreiten. Die Skala deiner Töne ist groß.
Nicht überspannen! Ach! Nun lächelst du! Wie süß das klingt.«

Der Physikus trommelte mit seinen harten Knöcheln auf den
Tisch. Die Augen waren ihm hervorgequollen wie zwei Frösche.

»Er hat mein Haus in Unehre gebracht. Er hat mit dem Schinder und Abdecker gesprochen. Bereut Er seine Sünde?«
»Nein«, sagte Bracke.
Der Physikus bebte.
Seine Frau lief ängstlich wie eine Ente auf und ab.
»Wird er mir gehorchen und künftig einen weiten Bogen um Henker, Hexe und Schinder schlagen?
Wird Er das Kreuz machen, wenn Er ihnen unvermutet begegnet?«
»Ich werde Euch nicht gehorchen, auch wenn Ihr mein Vater seid«, sagte Bracke. »Auch der Schinder ist ein Mensch. Die Menschen haben ihn dazu verurteilt, Schinder zu sein, und eine Bürde ihm auferlegt, die selbst zu tragen sie sich schämen. Zu feige sind sie, ihre Feigheit zu gestehen. Man muß Gott mehr gehorchen als den Menschen.«
»Ich werde Ihn Mores lehren!« schrie der Physikus. Er sprang vom Stuhle auf und schwang die Hundepeitsche.
Die Frau verbarg ihr Gesicht in den Händen.
»Aus dem Haus!« brüllte der Physikus und peitschte Bracke zur Tür.

Bracke setzte sich in den Schatten eines Baumes. Der Schatten legte sich über ihn wie eine Decke.
Da bedachte Bracke und sprach: »Schatten – bist du der Sonne Feind?«
Der Schatten sprach: »Wie sollte ich ihr Feind sein – da ich durch sie erst bin.«
Bracke streifte durch die Wälder.
Er sammelte Pilze und Kräuter.
Eines Tages sah er, wie ein Eichhörnchen, das im Begriffe war, ein Schwalbennest auszunehmen, von zwei Schwalben angegriffen wurde, die es dermaßen bedrängten, daß es zerzaust und zerstochen sein Heil in der Flucht suchte.
»Du bist ungerecht«, sagte das Eichhörnchen zu Bracke, der den Kampf beobachtet hatte, »steht nicht geschrieben, daß man dem Schwachen helfen soll? Und bin ich nicht der Schwache?«
»Aber du bist als der Stärkere ausgezogen«, sagte Bracke.
Das Eichhörnchen sprang von dannen.

Bracke begab sich zu einem Uhren- und Brillenmacher in die Lehre.

Da sah er durch mancherlei optische Instrumente die Welt bald riesengroß, bald zwergenklein.

An den Uhren arbeitend, ziselierend und bastelnd, gelang es, die Zeit stillestehen zu lassen oder, durch Korrektur des Räderwerks das Tempo beschleunigend, in Tagen Jahre dahinzusausen. Plötzlich, den Zeiger verlangsamend, in die Vergangenheit zu entgleiten.

So ward er bei dem Uhren- und Brillenmacher vieler Dinge kundig und sann, indem er die Zeiten regelte und die Stunden klingen ließ, auf Zukunft, Gegenwart, Vergangenheit und alle Ewigkeiten. Und rief an Markttagen seine Uhren aus und pries sie Städtern und Bauern an:

> Uhren, Uhren zu verkaufen!
> Viele Zeiten,
> Alle Zeiten,
> Hunderttausend Ewigkeiten
> Sind schon wieder abgelaufen –
> Horch: am Sims der Frühlingswind –
> Und der Sturm
> Um den Turm
> Endet Winters Leid und Streit –
> Es beginnt
> Eine neue Zeit!
> Möchte nicht ein jeder wissen,
> Was es hoch vom Baum geschlagen –
> Frühlingswolken wehn wie Flocken –
> Sind die Knospen ausgeschlagen,
> Klingen bald die Blütenglocken –
> Uhren kann der Mensch nicht missen,
> Laubumwunden,
> Die die Stunden
> Und – sogar die Wahrheit sagen –
> Uhren, Uhren, Kreaturen,
> Gottesuhren –
> In uns allen tackt und tickt es,

Gottes Uhrwerk – uns beglückt es –
Strömt im Baum der Saft,
Schwillt in Flut des Meeres Kraft,
Ziehn die Sterne ihre Runden,
Schlägt das Herz die roten Stunden,
Bis das Werk einst abgelaufen –
Grinsend höhnen die Lemuren:
Uhren, Uhren,
Uhren, Uhren zu verkaufen!

Als Bracke in einem Jahre ausgelernt und sein Gesellenstück:
eine Standuhr, deren Räderwerk einen Seiltänzer in Bewegung
setzte, verfertigt hatte, begab er sich auf die Wanderschaft.
Er traf eine Schlange, die vor ihm des Weges zog.
»Wohin gehst du?« fragte er die Schlange.
»In der Richtung meines Kopfes.«
»Da gehen wir zusammen.«
»Gewiß nicht«, sagte die Schlange, »denn du gehst in der
Richtung *deines* Kopfes und ich in der Richtung *meines* Kopfes
– oder haben wir denselben Kopf?«

Auf Tannen hatten die Prozessionsraupen ihre Nester errichtet.
Nachts krochen sie die Bäume herab, in langer Prozession, zu
fressen.
Bracke sah sie, wie sie zu Tausenden blind der ersten Blinden
folgten, die dennoch den Weg wieder in ihr Nest zurückfand.
So sind wir Menschen, dachte Bracke. Blind wanken wir durch
die Wehmut der Welt. Der am wenigsten Blinde ist unser Führer. Wir müssen dem Himmel danken, wenn wir nur dies erkennen – und uns seiner Führung anvertrauen.

Bracke betrat eine Kirche.
Er sah ein Mädchen sich vom Beichtstuhl erheben und von
dannen schleichen.
Er setzte sich in den Beichtstuhl, da fühlte er alsbald eine Hand
über seine Wange streichen, und die Stimme des Priesters flüsterte: »Liebes Mädchen – wann kommst du wieder beichten?
Morgen?«

Als aber der Priester plötzlich den Anflug von Bart in den Fingerspitzen spürte, schrie er leise auf:
»Mädchen – was ist mit dir?«
»Ich bin der Teufel«, sagte Bracke, »gekommen, dich in die Hölle zu holen für deine böse Tat und die Verderbnis deiner Sitten.«
Der Priester wimmerte: »Wie kann ich mich retten vor deiner Rache?«
»Wisse«, sagte Bracke, »daß jegliches Mädchen, das dir zu beichten in deinen Beichtstuhl tritt, ich bin, immer ich, der Teufel. Welcher Gestalt sie auch sei: jung oder alt, hübsch oder häßlich, schlank oder feist. Wage niemals mehr, dich einem Mädchen (das heißt: mir) unzüchtig zu nahen, sonst bist du mir ganz und gar verfallen, mir, dem Teufel, du Teuflischer.«
Zitternd schwur der Priester Besserung.
Auf diese Weise rettete Bracke die Frauen vor den Gelüsten des unsauberen Pfaffen.


Derselbe Jude, der Katzenfelle gekauft hatte, kam in eine märkische Stadt, alte Münzen zu kaufen: gute, alte, märkische Groschen, die man Märker nennt.
Bracke traf ihn und sprach: »Komm mit mir, Jud!«
Und der Jude sprach: »Hast du Geld?«
Bracke spreizte die Finger.
»Ich weiß eine geheime Stelle, wo Tausende alter Märker liegen – und von den allerbesten und wertvollsten.«
Der Jude schwankte.
»Laß sehen, laß sehen – ich verspreche dir, wenn du die Wahrheit redest, einen richtigen Esel, darauf zu reiten.«
Bracke schritt voran.
Der Jude folgte. Sein Kaftan wölbte sich unter den Stößen des Windes.
Und Bracke führte ihn durch die Pappelallee auf den Kirchhof und öffnete das Beinhaus.
»Hier liegen die allerbesten Märker – bessere, als du sie je jetzt finden wirst...«
Brackes Augen flammten: zwei Monde.

Bracke nahm ein Mädchen mit sich zu Bett. Am Morgen, da er
bei ihr lag und sie ihm ihr grünliches Gesicht zuwandte, er-
schrak er.
Er stützte den Kopf auf das Fensterbrett und blickte ins Mor-
genrot:
Ich hätte gleich mit einer Greisin schlafen gehen sollen – so
wäre mir dies erspart geblieben.
Bracke kasteite sich: er legte sich des Nachts, da es Winter war,
draußen in den Schnee.
Denn er fürchtete, daß er das Mädchen zu sehr liebe.
Am Morgen aber erwachte er in wohliger Wärme.
Da lag das Mädchen über ihm und hatte ihn die ganze Nacht
im Schnee mit ihrem Leibe zugedeckt.
Er erhob sich und wanderte von ihr, weil er ihre Liebe nicht
ertrug.
»Ich bin's nicht wert«, knirschte er und knarrte mit den Zähnen.
Die Tränen stürzten ihm über die Wangen, als er von ihr ging.
Sie aber blieb versteinert für alle Zeiten auf dem Marktplatz
stehen: eine Brunnenfigur, aus deren Brüsten ewig das Wasser
der Tränen springt, die sie aus den Augen in ihr Herz zurück-
gedrängt.

Bracke beschloß, sich als Kaufmann zu versuchen. Er reiste ins
Land Mecklenburg und kaufte dort zweihundert Ziegen und
Böcke und trieb sie auf den Laurentiusmarkt nach Jüterbog.
Er wurde aber unterwegs von adligen Schnapphähnen ange-
fallen, die mit den eisernen Schnäbeln nach ihm stießen und
ihn aller seiner Geißen und Böcke bis auf einen alten Bock be-
raubten.
Diesen alten Bock an einer Leine wie einen Hund hinter sich
her führend, kehrte er nach Trebbin zurück, das seine Eltern
vor einem halben Jahre verlassen hatten, um nach Striegau im
Schlesischen überzusiedeln, wo der alte Physikus gestorben und
eine bessere Einnahme für Bürger Bracke zu gewärtigen war.

In Trebbin empfing man Bracke mit den neuesten Neuigkei-
ten: daß das Schießhaus auf dem Graben nach der Spree zu

abgebrochen und vors Steintor gesetzt – daß im Juni ein Maurergeselle Samuel Klopsch bei Abputzung des Simses an des
Eustachii Möllers Stadtmusizi Hause am Markt drei Etagen
hoch heruntergefallen und beim Leben geblieben, daß er nach
wie vor arbeiten kann – daß ein Bauernweib sechs lebendige
Kinder zur Welt gebracht – und was dergleichen Sonderbarkeiten mehr sind. Auch sei der König von Polen den 27. Juli
mit drei Wagen durch Trebbin passiert, und die größte Merkwürdigkeit stehe noch bevor, indem der moskowitische Zar, der
am 18. September mit fünf Wagen durch Trebbin nach Dresden gegangen sei, in den ersten Tagen des November nach
Trebbin zurückkehren werde. Zu seinem Empfang reite ihm
der brandenburgische Kurfürst morgen bis Trebbin entgegen.
In der Stadt herrschte große Aufregung, als wolle man das
Königsschießen feiern. Fahnen hingen aus den Häusern in
brandenburgischen und russischen Farben, und die Türen der
Gasthäuser waren mit Tannenreisern umkränzt. Denn die Ansage, daß der moskowitische Zar zwei Tage in Trebbin verweilen werde, hatte viele Fremde und Neugierige herbeigelockt.
Bracke schlenderte beschaulich durch die Gassen, begrüßte Bekannte und gelangte am Abend auf den Salzplatz, wo es wie
auf einem Jahrmarkt zuging.
Bier- und Branntweinwirte hatten ihre Zelte aufgeschlagen,
auf einem holprigen Tanzboden drehten sich unter des Himmels sternbesäter Decke junge Paare, daneben gab es allerlei
Schaubuden, in denen eine Blutsauger-Vampirfamilie, das Rad
der Welt, ein Bär, Ratten, so groß wie Hunde, ein chinesischer
Mensch, ein türkischer Feuerfresser und dergleichen mehr zu
sehen war. Nachdem Bracke hier und da einen Blick hineingetan, blieb er vor einer Bude stehen, auf deren Schild in roten
Lettern leuchtete:
Nadya, die schönste Tänzerin der Welt – Tanzpoesey.
Dieses Wort: Tanzpoesey, das er vorher noch nie gehört, gefiel
ihm nun sehr, und obgleich die Ausruferin, eine dicke, in
einem silbernen Panzer flimmernde Person, wenig Vertrauen
erweckte, gab er seinen Batzen und trat hinter den schmutzigen Vorhang.
Ein mittelmäßiger Musikus spielte als Introduktion einen

fremdländischen Kriegsmarsch. Außer Bracke harrten etwa
noch zwei Dutzend Zuschauer, darunter einige vornehme junge Leute, Söhne angesehener Bürger, der Vorführung. Die-
selben vergnügten sich damit, aus einem mitgebrachten Kruge
Wasser in den Mund zu nehmen und sich damit gegenseitig zu
bespeien.

Die Musik schlug ein geschwinderes Tempo an, das bald in
einen rasenden Galopp überging, eine mißtönige Glocke erscholl, und plötzlich und ohne daß man gewußt hätte, woher
sie gekommen, wirbelte in dem Schaurund in der Mitte ein
schwarzes, mit hellgrünen Bändern geschmücktes Gewand, aus
dem ein blaßgelber Kopf aufsprang und wieder verschwand,
zwei bleiche Arme ruckweise wie Blitze durch den Raum zuck-
ten.

Die Musik verlangsamte den Rhythmus, die Bewegungen der
Tänzerin wurden lieblicher, sinnlich bezwingender. Erst jetzt
erkannte man ihre blassen, weißen Gesichtszüge, das maha-
gonibraune Haar, die kindliche Schlankheit ihrer Figur, die
tödliche Zartheit ihrer Hände – und als sie, wie es der Kriegs-
tanz, den sie getanzt hatte, erforderte, den rechten Arm steif
wie ein Schwert erhob und ein Dolch zwischen ihren Fingern
blitzte, da war nicht einer im Publikum, der nicht unter ihren
Händen hätte sterben mögen.

»Ihr Körper singt«, flüsterte eine Stimme neben Bracke, die er
schon einmal gehört zu haben glaubte.

Er sah um sich und erblickte den Conte Gaspuzzi, wie er, den
Kopf leicht seitwärts geneigt, lauschte.

Der Tanz übermannte ihn so, daß er aus der Bude, wie aller
Kräfte beraubt, in die kühle Nacht taumelte, aber erst auf
weiten Umwegen in das »Gasthaus zum Stern«, wo er logierte,
zurückkehrte.

Er ging die hölzernen, mit Sägemehl bestreuten Treppen empor und klinkte an einer Tür.

Er blickte verwundert auf.

Er sah sich im Zimmer des Conte Gaspuzzi.

Ein Licht flackerte in der Zugluft und warf wunderliche Schatten über die imaginären Bratschen, Flöten und Zimbeln an
den weißen Wänden.

Der Conte kauerte, ein Kissen im Rücken, spitz in seinem Bett, hatte auf seinen Knien allerlei Notenblätter ausgebreitet und taktierte mit seinen Händen verzückt ein unsichtbares Orchester. Bracke drückte leise die Tür wieder hinter sich zu.

Er brachte die Nacht kein Lid zu.

Er ging in den Stall und legte sich zu seinem Ziegenbock, der ihn meckernd begrüßte.

Bracke hatte den folgenden Tag für nichts Interesse, ob der Kurfürst kam und der moskowitische Zar, es ließ ihn gleichgültig.

Mit unbeugsamer Gewalt zog es ihn zur Tänzerin auf dem Salzplatz.

Er fand sie am Morgen draußen, an den Wagen der Vaganten gelehnt.

Ihre Blicke schweiften über die Spree.

Als sie seine zögernden Schritte hörte, wandte sie sich vorsichtig um und lächelte.

Er trat wie selbstverständlich heran, fragte nicht erst, ob sie sich etwa seiner erinnere oder überhaupt erinnern könne, und gab ihr die Hand. Hätte ihn auch nicht verstanden. Es sprach keines die Sprache des andern. Sie war Russin. Sie nahm seine Hand, hielt sie einen Augenblick in der ihren und drehte sie plötzlich um, daß der Handteller nach oben lag. Darauf beugte sie ihr blasses, zärtliches Gesicht darüber und versuchte angestrengt mit ihren blauschwarzen Blicken zu lesen.

Sie las sein Schicksal.

Als sie ihr Gesicht erhob, ihn dünkte, es wären inzwischen Jahre vergangen, sah sie ihm noch einmal in die Augen, lächelte traurig und schüttelte den Kopf.

Als der Kurfürst mit großem Gefolge von Trebbin nach Berlin zurückritt, begegnete er auf der Straße Bracke, der durch sonderbares Gewand und Gebaren die Aufmerksamkeit des Fürsten erregte: er führte seinen Ziegenbock an der Schnur wie ein Hund bei sich und trug einen Talar, wie ein Pfaffe, spitze, rote Schnabelschuhe wie ein Tänzer bei Hofe und auf dem Kopfe einen Soldatenhelm.

Der Kurfürst hielt seinen Rappen an und sprach:

»Heda, guter Freund, was stellt Er denn dar in seiner Klei-
dung? Ist Er ein Schalk?«
Bracke schielte verdrießlich zu ihm empor:
»Mitnichten, Herr, sondern ich bin das Heilige Römische Reich
Deutscher Nation.«
»Das sollte mir wohl gehorchen«, sagte der Kurfürst, »folgt
mir. Ich gestatte Euch, mein Wappen in Eurem Kleide zu
führen.«
Und Bracke folgte ihm an den Hof nach Berlin.
Der Kurfürst sprach: »Du verstehst mit der Feder umzuge-
hen?«
Bracke nickte mit dem Kopf.
»So schreib mir einige deiner Weisheiten auf!«
Und Bracke brachte ihm ein kleines Buch, darin war zu lesen:

1. Ein hohes Alter zu erreichen.

Wer möchte nicht ein hohes Alter erreichen in Gesundheit des
Leibes und der Seele, mit 90 Jahren noch Kinder zeugen, sich
selbst und der Menschheit zu Nutz und Freude? – Man gehe in
den Eichwald und wähle einen alten, großen, noch frischen
Eichbaum. Im Herbst, um das Äquinoktium, grabe man das
Erdreich um die Wurzeln auf und bohre in die Wurzel an ver-
schiedenen Orten Löcher. In die Löcher schlage man Zapfen,
und an die Zapfen kitte man Krüge, daß nichts Unreines von
außen hineingelange. Danach wirft man das Loch wieder zu
und lässet's bis an den Frühling. Im Frühling gräbt man wieder nach und findet die Krüge voll Eichensaft. Der Baum stirbt
von dem Aderlaß, der Mensch aber nehme jeden Morgen auf
den nüchternen Magen einen Löffel des rektifizierten Eichen-
saftes, so wird er das Wunder an sich erleben, wie des Baumes
Kraft und Stärke in ihn übergeht. Denn der ausgesogene Baum
hat dem Menschen sein Leben überlassen.

2. Von dem unsichtbar machenden Rabenstein.

Man nehme einen Vogelkäfig und steige damit auf einen
Baum, wo ein Rabennest mit jungen Raben ist. Man nehme
einen jungen Raben und hänge ihn darein wie der Henker
einen Galgenstrick, so, daß die Alten nicht dazukönnen. Sonst

würden sie ihn zerreißen und in ihren eigenen Mägen begraben, denn die lebenden Raben können keinen toten Raben leiden. Wenn die alten Raben den jungen so kläglich gehenkt sehen wie einen Verbrecher, so erheben sie zuerst ein klägliches Geschrei, danach fliegen sie von dannen und kommen mit einem schwarzen Stein im Schnabel zurück, den sie dem toten Raben durch das Käfiggitter in den Sterz bohren, wodurch der tote Rabe sofort in seine Elemente aufgelöst und unsichtbar wird. Auf dem Boden des Käfigs findet man dann den unsichtbar machenden Rabenstein vor, die Schlinge aber ist leer und das Rabenaas verschwunden. Der Rabenstein macht den Menschen, der ihn trägt, unsichtbar.

3. Einen Feigling zu einem Helden machen.

Einem feigen Menschen gebe man, ohne daß er es merkt, Löwenmilch zu trinken, so wird seine Tapferkeit und sein Blutdurst keine Grenzen kennen. Man hüte sich, ihm zuviel davon einzuflößen, da er ansonst zu einem Vampir werden könnte, der jungen, sittsamen, bleichsüchtigen Mädchen nachts das Blut aus der Kehle saugt. In früheren Zeiten hatten wohl manche Pharmazien eine Löwin im Stall, die stets frische Milch gab. Denn die Nachfrage nach Löwenmilch war in kriegerischen Epochen eine äußerst rege. Heute sind wir friedlicher geworden, und nur ausnahmsweise dürfte man eine derartig equipierte Apotheke antreffen.

4. Von den mit Blut genetzten Kugeln.

Wer einen grimmen Feind um die Ecke bringen will, tut gut, um ganz sicher zu gehen, daß er die ihm bestimmte Kugel mit seinem eigenen Blute netzt, bevor er sie in den Lauf schiebt. Diese Kugel trifft unfehlbar und wird im Leib des Erschossenen nicht gefunden, so daß sein Tod vom Chirurgen als an innerer, rätselhafter Verblutung erfolgt definiert werden wird.

5. Wie man sich zu einer bestimmten Stunde aus dem Schlaf wecken kann.

Nimm soviel Lorbeerblätter, als Stunden du schlafen willst, tue solche in ein seidenes Tuch, das eine Nacht in der Achselhöhle einer Jungfrau lag, binde dir das Säckchen auf der rechten Schläfe fest und lege dich auf die linke Seite schlafen, so erwachst du um die gewollte Zeit gewiß.

6. Wenn einem Menschen eine Schlange in den Leib gekrochen ist.

In schlangenreichen Gegenden pflegt es vorzukommen, daß einem Menschen, mittags zum Beispiel, wenn er beim Heuen einschläft, eine Schlange in den Leib kriecht, die oft nur der Vortrab böser Geister ist. Dem von der Schlange Befallenen setze man eine Schüssel kuhwarmer Milch vor, so wird die Schlange, vom Duft der Milch verführt, ihm aus dem Munde kriechen und sich in die Milch begeben. Worauf man sie töten oder auch zähmen kann. Eine gezähmte Schlange ist zu mancherlei nutze. Die indischen Fakire wissen ihr Lob zu singen. Eine gezähmte Kreuzotter ist anhänglicher und zuverlässiger als ein Hündlein, sofern man sie stets in seinem Banne hält. Sie begleitet einen überall hin, und man kann sie auch dazu bringen, den Marktkorb oder Spazierstock zu tragen.

7. Das beste Mittel gegen Mäuse.

Man fange ein Dutzend oder mehr lebendiger Mäuse, tue sie in einen Käfig und gebe ihnen nichts zu fressen. Der Hunger wird sie antreiben, einander gegenseitig aufzufressen. Die stärkste wird Meister und allein übrigbleiben. Man lasse sie frei. Es wird ihr nichts mehr schmecken als Mäusefleisch, und sie wird als Mauswolf unter ihren Artgenossen fürchterlich wüten und ihrer mehr töten als die eifrigste Katze.

8. Das beste Mittel, wilde Pferde zu zähmen.

Aus einem Eisen, damit einer umgebracht, lasse man Hufeisen schmieden und beschlage das wilde Pferd damit. Es wird fromm, folgsam und sittig daherschreiten.

9. Magische Kur wider das Fieber.

Wenn einer das Fieber hat und alle Mittel sind schon vergeblich angewandt, so soll man dem Patienten an Händen und

Füßen die Nägel abschneiden, in ein Tuch tun und einem lebendigen Bachkrebs auf den Rücken binden und den Krebs wieder in ein fließendes Wasser werfen. Es hilft.

10. Sympathetische Geburtsbeförderung.

Frühling und Herbst schälen die Schlangen ihre Haut ab. Eine solche abgestreifte Haut einer Gebärenden um die Lenden gebunden, befördert die Geburt. Auch die abgestreifte Haut eines Aales tut gute Dienste. Es darf aber kein Spickaal sein.

11. Ein Mädchen keusch zu erhalten.

Ein Mädchen mit moralischen Ratschlägen keusch zu erhalten: das probiere der Teufel. Viel besser ist folgendes Mittel: Hat man eine jungfräuliche Tochter, so nehme man das Herz einer Turteltaube und nähe es in ein Stück Fuchsfell. Dieses Amulett, bei sich getragen, läßt keine Unkeuschheit zu.

12. Wie man die Hexen erkennen kann.

Wenn man von einer Totenbahre, in der eine Kindsbetterin im ersten Kindbett mit einem einäugigen Knaben starb, ein Stück haben kann, in dem ein Ast ist und den Ast ausstößt: so sieht und erkennt man alle Hexen durch dieses Loch. Wer einen solchen zauberischen Ast hat, hüte sich vor der Verfolgung der Hexen. Sie werden ihm manchen Streich spielen. Der Bräutigam, der vor der Hochzeit durch dieses Astloch seine Braut betrachtet, wird erkennen, ob er es mit einer Hexe zu tun hat, und sich danach verhalten. Eine Hexe zu ehelichen, kann zwar Geld und Gut, sonst aber nur Unglück bringen.

Der Kurfürst beschied Bracke vor sich:
»Bist du ein Heiliger oder ein Narr?«
Bracke verzerrte das Gesicht.
»Wäre ich ein Heiliger, es ständen nicht soviel Galgen in Eurem Kurfürstentum. Wäre ich ein Narr, ich würde Euch das nicht ins Gesicht sagen.«
Der Kurfürst biß sich auf die Lippen.
»Er hat Mut.«
Bracke sprach:

»Nur gerade soviel, um die Wahrheit zu sagen: daß hohe Herren oft sehr niedere Herren sind.«

Der Kurfürst sah durch das große Fenster.

»Er will den Menschen helfen?«

Bracke stöhnte.

»Ich versuche es, Herr ... sie sind meine Gefährten und nächsten Verwandten in dieser Wildnis. Wäre ich ein Tier, so hülfe ich den Tieren. Wäre ich eine Eiche, ich böte mich dem Efeu dienend dar. Als Muschel wüchse Moos auf mir.«

Der Kurfürst schenkte Bracke fünfzig Taler.

Als er durch das Schloßportal kam, saß dort ein altes, zahnloses Weib, das ihn Tagedieb und Nichtsnutz schalt.

Da gab er ihr fünf Taler.

Da begann sie sein Lob zu singen.

Da schenkte er ihr weitere fünf Taler und bat sie, ihn wieder zu schelten, weil er es nicht anders verdiene.


Bracke kehrte im »Bernauischen Keller« im köllnischen Rathause ein und traf den Juden, dem er schon oft begegnet war, und einen Landsknecht und würfelte mit ihnen.

Es dauerte nicht lange, so hatte er seine vierzig Taler verloren.

Da trat ein schönes Mädchen durch die Tür, lange Haare hingen ihr blond herab, ihr abgehärmtes Gesicht zeigte unaussprechliche Armut und Anmut. Ihr Gewand war dürftig und vielfach geflickt.

Die Flamme des Spanes, der in einem eisernen Ring an der Wand flackerte, stand still.

War es jenes Mädchen, das einst im Schnee bei ihm geruht?

War es Nadya, die schönste Tänzerin der Welt?

Der Landsknecht ließ den Würfelbecher sinken, der Wirt sperrte am Schenktisch den Mund auf, und alle starrten die Erscheinung an.

Das Mädchen begann zu singen.

Dem Juden zog's die Tränendrüsen zusammen.

Er schlich sich hinaus.

Der Landsknecht folgte brummend.

Bracke blieb allein im Zimmer.

Er führte das Mädchen an den Tisch, gab ihr Speise und Trank, und als sie sich zum Abschied wandte, küßte er ihr die nackten, schmutzigen Wanderfüße.

»Ich bin«, sprach das Mädchen, »Innocentia! Vergiß meinen Namen nicht und laß einen Ton meiner Melodie immer um dich sein!«

Bracke seufzte, und der Seufzer ging in einen Schrei über: »O Sancta Kümmernis! Sancta Kümmernis!«

»Woher stammt Er?« fragte der Kurfürst.

Aus Trebbin an der Spree, nicht weit von der Stelle, da Ihr mich aufgelesen habt. Wenn sich in Berlin ein Mädchen in der Spree ersäuft, das ein reicher, vornehmer Herr bei Hofe in Schande gebracht hat, so wird sie einen Tag drauf in Trebbin angeschwemmt.«

»Was ist sein Handwerk?« fragte der Kurfürst.

»Ich bin Brillenmacher.«

»Floriert sein Gewerbe?«

»Meine Hauptkundschaft, Herr, sind die armen Leute, die schlecht zahlen. Sie brauchen soviel Brillen und Vergrößerungsgläser, um in den Brotkrumen, die sie zu fressen haben, Brotlaibe zu sehen. Sie sind gehalten, statt durch den Magen durch die Augen satt zu werden.«

»Und die vornehmen Herren, die gut zahlen – brauchen keine Brillen?«

»Nein«, sagte Bracke, »die Fürsten und Grafen sehen ihrem eigenen Gesindel alles durch die Finger, so daß sie keiner Brille bedürfen. Sie sprechen Recht aus ihrem beschränkten und herrischen Kopf, anstatt die Pandekten zu studieren, so daß sie zum Lesen ebenfalls keine Brille nötig haben.

»Er soll mir eine Brille anfertigen.«

»Herr, eine rosenrote, nicht wahr? Denn Ihr wollt die Welt rosenrot im Morgen- und Abendrot sehen.«

»Mach' Er mir eine schwarze Brille«, der Kurfürst verfinsterte sich, »ich will von dieser Welt bald nichts mehr wissen.«

Bracke erhob die Stirn.

»Weil sie von Euch so wenig wissen will?«

Chorin hieß ein Kloster in der Nähe von Berlin. Darin lebten neun Nonnen, die musen- und tugendhaft genannt waren: Kalliope, die Güte; Klio, die Vorsicht; Melpomene, die Frömmigkeit; Thalia, die Freigebigkeit; Urania, die Mäßigkeit; Terpsichore, die Liebe; Erato, die Keuschheit; Euterpe, die Sanftmut; die Oberin aber war Polyhymnia, die Weisheit. Urania amtete als Küchenmeisterin, Thalia als Pförtnerin.

Eines Tages pochte Bracke zweiflerisch an das Tor des Klosters.

Er wurde liebreich aufgenommen; Thalia wies ihm ein Zimler im Laienflügel, Urania trug zu essen und zu trinken auf. Nach der Mahlzeit setzten sich alle neun Nonnen in ihren strengen faltigen Gewändern wie Holzstatuen zu ihm an den Tisch, und Polyhymnia, das Antlitz im Schleier verhüllt, sprach im Namen des Konvikts:

»Wir sind Euch gutgesinnt.«

»Edle Frau«, sprach Bracke, »ich schreite, wie Ihr, verhüllt durchs Leben, und meine wahre Armut und meine tiefste Weisheit ist wie hinter Schleiern.«

Am nächsten Morgen weckte man ihn früh mit Choral und erbaulichen Gesängen und lud ihn in die Messe.

Es zeigte sich aber, daß Bracke aller Güte gegenüber mißtrauisch blieb, indem er behauptete, daß die musischen Tugenden gar keine wirklichen Nonnen, sondern nur Sinnbilder, silberne Allegorien seien, und daß es unmöglich derart vollkommene Wesen (insbesondere Frauen) geben könne.

Da er nun am dritten Tage aufwachte – wie erstaunte er, als er den Schlaf aus den Wimpern rieb.

Er lag auf Moos in einer alten Klosterruine.

Der Tau netzte seine Wangen.

Ihn fröstelte.

Von den Nonnen war nichts mehr zu erblicken, und traurig wanderte Bracke heim, gewitzt und bereit, künftig das Gute zu *glauben*, damit es bestehen bleibe und nicht in eine Ruine verfalle wie dieses Kloster: in welcherlei Gestalt es ihm auch entgegentrete, und sei es selbst in der Gestalt von Nonnen.

Es wurde in Trebbin ein junger Mensch zum Galgen geführt, der war von einer außerordentlichen Schönheit. Lang wehten

ihm seine blonden Locken herab. Seine Augen glänzten melancholisch blau wie ein Waldteich unter Kiefern.

Seine zarten Hände aber hatten den Morgenstern geschwungen, damit er zwei reichen reisenden Kaufleuten den Schädel
eingeschlagen und sie ihrer Güter beraubt hatte.

Die Weiber weinten, als sie ihn, einen jungen Gott, zum Galgen geführt sahen.

Die Jünglinge dachten: Dies ist die Ungerechtigkeit der Welt,
daß heldische Jugend gehängt wird.

Und auch unter den Männern war mancher, der, vom Anblick
des Jünglings bezwungen, dachte: Ist denn niemand, der ihn
vom Galgen losbittet?

Es kam aber eine Kavalkade von adligen Rittern des Weges –
deren Führer zügelte den Rappen und sprach:

»Wir wollen für den jungen Menschen bitten und Lösegeld
leisten. Sagt aber zuerst, was er getan.«

Da trat der Henkersknecht hervor und sprach:

»Herr – er überfiel reisende Kaufleute und schlug ihnen den
Schädel ein . . .«

Da winkte der Reiter resigniert ab.

»Hängt ihn denn – zum Teufel, er tat, was nur dem Adel zu
tun geziemt. An den Galgen mit ihm.«

Und also galoppierten sie von dannen.

Bracke, der solches gehört, sammelte eine Handvoll Bauern
mit Sensen und Dreschflegeln.

Sie setzten der Kavalkade nach, schnitten ihr den Weg ab und
fingen den Reiter, der also gesprochen, und hingen ihn neben
den schönen Jüngling an den Galgen.

Es war der Anführer der Bande, die Bracke einst der Ziegen
beraubt hatte.

Wegen des Femgerichts an dem Raubritter wurde Bracke zum
Kurfürsten nach Berlin gerufen.

Der erhob sich fett aus dem Söller gegen ihn wie ein kollern-
der Truthahn.

»Ich bin es, der in meinen Staaten Recht spricht, versteht Er?
Weshalb kommt Er nicht zu mir, wenn Ihn der Schuh drückt!«

»Eben weil Ihr Recht sprecht«, entgegnete unerschrocken Brak-
ke.

»Und –?«
»Und nicht recht handelt . . .«
Bracke sah dem Kurfürsten offen ins irrlichternde Auge.
Der räusperte sich erregt.
Und schritt an den Schreibtisch.
Schrieb.
Siegelte.
»Bring' Er dies Schreiben dem Hauptmann Eustachius von
Schlieben, wenn Er wieder nach Trebbin zurückkehrt.«
Bracke war entlassen.
Im Tiergarten öffnete er den Brief, den er dem Hauptmann zu
übergeben hatte.
Er enthielt sein Todesurteil, sofort zu vollstrecken, wegen Mor-
des an einem Adligen und Beleidigung der Majestät.
Bracke pfiff zwischen die Zähne.
Er warf den Brief in die Spree und ging in den »Bernauischen
Keller«, einen Schoppen zu genehmigen.

Am siebenten Tag darauf ritt der Kurfürst nach Trebbin.
Er sprang vom Pferde und fragte Eustachius von Schlieben, der
ihm die Bügel hielt, wie Bracke ihm den Brief ausgerichtet und
ob dem Befehl Genüge getan.
Der Hauptmann erstaunte.
»Welcher Brief? und welcher Befehl?«
Der Kurfürst schnaubte ärgerlich durch die Nase:
»So lebt dieser Bracke noch?«
Der Hauptmann lächelte:
»Gewiß. – Er repariert die große Standuhr im Saal. Soll ich ihn
rufen lassen?«
Der Kurfürst zischte:
»Laßt ihn holen!«
Bracke kam langsam herbei, eine Zange in der Hand.
»Der Herr Kurfürst wünschen?«
Der Kurfürst packte seinen Degenknauf, der ein bäuerliches
Liebespaar in Umarmung darstellte.
»Er hat meinen Brief dem Herrn Hauptmann nicht über-
geben?«
»Welchen Brief?«

»Den ich ihm vor sieben Tagen einhändigte?«
Bracke besann sich.
»Der Herr Kurfürst möge verzeihen: ich hatte noch einige Tage
in Berlin zu tun, und da ich meinte, der Brief könne sich sonst
verspäten, warf ich ihn in die Spree, auf daß er ganz gewiß
noch vor mir nach Trebbin komme. Ich müßte mich sehr verwundern, wenn er noch nicht eingetroffen wäre.«
Da lachte der Kurfürst schallend, der Hauptmann lachte, das
Gefolge lachte, die Reisigen lachten, daß die Rüstungen klapperten wie das Geschirr in der Küche. Es lachte die versammel-
te Bürgerschaft. Die Pferde selbst wieherten fröhlich. Es lachten
Mann und Frau und Kind. Und mit eins erscholl ein Gelächter
im ganzen märkischen Lande.

Bracke ging an einer Tischlerwerkstatt vorüber. Da sah er einen
in Schwarz, Gold und Silber gebeizten Sarg zum Trocknen
stehen.
Er legte sich in den Sarg und entschlief.
Am Abend kamen die Gesellen, fanden ihn im Sarge schlafen,
und einer schlug ihn auf die Schulter und sprach:
»Heda, guter Freund, so schnell und ohne Bezahlung des Sar-
ges stirbt es sich nicht.«
Da stand Bracke auf und sprach:
»Mir gingen die Augen über vor Müdigkeit. Überdrüssig dieses
lauen Lebens, legte ich mich in den Sarg und meinte zu ster-
ben. Nichts für ungut, ihr Wunderlichen.«
Da sagte einer der Knechte:
»Du nennst uns Wunderliche? Wir sind so wunderlich nicht als
du.«
Bracke kaute die Worte zwischen den Zähnen wie Grashalme:
»Ich lebe wie alle übrigen Menschen vom Leben. Aber ihr –
lebt ihr nicht vom Tode? Und ist dies nicht wunderlich?«
Und ging.

Bracke gelangte mit seiner Ziege eines Tages nach Sewekow,
einem Dorfe in der Nähe von Wittstock.
Er ging mit der Ziege in das Gasthaus, band sie an ein Stuhl-
bein und setzte sich zu Trunk und Mahlzeit nieder.

Aus der Tasche zog er ein Psalmenbuch, darin zu lesen.

Es war soeben der Pfarrer von Sewekow gestorben. Die Bauern saßen in ihrer Trauerkleidung in der Schenke beim Trauerschoppen. Als sie nun Bracke am Nebentisch in einem geistlichen Buche lesen sahen, kam einer auf den Gedanken und sprach:

»Laßt uns den Fremdling fragen, welchen Berufes er sei.«

Und es trat der Schulze, ein wenig vom Trauerwein schwankend, auf Bracke zu und sprach:

»Wer seid Ihr, Herr, und was ist Euer Beruf? Wir sehen Euch in einem geistlichen Buche lesen. Uns ist soeben unser geistlicher Hirt verschieden.«

Bracke sah von den Psalmen auf:

»Ich bin der Gehilfe dieses Herrn –«

Und er verwies auf die Ziege neben sich.

Der Schulze meinte nicht recht gehört zu haben: »Wie?«

»Ich bin der Gehilfe dieses geistlichen Herrn ... der ein rechtgläubiger Priester ist. – Sprecht ein Wort, geistlicher Herr!« wandte sich Bracke an den Ziegenbock.

Der erhob den behaarten Kopf und meckerte.

»Er spricht Lateinisch«, sagte Bracke, »und darum versteht Ihr ihn wohl nicht.«

Der Schulze, in seiner Trunkenheit, taumelte an den Tisch der Bauern zurück und erzählte, daß dort ein geistlicher Herr mit seinem Adlatus sitze, und ob man ihn nicht vielleicht zu einer Probepredigt auf morgen früh einladen solle –; vielleicht, daß man auf billige Weise zu einem Pfaffen käme.

Den Bauern war dies recht, und der Schulze ersuchte Bracke und seinen Herrn um eine Probepredigt am nächsten Morgen.

Am nächsten Morgen stand Bracke selbst in geistlichem Ornat auf der Kanzel und predigte:

»Ein Mensch ist des andern Teufel und betrügt ihn.

Ihr Hurensöhne! Dreck, von einer darmkranken Kuh entfallen. Ihr Schänder des göttlichen Menschenangesichts. Selbst ein Ziegenbock wäre zu schade als geistlicher Herr für euch – Verrottete und Verrohte, Versoffene und Verhurte. Sucht euch unter den Ratten und Wanzen einen Prediger.«

Und entwich durch eine Seitenpforte.

Es ist in der Mark Brandenburg Sitte, zur Fastnacht ein Schwein zu schlachten.

Obgleich Bracke nun kein Schwein zu schlachten hatte, richtete er dennoch den Kessel her, goß Wasser darein, zündete ein Feuer an und ließ es sieden.

Er schickte auch zum Metzger, mit der Bitte, er möchte ihm ein Schwein schlachten.

Zum Kurfürsten nach Berlin aber hatte er einen Boten gesandt, ob der Kurfürst sich ihm nicht erkenntlich zeigen wolle für manches gute Wort, das er ihm gesagt, für manchen ehrlichen Rat, den er ihm gegeben. – Er erbitte sich devotest von ihm zur Fastnacht ein Schwein.

In der Erwartung des kurfürstlichen Schweines stand Bracke am Zaun und lugte nach der Rückkehr des Boten aus.

Dieser traf dann auch pünktlich zu Fastenmittag ein: mit einer uralten stadtbekannten Berliner Vettel.

Hier sei das erbetene Schwein zur Fastnacht – lasse der Kurfürst sagen. Der Metzger, der sein Messer schon geschliffen hatte, blökte wie ein Kalb. Der Bote lachte.

Bracke aber nahm die alte Hure liebreich bei der Hand.

Er hieß sie sich nackt ausziehen und danach in den Kessel steigen, den er durch Zuschütten auf eine erträgliche Temperatur brachte.

Er badete sie darin wie ein Kind und redete gute Worte zu ihr.

Danach sandte er den Boten zur Apotheke, Salbe und Schminke und Pomade zu holen, salbte und ölte sie wie eine himmlische Jungfrau und legte sich mit der alten Hure zu Bett.

Denn er gedachte Gutes an ihr zu tun, da sie zu Schimpf und Schande nach ihm ausgesandt.

Der Kurfürst, der von Brackes Tat erfuhr und wie man seinen Streich parierte, ward auf das heftigste beschämt.

Als man das kurfürstliche Beilager rüstete und die junge Kurfürstin neben den Kurfürsten legte, lähmte ihn an ihren Blicken und Gebärden ein Geringes derart, daß er unfähig war, sie zu berühren.

Es entsetzte ihn, daß die schönste Frau, seinen Sinnen zu eigen gegeben, ihm nicht gehören werde. Daß ihr zarter Zauber, ihre

ewige Grazie, ihre reine Größe ihm unerschließbar, sein Verlangen danach ihm unerfüllbar bleiben solle.

Die Lippen halb geöffnet, die Wimpern gesenkt, schlief das
schöne achtzehnjährige Geschöpf neben ihm.

Er erhob sich, schlich in die Hauskapelle und opferte mit Weihrauch und Gewürzen dem Priapus. Dann kehrte er zurück;
aber da er sich über die Kurfürstin neigte, die erwacht war und
ihn mit der Klarheit ihres Auges und Gemütes betrachtete,
verschlug es ihm die Begierde, daß er ihre Hände ergriff und
seinen Kopf darin versenkte.

Dann stürzte er in ein Nebengemach, befahl eine Dirne zu
rufen und vergnügte sich mit ihr bis in den trüben Morgen.


Als der Kurfürst mit den Bürgern von Berlin und Kölln nach
dem Vogel schoß, waren auch Eustachius von Schlieben und
Bracke zugegen.

Man hatte schon eine Weile geschossen, und der Vogel stand vor
dem Abschuß, als der Kurfürst Bracke aufforderte, für ihn
einen Schuß zu tun.

Bracke hob die Armbrust, zielte in die Wolken und schoß.

Ein Sperling fiel durchbohrt zu Boden.

Der Kurfürst runzelte die Stirn.

»Ist das der Vogel, den du schießen solltest?«

Bracke senkte die Armbrust.

»Nein, gnädigster Herr, es ist mein hoch hinschwebendes Herz,
das ich herabschoß. Und nun blute ich.«

»Du schwätzest. Du solltest für mich einen Schuß tun und den
hölzernen Vogel herabschießen.«

Da legte Bracke die Armbrust auf den Kurfürsten an und
schrie:

»Du Mann mit den Habichtaugen und mit der Geiernase:
siehst du nicht, was du für ein Vogel bist: ein grausamer: über
uns Tauben und Hühner vom Schicksal gesetzt, um uns zu zerfleischen? Frissest unser Fleisch, trinkst unser Blut, bespringst
unsere Töchter. Wäre es nicht gerecht, wenn ich dich zu deinen
dunklen Brüdern in die Finsternis schickte, damit du jenseits
erkennen lernst, wie sehr du hier gefehlt – so sehr, wie ich nie
fehlen würde: schöß ich jetzt den Bolzen ab.«

Der Kurfürst erstarrte.

Irr flogen Brackes Augen durch die Luft.

Er setzte mit einem Ruck die Armbrust an, schoß, und der hölzerne Vogel fiel.

Beifall vom entfernten Volk, das die nahe Szene nicht durchschaute, belohnte ihn klatschend.

Der Kurfürst, für den Bracke den Schuß getan, wurde zum Schützenkönig ausgerufen.

Jeden Heiligabend schritt Bracke durch den Forst. Denn um diese Zeit war der heilige Hirsch zu sehen, der Kerzen trug auf seinem Geweih, blaue und rote und goldene Sterne.

Er ist aber das einzige Tier, das in der Weihnacht aufrecht durch den Wald schreitet: die Rehe, die Eber und Wildschweine, die Hasen, Eichhörnchen und Kaninchen: sie alle knien unbeweglich die ganze Nacht im Schnee oder Moos und blikken zum Heiligen Geist auf, der ihnen vom Geweih des schreitenden Hirsches mit Erkenntnis, Hoheit und Güte leuchtet.

Als Bracke in der Silvesternacht zufällig um zwölf Uhr in den Pferdestall seines Herrn, des Hauptmanns von Schlieben, trat, um seine Notdurft zu befriedigen – denn es war draußen bitter kalt –, hörte er, wie zwei Pferde sich miteinander besprachen.

Er schlüpfte hinter eine Krippe und lauschte unbeweglich.

»Wir werden in drei Tagen hart zu schleppen bekommen«, wieherte der braune Hengst.

»Es zieht sich mir das Herz zusammen, wenn ich dran denke«, sprach die schwarze Stute.

»Er war ein guter Herr« – sagte der Hengst.

»Schlug selten mit der Peitsche, gebrauchte wenig die Sporen«, sprach die Stute.

»Jahrelang noch, so wünscht ich's mir, ihn zur Jagd zu führen«, wieherte der Hengst.

»Und in drei Tagen werden wir ihn auf den Kirchhof tragen«, sprach die Stute.

»Der Weg ist steil«, sagte der Hengst.

»Und der Sarg ist schwer«, sprach die Stute.

Darauf schwiegen die Tiere.

Bracke erschrak im Innersten.

Er trat am nächsten Tag vor Eustachius von Schlieben und sprach:

»Herr, in der Silvesternacht reden die Tiere.«

»Nun – und was haben sie dir offenbart?« lächelte Eustachius von Schlieben.

»Herr – wenn Euch Euer Leben lieb ist –, bleibt von heute drei Tage im Haus, in Eurer Kammer, rührt Euch nicht vom Fleck – so wird Euch nichts geschehen.«

Der Hauptmann, dem der ernste Ton in der Sprache Brackes nicht entging, fuhr aus dem Sessel auf: »Was ist?«

Bracke sprach:

»Ich kann es Euch nicht sagen. Ich täusche mich vielleicht. Ja: hoffentlich. Ich habe ein feines Ohr. Ich höre den Nachtwind bei Tage. Tut, worum ich Euch bat.«

Der Hauptmann schüttelte den Kopf, aber er tat, was Bracke ihm geraten.

Nachdenklich sah der Hauptmann zum Fenster hinaus. Auf dem Hofe vergnügten sich Mägde und Knechte mit Schneeballwerfen.

Er öffnete das Fenster – ah – die kühle Winterluft tat wohl nach zwei Tagen Stubenhocken. – – –

Freundlich betrachtete er den ungleichen Kampf.

Schon war die Partei der Mägde am Unterliegen.

Die Burschen kamen ihnen ganz nah.

Ihr heißer Atem durchschnob mit silbernen Flügeln die gläserne Luft.

Da flog, von ungeschickter Hand geworfen, ein eisharter Schneeball hinauf gegen das Fenster, wo Eustachius von Schlieben lehnte, und traf ihn mit aller Wucht mitten in die Stirn.

Er sank in den Erker hinab zu Boden, tot.


Der Kurfürst erschien, einen Trauerflor um den Helm, zum Begräbnis seines Hauptmanns.

Der braune Hengst und die schwarze Stute zogen den Leichenwagen, den Bracke kutschierte.

Auf einer kahlen Linde sang, trotz des Januar, eine Nachtigall.

Als Bracke an das Grab trat, dem Toten die drei Handvoll Erde
nachzuwerfen, schossen ihm Tränen über die Wangen.
Hier starb ein guter Mann – wie wenig gute bleiben noch am
Leben.
Wo Brackes Tränen auf die Erde fielen, da schmolz der Schnee,
und Primeln blühten.
Die pflückte sich Grieta, die Tochter des Klempners, und steckte
sie sich an das Mieder.

Bracke saß im Wintersonnenschein vor seiner Stube; da kam
Grieta des Weges, ihre schwarzen, windischen Augen auf ihn
werfend.
Die dunklen Zöpfe schlug sie über die Schulter zurück und trat
heran: »Guten Tag, Bracke.«
»Guten Tag, Jungfrau.«
»Ich liebe die schönen Männer nicht, Bracke, sie sind voll böser
Absicht und lauern dem Laster auf.«
Bracke lächelte:
»Ich bin kein schöner Mann –«
»Ich liebe die glatten Gesichter nicht und die glatten Redens-
arten. Sie lügen.«
Bracke lächelte:
»Mein Gesicht ist rauh. Und Stoppeln zieren mein Kinn.«
Grieta sah ihm ins Angesicht:
»Ihr seid ein *guter* Mensch, Bracke. Der beste Mensch, den ich
kenne. Ich vergesse alles, meine Scham, so sehr liebe ich Euch
und trage Euch meine Hand an. Wollt Ihr mich heiraten?«
Bracke legte den Uhrmacherhammer aus der Hand.
Er ergriff ihre beiden Hände und sagte:
»Ich bin ein Narr. Wollt Ihr denn meine Närrin werden?«
»Ja«, rief Grieta glückselig, »ja, Eure Närrin, Euer Weib, Eure
Mutter, Euer Kind – alles, was Ihr wollt . . .«

Sankt Peter ging mit seiner Geige über Land und spielte auf
den Dörfern und Städten in den Schenken sonntags, am Tag
des Herrn, zum Tanze auf.
So kam er auch einmal nach Trebbin in das »Gasthaus zum
Stern«.

Dort feierte Bracke eben seine Hochzeit mit Grieta, der Tochter des Klempners Buchenau, der aus dem Hessischen ins Märkische zugewandert war.

Es traf sich nun, daß der Stadtmusikant unpäßlich war, weil er den Abend vorher zuviel gesoffen, und daß also das Fest ohne Musik und Tanz vor sich ging, zum großen Kummer Brackes, seines Weibes und seiner Gäste, darunter des Conte Gaspuzzi.

Bracke dachte hin und her, wie er Musik herbeischaffe, er dachte an die heilige Cäcilie, wie sie so trefflich Harfe spiele, und an den heiligen Johannes, der mit der Orgel wie ein Küster vertraut – da trat verstaubt und beschmutzt Sankt Peter durch die Tür und bot freundlich sein Grüß Gott.

Voller Freude sprang alles ihm entgegen, die Knaben hängten sich an seinen Mantel, und die losen Mädchen zupften ihn an dem hübsch vom himmlischen Barbier gestutzten Bart.

Und Grieta, im Myrtenkranz, sprach:

»Lieber Mann! Bitte, spiel uns zum Tanz! Denn was ist eine Hochzeit ohne Tanz? Spielt nicht auch im Himmel Sankt Peter mit seiner Geige den Engeln auf?«

Das gefiel nun Sankt Peter, daß sein Name so freundlich genannt wurde, und er hob die Geige und spielte nie gehörte himmlische Weisen, daß den Leuten die Augen übergingen vor Freudentränen.

Der Conte Gaspuzzi aber schluchzte aus tiefstem Herzen, und es drohte ihm die Brust zu zersprengen.

Als einziges Paar tanzte Bracke mit seiner jungen Frau.

Sie schwebten unhörbar über den mit Sand bestreuten Fußboden, daß jeder, der sie ansah, meinte, sie tanzten auf Wolken.

Als Sankt Peter zu Ende gespielt und den Bogen abgesetzt, rief alles: »Vergelt's Gott!« Und man lud ihn zu Schmaus und Trank.

Da hockte nun Sankt Peter zwischen Bracke und seiner jungen Frau und hatte seine Lust am menschlichen Treiben. Und als er Frau Grieta, die schwarzhaarig neben ihm saß (denn ihre Mutter war eine Wendin aus dem Spreewald), so recht betrachtet hatte, da seufzte er und sprach:

»Warum bin ich kein Mensch mehr? Um einer solchen Frau willen wollte ich alle Engel Engel sein lassen.«

Tröstete sich aber mit dem guten Trebbiner Bier, davon er
manchen Humpen an die Lippen führte und wacker Bescheid
tat – nach links und nach rechts.

Spät nachts ging er über die Milchstraße heim und kam erst
um fünf Uhr früh an den Himmel, als Gabriel schon die Tür-
schwelle fegte, Rafael die letzten Sterne hereinholte und Magdalena eben die Morgensuppe kochte.

Da neckte er die heilige Magdalena und sprach:

»Magdalena, ich weiß einen Engel, der aber kein Engel ist, der
ist schöner als du . . .«

Dies wollte nun die eitle Magdalena nicht wahrhaben und
fragte, wo es denn diesen schönen Engel, der kein Engel und
also doch auch nicht schön sei, gäbe.

Da zeigte Sankt Peter hinab auf die Erde in die Hochzeits-
kammer Brackes, wo das junge Ehepaar Arm in Arm schlief,
und die ersten Strahlen der Morgensonne liefen wie kleine
weiße Käfer über ihre Gesichter.

Küsse mich mit deinen Traubenlippen!
Du vom Herrn und von vielen Frauen Gesalbter!
Duft dein Name: sprich ihn in mich hinein!
Reiß mich empor zu dir und laß uns stürzen hernieder auf dein
Bett.
Ich juble und trinke deine Liebe, die süßer denn süßester
Wein.
Gerecht nur bin ich, wenn ich, die Niedere, den Hohen liebe.

Ich bin dunkel, aber ich leuchte, ihr Mädchen Jerusalems.
Ich, Hütte Kadors! Teppich Salomos!
Wendet euer Auge: Ich bin so dunkel, weil mich das Licht ver-
brannt hat.

Meiner Mutter Söhne ziehn die Stirnen kraus.
Sie gaben Befehl: Hüte unsere Weinberge –
Ach, ich vergaß, den meinen zu hüten . . .

Du, den ich innen liebe wie außen:
Wo weilest du in der Mittagsglut?
Muß ich dich suchen von Freund zu Freunden?

Schönste Frau, folge den Spuren der Schafe.
Und weide dein junges Getier bei den Hütten der Hirten.

Geliebte, ich vergleiche dich dem weißen Pferde an Pharaos
Wagen.
Über deine Wangen hängen Ketten, Perlen um deinen Hals.
Zum Goldschmied gehe ich: eine Kette aus goldenen Tränen
bestellen.

Wendet der König sich zu mir: ich erblühe und dufte.
Er ist wie Myrrhen, das zwischen meinen Brüsten hängt.
Er ist mir Blüte und Rebe des Weinstocks zu Engede.

Schön bist du, Freundin, schön: deine Augen schwirren:
Tauber und Taube!

Schön bist du, mein Freund, schön bist du.
Dein Antlitz Frühling.
Unser Bett sproßt.
Unseres Palastes Balken sind Zedern und die Decke aus Zy-
pressen.


Am Tage nach seiner Hochzeit fand man zwei junge Mädchen
aus Trebbin aneinandergebunden ertränkt in der Spree auf.
»Was bin ich für ein Mensch«, brüllte Bracke. »Ein Trunkenbold der Tugend! Notzüchter der Gesinnung! Was ist an mir,
daß schöne, schuldlose Frauen in mich hinein-, auf mich hin-
einfallen wie in eine tiefe Zisterne, die für Regenwasser bestimmt ist, es ist aber Dürre, und sie bleiben mit zerschmetter-
ten Gliedern am Boden liegen!
Was ist an uns mit den breiten, platten Köpfen: Kiefernmen-
schen, Sandläufern, Bibertieren des Bobers und Wasserratten
der Spree. Die Götter der Vorzeit wandeln noch in uns ver-
zaubert: Baldur, der Gott des Lichtes, und Loke, der Gott der
Finsternis. Da mischt sich Hell und Dunkel wohl zu jenem
fürchterlichen Grau, das wie ein Hammer ist und das den Amboß selbst zerschmettert.
Werden an der Gänselache nicht am Tage der Hexen noch
Menschenopfer dargebracht?
Verschwinden nicht kleine Kinder und werden geschlachtet in

den Wäldern an Baumaltären, heidnischen Göttern noch errichtet?

Was sind wir für Menschen: der Atem unserer Liebe ist heiß wie Juliwind, aber im Anhauch unseres Hasses gefrieren Seelen wie Teiche im Februar.

Ich bin ein Irrlicht, das auf den Sümpfen der Spreeniederung tanzt.

Ich bin der Sumpf selber, darein die Frauen versinken, ohne daß ich's will.

Ein Sumpf, verflucht zum Sumpfsein.

Klabautermann, der die Schiffe zum Untergang lockt – und selber strahlt und himmlisch leuchtet: einen riesigen Pokal mit Rotwein in den Händen schwingt, davon sie alle trinken. Und trinken Blut. Elmslicht, das auf den Spitzen der Masten hüpft.

Herr, rette mich, daß meine irre Flamme sich zur reinen Flamme des Heiligen Geistes läutere und zu Pfingsten herniederfahre auf aller Stirnen, daß ich zum rechten Weg – zu Untergang und Abgrund künftig nicht mehr leuchte.«

Bracke kaufte auf dem Markte zwei Krammetsvögel.

Da ging der Wirt »Zum Stern« vorbei und sprach:

»Wißt Ihr auch, wie man Krammetsvögel recht zubereitet?«

Bracke sprach:

»Ich gedachte sie nach meiner Art in der Pfanne zu braten.«

Da sprach der Wirt:

»Ich werde es Euch erzählen, wie man sie in den fürstlichen Häusern und in meinem Hause zubereitet, damit sie schmackhaft werden wie das ewige Manna.«

Und er erzählte Bracke die Zubereitung.

Da sprach Bracke:

»Das ist mir zu lang, ich vergesse das Rezept. Schreibt mir's auf.«

Und der Wirt schrieb es ihm auf einen Zettel.

Da wandte sich Bracke nun mit den Krammetsvögeln und dem Zettel nach Hause.

Unterwegs aber regten sich die Krammetsvögel in seiner Hand, und der eine rief:

»Bracke!«

Bracke drehte sich um.
Da war kein Mensch zu sehen.
Und der Krammetsvogel rief wieder:
»Bracke!«
Da sah Bracke zu dem Krammetsvogel nieder und sprach:
»Was willst du? Hast du noch einen Wunsch, bevor man dich brät?«
Der Krammetsvogel zwitscherte heiser:
»Das Rezept, das dir der Wirt gegeben hat, taugt nicht. Bereite uns zu, wie du es gewohnt bist, aber ich bitte dich um eins: dies hier ist mein Weibchen, und wir lieben uns sehr. Ich bitte dich, uns in *einer* Pfanne zu braten.«
Da machte Bracke die Hand auf:
»Fliegt nur hin! Mir wird bei diesen Worten, als sollte ich mich selbst und meine Frau in einer Pfanne braten. Ich will in meinem Leben keine Krammetsvögel mehr essen.«
Und schritt fürbaß und rupfte sich vom Wege Ähren, die er verzehrte.

Es gesellte sich zu Bracke, als er so seine Straße wanderte, ein Mann mit Fes und Pluderhosen, einem braunen Dattelgesicht und schwarzen Lakritzenaugen, aber weißen Haaren, wie aus Mondstrahlen geflochten. Er trug einen Korb und sprach:
»Ist es erlaubt?«
Und Bracke antwortete:
»Es ist nicht erlaubt – da es nicht existiert. Aber ich erlaube Euch, mit mir zu gehen, das heißt mit mir zu existieren. Ihr seid der deutschen Sprache nicht mächtig, wie es scheint?«
»Ihr müßt entschuldigen«, sprach der andere, »meine Heimatsprache ist das Türkische. Ich bin ein Türke. Man nennt mich Nassr-ed-din. Geboren bin ich auf dem Halbmond zu Akschehir in Asien und bin ein Dehri.«
»Ich heiße Bracke und bin geboren bei Vollmond zu Trebbin im Römischen Reich. – Was habt Ihr dort im Korbe?«
»Halwa. Mögt Ihr kosten?«
Er öffnete den Korb, und Bracke versuchte die Süßigkeit.
»Ich habe gekostet. Was kostet das?«
»Einen Para«, sagte der Türke, »aber ich schenke es Euch.«

»Das soll Euch Gott lohnen, und ich will Euch ebenfalls etwas schenken.«
Er bückte sich und fing einen Heuhüpfer.
»Da ... tragt ihn stets mit Euch umher, er wird Euch lehren, wie man durch das Leben kommt.«
Der Türke sprach:
»Auf einem solchen Heupferd bin ich von Kleinasien nach Europa geritten. Mir ist dieses Tier nicht unbekannt.«
»Wenn Ihr auf einem Heuhüpfer zu reiten vermögt, so seid Ihr der große Doktor Faust, der sich in einen Türken verwandelt hat – von dem die Sage geht?«
»Der bin ich«, sprach der Türke, »wenn auch, wie Ihr seht, nicht ganz so groß wie Ihr, ich reiche Euch nur an die Schultern.«
Da hob ihn Bracke mit den Händen hoch und setzte ihn sich auf den Rücken.
»Ihr sollt größer sein als ich.«
Und er trug ihn huckepack bis nach Berlin. Wofür ihm der Türke dankte und sprach:
»Ich werde Euch, wenn Ihr gestorben seid, das Telkyn sprechen. Erinnert Euch meiner!«
»Immer«, sprach Bracke, »denn ich habe Euch wie eine Mutter ihr Kind getragen. – Aber sagt mir zum Abschied, aus welchem Buche Ihr Eure zauberische Weisheit schöpftet, daß ich es lese und zunehme an Verstand?«
»Ich las einzig das Myftah ül ülum, den Schlüssel der Wissenschaften. Aber Ihr werdet es nicht verstehen, denn es ist in türkischen Lettern und türkischer Sprache geschrieben. Wißt aber, daß dies die Essenz ist, gepreßt aus den tausend Rosenblättern des Buches: Lebe dein Leben! Und stirb deinen Tod! Ich will Euch zum Abschied einen persischen Spruch sagen, den beherziget:

> Bescher maverajy dschelal-esch ne-jaft
> Befer muntehajy kemal-esch nejaft.

Gottes Barmherzigkeit sei mit dir!«
Er bestieg sein Heuschreckenpferd und war mit einem Satz über die Dächer verschwunden.

Als Bracke von Berlin nach Trebbin zurückkehrte, traf er unterwegs einen Fuhrmann, der hatte Bier in Tonnen hoch auf seinen Wagen geladen und sprach:
»He, guter Freund – ist es noch weit nach Berlin?«
Da antwortete Bracke:
»Wenn du langsam fährst, so kommst du wohl noch vor Abend hin.«
Der Fuhrmann lachte und dachte bei sich: Welch ein Narr! Wenn ich schon mit Langsamfahren hinkomme, sollte ich nicht mit schnellem Fahren eher hingelangen? Hieb auf seine Pferde ein, schrie »hü-hott« und jagte davon, daß die Biertonnen wackelten.
Er war aber noch nicht fünfzig Schritt weit gefahren, als einige Biertonnen herabkollerten und im Straßengraben liegen blieben.
Da mußte er nun fluchend anhalten, verlor viel Zeit, sie wieder auf den Wagen aufzuladen, und erkannte, wie weise der Fremdling gesprochen.
Er fuhr von nun ab schön langsam und kam also flinker nach Berlin, als wenn er schnell gefahren wäre.

Es lebte in der Nähe von Trebbin in einer Höhle des Waldes ein Mörder. Der hatte einen roten Bart und einen dunklen Blick aus blauen Augen, so daß ihn jedermann fürchtete und ihm aus dem Wege ging. Er hatte in seiner Jugend im Jähzorn und aus Eifersucht seinen Bruder erschlagen. Aber er trug schwer an seiner Tat, scheute Sprache und Antlitz der Menschen und kam nur zuweilen in der Dämmerung nach Trebbin, Einkäufe zu machen: einen Hammer, Feile, Nägel, Zucker, Salz, Brot oder wessen er sonst bedurfte.
Er hockte danach mit dem Henker zusammen in einer üblen Kneipe und würfelte.
Sie hatten aber ein kurioses Spiel: Tod und Leben: mit einem Würfel. Ein Auge bedeutete Leben, zwei: Tod, drei: Hölle, vier: Seligkeit, fünf: Teufel, sechs: Gott.
So würfelten sie nun, und es gewann der Tod über das Leben, die Seligkeit über die ewige Verdammnis, Gott über den Teufel.
Bracke saß des öftern mit ihnen zusammen, zu welchen sich

dann noch der Abdecker gesellte, stinkend nach gefallenem Tier.

Es war aber nur Bracke, der mit den drei Verfemten verkehrte.

Sie saßen nächtelang und sprachen kaum ein Wort. Aus dem obern Stock klang Gelächter von Dirnen, Grunzen menschlicher Eber, und vom Hofe der Schrei einer liebeskranken Katze oder eines jagenden Käuzchens. Am Morgen begleitete Bracke den Mörder in den Wald und reichte ihm zum Abschied seine Hand.

Für diesen Händedruck lobpreiste der Mörder Gott und dankte ihm für das Leben: daß es auch gute Menschen gebe, nicht bloß Mörder, Henker und Abdecker.


Sie saßen in der Schenke, und der Bürgermeister hob den Humpen und sprach:

»Bracke, erzählt uns doch ein paar neue Lügengeschichten, deren Ihr immer so viele wißt.«

Und Bracke stützte den Kopf in die Hand, den Arm auf den ungehobelten Tisch, sah in die leere Wand und sprach:

»Es war einmal ein altes Weib, das sagte, als man es nach seinem Alter fragte: ›Ich bin älter als Methusalem . . .‹

Es war einmal ein Kaiser, der glaubte ein Mensch zu sein wie andere auch und bot mir die Hand und sagte: ›Gott sei mit dir, Bruder Bracke!‹

Es war einmal ein junger Hahn, der überließ ohne Kampf seine Hennen sämtlich in christlicher Demut einem zugereisten fremden Hahn . . .

Es war einmal eine Mutter, die meinte, ihr Kind sei das drekkigste und dümmste Geschöpf, so auf Gottes Erdboden herumliefe . . .

Es war einmal ein Jüngling, der schwur seiner Geliebten keine ewige Treue, sondern er ließ sie wissen: er werde sie demnächst betrügen. Darob war sie heiter und guter Dinge und herzte und küßte ihn und schmeichelte ihm: ›Was tut's, mein Hans‹, so sprach sie, ›wenn du mich heute nur liebst . . .‹

Es war einmal ein Bürgermeister, der grüßte alle ehrbaren Bürger seiner Stadt zuerst und fühlte sich als Diener der Gemeinschaft . . .

Es war einmal ein Henker, der hätte lieber sich selbst denn einen armen Pferdedieb aufgehängt ...

Es war einmal ein Stern, der glaubte nicht, Mittelpunkt der Welt zu sein ...

Es war einmal ein Dichter, der rühmte die Werke eines andern Dichters, mit dem er persönlich verfeindet war, gerechterweise auf das höchste ...

Es war einmal ein Fuchs, der ließ sich vom Lamm fressen ...

Es war einmal eine Schnecke, die lief tausend Meilen in der Stunde – so schnell wie die märkische Post ...

Es war einmal ein Krebs – der ging immer vorwärts –, so schnell vorwärts wie die Entwicklung des Menschengeschlechtes ...

Es war einmal ein Feldherr, der sagte: ›Es ist genug des Mordens, wir wollen Frieden machen ...‹

Es war einmal ein Ehebrecher, der ging zum betrogenen Ehemann und sagte: ›Deine Kinder sind von mir ...‹

Es war einmal ein Mensch, der sagte: ›Ich bin ein Sünder. Ein Sauf- und Trunkenbold. Ein Hurenknabe. Ein Verleumder. Ein boshafter Schwätzer. Ein tückischer Träumer. Ich will es büßen.‹

Es war einmal ein Possenreißer, der sagte die Wahrheit, indem er log – aber niemand glaubte sie ihm ...«


Ehe die peinliche Gerichtsverhandlung Karls des Fünften erschien, nahm man es im Römischen Reiche mit dem niedern Diebstahl nicht so genau.

Es stahl jeder einmal, was ihm zufällig in die Hand kam: einen silbernen Becher beim Wirt, eine süße Semmel beim Bäcker, beim Metzger eine Wurst, beim Philosophen einen Gedanken und beim Dichter einen Vers oder zwei.

Als nun die Carolina, die peinliche Gerichtsverordnung Karls des Fünften, in Trebbin zum erstenmal öffentlich aushing – war sie am nächsten Tag gestohlen.

Bracke hatte sie nachts, als er von der Kneipe kam, heimlich vom Rathaus herabgenommen.

Denn er hatte Mitleid mit den Dieben.

Der Kurfürst beobachtete eines Tages in seinem Park zwei Weinbergschnecken im Liebesspiel.

Er sah, wie sie sich erhoben und wie sie jene wunderlichen Instrumente, die man Liebespfeile nennt, aufeinander abschossen. Tief und schmerzhaft drangen sie sich gegenseitig ins Fleisch.

Die Kurfürstin, unberührt und unberührbar, stand neben ihm. Mit ihrem Fächer aus Perlmutter wehte sie sich Kühlung über ihre Brüste.

»Mein Apennin«, sagte der Kurfürst. »Schneegebirge, das ich nie besteigen werde«, und küßte sie leicht auf die linke, dem Herzen zugewölbte Brust. »Was läßt du noch künstlich Eiswinde wehen – da du kalt bist wie parischer Marmor. Und dein Hauch läßt die Blumen erfrieren. Fassest du in eine Flamme – so gerinnt sie zu einem roten Eiszapfen. Wir verwunden uns wie die Schnecken mit widerhakigen Pfeilen, den Pfeilen Amors, und sterben vielleicht noch aneinander . . .«

»Du irrst, Kurfürst«, lächelte die Kurfürstin, »ich werde zwar vielleicht eines Tages *von* dir – doch niemals *an* dir sterben. Denn weder liebe noch hasse ich dich: sondern ich kenne dich nur.«


Bracke hatte drei Jahre mit seiner Frau in Friede, Glück und Eintracht gelebt, aber so innig sie sich auch liebten, so eifrig Grieta der Madonna Wachskindlein opferte und stundenlang im flehenden Gebet verharrte – ihre Ehe blieb kinderlos.

Da gelobten sie in heiliger Messe, einträchtig auf der Betbank kniend, daß sie dem Dienst des Herrn das Kind weihen wollten, wenn er ihnen eines vergönne. Wäre es ein Knabe, so sollte es ein Mönch, wäre es ein Mädchen, so sollte es eine Nonne werden.

Und Gott erhörte ihr Gebet.

Ein Jahr darauf ward Grieta von Zwillingen entbunden, von Knaben.

Die wuchsen nun auf und waren einander unähnlich wie Feuer und Wasser, Luft und Erde, Blüte und Wurm.

Der eine war himmlisch anzusehen mit seinen blonden Locken wie ein Engel, der andere aber war schwarz und häßlich. Seine

Augen standen schief. Er roch aus dem Munde. Und schlürfte
ein Bein wie einen Sack Rüben nach.

Da kamen Bracke und Grieta überein, den häßlichen Knaben
Gott zu weihen, und taten ihn bald zu den Mönchen, behielten
aber den schönen zu ihrer und der Menschen Freude in der
Welt.

Gott aber empfand es als Gotteslästerung, daß sie den häßlichen ihm weihten und nicht den schönen, und er sandte in der
Johannisnacht zwei Blitze. Die erschlugen beide Knaben: den
schönen und den häßlichen.

Grieta und Bracke taten Buße, und Brackes Wesen war von da
ab noch sonderlicher, so daß er ganze Monate aus dem Hause
blieb und in den märkischen Wäldern das Leben eines Büßers
führte, sich nur von Kräutern nährend.

Grieta aber härmte sich um ihn. Denn sie sah um seine Stirn
die Flamme der Gerechtigkeit leuchten.

Der Kurfürst fragte Bracke, in welcher Kunst er sich die letzte
Zeit besonders ausgebildet.

Der sagte nun: vorzüglich in der Malkunst, denn er habe Unterricht bei einem tüchtigen Meister genommen und es so weit
gebracht, daß er Blumen, Tiere, Häuser und Menschen ohne
Beschwerlichkeit in vollkommener Treue auf die Leinwand zu
bringen vermöge. Ja, sein Meister, der ein seltener Künstler in
seinem Fache sei, habe ihn noch gelehrt, das Unsichtbare sichtbar zu schaffen, so daß es ihm möglich sei, Tugend und Laster,
Anmut und Verworfenheit, Geiz, Güte, Glück und Grausam-
keit zu malen.

Dem Kurfürsten, der aufmerksam zuhörte, gefiel die Rede, und
er fragte Bracke, ob er für zweihundert Gulden, da er das Unsichtbare sichtbar zu gestalten vermöge, nicht ein Abbild Gottes
zu malen imstande sei . . .

Bracke sagte fröhlich: »Gewiß, gnädiger Herr«, nahm fünfzig
Gulden Aufgeld, richtete einen Saal des Schlosses für sich her
und ließ Leinwand und mancherlei Farben und Tuben und
Pinsel expedieren. Er bedang sich vom Kurfürsten aus, daß
niemand den Saal betreten dürfe, bis das Bild vollendet sei.

Dies sagte ihm der Kurfürst zu.

Bracke verbrachte nun die Vormittage in seinem Saale, in dem
er auch zu schlafen pflegte, ging mittags in die Gesindestube
zum Essen und spielte danach im »Bernauischen Keller« mit
Hausierern, Landsknechten, Juden und Bauern Würfel und
Karten.

Nach drei Wochen fragte ihn der Kurfürst, der mit seiner schönen Gemahlin im Garten des Schlosses spazierte (es war Frühling, die Amseln sangen, und die Bäume trieben rosagrüne
Knospen):

»Wie weit ist Er denn, Bracke, mit seinem Bilde?«

Da verneigte sich Bracke.

»Heute noch wird das Bild vollendet, und wenn Ihr mir morgen früh die Ehre des Besuches erzeigen wollt, so will ich es
Euch weisen.«

Die Kurfürstin fuhr mit ihrer Linken spielerisch über den Kopf
eines Windspiels:

»Darf ich das Bild nicht ebenfalls betrachten?«

Und Bracke neigte sich:

»Gewiß, gnädigste Kurfürstin, vielleicht gefällt es Euch, Euren
Gemahl zu begleiten.«

Am Morgen empfing Bracke das erlauchte Paar am Eingang
zum Saal.

Er hatte einen weißen Mantel übergeworfen, trug ein weißes
Samtbarett, in der Linken die Palette, rechts den Pinsel, und
war ganz angetan wie ein Maler.

»Ich werde Euch, edle Kurfürstin, gnädiger Herr, nunmehr das
Bildnis Gottes zeigen – wisset aber, daß nur die es sehen werden, die reines Herzens sind – wie schon in der Bibel geschrieben steht.«

Damit öffnete er die Flügeltüren des Saales.

Da sah nun der Kurfürst im Hintergrund auf riesiger Staffelei
nichts als eine große, in Form eines Altarbildes golden gerahmte Leinwand.

»Beim Teufel, dem ich ja nun einmal verschrieben scheine«,
raunzte der Kurfürst, »ich sehe nichts als eine weiße Leinwand.«

Die Kurfürstin lächelte, obwohl ihr die Tränen der Beschä-
mung näher waren, und sagte:

»Was seht denn Ihr, Bracke, auf der weißen Leinwand, die Ihr
mit Gott bemalt habt?«
Bracke drehte den Pinsel um, so daß er zum Zeigestock wurde,
und deutete gleichsam die einzelnen Partien des Gemäldes.
»Hier in dem mittleren Teil des Bildes thront auf silbernem
Sessel, der auf silbernen Wolken steht, Gottvater. Die Eule, das
Sinnbild der Weisheit, sitzt, einen Spiegel in ihren Krallen, auf
seiner rechten Schulter, auf seiner linken die Taube, das Sinn-
bild der Güte. Zu seinen Füßen dahingestreckt reckt sich ein
goldener Löwe, das Sinnbild der Schönheit.
In seiner linken Hand trägt er wie einen Reichsapfel die Erd-
kugel. Seine Rechte umfaßt den gezackten Blitz, das Schwert
der Gerechtigkeit.
Unter der Wölbung links wandelt Hand in Hand mit seiner
Mutter Maria Gott der Sohn in einem Rosengarten. Viele
Frauen und Kinder folgen ihm, hüpfend und psalmodierend.
Unter der Wölbung rechts schwebt über blauem Berg eine
weiße Wolke, aus welcher der Kopf eines Adlers zuckt. Dies ist
der Heilige Geist.
Im Tale weiden Ziegen und Schafe, die ihn nicht spüren noch
ahnen.
Er wird sie vernichten . . .
Selig sind, die reines Herzens sind, denn sie werden Gott
schauen. Sie werden ihn sehen: überall, im höchsten wie im
geringsten. Im Prunkgemälde wie in dieser einfachen Lein-
wand.«
Die Kurfürstin trat auf Bracke zu:
»Jetzt, da Ihr mir Gott so anschaulich gezeigt, erkenne ich ihn
selbst auf dieser leeren Leinwand. Ich will versuchen, ihn niemals mehr zu verlieren. Ich danke Euch, Bracke.«
Und sie reichte ihm ihre kleine Kinderhand.
Das Rentamt des Kurfürsten zahlte Bracke die bedungenen
hundertfünfzig Gulden Rest für das Gemälde Gottes aus.
Die Kurfürstin befahl, die golden gerahmte Leinwand in ihrem Schlafzimmer über ihrem Bett aufzuhängen, damit sie
Gott stets vor Augen habe, wenn sie erwache, und den Tag mit
seinem Anblick beginne.

Die Kurfürstin ließ Bracke rufen:
»Habt Ihr nicht Lust, ein Porträt von mir zu malen, da das Bildnis Gottes Euch so gut gelungen?«
Bracke lächelte: »Es würde mir mit Euch vielleicht ähnlich gehen wie dem heiligen Lukas mit der Mutter Gottes.«
Die Kurfürstin sprach:
»Und wie erging es ihm?«
Bracke sprach:
»Dem heiligen Lukas erschien im Traum eine englische Erscheinung, die sprach: ›Steh auf, Lukas, du sollst das Angesicht Unsrer Lieben Frau malen, damit ein Bildnis ihrer auf die Nachwelt komme.‹ Lukas erhob sich im Morgengrauen und schritt demütig zur Hütte, in der Maria wohnte, nahm auch Pinsel und Palette, Leinwand und Farbenkasten, in seinen Mantel eingeschlagen, mit, denn er war ein geachteter und berühmter Maler schon zuvor. Dort begrüßte er nun in aller Demut und Unterwürfigkeit die Heilige und tat ihr sein Anliegen und den nächtlichen Besuch des Engels kund. Da lächelte Maria, wie nur sie zu lächeln vermag, und setzte sich im Freien vor der Hütte unter den Bäumen in Positur. Und Lukas stellte seine Staffelei und seinen Farbenkasten auf, nahm allerlei Maß und begann alsbald zu zeichnen und zu malen. Von den Wolken hernieder aber schwebten Amoretten und Putten und kleine Engel. Einige bildeten einen Kranz und schlangen sich spielerisch um Maria, die kamen mit auf das Bild. Andere aber standen, die Flügel gefaltet, hinter ihm, beäugten neugierig das Wunderwerk, das hier ward, oder halfen Lukas reiben und reichten ihm die Pinsel zu.
So schritt die Arbeit rüstig fort, als die Abenddämmerung allzufrüh hereinbrach und des Künstlers Werk hemmte. Das Bild war fast, aber doch nicht ganz vollendet. Es fehlte den Augen der Maria das letzte Leuchten. Ihrem Mund ein kleines Lächeln und ihrem ganzen Wesen ein Hauch Allmütterlichkeit. Seufzend packte Lukas sein Gerät zusammen und verabschiedete sich mit dem Versprechen, morgen wiederzukommen und das begonnene Werk im Herrn zu vollenden. In der Nacht aber wurde Maria in den Himmel abberufen, und als Lukas am nächsten Tag an die Tür ihrer Hütte pochte, antwortete ihm

keine Stimme. Als er öffnete, sah er das Irdische der heiligen
Mutter blaß und regungslos auf dem Lager liegen. – So kam
es, daß es kein vollendetes Bild von der heiligen Frau auf Erden gibt. Auch die größten Maler aller Zeiten: ein Raffael, ein
Bellini, ein Fra Angelico haben nur einen schwachen Abglanz
ihrer auf die Leinwand gebracht. Immer fehlt ein letztes: dem
gelangen die Augen, aber er verfehlte gänzlich die Lippen. Der
malte die schönsten und zärtlichsten Hände, aber ihre Stirn
war viel zu streng, ihr Haar zuwenig blond und sonnengold.
Dem einzigen, der sie zu ihren Lebzeiten ganz und vollkommen hätte malen können, nahm der Tod den Pinsel aus der
Hand. – Aber es soll wohl so sein. Ein jeder soll sich sein Bild
von der Madonna machen. Sie wird es segnen, auch wenn es
nicht so trefflich gelingt. Das Leben bleibt Stückwerk. Auch
wir schreiten unvollendet hinüber. Hilf uns, Sankt Lukas, unser Bild im himmlischen Reich zu vollenden. Dort hast du Gold
und Rosenrot, Morgenrot und Himmelblau auf der Palette –
Farben, nach denen wir grau und schwarz bemalten Menschen
so selige Sehnsucht tragen. Heb uns aus dem Schatten ins
Licht. Laß uns leuchten wie Stern und Sonn' und Mond, Sankt
Lukas.«
Die Kurfürstin hatte die Augen geschlossen.
»Amen«, sagte sie leise.


Grieta vernahm, daß Bracke eine Nacht bei der Magd des
Kugelapothekers in Berlin geschlafen habe.
Sie weinte, legte Witwenkleidung an und begab sich nach
Berlin. Sie traf die Magd in der Küche, setzte sich auf die Kü-
chenbank und sprach:
»Weiß Sie, wer ich bin?«
Die Magd, die Teller scheuerte, sprach, ohne aufzusehen:
»Nein, Frau.«
»Sehe Sie mich an!«
Die Magd sah auf.
»Was sieht Sie an mir?«
»Daß Sie eine Witwe ist . . .«
»Und warum bin ich wohl eine Witwe?«
Die Magd sprach:

»Wie sollt ich's wissen – weil Ihr Mann tot ist, wahrscheinlich.«

Grieta sprach:

»Ja, weil mein Mann gestorben ist. Denn er hat bei Euch im
Sarge gelegen . . .«

Da merkte die Magd, worauf Grieta hinaus wolle und wer es
wohl sein könne.

Sie fiel vor ihr in die Knie:

»Könnt Ihr mir verzeihn?«

Grieta sprach:

»Steht auf!«

Da schüttelte die Magd den Kopf:

»Nein, laßt mich Euch kniend erzählen, wie Bracke bei mir
war. Er hatte kein Geld zum Nachtlager, und ich nahm ihn
mit in meine Kammer. Als wir nun nebeneinander im Bett
lagen, da holte er aus der Brusttasche Eure auf einem Jahrmarkt geschnittene Silhouette, Frau, betrachtete sie lange und
inbrünstig, und begann mir von Euch zu erzählen. Daß es
wohl keine schönere, keine bessere und keine barmherzigere
Frau gäbe als Euch. Da sprach ich, denn ich wurde eifersüchtig
vor soviel Lobpreisung Eurer: ›Laßt sehen, ob ich Eurem Weibe
nicht vielleicht nur wenig nachstehe.‹ Da zeigte ich ihm meine
Brüste und meine schlanken Beine und sagte ihm, daß mich
noch niemand berührte. Da küßte er mich und sprach: ›Grieta
wird sich mit uns freuen, wenn sie hört, wie wir zusammen
glückselig waren‹ – und wir versanken ineinander.

Grieta stand auf. Sie warf die Witwenhaube ab.

Sie küßte der Magd die Tränen von den braunen Augen und
sprach:

»Weißt du nicht, meine Freundin, wohin Bracke gegangen ist?
Er blieb so lange von Hause fort.«

»Ich weiß es nicht, Frau«, sprach die Magd, »aber wenn er mir
begegnet, will ich ihn sogleich Euch senden . . .«


Ein geckiger Franzose namens D'aujourd'hui, der am Hofe
des Kurfürsten eine Hofmeisterstelle versah, war wegen seines
hochfahrenden Wesens allgemein unbeliebt. Zu jedem, der es
hören wollte, und auch zu denen, die es nicht hören wollten,

führte er Rede dergestalt, daß die Franzosen nur die rechte
Kultur und Grazie hätten und daß die Deutschen insgesamt
Schweine seien, die von nichts etwas verstünden als von ihrem
eigenen Mist.

Dieser Franzose verdroß Bracke sehr, und er beschloß, ihm eine
Lehre zu geben.

Als der Franzose einst vom deutschen Bier im »Bernauischen
Keller« zuviel probiert, es gegen elf Uhr abends geworden war
und er wieder solche Reden führte, wie: deutsche Schweine . . .,
sprach Bracke zu ihm:

»Ich will Euch beweisen, daß die Schweine – nicht deutsch,
wohl aber französisch reden – und also zur französischen Nation zu zählen sind.«

Und er packte den Franzosen am Handgelenk und führte ihn
zum Gelächter der Bürger an den Schweinestall des Wirtes.

Dort ersuchte er ihn, an die Tür zu pochen und auf französisch
zu fragen, wieviel Uhr es sei.

Der Franzose klopfte an die Tür und fragte:

»Quelle heure est-il?«

Da antwortete drinnen die Sau, aus dem Schlafe aufgestört,
durch ihren Rüssel schnaubend: »Onze, onze.«

»Seht nur nach der Uhr«, lachte Bracke, »ob Euch die Sau nicht
recht Bescheid gegeben.«

Der Franzose sah auf die Uhr, und es war in der Tat elf Uhr . . .

Da schlug er mit ganzer Faust wütend an die Tür und schrie:

»Est-ce que c'est vrai? Est-ce que vous parlez français?«

Da erwachten auch die Ferkel aus dem Schlafe und quietsch-
ten: »Oui, oui . . .«

Mit einem Fluche auf den Lippen, unter dem dröhnenden
Applaus des Publikums, schwankte der Franzose hinüber in
den Seitenflügel des Schlosses, in dem er wohnte.

Seitdem aber heißt es in der Mark Brandenburg, daß die
Schweine französisch sprechen.

Während, wie man schon von früher weiß, die Esel deutsch
reden. J–a.


Es kam eine Mutter, die brachte ihren Sohn, einen Verwachsenen und Zwerg, zu Bracke und sprach:

»Da er sonst zu nichts taugt, nicht als Metzger das Messer schwingen, als Krämer die Waage bedienen, als Kutscher die Pferde lenken kann –, so bitte ich Euch, nehmt ihn gegen eine angemessene Entschädigung in Eure Schule der Weisheit. Lehrt ihn denken, reden, handeln gleich Euch: närrisch und edel, heiter und klug, damit er geachtet sei bei den vornehmen Standespersonen und sein Ein- und Auskommen habe bis an sein Ende.«

Bracke führte die Frau mit dem Knaben zu seiner Ziege:

»Seht Ihr diesen Ziegenbock?«

Und er gab ihm einen Schlag, worauf der Bock meckerte.

»Dieser Ziegenbock ist seit Jahren mein Freund und Schüler. Trotzdem ich mir aber alle Mühe mit ihm gegeben und mit ihm zusammen sogar die Propheten gelesen habe, vermag er bis heute noch nichts anderes als zu meckern, zu fressen und zu sch . . ., denn dies eben sind die vorzüglichen Eigenschaften und Kräfte des Ziegenbockes, und ich glaube, dein Sohn wird nicht mehr lernen, als er ist: ein Zwerg zu sein und zu bleiben und das Zwergige in sich, nicht aber das Riesige zu entwickeln. Denn dieses würde ihm übel anstehen. Auch mag er auf sein Mundwerk Bedacht haben: denken und – schweigen, daß es nicht heiße: wo hat dieser Zwerg das Riesenmaul her? Du magst ihn aber immerhin bei mir lassen. Mein Weib wird sich freuen, ein fremdes Kind zu bekommen, da Gott uns die unsern nahm. Er bleibe einen Monat. Da werden wir sehen, ob er auch Anlagen hat, unser geistiger Sohn zu werden.«

Die Frau, obwohl sie nur wenig von der Rede Brackes verstand, ging hochbeglückt von dannen.

Nach einem Monat kam sie wieder: da hatte der Zwerg gelernt, die Stube zu fegen, Sand zu streuen, die Betten zu machen und die Hühner und Gänse zu warten.

»Ist dies die Schule der Weisheit?« fragte die Frau verwundert. Aber sie ließ den Zwerg noch einen Monat bei Bracke.

Da lernte der Zwerg im zweiten Monat die Stiefel putzen, das Feuer im Herde anmachen, Suppe kochen und Kartoffeln schälen.

Nachdem der zweite Monat um war, kam die Frau wiederum, und wiederum erstaunte sie sehr über die Schule der Weisheit.

Im dritten Monat lernte der Zwerg lachen, im Walde streifen, die echten von den giftigen Pilzen scheiden, Vogelstimmen nachahmen und zu den Sternen sehen.

Als nun nach dem dritten Monat die Frau sich wieder bei Bracke einfand, sprach dieser:

»Dein Sohn hat die drei ersten Klassen der Schule der Weisheit trefflich absolviert. Nimm ihn wieder mit. Nichts anderes kann man einen Menschen aus sich, aus ihm heraus lehren als dies: alles Menschliche menschlich zu tun. Für jedes rechte Gefühl auch die rechte Form zu finden. Immer mit sich eins und zufrieden in Geist und Handlung sein. Sich selber erlösen – so erlöst einen Gott.«

Dies begriff nun die Frau erst recht nicht, aber da sie in das aufgeblühte Antlitz ihres Zwerges sah und seine heiteren und sicheren Gebärden und Worte, ging ihr das Herz auf; sie ahnte Brackes Weisheit und ging, den Knaben an der Hand, und ließ Bracke viele Segenswünsche und ein halbes ausgenommenes Kalb als Schulgeld zurück.

Bracke ging mit einem dicken Buch in der Hand spazieren und las im Gehen.

Er fiel in die Spree.

Man fischte ihn mit langen Stangen und Seilen aus dem Wasser und brachte ihn triefend zum Kurfürsten.

Der Kurfürst bebte erheitert:

»Da sieht Er, Bracke, wohin Er mit seiner Weisheit kommt. Vor lauter In-die-Luft-Stieren – und Über-die-Erde-Taumeln – fällt er ins Wasser.«

Bracke sprach:

»Wollt Ihr hören, worüber ich mich so entsetzte, daß ich ins Wasser fiel?

Es ist das *Encomium moriae* des Erasmus von Rotterdam, und lateinisch geschrieben.«

Und er schlug sein Buch auf:

»Was soll ich nun von den Großen des Hofes sagen? Obwohl die meisten von ihnen die denkbar Verächtlichsten, Widerwärtigsten und Verworfensten sind, wollen sie trotzdem in allen Dingen als die Hauptpersonen angesehen werden. Freilich sind sie in dem einen Punkte sehr bescheiden, daß sie sich damit begnügen, Gold, Juwelen, Purpur und alle möglichen Symbole der Weisheit und Tugend auf ihrem Körper zu tragen, aber andern die Sorge überlassen, weise und tugendhaft zu sein. Der saubere Gebieter schläft bis zum Mittag und läßt sich dann von dem bereitstehenden gemieteten Kaplan, noch fast im Halbschlummer, eilig eine Messe lesen. Dann frühstückt man; das Diner folgt unmittelbar darauf. Nach Tisch wird gewürfelt, gelost und manches Brettspiel gespielt; es kommen die Spaßmacher, die Narren und Dirnen. Solchermaßen vergeht das Leben der hohen Herren. –

Ist dies nicht die abscheulichste Lüge, die mir je vorgekommen?« sprach Bracke – »eine so erbärmliche und so sonderbare Lüge, daß Wort für Wort ... alles ... wahr ist. Was sagt Ihr zu solcher Art Lügen, Herr?«

Der Kurfürst hatte mit jener Dirne, die er einst in seiner Hochzeitsnacht umarmte, ein sommersprossiges, blasses und rachitisches Kind gezeugt.

Als es fünf Jahre zählte, befahl er, daß es in den Palast verbracht würde.

Vor diesem Kinde hatte der Kurfürst Furcht, und er schrieb ihm geheime Kräfte zu.

Es sah ihn zuweilen mit seinen grünen Augen so unendlich leidend an, daß er erbebte.

Es ließ mit einem apathischen Lächeln alles mit sich geschehen.

Der Kurfürst schenkte ihm Holzpuppen, kleine Negersklaven, Papageien und Affen.

Es sah alles mit großen Augen an und lächelte stumpf.

Innocentia taufte er das Kind.

Als es im sechsten Jahre an Schwäche starb, war der Kurfürst untröstlich und hängte am Tage seines Todes sieben Juden.

Er schrieb ein Trauergedicht: Innocentia, das er durch Bracke auf dem Marktplatz öffentlich verlesen, durch Schreiber in Gold schreiben, in schwarzes Leder binden und der kurfürstlichen Bibliothek in Berlin einverleiben ließ.

Das Gedicht aber begann:

Unschuldig zeugte ich dies Kind – und also starb's.
Nie liebt ich ehrlicher als diesen Schmerz.
Nie tiefer war mein Leid als dieses Grab.
Nie edler mein Pokal als ihre Aschenurne.

Der Kurfürst hatte eine kurze Komödie von der Geburt des
Herrn erdacht und gedichtet. Sie war mit zweierlei Tinte rot
und schwarz auf Pergament, der Umschlag in schwarzer Seide,
in der kurfürstlichen Kanzlei selbst vervielfältigt.
Er gab sie Bracke zu lesen. Bracke las:

> Der Engel Gabriel spricht:
> Nicht fürcht' dich, o du kleine Schar,
> Gott ist mit dir, glaub' mir fürwahr.
> Hör' Wunder groß zu dieser Frist:
> Euch allen heut geboren ist
> Christus, der Herr, ein Kindelein
> Von einer Jungfrau zart und fein
> Zu Bethlehem, in Davids Stadt,
> Wie es euch Gott verheißen hat.
> Das Kind zu dieser kalten Zeit
> In einer harten Krippe leid't,
> Welches Maria, Mutter sein,
> Gewickelt hat in Windeln ein.
> Sein Bett wird sein von Stroh und Heu,
> Ein Ochs und Esel ist dabei.
> Geht eilends, seht das Wunder an,
> Was Gott hat diese Nacht getan.
> Ehre sei Gott in der Höhe!

Bracke las noch einmal: Sein Bett wird sein von Stroh und
Heu ... ein Ochs und Esel ist dabei ... Was weiß der Kurfürst
von mir? Da sah er in die erwartungsvoll wie kleine Trommeln
gespannten Augen des Kurfürsten und sprach:
»Ihr solltet die Komödie zur Weihnacht im Schlosse der gnädigen Frau Kurfürstin vorspielen lassen.«
Der Kurfürst zeigte sich angeregt von dem Gedanken. »Ein
hübscher Einfall. Er hat recht, Bracke. Aber wo nehme ich die
Schauspieler her?«

Bracke sann:
»Laßt mich nur machen, ich kenne Komödianten genug.« Und
er bat den Kurfürsten um Autorisation zur Aufführung.

Bracke rief den Mörder, den Henker, den Abdecker und jene
Dirne, von der der Kurfürst ein Kind hatte, zusammen und
sprach:
»Ich habe Arbeit für euch.«
Da sprachen die Männer, welche sonst wenig sprechen:
»Sprich, Bracke.«
Und Bracke sprach:
»Ihr sollt in einer Komödie spielen.«
Die Männer schwiegen.
»Ich werde euch die Komödie einlernen und die Worte, Gesten
und Gebärden.«
Und der Mörder sprach:
»In welcher Komödie sollen wir spielen?«
Bracke gab Bescheid:
»In der Komödie von der Geburt des Herrn, die der gnädige
Kurfürst in eigener Person verfertigt hat.«
Da schwiegen die vier.
Endlich sprach der Henker:
»Und was soll ein jeder von uns darin darstellen?«
Bracke bestimmte:
»Du, Henker, spielst den Engel Gabriel. Du, Abdecker, den
Joseph. Die Hure spielt die Mutter Gottes. Der Mörder Gott-
vater selbst.«
»Und das Jesuskind?« fragte die Dirne.
»Das Jesuskind spielt deine Tochter, des Kurfürsten Kind . . .«
Das Kind war aber dazumal noch am Leben.
Als nun der Tag der Vorführung kam, hatte Bracke ihnen al-
len schöne Kleider, Geräte und Symbole besorgt. Er hatte sie
durch Bärte und Schminke unkenntlich gemacht und ihnen die
Gesten, Gebärden und Worte trefflich einstudiert, so daß Kur-
fürst und Kurfürstin von der Vorführung hoch entzückt und
erbaut waren.
Die Kurfürstin gab Bracke ihre kleine Kinderhand und sagte
leise: »Ich habe Euch lieb, Bracke.«

Und ging in ihre Gemächer.

Der Kurfürst setzte sich mit den vermummten Komödianten und Bracke noch zu Tisch und schmauste und zechte mit ihnen die Nacht durch.

Trunken tölpelte er mit der Dirne, die als Mutter Gottes einen goldenen Heiligenschein um ihre Stirn trug, ins Bett.

Am übernächsten Tage, nachdem der Kurfürst seinen Rausch ausgeschlafen hatte, fragte er Bracke, wer die scharmanten Schauspieler gewesen seien.

Da sprach Bracke:

»Der Henker, der Abdecker, der Mörder und die Hure.«

Da erblaßte der Kurfürst, holte die Hand zum Schlage aus, besann sich aber und verließ dröhnend das Zimmer.

Es war wenige Tage danach, da wanderte Bracke durch die verschneite Silvesternacht nach Hause gen Trebbin, zu seinem Weibe.

Er schritt wie eine blühende Linde durch den nächtlichen Winter, und in ihm zwitscherte Drossel- und Nachtigallenruf: Grieta! Grieta!

Was für ein Frühling soll das werden, jubelte Bracke, was für ein Sommer! Grieta! Unser Glück soll himmlisch blühen und reifen! Grieta, ich will einen Sohn in dieser Silvesternacht mit dir zeugen, der soll Tiere und Bäume und Sterne reden hören, und das Meer soll sich vor ihm teilen wie vor Mose. Er soll mit seiner Hand den Lauf der Sonne anhalten und den Mond aus der Nacht in den Tag hinüberschleudern. Gebirge wird ihm sein wie Ebene, darauf zu tanzen. Alle Frauen werden seine Schwestern sein.

Da hörte er seitwärts einen Specht an einem Baume hämmern: »Bracke! Bracke!«

Und er blieb stehen und erinnerte sich des Gespräches der beiden Pferde im Stall des Hauptmanns von Schlieben.

»Bracke«, klopfte der Sprecht, »geh eilends. Dein Weib ruft nach dir.«

Da erschrak er zu Eis. Die Blüten fielen von seiner Linde, Nachtigall und Drossel fielen erfroren tot zu Boden, und es war nur Winter. Kein Frühling blühte, kein Sommer reifte mehr.

Als er aus seiner Erstarrung erwachte, rannte er das Stück des
Weges, das ihm noch blieb, keuchend und mit zusammengebissenen Zähnen.

Er rüttelte an seiner Haustür.

Sie war unverschlossen.

Er taumelte ins Zimmer.

Da lag am Herde unter dem flackernden Spane: Grieta, ein
Messer zwischen den Brüsten.

Schreiend wie eine wilde Katze zog er das Messer aus der
Wunde.

Es zeigte an seinem Knauf den kurfürstlich-brandenburgischen
Adler.

Er küßte das Blut vom Messer und reckte es schwörend und beschwörend in den Klang der Glocken, die eben das neue Jahr
einläuteten.

Der Kurfürst erwachte, sprang aus den Kissen und trat vor den
Spiegel:

Welch hohe Stirn! Herbergend Gedanken der Herr- und Gött-
lichkeit! Die Brauen – wie edel geschwungen! Lazertenschwän-
ze! Diese Brust – über die Rippen gespannt wie eine Pauke.
Die Augen – Brandstifter der dürren Stroh- und Reisigwelt.
Gefährten der rasenden Gestirne. Hier hämmert das Herz,
Rotspecht, am Baume der Brunst. Die Füße zerstampfen die
Narzissenbeete und Getreideäcker, bis die Engerlinge aus dem
zerwühlten Humus ans Licht fliegen und der blinde Maulwurf
ihnen folgt. Diese spitzen, weißen Zähne: zerbeißen lebende
Küken gern. Ach! einer Frau die Kehle durchbeißen in der Um-
armung und im letzten Schauer ihr Blut trinken. Ich bin die
Kraft, die Wildheit und die Würde. Ich sehe nichts, was meiner
Anbetung wert wäre außer mir.

Er fiel vor seinem eigenen Spiegelbilde nieder und erwies ihm
göttliche Ehren.

Der Bildhauer Dörfler ward beauftragt, ein Standbild des Kurfürsten in Lebensgröße zu schaffen.

Der Kurfürst ließ für die Statue einen eigenen Tempel, ganz in
Marmor, errichten.

Täglich wurden Messen vor seinem Bilde gelesen und ihm göttliche Ehren zelebriert. Das Standbild wurde jeden Tag mit derselben Kleidung bekleidet, wie er sie gerade trug: bald purpur-
rot, bald orangegelb, bald silbergrau.

Am Tage des Vollmondes wurde im Tempel ein heiliges Gelage
veranstaltet, bei dem Perlhühner, Flamingos, Pfauen, Auer-
hähne und Fasanen dem kurfürstlichen Gotte geopfert wurden.

Der Kurfürst hielt die Zeremonien als sein eigener Oberpriester
und schnitt den kreischenden Vögeln mit einem goldenen Messer, dessen Knauf den kurfürstlich-brandenburgischen Adler
zeigte, die Kehle durch.

Als dabei Blut auf sein weißes Priestergewand spritzte, erschrak er heftig und deutete es sich als schlimmes Vorzeichen.


Es geschah, daß ein Sendschreiben vom Kaiser ausging an alle
Könige, Kurfürsten, Herzöge, Grafen, reichsunmittelbaren
Herren, Klöster und freien Städte, ihm aus jedem Land und
Bezirk den weisesten Mann zu senden, da er ihnen eine wich-
tige Frage vorzulegen habe und ihre Ansicht über irdische und
göttliche Dinge vernehmen wolle.

Da sandte nun der Kurfürst von Brandenburg Bracke nach
Wien, indem er ihn für den weisesten Mann in seinen Landen
hielt.

Als Bracke in Wien eintraf, waren um Karl den Fünften die
weisesten Männer aller Länder versammelt, und man hörte sie
in allen Zungen sprechen: Deutsch, Welsch, Spanisch, Italienisch, Türkisch, Griechisch und Lateinisch.

Es wurde aber eine Nachtsitzung bei Kerzenschein anberaumt,
damit man von den Geräuschen und dem Glanz des Tages
nicht übertönt und geblendet sei und ganz nur in sich hören
und hineinsehen könne.

Der Kaiser saß am Kopfende der langen Tafel, klein, mager,
hochmütig und behend.

Hinter ihm war ein schwarzer Vorhang, der ein zweites Gemach abschließend verhüllte, und der Kaiser spielte oft in Gedanken mit der goldgedrehten Vorhangschnur.

Als die Uhr zwölf schlug, läutete er mit einer kleinen silbernen

Glocke, die vor ihm auf der Samtdecke neben einer Bibel, einem Totenkopf, einer in Metall nachgeahmten Schlange und einem kleinen silbernen Hammer lag. Gleichzeitig zog er an der Vorhangschnur, der schwarze Vorhang teilte sich, und im Nebenzimmer sah man, gleich wie im Hauptsaal, eine Anzahl Männer, nur völlig reglos, um einen Tisch versammelt.

Es waren aber Sokrates, Laotse, der Apostel Paulus, Mohammed, Heraklit, Cäsar, der Dalai-Lama, der erste Mikado, der heilige Augustin, der heilige Franziskus und viele der Weisesten, die längst verstorben waren – in Wachs und Gips nachgeahmt und ganz in ihre Tracht gekleidet.

Der Kaiser sprach:

»Geistige und geistliche Herren! – Ich war des Glaubens, bei unserer Verhandlung die Weisesten unter den Toten als stumme Ratgeber herzuzuziehen, damit ein jeder sie und ihr Gedächtnis stets vor Augen habe und keine Leichtfertigkeit der Rede oder des Gedankens aufkomme. Ich stelle nunmehr die Frage: Da Gott bisher namen- und gleichsam körperlos durch die Welt wandelte: *mit welchem Namen soll Gott künftig am treffendsten genannt und geehrt werden?*«

Die Lebenden erstarrten wie die Toten, und war unter Statuen und Menschen ein großes Schweigen. Es hatte aber jeder wie der Kaiser eine Glocke vor sich stehen.

Nach einer Weile läutete nun am untern Ende der Tafel ein Weiser in Panzer und Rüstung und sprach:

»Gott soll der Gott der *Macht* genannt werden künftig. Denn er führt wie ein Heerführer die Winde und die Wolken, Feuer und Wasser, Luft und Erde, Tier und Menschen gegeneinander – und hat ihrer aller Leben und Sein in seiner Hand.«

Da erhob sich ein beifälliges Gemurmel auf beiden Seiten.

Der Kaiser nickte leise mit dem Kopf.

Im Nebenzimmer die Gipsfigur des Cäsar schien plötzlich verschwunden.

Nach einer Weile läutete eine zweite Glocke, und in der Mitte der Tafel erhob sich ein Kaufherr in braunem Tuchrock und sprach:

»Gott soll der Gott des *Reichtums* genannt werden künftig: denn ihm gehören Dörfer und Städte, Gold und Edelstein und

Metalle unter der Erde in unnennbaren Werten, Wälder, Felder und viele exotische Besitzungen, Herden von Kühen, Ziegen und Schweinen, Fische und Planeten, Nord- und Südpol.«
Ein beifälliges Gemurmel erhob sich wiederum.
Im Nebenzimmer der Mikado ... wurde nicht mehr gesehen.
Nach einer kleinen Weile läutete die Glocke ein Mönch in der
Tonsur des Franziskaners. Der sprach unendlich gütig, aber
mit schwerer Stimme, da ihn das Asthma plagte:
»Gott soll der Gott der *Liebe* genannt werden künftig. Denn
er ist uns wie ein Bruder zu seinem Bruder, wie eine Mutter zu
ihren Kindern. Er hat uns aus Liebe geschenkt dieses Leben:
Baum und Frucht, Tier und Speise, Rebe und Trank zu unserer
Freude. Er hat die Sonne erschaffen, daß wir gewärmt werden,
die Sterne, daß wir in der Nacht das Licht nicht vergessen. Tun
wir recht, so ist er voll Milde. Sündigen wir, so zeigt er sich voll
Gnade. Er ist nicht als Gnade, Segen und Güte, Liebe und
Liebe. Misericordias Domini in aeternum cantabo.«
Da erscholl ein weitaus heftigerer Beifall als bisher, und alle
dünkte fast, als habe der Mönch recht gesprochen.
Im Nebenzimmer der Platz des heiligen Franziskus war leer
geworden.
Als man sich nun besprach und dem Mönch die Krone der
Weisheit zu reichen gedachte, da stand Bracke auf, daß der
Stuhl hinter ihm polternd zusammenfiel, und schwang schrill
seine Glocke.
Augenblicklich trat Ruhe ein, und alle betrachteten verwundert
den ärmlich gekleideten Mann, der, die meerblauen Augen auf
die bewölkte Stirn des Kaisers gerichtet und diese gleichsam
wie eine Sonne aus den Nebeln schälend, schrie:
»Gott soll künftig mit dem Namen des *Kaisers* genannt werden – denn dieses ist die Antwort, die der Kaiser zu hören
wünscht.«
Da wurde es stumm, leer und hell wie unter einer Glasglocke.
Die Fliegen summten.
Die Falten auf der Stirn des Kaisers hatten sich geglättet.
Er starrte auf den Totenkopf vor seinem Platz.
Im Nebenzimmer entschwand Heraklit, der dunkle.
Und Bracke schwang noch einmal die Glocke:

»Es gibt ein Spiel, es wird im ›Bernauischen Keller‹ in Berlin gespielt und im ›Schweidnitzer‹ in Breslau, es ist gewiß auch der Majestät in Wien nicht unbekannt: Der Stein ist stärker als das Messer. Das Messer ist stärker als das Papier. Das Papier ist stärker als der Stein.«

Da löste sich im Nebenzimmer die Figur des Laotse in Licht und Luft auf.

Bracke schnellte seine Stimme auf das Herz des Kaisers wie einen Pfeil vom allzulange gespannten Bogen:

»Du hast Gott versuchen wollen: denn wahrlich, dein Wahnwitz hält sich für Gott, da du der Gott des Reichtums, der Gott der Macht und der Gott der selbstherrlichen, nicht innerlichen Gnade bist. – Der *Teufel* bist du«, schrie er, »und mit diesem Namen soll *dein Gott* künftig genannt werden ...«

Der Kaiser sprang aschfahl wie eine an der Schnur gezogene Marionette auf, um wieder, als wäre der Faden plötzlich gerissen, herab in den Stuhl zu fallen.

Bracke war aus dem Saal verschwunden.

Mit ihm, aus dem Nebenzimmer, Sokrates.


Als Bracke Wien verließ, schlug er an das Tor des Stephansdomes folgende Thesen:

Volk, wach auf!

Kaiser, wach auf!

Es wird nicht Friede auf Erden sein und unter den Menschen, ehe nicht des Kaisers Majestät friedlich geworden. Erkennt, Herr Kaiser, die Zeit! In ihr: die Blüte der Ewigkeit! Die Macht ist ein tönerner Götze, wenn Geist, Güte und Gerechtigkeit nicht mit ihr verbunden. In den öffentlichen und geheimen Kabinetten Wiens herrscht das Untertanenprinzip und das Prinzip der freiherrlichen Gnade. Rechte aber, Majestät, werden nicht verliehen. Sie sind ursprünglich da, sind wesentlich und existieren.

Gebt auf den Glauben an ein Gottesgnadentum und wandelt menschlich unter Menschen! Zerblast die Gipsfiguren der Vergangenheit mit dem Sturmwind Eures neuen Atems. Legt ab den Purpur der Einzigkeit und hüllt Euch in den Mantel der Vielheit: der Bruderliebe. Macht Euch frei von dem Wahne der

Ahnen. Vergessen sei Euer Wort: Regis voluntas suprema lex. Seid der erste Fürst, der freiwillig auf seine Erbrechte verzichtet und sich dem Areopag der Menschenrechte beugt. Euer Name wird dann als wahrhaft groß in den neuen Büchern der Geschichte genannt werden, in denen man nicht mehr die Geschichte der Dynastien, sondern die Geistesgeschichte der Menschheit schreiben wird. Dann werdet Ihr das Kaisertum auf Felsen gründen, während es jetzt nur mehr ein Wolkengebilde ist, das, wenn Ihr die Zeit nicht erkennt, wie bald im steigenden Sturm verflogen sein wird. –

Die Häscher des Kaisers rissen das Pergament von der Kirchentür. Zu spät. Abschriften davon wanderten durch das ganze Römische Reich und hingen plötzlich an allen Kirchen- und Ratstüren.

Bracke ward verfolgt, aber es gelang ihm, sich den nachjagenden Reitern zu entziehen, und glücklich gelangte er wieder in die Mark Brandenburg.

Bracke stand auf dem Marktplatz von Berlin, von vielem Volk umgeben, und erzählte ihm dieses chinesische Märchen:

Es lebte im alten China zur Zeit der Thangdynastie, die in große und gefährliche Kriege gegen ihre Nachbarn verwickelt war, ein Narr; der wagte es eines Tages, sich den Zopf abzuschneiden und also durch die Straßen von Peking zu marschieren. Der Wagemut dieses Unternehmens verblüffte die gelbmäntlichen Soldaten des Kaisers derart, daß sie ihn für einen Irren hielten und unbehindert passieren ließen. Er wanderte durch Peking – über Land – immer ohne Zopf – und gelangte über die Grenze nach einem Lande, das sich in den Thangkriegen für neutral erklärt hatte.

Von dort richtete er schön auf Seidenpapier und anmutig und bilderreich stilisiert einen Brief an den Kaiser Thang, in dem er mit jugendlicher Freiheit zu sagen wagte, was eigentlich alle dachten, aber niemand sagte, nämlich: er, der Kaiser, möge doch sich zuerst den veralteten Zopf abschneiden und so seinen Landeskindern (nicht: Untertanen – denn untertan sei man den Göttern oder Buddha) mit erhabenem Beispiel vorangehen und der neuen Zeit ein leuchtendes Symbol geben. Es sei eines großen und überaus mächtigen Reiches nicht würdig, nach außen so stark, nach innen so schwach zu sein.

Der Narr rezitierte diesen Brief, von Reiswein und edler Gesinnung trunken, seinen Freunden eines Sonn-Abends, worauf er ihn mit einem reitenden Boten nach Peking sandte.

Die Ratgeber des Kaisers gerieten in große Bestürzung. Sie enthielten dem Sohn des Himmels das Schreiben des Narren vor und verboten bei Todesstrafe, die darin enthaltenen Ideen ruchbar werden zu lassen.

Der Narr liebte sein Vaterland sehr. Die Liebe zu ihm hatte ihm den Pinsel zum Brief in die Hand gedrückt und das Kästchen mit schwarzer Tusche. Aber seine wahrhaft unschuldig getane Tat wurde ihm von allen Seiten falsch gedeutet. Die Denunzianten bemächtigten sich seiner, während er fern der Heimat weilte, und beschuldigten ihn bei den Behörden des Kaisers des Vaterlandsverrates und der Majestätsbeleidigung. Ja, sie gingen so weit, zu behaupten, er habe den Brief im Auftrag der Feinde geschrieben und stehe im Dienste der mongolischen Entente. Andere wieder verdächtigten sein chinesisches Blut und schimpften ihn einen krummnäsigen Koreaner.

Der Narr wagte eine heimliche Fahrt in die Heimat und erfuhr zu seinem Entsetzen, was über ihn gesprochen und geglaubt wurde. Er, der in der Ferne nur seinen blumenhaften Träumen gelebt hatte, wurde beschuldigt, Flugblätter über die Grenze an die Soldaten des Kaisers gesandt zu haben, die dazu aufforderten, das Reich dem Feinde preiszugeben. Der Narr geriet in Bestürzung und Tränen. Er zog sich wie eine Schnecke ganz in sich selbst zurück, mißtraute auch seinen wenigen Freunden und reiste heimlich, wie er gekommen war, ins fremde Land zurück. Er dankte es der Gnade der Götter, daß er die Grenze noch passierte, denn die Häscher des Kaisers waren auf ihn aufmerksam geworden. Reiter jagten hinter ihm her. Ein plötzlich einsetzender Platzregen hinderte sie am Vorwärtskommen. Beauftragt, den Narren nach der nordchinesischen Festung Kü-S-Trin zu bringen, erreichten sie eine halbe Stunde zu spät die Grenzpfähle. – Dem Kaiser hing der antiquierte Zopf noch lange hinten herunter. Er wußte nichts von dem Narren und seinem Brief und ließ das Schwert und nicht den Geist regieren.

Der Narr lebte fürder einsam an einem melancholischen See.
Er blickte, das Haupt auf das Kinn gestützt, auf die grünen
Palmen und die violetten Berge. Die Möwen kreuzten kreischend über ihm. Sein Herz suchte in manchen Nächten das
Herz des Kaisers. Auch der Kaiser spürte auf seinem goldenen
Thron zuweilen ein sonderbares Sehnen: er wußte nicht, wonach ... Er neigte das Haupt in die Hand, der Zopf zitterte,
und er dachte angestrengt nach ... Aber die Herzen des Narren und des Kaisers fanden sich nicht. Ein Gebirge erhob sich
steil und felsig, baum- und weglos zwischen ihnen, und wenn
sie nicht gestorben sind, so leben sie heute noch ...

Der Kaiser in Wien aber verfiel in Tiefsinn, und es geschah,
daß er nicht wenig später nach Spanien reiste, dem Thron und
der Welt absagte und in ein Kloster ging.

Der Kurfürst ließ sich in einen Sarg legen und unter Vorantritt
von Priesterchören, dem Kapitel der Beginen und unter Wehklagen des Volkes an die Spree tragen.
Dort erwartete ihn der Conte Gaspuzzi als Charon. Er fuhr ihn
mit langsamen, feierlichen Ruderschlägen in einem mit schwarzem Samt ausgeschlagenen Boot nach dem andern Ufer, das
zu den kurfürstlichen Gärten gehörte, wo ein junger Dichter
ihn als Homer und Bracke ihn als Achilleus begrüßten. Die
Kurfürstin trat als der Schatten Helenas hinzu, dessen er aber
auf keine Weise habhaft zu werden vermochte. Bleich und
schleierhaft entglitt sie ihm wie eine Erscheinung unter den
Händen.
Homer hielt in wohlgesetzten Hexametern eine Lobrede auf
den verstorbenen Kurfürsten, den unüberwindlichen Helden,
bezaubernden Zitherspieler, starken Fechter, liebenswürdigen
Liebhaber und unsterblichen Dichter.
Achilleus schüttelte ihm die Hand und nannte ihn seinen Ka-
meraden und Bruder.
Darauf lud der Kurfürst die Toten ein, mit ihm ins Leben
zurückzukehren.
Charon sei sein Sklave, seines Winkes nur gewärtig.
Sie traten ans Ufer. Die schwarze Barke näherte sich. Und

unter Trompeten- und Zimbelklang, unter dem Jubel des Volkes kehrte der Kurfürst mit Homer, Achilleus und Helena wieder ins Leben zurück.

Der Kurfürst schenkte Bracke zum sichtbaren Zeichen seiner Gnade ein goldgesticktes kurfürstliches Gewand.

Bracke wollte, den Mantel um den Leib geschlungen, das Audienzzimmer verlassen, aus dem sich der Kurfürst schon empfohlen hatte, als die Kurfürstin, eine zahme Eule auf der linken Schulter, aus dem Nebenzimmer trat.

Sie verneigte sich: »Mein kurfürstlicher Herr . . .«

Bracke errötete flüchtig.

»'s ist nur sein Mantel . . .«

Die Kurfürstin verneigte sich:

»Mein kurfürstlicher Mantel.«

Bracke lächelte:

»Mein kurfürstliches Wind- und Wolkenspiel!«

Die Kurfürstin nahm die Eule von ihrer Schulter und setzte sie auf die Statue der Athene, die das Zimmer zierte.

»Athenes Vogel grüßt Euch. Liebt Ihr ihn? Er sieht nur bei Nacht . . . und ist doch das Symbol der Weisheit . . .«

»Dieses Leben . . . diese Zeit . . . ist eine einzige mond- und glücklose Nacht. Wer sie durchschaut, ist schon weise zu nennen. Leuchtete Euer Stern nicht, Kurfürstin, ich verzweifelte zuweilen . . .«

»Ihr . . . durchschaut das Dunkel? Also auch . . . mich?«

»Kurfürstin: Ihr seid das Helle!«

Die Kurfürstin schüttelte das schöne Haupt.

»Wenn Ihr Euch täuschet? Wenn ich voll finsterer Pläne wäre – wie Agrippina? Voll Lüsternheit – wie Aspasia? Von wildem Wollen – wie Kleopatra? Wenn dies mein Wesen: Täuschung? Dieser mein Blick auf Lüge nur bedacht? Glaubt Ihr denn in der Tat, daß man in diesem Hause, in diesem Lande, rein und wahrhaft bleiben kann?«

Bracke schrie gepeinigt:

»Ich glaube es, Kurfürstin. Ich glaube an Euch!«

Die Kurfürstin hielt den Ring mit dem Mondstein, den sie an der rechten Hand trug, ins Licht, ließ den Stein weiß über ihrer zarten Haut leuchten und sagte:

»Ich glaube . . . war die Parole, die Gottes Sohn seinen Streitern gab. Sind wir noch Christen?«

Sie trat auf Bracke zu und reichte ihm ihre Hand:

»Ich liebe Euch, Bracke, und glaube an Euch, wie Ihr an mich. Wenn der Kurfürst längst in der Erde verfault und vermodert und die Erinnerung an ihn die Menschheit mit Entsetzen und Ekel erschüttert – wird ein Wort von Euch, den Jahrhunderten überkommen, noch tausend Frauenherzen bezaubern . . .«

Der Kurfürst jagte über die märkische Steppe.

Die herbstlichen Wiesen bewegten die braunen, violetten Gräser im leisen Winde. Auf einer zerfallenen, von steinernen Rosenketten umschlungenen Säule saß eine Amsel. In naher Schlucht schluchzte eine Quelle.

In einem Brombeergebüsch ging die Sonne unter.

Weidensträucher zackten sich in den Horizont.

Schillernd breitete von einer Thymianblüte ein Pfauenauge die Regenbogenfittiche.

Der Kurfürst zügelte den Schimmel und sprang zu Boden.

Das Pfauenauge entschwebte ins Schwarzblaue, aber er sah an derselben Blume, an der es gehangen, zwei jener sonderbaren und entsetzlichen Tiere, die wegen ihrer flehend erhobenen Arme Gottesanbeter genannt werden, in liebender Umarmung hängen. Mit seinen langen Fühlern streichelte das Männchen die kürzeren des Weibchens. Der Stengel bebte.

Der Kurfürst hielt den Atem zurück.

Die letzte Vereinigung hatte längst stattgefunden. Leicht löste sich das Männchen vom Weibchen. Da fuhr dieses mit dem beweglichen Kopf und seinen anbetend erhobenen Armen, aus denen scharfe Stacheln stießen, blitzschnell herum, umarmte mit den mörderischen Gliedern den wehrlos gefangenen ehemaligen Geliebten – zerbiß ihn gierig und schlang ihn langsam in den Rachen.

Der Kurfürst erhob sich: gemartert. Dies also, sann er, ist die uns von allen Schriftstellern als so gütig geschilderte Natur. Die Tiere sind so schlimm wie wir. Was tat ich, als ich beim Todestage meines Kindes die sieben Juden aufhängen ließ, Schlimmeres? War's größere Sünde, als Brackes Weib den Dolch des

kurfürstlichen Meuchelmörders empfing? Nicht genug, daß
die Grillen, wenn sie sich begegnen, sich gegenseitig zerfleischen. Nicht genug, daß die Schlupfwespe in sanft kriechende,
hellgrüne, mit rosa Sternen bestreute Raupen – Wunder der
Schönheit – ihre Eier legt und ihre Larven das wehrlos dem
Feinde hingegebene Geschöpf von innen zerfressen. Ein Geliebtes tötet noch in der Umarmung den Liebenden und fügt
ihn in grauenvoller Mast zur eigenen Fülle, zum eigenen
Wert. Und dennoch: auch dieses ungeheuerlichste Ungeheuer
kennt das Opfer. Es opfert sich, ja selbst das innerlich der Liebe
zugeneigte Herz: der Zukunft, dem besseren Geschlecht. Der
Gatte soll nicht leben, sie selbst – verworfener Wildheit voll –
nicht leben, wenn das Geschlecht, das sie beide gezeugt, herauf-
kommt: unbeschwert von der Vergangenheit der Ahnen und
ihrer kaum bewußt: in strahlender Vollkommenheit, unschuldig, jung und schön.

Die Sterne überschwirrten schon wie goldene Vögel die Steppe,
als Berlin vor den Augen des Kurfürsten die Ferne verließ und
näher eilte.
Da fielen an einer Wegkreuzung aus der Dämmerung plötzlich
zwei Männer dem Pferd in die Zügel, daß es bäumte und der
Kurfürst nach dem Kurzschwert an seiner Seite griff.
»Fürchte dich nicht«, donnerte der eine, und es war um sie der
Glanz der Sterne, »noch weiß es niemand in der Stadt, was wir
wissen, und die Welt ist dunkel noch von Unwissenheit und
Kinderglauben. Es ist euch ein Mönch erstanden: der wird euch
die einzige Tugend, welche die Götter erschufen und die ihr
beschmutztet, zertratet und erniedrigtet, wieder in Herz und
Gewissen rufen und euch die Seligkeit des Lebens lehren und
die Verachtung des Todes. Wäret ihr Menschen dem Beispiel,
das wir, die Dioskuren, euch gaben, treugeblieben und hättet
ihr eifrig stets unserm Tempel geopfert, unserm Sternbild ge-
huldigt – der Jude Christus und der Mönch Luther, sie hätten
nicht zu kommen brauchen, die Menschen zu belehren und zu
beschämen. Geh und berichte in Berlin, was du in dieser Nacht
in der märkischen Steppe erlebtest: Götter und Gottesanbeter
sonderbarer Art traten vor dich hin. Erkenne die neue Zeit!

Das neue Geschlecht! Den neuen Glauben!«
Der Kurfürst strich sich über seine Brauen.
Die beiden Männer waren nicht mehr da.
Er hob den Blick und sah am Himmel Kastor und Pollux in
brüderlicher Flamme leuchten.

Am Schlachtensee bei Berlin grüßte auf einer Anhöhe aus
wendischer Vorzeit ein kleiner Tempel, der dem heiligen Hunde geweiht war.
In diesem Tempel stand die Statue eines Hundes mit aufge-
rissenem Maul und fürchterlichen Zähnen.
Mit diesem Hunde hatte es eine wunderliche Bewandtnis.
Wer nämlich einen falschen Eid geschworen und steckte seine
Hand in des heiligen Hundes schwarzes Maul, dem biß das
zuklappende Maul alsbald die Hand ab. Legte aber jemand,
der einen rechten Eid geschworen, seine Hand darein, dem tat
das Maul nichts.
Dieses Orakel war schon vielmals ausgeprobt worden, als der
Kurfürst, der das innige Verhältnis seiner Gattin zu Bracke
ahnte, beschloß, sie auf die Probe zu stellen.
Er zog mit Gefolge an den Schlachtensee und sprach zu ihr:
»Halte deine Hand in das Maul des Hundes und schwöre mir,
daß kein Mann seit deiner Geburt dich berührt hat als ich
allein!«
Da stürzte ein Irrer, vermummt und heulend, durch die Reihen, fiel dem Kurfürsten um den Hals und küßte ihn, danach
die Kurfürstin und viele andere anwesende Herren und Damen, ehe es gelang, ihn festzuhalten.
Die Kurfürstin zeigte sich auf das äußerste erschreckt über diesen Zwischenfall.
Der Kurfürst aber sprach:
»Wir wollen uns durch den Irren in unsern Zeremonien nicht
stören lassen ... leg deine Hand ins Maul des Hundes und
schwöre!«
Da legte die Kurfürstin ihre kleine Hand zwischen die Raub-
tierzähne des heiligen Hundes und sprach:
»Ich schwöre, daß seit meiner Geburt kein Mann meinen Leib
berührt hat als der Kurfürst und dieser unselige Irre ...«

Das Maul des Hundes rührte sich nicht.

Seine metallenen Augen glotzten unentwegt.

Da fiel ihr der Kurfürst um den Hals und sagte:

»Du hast die Probe bestanden.«

Und sie fuhren mit Trompeten und Gesang nach Berlin zurück. –

Es war aber jener vermummte Irre niemand anders gewesen als Bracke.


Bracke saß am Fluß und angelte.

Es war ein trüber, regnerischer Tag, der dem Fischfang günstig ist. Aber trotzdem wollte kein Fisch anbeißen.

Endlich fühlte er seine Angel schwer werden.

Er zog und zog mit allen Leibeskräften.

Welch prächtiger Hecht! dachte Bracke.

Ein letzter Ruck.

Da zog er an seiner Angel einen eisernen, über und über verrosteten Landsknechtshelm auf den Rasen.

Bracke erblaßte. Es gibt Krieg! –

In einem Garten sah Bracke, wie ein Gärtner beim Umgraben eine Maulwurfsgrille aus Versehen mit einem Spaten spaltete. Und wie nunmehr die vordere Hälfte in unverminderter Freßgier ihre eigene Hinterhälfte auffraß. Und erst dann krepierte.

»So ist es, wenn zwei Völker Krieg führen«, sprach Bracke zu dem Gärtner. »Sie sind im wesentlichen und eigentlichen ein Volk – das der Krieg spaltet. Und welches von den beiden Völkern auch siegen mag – es wird ihm gerade gelingen, das andere aufzufressen, ehe es selbst krepiert. Da eins ohne das andere nicht leben kann.«


Bracke kam eines Tages in eine Burg des Grafen Schierstädt.

Diese Burg war trefflich gerüstet für einen längeren Feldzug und auf Monate verproviantiert.

Tiefe Wassergräben umgaben sie.

Mauern drohten steil.

Aus Schießscharten lugten Kartaunenrohre wie offene Mäuler bissiger Hunde.

Auf dem Turm stand Tag und Nacht ein Wächter, bereit, bei
offenkundiger Gefahr sofort ins Horn zu stoßen.
Die Burg galt für uneinnehmbar.
Als Bracke abends unter der Linde im Burghof stand und in
die Sterne sah, vernahm er Geflüster.
Er schlich näher und hörte zwei Knappen des Grafen sich besprechen, wie sie ihn zu Fall brächten und sich in den Besitz
der Burg setzten.
Was nützen der Burg die höchsten Mauern, die tiefsten Gräben? dachte Bracke.
Von innen heraus ergreift uns ja stets der unheilvollste Feind –
aus unserm eigenen Herzen.


Krieg muß wieder sein! Die Spree muß Leichen schwemmen!
Warum ereignet sich unter meiner Regentschaft nichts? Keine
Pest, die den Gesichtern der Menschen schwarze Masken vor-
bindet, bis sie auf ihren blauen Bauch tot niederfallen. Keine
Hungersnot, daß Mütter ihre Kinder fressen und Jungfrauen
vor Hunger in einen Rausch der Hurerei fallen. Die Erde soll
sich öffnen und Berlin verschlingen. Ganz Berlin müßte in
Flammen aufgehen. Gott ist mir nicht gewogen, daß er mich
so ... glücklich leben läßt. So in Ruhe und Frieden. Ich will
einen Krieg führen!
Der Kurfürst zog, hölzern auf einem Schimmel reitend, mit
zehn Kompagnien Soldaten gegen die slawischen Barbaren.
Es kommt zu einem erbitterten Handgemenge, bei dem ihm
eine Ohrmuschel halb abgehauen wird. Er ist entzückt.
Er beschenkt.den Slawen, der ihn so zugerichtet, mit hundert
Gulden und ernennt ihn zum Offizier seiner Leibgarde.
Im Triumph zieht er an der Spitze seiner siegreichen Truppen
in Berlin ein.
Der Rat geht ihm bis an Hallesche Tor entgegen.
Kinder und Damen der Gesellschaft streuen weiße Nelken,
seine Lieblingsblume.
Man spritzt wohlriechende Düfte über die einziehenden Krie-
ger.
Von schnell errichteter Tribüne sehen die vornehmen Frauen
dem Treiben zu.

Der Kurfürst reitet bis an die Hofloge und hebt das Schwert.
Er trägt keinen Helm. Nur eine Binde um die Stirn zum Zeichen seiner Verwundung.
Die Kurfürstin blickt starr auf die in der Sonne funkelnde Schwertspitze.
Leiser Wind über der Steppe. Die Gräser zittern silbrig.
Kleine rotgeflügelte Heuschrecken schwingen sich von Halm zu Halm. In einem Gebüsch schreien junge Amseln.
Ein Hase hoppelt über die Stoppeln, von einem Schwarm schwarzer Raben krächzend verfolgt. Er lahmt. Er läßt die steifen Löffel sinken. Ein Krieger, der nach aussichtslosem Kampf das Schwert senkt. Seine gläsernen Augen spiegeln noch ein letztes Mal den abendlichen Himmel: rote und gelbe Wolken auf violettem Grunde. Aber zwischen ihnen blinzelt ein erster Stern: des ewigen Hasen gutes, goldenes Auge. Bald bist du bei mir, blinkt dieser Blick, habe Vertrauen zu mir! Bald ist Kampf und Verfolgung, Lebensangst und Todesqual vorbei. Bald bist du bei mir. Bald ist ewiger Friede. Auf der Himmelswiese springst du leichtherzig umher. Dort gibt es keine Jäger und Hunde, keine Füchse und Raben. Nur sanfte und zärtliche Hasen, und ich, der ewige Hase, regiere mit mildem Zepter das selige Hasenreich.
Die beiden vordersten Raben stießen scharf hernieder. Ihre spitzen Schnäbel drangen dem Hasen durch die Lichter bis ins Hirn.
Am Horizont der Steppe weht eine Wolke auf. Es sieht zuerst aus, als lockere sich der Erdboden und als werde ein Maulwurf ihm entsteigen. Aber der Staub wirbelt höher und höher, und in den Staubwirbeln rollen schwarze Kugeln. Hunderte, Tausende. Die Kugeln rollen näher.
Es sind Pferde, wilde Pferde, Hunderte, Tausende, eine ganze Herde. Sie galoppieren, und ihre Hufe scheinen kaum die Spitzen der Gräser zu berühren. Sie kommen von Osten. Sie rasen gen Westen. Der vorderste Hengst trägt die Abendsonne auf seinem Rücken.
Plötzlich ein Pfiff.
Die Herde steht. Die Flanken beben und dampfen. Die Nüstern rauchen. Aus den Pferden wachsen menschliche Leiber

empor. Aus Mähnen, darein sie vergraben, tauchen bärtige Gesichter. Beine lösen sich von den Pferdeschenkeln und streifen den Erdboden.

Der auf dem vordersten Hengst erhebt seine Stimme. Er schwingt eine Keule aus Menschenknochen:

»Wir wollen das Römische Reich zu Tode hetzen wie die Raben dort den alten Hasen!«

Sturm über der Steppe. Die Horde jagt in die Dämmerung. Das Aas eines Hasen bleibt zurück. Ameisen melden der Erde seinen Tod.


Bracke sprach:

»Ich sah eine tote Schildkröte vor Eurem Schlafzimmer liegen, den Bauch nach oben. Ihr wißt, was es bedeutet.«

Der Kurfürst lächelte:

»Welch süßer Morgen! Riechst du die Kirschenblüten?«

Bracke kaute die Worte:

»Ich war gestern abend betrunken. Ich war in einer Schenke im Krögel. Eine grüne Laterne hing draußen. Ich ging hinein. Man kannte mich nicht. Dort saßen sieben Männer um den Tisch, und der Einsiedler vom Berge, mit seiner spitzen Kappe, war darunter. Sie hatten ihre Messer in die Tischplatte gehauen und rauchten Rosenblätter.

Sie sprachen kein Wort. Der Einsiedler lächelte dumpf aus seinem fetten Gesicht. Als er sich nachher erhob, sah ich ihn an einem Eisenstab gehen. Es war ein Eisenstab, und er schwenkte ihn wie ein Bambusrohr.«

Der Kurfürst flüsterte:

»Wozu erzählst du mir Märchen – an diesem Tag, der schöner als das schönste Märchen. Nach dieser Nacht!«

Er erhob sich und schritt leise an einen Vorhang:

»Sie schläft, ich höre ihre Atemzüge.«

Bracke sprach:

»Sie hat ein besseres Gehör als Ihr. Sie hört selbst im Schlaf. Sie weiß, daß Ihr jetzt über diesen Teppich geht.«

Der Kurfürst seufzte:

»Ich möchte Kahn fahren. Der Fluß rauscht. Eine Silberweide spielt mit ihm.«

Bracke zerrte die Worte wie an einer eisernen Kette aus seinem
Mund:

»Er bringt Leichen. Gestern unter der Brücke fing sich ein Soldat in Uniform am mittleren Holzbock. Sein Gesicht war ge-
dunsen wie ein Kürbis. Die Wellen schlugen seine Arme im
Takt an den Holzbock. Es war, als wolle er die Leute auf der
Brücke um Aufmerksamkeit ersuchen. Als wolle er irgend
etwas Wichtiges und Wildes reden. Die Leute blieben oben auf
der Brücke stehen. Die Frauen schrien. Jede glaubte ihren
Mann zu erkennen. Ein Zuckerbäcker schrie:

›Wozu haben wir Krieg, wie? Tod dem Kurfürsten! Er sitzt auf
seinem Thron, und man sieht ihn nicht hinter seinen Mauern.
Aber er ist an allem schuld.‹«

Der Kurfürst schloß die Augen:

»Bin ich an allem schuld, sag's!«

Bracke fuhr fort, die Kette abzuwickeln:

»›Still‹, sagte ein anderer, ›er ist ein Sohn des Himmels, und
wir sind nur dreckige Kinder der schmutzigen Erde. Er hat
recht, uns zu zertreten, denn wir sind Gewürm vor ihm und
viele Tausende. Er aber ist nur einer.‹«

Der Kurfürst öffnete die Augen:

»Die Stafette gestern meldete einen großen Sieg. Ich werde
wieder ins Feld gehen. Ach, ich bin so müde – trotz allem. Ich
will nicht mehr morden.«

Bracke ließ die Kette klirren:

»Und dennoch mordest du – läßt Mord geschehen, damit du
einige Provinzen mehr erpressen kannst und in einigen Provinzen mehr der Mensch vor deinem Bilde in den Staub
sinkt.«

Der Kurfürst zog den Mund breit:

»Ich schäme mich oft für die Menschen, wenn ich sie vor mir im
Staube sehe. Es ist unwürdig: für sie und mich. Warum tun sie
es?«

Bracke sprach:

»Sie sind schwach wie du! Sie wissen von nichts. Sie glauben –
an was? an Geld, Geilheit, Seidenstoffe, Wein, Dirnen, Stockhiebe, an Kopfab, Kopfab, wie du. Wenn sie in den Spiegel
sehen, erkennen sie ihr eigenes Bild noch nicht . . . wie du.«

Der Kurfürst dachte nach:
»Es ist sonderbar – die Rebellen, den Einsiedler vom Berge,
den wunderlichen Conte Gaspuzzi, dich, überhaupt alle, die
gegen mich sind, kann ich achten. Sie, die mir nach dem Leben
trachten, sind meine nächsten Verwandten, ja: fast Freunde.
Ich glaube manchmal, auch du, Bracke, bist ... mein Freund
... du trägst nicht umsonst das Messer mit dem brandenburgischen Adler an deiner Seite ...«
Der Kurfürst schluchzte lautlos.
Bracke trat ans Fenster und sah einen Lindenbaum, von dem
die Blüten zur Erde stoben.

Mißernte erzeugte eine Hungersnot.
Nirgends war Korn zu haben oder zu unerschwinglichen Prei-
sen. Das Vieh: Kälber und Schweine, fielen in Krankheiten, die
ihr Fleisch ungenießbar machten.
Selbst an den Tischen der Reichen aß man nur noch mit der
Hand gepreßten Ziegenkäse und Früchte.
Um die vorhandenen Lebensmittel zu rationieren, erließ der
Kurfürst ein Verbot, in den Schenken Gekochtes und Gebrate-
nes, mit Ausnahme von Kohl und Hülsenfrüchten, feilzuhal-
ten. In den Volksküchen durfte am Tage nur ein Gericht ge-
geben werden, und jeder Gast hatte nur Anspruch auf eine
Portion.
Der Luxus der kurfürstlichen Tafel aber ließ in keiner Weise
nach. Dort speiste man noch Schweinskopf mit Himbeersoße,
Trüffel, gehackten Kalbsbraten, ausländische Hühner und fei-
nes Weißbrot.
Es erbitterte das Volk auf das höchste, als ein Getreideschiff aus
Stettin eintraf, das nur für die Hofhaltung bestimmt war.
Die Menge bildete zähnefletschend Spalier, als vom Hafen die
Getreidesäcke auf Eseln in das Schloß wanderten.
Als aber ein rebellischer Stallmeister von den kurfürstlichen
Marställen berichtete, die Pferde des Kurfürsten, besonders
seine beiden Schimmel, die er fast vergötterte, würden noch mit
der feinsten Gerste und den erlesensten Leckerbissen gefüt-
tert –, da sammelten sich allerorten erregte Volkshaufen, die
sich zu Kolonnen zusammenrotteten und im Takt durch die

Straßen marschierten, während sie alle fünf Schritte dumpf
und eintönig wie aus einem Munde sangen:

>> Wir ... haben ... Hunger.
Wir ... haben ... Hunger. <<

Die Soldaten weigerten sich, gegen die Menge vorzugehen.
Mit verschränkten Armen und zusammengebissenen Zähnen
sahen sie den Manifestationen zu.
Den Manifestanten schlossen sich Weiber und Kinder an, und
schließlich, erst hier einer, da einer, dann immer mehr: Sol-
daten.
Unter Vorantritt Brackes und des Einsiedlers vom Berge mit
seiner Eisenstange zog der Zug vor den kurfürstlichen Palast.
In einer Sänfte trugen vier Männer eine den Kurfürsten dar-
stellende Puppe.
Sie war von Dutzenden von Messern durchbohrt.
Hin und wieder traten Weiber an die Sänfte und spien der
Puppe ins regungslose Antlitz.
Eine Mutter schrie:
>> Wir wollen das Blut des Kurfürsten ... mein Kind hat Durst
... meine ausgetrocknete Brust gibt keine Milch mehr her ... <<
Der Einsiedler vom Berge brüllte:
>> Wir wollen unser Recht, des Volkes Recht, über sein eigen
Leben und Sterben zu bestimmen. Wir lassen niemand mehr
durch den Kurfürsten töten ... Wir töten selbst ... <<
Die Menge brüllte fanatisiert:
>> Wir töten selbst ... <<
Ein Mann stieß der Puppe des Kurfürsten sein Kurzschwert
bis ans Heft in die Brust.
Der Kurfürst beobachtete von einem Dachfenster aus die Szene.
>> Sieh da <<, grinste er, >> die Prozessionsraupe wandert. Wir
werden ihr das abgewöhnen. <<
Er legte einen Pfeil auf seinen Bogen, zielte auf den Mann und
schoß.
Der Pfeil aber verfehlte sein Ziel, und er traf seine eigene
Puppe mitten in die Stirn.
Das Volk schrie auf:
>> Gott selbst ist für uns. Er schoß vom Himmel einen Pfeil. <<

Der Kurfürst erblaßte.

Fluchend warf er den Bogen in eine Ecke, schritt hinab und befahl der im Palast versammelten, ihm treugebliebenen Landsknechtkompagnie, die Menge zurückzudrängen. Mit gefällten Lanzen marschierten sie gegen das Volk, das schreiend und kreischend in die Seitenstraßen zurückwich.

Einsam stand die Sänfte mit der durchbohrten Puppe auf dem Platz vor dem Schloß, auf den die unerträgliche Augustsonne brannte.

Der Kurfürst ging von der Probe zum gefesselten Prometheus müde und gebückt, den linken Fuß ein wenig nachschleifend, durch die Ankleideräume der Schauspieler – er hatte sich seit kurzem eine Schauspielertruppe zugelegt – und eine Galerie, in der Soldaten übten. Von der Galerie führte ein Gang zum Schloß.

Die Schauspieler grüßten ihn mürrisch.

Die Soldaten machten ihm drohend Platz.

Keiner senkte auch nur den Kopf zum Gruße.

»Du da«, der Kurfürst trat auf den ersten, einen riesigen Prenzlauer, zu, »was erfrechst du dich, deinen Kurfürsten nicht zu grüßen?«

Sein Auge sah schief von unten zu dem Riesen empor, während seine magere Hand an seinem Gürtel zerrte.

Der Prenzlauer schüttelte sich, und der Kurfürst fiel wie ein Käfer von ihm ab.

Er kreischte: »Hundesohn!« und zu den andern gewandt, die unbeweglich standen:

»Schlagt ihn tot!«

Niemand rührte sich.

Von der Straße klang Kindergelächter.

Ein Händler schrie Früchte aus.

»Schlagt ihn tot!« kreischte der Kurfürst und krallte seine Finger, »ich lasse euch alle hängen, wenn ihr nicht gehorcht.«

Der Prenzlauer reckte sich.

»Sieh zu, daß man dich nicht hängt...«

Als wäre der Kurfürst nicht vorhanden, wandten sie sich wieder ihren Übungen zu.

Der Kurfürst ergriff ein hölzernes Übungsrapier, das ihm gerade zur Hand lag, und stolperte geifernd auf den Prenzlauer zu. Der nahm es ihm aus der Hand und zerbrach es wie eine Gerte.

Winselnd vor Wut stürzte der Kurfürst in den Palast.

Er fiel in seinem Arbeitszimmer nieder, und ein Weinkrampf erschütterte ihn.

»Wo ist meine Macht? Daß mir die Soldaten schon nicht mehr gehorchen? Daß ich schon nicht vermag, jemanden töten zu lassen? Ach, wie einsam bin ich! Wie schwächlich! Wie ohne Funken Wirkung noch. – Ich spreche heiser wie eine Krähe.«

Er trocknete mit dem Ärmel seine Tränen und läutete.

Der Diener erschien.

»Heißes Zitronenwasser!« schrie er, »ich bin heiser . . .«

Dann hinkte er auf den großen Bibliothekschrank zu, schloß ein Geheimfach auf und entnahm ihm eine kleine, mit einer grünlichen Flüssigkeit gefüllte Phiole.

Der Kurfürst goß den Inhalt der Phiole in das Zitronenwasser und stürzte es in einem Zuge hinunter.

Danach, als ihm der Schweiß auf die Stirn trat und farbige Kreise sich vor seinen Augen drehten, eine gepanzerte Faust sich um seine Kehle preßte, packte ihn eine maßlose Angst. Er schrie: »Hilfe! Hilfe! Hilfe! Man hat mich vergiftet!« Atemlos und entsetzt stürzten die Diener herbei.

»Der Arzt – wo ist der Arzt?«

Der Arzt war sofort zur Stelle. Er gab dem Kurfürsten ein Brechmittel, das ihm augenblickliche Linderung verschaffte.

Zusammengefallen, das dünne Haarbüschel wie eine Seehybride aus seinem Schädel wuchernd, saß er, ein schmutziger Affe, in den Decken und kaute Nüsse.

Der Diener, der ihm die Zitronenlimonade gebracht hatte, wurde wegen Giftmordversuches aufgehängt.

Sobald es der Zustand des Kurfürsten erlaubte, reiste er ins Feld ab.

Zwei Landsknechte disputierten:

»Ekel.«

»Dreck.«

»Ich könnte ebensogut mein Weib schlachten und fressen. Meinen Sohn in den Rauchfang hängen und dörren.«

»Ich habe genug Blut getrunken. Ich erbreche mich, wenn ich nur irgendwo eine rote Farbe sehe: eine rote Fahne, ein Abendrot.«

»Wofür morden wir?«

»Damit wir hungern.«

»Damit wir an Darmkrankheiten verrecken.«

»Damit der Kurfürst eine ausgerottete Provinz mehr regiert.«

»Damit die feinen Herren sich desto fetter mästen.«

»Und ihre Huren um so goldener herumspazieren.«

»Unsere Weiber magern ab, daß ihre Brüste keine Milch mehr geben.«

»Unsere Kinder fallen ihnen schon tot wie wurmstichige Birnen aus dem Schoß.«

»Wenn man einen Menschen tötet, wird man gestäupt, gerädert und gehängt.«

»Wenn man tausend Menschen umbringt, heißt man Herr und Feldherr, kriegt eine Perlenkette um den Hals gehängt wie eine Dirne, eine Rosenpforte wird gebaut – jede Rose Sinnbild eines Totenkopfes, den er einem Lebenden vom Halse schlug, und die Dichter singen von seinen Taten.«

Bracke trat zu dem Gespräch hinzu:

»Verflucht seien die Dichter!«

Der eine Landsknecht höhnte:

»Bracke – bist doch selber einer und fluchst deiner Kameradschaft.«

Bracke brüllte:

»Verflucht jedes Wort, das ich zum Ruhme des Feldherrn sprach. Verhülle sich der Mond, platze die Sonne – wenn ich je ein Wort wie Held, tapfer, Ruhm noch in den Mund nehme.«

Die Landsknechte horchten:

»Was willst du künftig sprechen?«

Bracke krampfte die Rechte zur Faust:

»Haß dem Morde, Hymnus dem Leben – auch dem geringsten. Aufgehende Blüte der Sonnenblume! Gang der Schildkröte! Die Flügel der Fledermaus. Einsame Mutter in dunkler Nacht, wenn die Fensterläden krächzen, die Decke vom Dache fällt,

der Boden klafft – und Schlangen ihm entkriechen. Liebe der
Liebenden in der Bohnenlaube. Umarmung der herrischen
Herzen – trotz Tod, trotz Trübsal, trotz Kurfürst, Kaiser und
Edikt.«
Der eine Landsknecht lallte:
»Wenn der Kurfürst ein Einsehen hätte, – gäbe er sein Kom-
mando ab – ehe wir ihn dazu zwingen.«
Der zweite jauchzte:
»Der Narr sei unser Feldherr.«
»Der Friedliche!«
»Kämpfe du für den Frieden – und uns werden Löwenkräfte
wachsen – Geierfittiche unsern Hüften entschießen.«
Die Landsknechte knieten nieder:
»Sieh uns knien – hilf uns.«
Bracke hob die Hände:
»Ich höre Bruderrufe . . . wartet der Zeit . . . wartet meiner, so
werde ich das Banner ergreifen – und euch voranziehen – in
den flammenden Kampf: für Mensch und Menschheit, für
Friede und Freiheit.«


Der Kurfürst warf sich in seinem Zelt schlaflos von einer Seite
auf die andere:
»Ich bin müde. Fächle mir Schlaf, Stern. Ich spüre Wehen.
Eines goldenen Windes. Einer Mutter . . .«
Ein Vogel sprach:
»Ich bin es. Wehe um deine Stirn. Sei gut! Denke an mich!«
»Geliebte!«
»Hebe die blutbefleckten Hände nicht! Laß mich entflattern,
beflecke meine weißen Flügel nicht! Bist blutig!«
»Auch an deiner Brust – blutete ich . . .«
»Dein Blut sprang hell – am Schwert gerinnt es dick und
grau.«
»Zuweilen lockt es mich: Stoß dir dein Schwert ins eigene
Herz. Lösche den Tatendrang durch höchste Tat: die Tat durch
Tod.«
»Bleibe . . . für ein Frühlingsbeet . . . für tanzende Schaukel –
Blumenboot auf blauem Fluß.«
»Erinnere mich nicht an jene Nacht, an der ich dir zuerst deine

kleinen Brüste küßte. Sie kam so spät. Ich falle auseinander: wie ein Mann aus Mosaik. Ich brauche Fassung . . . zur Schlacht. Sprenge die Eisenketten nicht, die meine Glieder halten, mit deinem Gesang!«

»Der Morgenstern schimmert schon auf den Lanzenspitzen deiner Krieger. Erhebe dich und schlage die *letzte* Schlacht – zerbrich dein Schwert – geh zum Feldherrn der Feinde – umarme ihn, sag: Bruder – wir wollen heute ein fröhliches Fest feiern. Deine und meine Soldaten wollen zusammen tanzen – und morgen gehe ein jeder, wohin er will. Wag's! Fasse dir ein, mein, dein Herz.«

Der Vogel entschwebte.

Bracke trat ins Zelt:

»Was wünscht Ihr?«

Der Kurfürst richtete sich schwer aus den Kissen:

»Hier hast du mein Dolchmesser – schneid mir mein Herz aus der Brust – ich kann es nicht mehr tragen – es ist reif wie eine faule Pflaume.«

Bracke sprach:

»Herr, ich weigerte dir nie einen Befehl –«

Der Kurfürst flehte:

»Tu's!«

Bracke sann:

»Du warst kein sanfter Herr.«

Der Kurfürst stöhnte:

»Tu's . . . reiß mir das Herz aus dem Leibe . . . es bleibt mir nur . . . mich wegzutun von dieser und jener Welt. Führe *du* das Heer in ein gelobtes, ein geliebtes Land . . . das ich nur ahne . . . das mir zu sehen, zu betreten nicht mehr vergönnt ist. Stoß zu!«

Bracke hob das Messer mit dem brandenburgischen Adler am Knauf und stieß es dem Kurfürsten bis ans Heft ins Herz.

Der Kurfürst fiel tot um.

Bracke hob das Horn des Kurfürsten und stieß hinein. Er riß von einem Gebüsch einen Zweig ab.

Das Heer, ein Ährenfeld von Lanzen, rauschte vor dem Zelt des Feldherrn.

Bracke stieß noch einmal ins Horn.

Dann winkte er mit dem Zweig und sang die Worte mehr,
denn er sie sprach:
»Friede . . . Friede . . .«
Die Soldaten sanken, die Lanzen umklammernd, in die Knie.


Bracke erwachte im dunklen Walde, am Ufer eines Sees:
»Wo bin ich?«
Ein Baum sprach:
»Bei dir.«
»Ich fuhr über den See –«
»An anderes Ufer.«
»Mich schmerzt das harte Lager –«
»Schmerzt anderes dich nicht?«
Bracke stöhnte:
»Mein Herz.«
»Du warfst es nicht den Fischen vor?«
»Mir fehlte der Mut –«
»Dir fehlte der Grund –«
»Des Sees?«
»Des Seins . . .«
»Wo ist der Morgen?«
»Zwischen den Ästen er erscheint.«
»Dunkel?«
»In Hoffnung!«
»Wen trägt er?«
»Alle Kinder . . .«
»Auch mich?«
»Auch dich!«
Die Dämmerung graute rosa.
Bracke betrachtete seine Hände:
»Wie widerlich meine Hände sich krampfen! An Mord ge-
wöhnt! Könnt' ich die Sonne erdolchen!«
Der Baum sprach:
»Lästre das Licht nicht! Sonst erschlägt dich mein Wipfel!«
Bracke sah empor:
»Du redest – Baum?«
Der Baum rauschte:
»Im Winde –«

»Deine Kinder sterben . . . im Winde . . . Blatt auf Blatt fällt
zur Erde . . . es ist Herbst . . .«

»Mein Totes . . . stirbt. Aber ich stehe. Was Wurzeln hat, bleibt
im Winter . . .«

Bracke winselte:

»Vielleicht . . . bin ich wurzellos. Sturm knickt mich. Oder ich
erfriere . . .«

»Du bist kein Baum – nur ein Mensch – Gedanke kann dich
retten.«

»Ich bin ein Mörder –«

»Ich hörte es, als du unter mir schliefst. Schon als du atmetest,
wußte ich: ein Mörder.«

»So wißt ihr mehr von uns, als wir glauben.«

»Ihr glaubt nur euch. Dies ist eure Lüge. Auch Bäume können
beten – und morden.«

»Was tut ihr einem Mörder?«

»Nichts . . . er tut sich selbst, was er sich antun muß.«

»Jeder richtet sich selbst?«

»Richtet sich selbst – nach dem Himmel und nach der Erde.«

»Was ist das Böse?«

»Das: Sowohl-als-Auch. Das: Vielleicht-Ja – Vielleicht-Nein –,
das: Später-Einmal. Wer gut denkt, ist gut. Sieh hier den Wald
– es stehen viele Bäume neben mir: erst viele Bäume machen
den Wald. Erst tausend Wälder machen die Welt.«

»Deine Welt . . . die Baumwelt . . .«

»Und deine Welt . . . die Menschenwelt? Besteht sie aus *einem*
Menschen – aus dir?«

»Ich büße. Ich flamme.«

»Ganz ist die Sonne aufgegangen. Sieh: ich halte sie mit meinen Ästen. Bis zur Dämmerung lasse ich sie nicht. Sie hängt
an mir.«

Bracke entbrannte:

»Sonne – zurück zu ihr – den Weg noch im Hellen gemacht –
früh genug noch fallen die Schatten der Nacht auf den goldenen See. Ich eile – ich eile –«

Die Kurfürstin wurde, da ihr sonst nichts vorzuwerfen war, der
Hexerei beschuldigt.

Sie habe, hieß es in den Anklageakten des revolutionären
Volkskomitees, das Berlin in seiner Gewalt hatte, mit ihren
schönen, teuflischen Augen die Männer verhext, so daß sie,
ihrer Sinne nicht mehr mächtig, umhergetaumelt, ihre eigenen
Frauen als häßlich und unansehnlich verachtet und immer nur
ihr Bild in sich so hoffnungslos umhergetragen wie eine in
einem eisernen Kasten eingeschlossene Reliquie.

In einem johlenden Volkshaufen, an dessen Spitze der Einsiedler vom Berge mit seiner Eisenstange marschierte und der Conte Gaspuzzi mit einer großen Trommel, voll Seligkeit, endlich
ein Instrument zur Ausübung der Musik sich überantwortet zu
wissen – wurde die Kurfürstin, nur mit einem weißen Hemd
bekleidet, die Hände auf dem Rücken zusammengebunden,
auf einem Schinderkarren zum Schafott geführt, das vor dem
kurfürstlichen Palast errichtet war.

Als sie nun niederkniete und der Henker sein Schwert hob – es
war aber der Henker aus Trebbin, mit dem Bracke so oft zu-
sammengesessen und um Tod und Leben gespielt hatte – und
sie noch einmal ihre schönen Augen zu ihm emporrichtete und
sprach: »Schlag schnell, Henker!«, da ließ er sein Schwert fallen, kniete neben ihr nieder, umarmte sie, löste die Fessel ihrer
Hände, sprang auf und schrie über das Volk hin, das zu mur-
ren begann:

»Ich erkläre die Delinquentin zu meinem Weibe!«

Das zischte wie ein Peitschenhieb über die Menge. Da schwoll
ein Gemurmel auf und ab, wie ein Fluß im Hochwasser durch
die Wälder bricht.

Das Volk aber wurde gezwungen, sein eigenes, jahrhunderte-
altes Recht zu respektieren, danach eine Hexe vom Schafott
frei und ihrer Bande ledig sei, sobald ein Mann sich fände, der
sie zur Ehe begehrte.

Der Henker hob die Kurfürstin, die in Ohnmacht dahinge-
sunken war, auf seine Arme und trug sie, ohne seiner Last
innezuwerden, durch das Volk, das ihm Spalier bildete, zurück
auf den Schinderkarren, setzte sich selbst darauf, ergriff die
Zügel, schnalzte mit der Zunge und fuhr mit ihr nach
Trebbin.

Bracke kehrte nach Trebbin zurück.

Er kam des Abends an und ging in eine üble Kneipe der Vorstadt.

Dort saß er mit dem Henker, dem Mörder und dem Abdecker wortlos beim Wein und würfelte; da öffnete sich die Tür, und herein trat, in einer Kleidung aus grober Leinwand: die Kurfürstin.

Sie trat auf Bracke zu, die Tränen stürzten ihr über die Wangen: »Bracke, ich habe Euch lieb wie zuvor. Aber jener« – und sie wies auf den Henker – »hat mich vom Schafott errettet. Warum war't nicht Ihr zugegen? Ich habe Euch mit aller Kraft meines Herzens herbeigewünscht. Aber glaubt mir: der Henker ist ein besserer Mann als der Kurfürst. Des Nachts küßt er mich auf den Hals, den er mir hätte zerschlagen sollen, und am Tage fangen wir Schmetterlinge und Eidechsen.«

Bracke fiel, als hätte er zuviel getrunken, vom Stuhl.

Der Henker, der Abdecker und der Mörder trugen ihn auf ein schnell bereitetes Gastzimmer.

Die Kurfürstin saß, seine Hand in der ihren, die ganze Nacht am Bett, in dem er sich fiebrig wälzte.

»*Agnus Dei*« sang sie, »*qui tollis peccata mundi, dona nobis pacem!*«


Novembernebel braute in den Straßen Berlins.

Man tastete sich mit Hilfe seiner Laterne immer nur zwei Schritte vorwärts.

Bracke suchte sein Gasthaus, aber er verirrte sich im Nebel.

Als er um eine Ecke bog, sah er einen kleinen, verwachsenen Menschen auf sich zukommen, vorbeigehen und entschwinden.

Hundert Schritte weiter tauchte aus dem Nebel wiederum ein Zwerg, um vieles kleiner noch als der erste.

Wenige Straßen weiter kroch ein Wesen aus dem grauen Gespinst, das war wie eine große Spinne, tastete sich an der Mauer entlang und verschwand.

Bracke irrte in den Gassen am Krögel.

Da sah er eine grüne Laterne leuchten, ging darauf los und las unter der Laterne ein Schild, auf dem mit unbeholfener Schrift geschrieben war:

Hier ist zu sehen der Mensch, der nicht sterben kann. Eintritt ein guter Groschen.

Bracke folgte dem grünen Schimmer, stolperte ein paar Stufen abwärts und stieß eine Tür auf.

Eine fette Frau verlangte ihm den Groschen ab, dann schlug sie einen schmutzigen Vorhang zurück.

Da lag auf einer Bank lang hingestreckt und wohlbalsamiert die Leiche des Kurfürsten; das Messer mit dem brandenburgischen Adler am Knauf stak noch in der Brust.

Ihn schwindelte.

Die fette Frau gluckste.

»Hier ist zu sehen der Mann, der nicht sterben kann – weil er schon tot ist . . .«

Bracke stürzte die Treppe empor, dem grünen Schimmer, der ihm wie ein Laubfrosch nachhüpfte, zu entfliehen.

Der Nebel umarmte ihn feucht, er spürte einen fauligen Atem um seine fiebrig erhitzten Wangen wehen.

Er taumelte.

Da spie der Schatten eines Hauses einen riesenhaften Mann von sich, den der Nebel sogleich wieder mit gefräßigem Maul verschlang.

Hundert Schritte weiter warf sich ein Mann auf ihn zu, der schien bis zum zweiten Stockwerk zu reichen.

Der Angstschweiß perlte auf seiner Stirn.

Er war schon kurz vor seinem Gasthaus angelangt, als ein wandelnder Kirchturm, ein riesiger Riese, ihm den Weg versperrte.

Er fiel ohnmächtig platt auf das Pflaster.

Als die Pest ins Land kam, von der die drei kleinen und die drei großen Männer Boten gewesen waren, floh Bracke in die Wälder und nährte sich von Pilzen, Kräutern und wilden Vögeln.

Als er vermeinte, daß die Krankheit erloschen sei, wanderte er aus den Wäldern nach Trebbin.

Da brannte helle Mittagsglut über der Stadt, kein Mensch war zu finden in den Straßen. Die Häuser standen wie sonst, die Blumen blühten, die Brunnen sprangen, die Bäume reiften.

Er trat in die Bäckerei. Da stand der Bäcker am Backofen: tot.
Er ging in die Schmiede.
Da lohte das Feuer, und am Kamin lehnten der Schmied und
die Knechte: tot.
Auf der Bürgermeisterei im Rathaus war Ratsversammlung.
Da saßen der Bürgermeister und alle Stadtverordneten und
Ratsherren im Ornat und ihren Amtsketten: tot.
Und er kam an das Haus des Henkers: da hockte der Henker
am Herde: tot.
Ist denn nichts Lebendes, erschrak Bracke. Kein Echo meiner
Stimme?
Und er hielt die Hände hohl an den Mund und schrie: »Leben!«
Da hub die Uhr vom Rathausturm zu schlagen an. Und aus
dem Gehäuse traten die zwölf Apostel, an ihren Hirtenstäben
kleine Klingeln, die läuteten.
Er betete ein Vaterunser und lenkte seine Schritte zur Kirche.
Weihrauch duftete wie Pfefferkuchen zur Weihnacht.
Rote Glasfenster funkelten blutig in der Sonne.
Die Madonna in Holz geschnitzt und bunt bemalt – es war
aber die Kurfürstin – thronte in einem Erker auf ihrem Altar,
und sie hielt das Jesuskind auf ihren Armen.
Als Bracke die Knie beugte, da neigte sie sich sanft hernieder
und legte ihm das Jesuskind, welches alsbald wie ein Men-
schenkind zu weinen begann, in seine Arme.
Das nahm nun Bracke demütig aus den Händen der Madon-
na, bettete es an seine Brust und schritt festen und starken
Schrittes, sich und dem Kind eine neue Heimat zu suchen.
Die fand er in Crossen, einer kleinen märkischen Stadt am
Einfluß des Bobers in die Oder. Diese war vom großen Sterben
weniger mitgenommen als andere Städte.
Dort in der Marienkirche stand eine Madonna, die hatte die
Arme voll mütterlicher Sehnsucht in den Raum gebreitet, der
legte er das Trebbiner Jesuskind auf ihre Hände.

Bei Crossen, in der Nähe des Heidehibbel, hatte sich ein Sumpf
durch die jährlichen Überschwemmungen der Oder gebildet.
Auf dem tanzte Nacht für Nacht ein greuliches Irrlicht und
lockte die Männer an sich, daß sie elend im Sumpf versanken.

Denn es war anzusehen wie ein Weib, ganz mit goldenen Brüsten, goldenen Haaren und den grünlichen Augen einer Kröte.
Da flehten die Frauen Bracke an, daß er den bösen Geist vertreiben möge mit Predigt oder mit dem Schlagen des Kreuzes oder mit herzlicher Beschwörung – indem der Unhold schon fünf rüstige Männer aus der Stadt zu Tode gebracht, die außerhalb des Friedhofes der Rechtgläubigen bei den Juden bestattet wurden, denn so wollte es die Geistlichkeit.
Bracke ging in der Nacht über die Aue zum Heidehibbel.
Die Grillen zirpten.
Lauschte nicht der Conte Gaspuzzi, den Kopf leicht seitwärts geneigt, der Grillenmusik?
Verschlafene Heuschrecken sprangen.
Saß nicht auf jeder Nasr-ed-din, der Türke?
Die Feldblumen dufteten.
Bracke setzte sich am Heidehibbel unter eine Kiefer.
Die Luft begann zu tönen. Der Wind knisterte in den Kiefern.
Der Sand wandelte.
Und er sah in kurzer Entfernung im Schein des Mondes, der auf gelben Strahlen ihm zum Tanze geigte, das goldene Licht tanzen.
Bracke trat darauf zu und faßte mit fester Hand in das goldene Feuer: er ballte es in seiner Hand, wie wenn er einen Menschenhals packte, und zerrte das Goldene zu sich heran aufs feste Land.
»Ich will dich retten, Irrlicht, Wahnlicht, daß du künftig in Ruhe und Wahrheit zu scheinen vermagst.«
Als aber das Licht auf dem Sande stand, da begann es sich zu beruhigen mit seinem Flattern wie ein junger Vogel, wenn die Mutter ihn lockt, oder wie ein unruhig Kind, das man streichelt.
Sacht entwand es sich seiner Hand, stieg aufwärts und ward zum Stern, der noch heutigentags über dem Heidehibbel bei Crossen steht und der Heidestern genannt wird und allen Heidewanderern in Friede und Wahrheit heimwärts leuchtet.

Es brach eine Plage von Ungeziefern über die Stadt herein.
Wanzen, Schwaben, Flöhe, Russen, Tausendfüßler, Kelleras-

seln, Franzosenkäfer bevölkerten Stube, Küche und Keller, so daß man nicht gehen und stehen konnte, ohne auf die winzigen Bestien zu treten.

Da stellte sich Bracke am Röhrkasten auf den Predigtstein, mitten auf den Marktplatz, das Antlitz nach dem venezianischen Kaufhaus gerichtet, und blies in seine ungarische Trompete.

Beim ersten Ton schon wurden die Insekten unruhig, beim zweiten begannen sie aus Türritzen, Mauerspalten, Fensterlöchern zu kriechen.

Da blies Bracke zum drittenmal.

Die Türen wurden in den Häusern aufgerissen, und ein ekelhafter Haufe des Ungeziefers quoll braun und grünlich auf die Gasse.

Da wartete nun Bracke, bis ihn die ersten, die flinken Franzosenkäfer, erreicht hatten. Und schritt, dem Ungeziefer voran, unaufhörlich blasend, an die Oder.

Dort, wo die Furt ist, an den steilen Wänden bei Goskar, tauchte er in den Strom.

Das Ungeziefer folgte ihm und ersoff elend.

Er aber entstieg der Furt heil am andern Ufer.

Aus Dankbarkeit gestattete ihm der Magistrat, fürder das Wappen von Crossen zu führen – jedoch mit einer Wanze über den gezackten Mauern.


Bracke ging über die hölzerne Oderbrücke. Er stieg durch die Weinberge, in der Richtung Lochwitz.

Die Trauben hingen an den Stöcken, schon violett.

Ein Vogel krallte sich an einen Zweig und pickte eine Beere.

Oben auf der Höhe sah er das Sternberger Hügelland im Herbst sich rostrot über dem Horizont wölben.

Dort sind meine roten Berge, sann er.

Dahinter liegt das Paradies. Die Ruhe. Der Schlaf im Daunenbett der Ewigkeit.

Und er wanderte – über Lochwitz, durch die Lochwitzer Heide, durch Kiefernwälder, an kleinen, mit Binsen umstandenen und von den letzten Libellen umschwärmten Seen vorbei.

Bis an die Knie oft versank er im weißen märkischen Sand.

Und als er die rostroten Höhen erreicht hatte: da buckelte sich hinter ihnen verheißend eine neue Hügelkette.

Und hinter diesen stiegen neue Hügel. Und immer so fort.

Da setzte er sich auf einen Wurzelast, der aus dem Boden wucherte.

Ich werde kehrtmachen, dachte er. Es ist immer dasselbe. Ich bin zu alt, um noch tausend Hügel zu überschreiten – hinter dem tausendsten möchte wohl erst das Meer liegen. Aber hinter dem Meer – ein neues Land: mit Palmen, Papageien, Affen und schwarzen Menschen – und tausend neuen Hügeln.

Es gilt, sich zu bescheiden. In seinem Kreise rund zu wandeln. Dies ist die Pflicht des Alters.

Zurück also nach Crossen: statt Palmen zu Eichbäumen, statt Papageien zu Spatzen, statt Affen zu Ferkeln, statt schwarzen zu weißen Menschen.

Ich werde in mein Vermächtnis schreiben, daß man mich auf dem Armenfriedhof begrabe.

Er liegt den rostroten Bergen am nächsten.


Die Oder, die den ganzen harten Winter derart zugefroren war, daß man sie mit schweren Lastwagen passieren konnte, zerbarst im Frühling.

Das Treibeis rollte.

Die Schollen krochen an den Eisbrechern der Holzbrücke wie Soldaten an einer Burg empor: einer auf den Schild des andern steigend.

Da geschah, als das Eis schmolz, eine riesige Überschwemmung.

Die Fischerei setzte sich zuerst unter Wasser. Danach die Dammvorstadt, die Grabenvorstadt. Und schließlich stand das Wasser bis in die Roß- und Schloßstraße.

So schnell stieg es, daß manche, die im Erdgeschoß wohnten, nichts als ihr nacktes Leben retteten.

Hausgerät schwamm durch die Straßen.

Ertrunkene Katzen.

Aufgequollene Hunde.

Dazwischen Baumstämme von den schlesischen Gebirgen.

Stege wurden in den Straßen errichtet.

Boote vermittelten den Verkehr.

Die Kinder vergnügten sich, in Kübeln wie kleine Piraten um-
herzusegeln.

Als aber das Wasser nicht fallen wollte, als es in einer Nacht
wiederum wogte und bis an den Marktplatz schwoll — da
schrien die Menschen von den oberen Stockwerken und von
den Dächern:

»Wehe! Die Sintflut ist herbeigekommen! Rette uns, Noah,
mit deiner Arche!«

Bracke hüpfte mit wehenden Haaren auf den Giebel des venezianischen Kaufhauses und schrie im fahlen Mondschein, während Wolken rasend oft vorübertrieben und ihn verdunkelten:

»Tut Buße! Tut Buße! Denn das Reich der Hölle ist nahe herbeigekommen. Eure Herzen wurden Schlangennester. Eure
Augen trübe Pfützen des blutigsten Lasters. Eure Hände, zu
liebender Umarmung einst bestimmt, greifen in leere Luft.
Das Eismeer trat über seine Ufer. Erratische Blöcke zermalmen
den blühenden Garten. Kometen schleifen feurige Schwänze
wie Trauerschleppen durch die Straßen: und die Stadt steht
steil in Brand. Schlagt euch an eure zerfallene Brust: ehemals
göttlicher Dom, nunmehr eine knöcherne Ruine, darin jegliches Unkraut: Haß, Niedertracht, Neid, Unzucht, Lüge, Feigheit, Hochmut wuchert. Schreit, brüllt, kniet in den Kot eurer
eigenen Leiche. Schreit: Ich Sünder, ich wandelnder Dreck,
eitriger Auswurf eines verwesenden Bonzen. Seliger einst am
Saume der Welt; saumseliger, seufzend im Süden, verweint in
Nelkenduft, Falter, mit den Flügeln leise atmend auf den
Orangenbrüsten der blondesten Frau.

Der Regen blutet aus meiner Wunde.

Die Sonne schlägt mich an feuriges Kreuz.

Ich schäume: rotes Meer. Ich schreie: ich Namenlos, ich Traum:
bin schuld am Kriege . . . der Seienden . . . des Seins.

Ein jeder: Ich. Millionen Ich . . . sind schuld, sind schuld.

Die Geißel Gottes knallt.

Ich kenne, bekenne mich: zur Pflicht, zur Verpflichtung, zur
Wahrheit, zum Geständnis.

Es gilt, unsere Schuld in die Welt zu pauken, zu posaunen, zu
läuten, zu zischeln, zu heulen.

Reißt das Hemd auf. Schlagt euch an die Brust. Bekennt: Ich, ich bin schuldig. Will es büßen. Durch Wort und Tat. Durch gutes Wort und bessere Tat.

Dünke sich niemand zu niedrig, seine Schuld zu bekennen. Niemand zu hoch.

Schwört ab den Taumel! Bekennt euch straff! Bäumt auch zum neuen Willen einer neuen Zeit.

Es geht um den Adel der Erde. Entthront wurde die ewige Kaiserin: die Natur.

Es darf nicht sein: das Gute in der Anschauung haben und begreifen, und schlecht handeln, schlecht sein. Ehe wir nicht danach streben, gut zu sein, anstatt Gutes zu denken, eher haben wir kein Recht, auf den Sieg der Sonne, des Mondes, der blauen Berge und des roten Herzens zu hoffen.

Einmal wird das mythische Feuer herniederfahren und alle heute noch Irrenden und Schwankenden mit Erkenntnis beglänzen und zu entschlossener Tat entflammen.

Mag heute noch Gelächter oder Niedertracht wie Hagel auf uns niederprasseln.

Soldaten der Seele, es heißt standgehalten. Einmal wird die rote Fahne, in unserm Blut getränkt, im Frühlingslichte flattern.

Ihr Sybariten des Blutes: dann seid verflucht!

Ihr Heuchler, ihr Unerwachten, ihr Trägen – dahin dann zu den Kröten in die Keller des ewigen Todes.

Ihr aber, Unsterbliche, Unendliche, Legionäre der heiligen Armee, auf, zu den Trommeln, zu den Flöten. Schwingt eure Waffen: den Lilienstengel, die Weidenzweige, daran noch Kätzchen hangen, die Mimosenbüschel, die Sonnenblume. Gott winkt! Uns, seinen silbernen Söhnen!« –

Da stürzte alles auf den Marktplatz, der noch vom Wasser freigeblieben war.

Männer und Frauen entblößten ihre Oberkörper und schlugen jauchzend und heulend aufeinander ein, mit Besen, mit Ruten, mit Stangen, mit Fäusten, und geißelten sich, daß das Blut in Bächen von ihren Leibern floß und daß der Marktplatz bald in rotem Blute dampfte.

Sie rissen sich gegenseitig das Haar in Büscheln und die Haut
in Fetzen herab und schrien:
»Gnade! Gnade! Buße! Buße!«
Auf dem venezianischen Kaufhaus stand noch immer Bracke
drohend wie ein Turmhahn und drehte seine Arme wie Wind-
mühlenflügel im Winde.
Als sie in der Geißelung ermatteten und einander sahen:
Mann und Weib: nackte Brüste und Schultern, darüber die
roten Blutfäden liefen wie Seidengespinst, ergriff sie die Brunst
mit magischer Gewalt.
Wiehernd stürzten sie aufeinander, und die Männer stießen
wahllos in die Frauen: bald wie Stiere sie von hinten besprin-
gend, bald wie Schnecken von vorn sich gegen sie erhebend.
Bracke, auf dem Giebel tanzend, schrie:
»Tut Buße! Tut Buße!«

Und Bracke schrieb ein Konzilium der Totengräber in den
märkischen und wendischen, pommerschen und mecklenburgi-
schen Landen aus: er bat, sie möchten nach Crossen kommen,
er wolle sie die wahre Kunst des Totengrabens lehren.
Da beredeten sich die Totengräber untereinander und beschlossen, der Einladung Folge zu leisten.
Sie erschien also in ihren schwarzen Mänteln zu Hunderten in
Crossen, daß die Crossener schier sich ängsteten, und die Gasthäuser waren überfüllt von ihnen.
Auf dem Marktplatz hatte Bracke auf dem Predigerstein eine
Kanzel errichtet aus Holz, von der hub er an zu reden, angetan
mit einem schwarzen Mantel und einem Totenkopf unter dem
Arm: »Ihr Totengräber! Dank zuvor, daß ihr so zahlreich erschienen seid.
Eure Erwartung soll nicht enttäuscht werden. Ich habe euch
einen Rat zu erteilen, den gab mir in der Nacht Ahasver, der
Ewige Jude, im Traum: damit wird euer Ein- und Auskommen
verbessert in alle Ewigkeit.
*Beginnt endlich damit, die Lebenden zu begraben!* – so braucht
ihr nicht zu warten auf den Tod eines jeden. Denn alle, die
heute leben, stinken schon in der Verwesung und sind wie tan-
zendes Aas.

Beginnt mit den hohen Herren oben und begrabt mir endlich
einmal« – Brackes Stimme schlug über – »den toten Kurfürsten, der immer noch in mir lebt.
Was braucht ihr noch zu warten, bis ein jeder stirbt? Begrabt
die Lebendigen – so werdet ihr jeden Tag Totengeld erhalten,
wann immer ihr wollt. Unter die Erde mit den Irdischen!
Dies ist mein Rat, den ich euch gebe: aus Menschenliebe – frei
und ohne Entgelt.
Geht nun nach Hause. Grabt. Gehabt euch wohl.«
Und damit stieg Bracke von der Kanzel und wandelte mit dem
Totenkopf unter dem Arm in den Ratskeller, wo er ihn sich mit
rotem Wein füllen ließ und austrank in einem Zuge.

In Crossen war die Stelle eines Nachtwächters zu vergeben.
Da bat Bracke, man möge ihn in solchen Dienst nehmen.
Er habe vierzig Jahre des Tages gewacht und wünsche nun
auch einmal des Nachts zu wachen und aufzumerken, wie es
nachts auf der Welt aussehe, indem er pünktlich und gewissenhaft die Stunden zähle und rufe von abends neun bis morgens
sechs.
Man zog ihm Kappe und Mantel an, schnallte ihm einen Degen um, gab ihm Stock, Horn und ein Stundenglas in die
Hand. –
Und Bracke stand unter den Torbögen oder wandelte durch die
mondhellen Straßen. Er sah die Sternschnuppen fallen und
den Sand in seinem Glas. Und immer, wenn eine Stunde um
und der Sand ausgelaufen war, drehte er das Glas, und der
Sand lief von neuem, die Sternschnuppen fielen, die Hunde
bellten, und ein Träumender schrie im Schlaf.

Haß, Ekel und Verachtung der Menschen gewannen solche
Macht über ihn, daß sie ihn wie mit Zentnergewichten zu Boden drückten. Und ob er wie ein Athlet auf den Jahrmärkten
mit ihnen jonglierte und sie zu bändigen trachtete, es geschah,
daß ihm beim Anblick eines Menschen derart übel wurde, daß
er erbrach.
Er ging auch am Tage stets mit den Händen vor dem Gesicht
durch die Straßen, damit er niemand sähe.

Und er ließ sich sein Essen bringen von einer alten Begine.

Als zum Jahrmarkt eine Seiltänzertruppe auf dem Münzplatz erschien, trat er zum Direktor an den Wagen und bat ihn, ob er ihn nicht in freien Stunden vormittags das Seiltanzen lehren wolle.

Der Seiltänzer lachte:

»Ihr alter Mann mit Euern zitternden Gliedern!«

»Ich bin nicht so alt, wie Ihr meint. Ich möchte auf dem Seile tanzen und dann mit einem gewaltigen Sprung vom Seile in die Masse der Menschen springen: auf ihre platten Köpfe: und ihrer ein Dutzend im Fall zerstampfen.«

Da machte der Seiltänzer ein Kreuz.

Und Bracke entwich, vogelartig hüpfend.

Bracke ging über den Friedhof.

Er blieb an einem frisch geschaufelten Grabe stehen.

»Ist dies für mich bestimmt?« – Und er gedachte es auszumessen.

Da hörte er Geräusch im Grabe und sah Sand auffliegen, wie wenn ein Maulwurf sich durch die Erde arbeitet.

»Ach, Ihr seid es«, sprach Bracke und sah, wie der Conte Gaspuzzi sich mühsam aus der Höhle wälzte, braun bestäubt wie ein Pfefferkuchenmann.

Bracke betrachtete sein Gesicht, das einem Stück Sandsteinfelsen glich: mit Rinnen und Gängen von Korallentieren. Seine Augen lagen darin wie tote Fliegen in Bernstein.

»Ihr könnt nicht sterben – und ich kann nicht leben ...«, sagte Bracke; »wie alt seid Ihr wohl, wenn es gestattet ist zu fragen?«

»Bei Christi Kreuzgang war ich fünfzig Jahre alt. Der Herr trug sein Kreuz an meiner Wohnung vorbei, es drückte ihn schwer, und er blieb an meinem Hause stehen, der ich gerade in der Sonne saß und in die Mückenschwärme blickte:

›Mein Freund – es ist heiß, gebt mir einen Schluck Wasser.‹

Da rief ich: ›In die Hölle mit dir, Prophet der Ketzer. Einem Ungläubigen das Wasser reichen! P ... und sauf dein eigenes Wasser.‹

Da sprach Christus: ›So sollst du ewig durch die Jahrtausende gehen und unlöschbaren Durst haben nach dem Nichts und nach der Vernichtung: deiner und der Welt, nach dem Tod ... aber du wirst nicht sterben können ...‹

So laufe ich Jahrtausende durch die Welt, lausche auf die Harmonie der Sphären, saufe und saufe das Leben in mich hinein – aus Durst nach dem Tode – und kann nicht sterben.

Ich stürzte mich von der Kuppel des St. Peter in Rom – da glitt ich wie auf einem seidenen Tuch sanft zu Boden.

Ich ließ mich als Gladiator in der Arena Neros zerstückeln und zerfleischen – mein Fleisch fand sich wieder zusammen, und man trug mich als ganzen Menschen aus der Arena, daß selbst Nero vor diesem Zeichen erblaßte.

Ich warf mich in den Vesuv – er hat mich wieder ausgespien.

Ich ging auf ein Schiff, im Gefolge des Kolumbus, das Schiff kam in Sturm und versank, mich spülten die Wellen in Spanien an die Küste.

Ich kann und kann nicht sterben.«

Bracke starrte in das leere Grab.

»Bruder«, lispelte er.


Als Bracke über die Oderbrücke ging, hörte er ein leises Läuten.

Er beugte sich über das Geländer.

Da sah er im Mondschein unten in der Oder die versunkene Stadt liegen.

Die war anzusehen wie seine Heimatstadt Trebbin: Kirche und Plätze und Häuser und Brunnen.

Nur schien alles reicher und bunter und strahlender, vom Glanz der Ewigkeit bestreut, vom Strom der Unvergänglichkeit überflossen.

Aus Marmor waren die Häuser gebaut und die Dächer aus purem Silber.

Die Glocken, die in der Kirche läuteten und die seitwärts zum Gestühl herausschwangen, schienen eitel Gold.

Edelsteine blühten statt Blumen in den Blumenstöcken an den Fenstern und kleine Korallenbäume.

Das Moos zwischen den Steinen zeigte die Patina von Kupfer.

Da schluchzte Bracke tief auf, und die Tränen fielen auf den

Wasserspiegel und zerstörten in ihrem klingenden Fall das
Bildnis seiner Jugend. Die lag nun begraben, tief in der Oder.
Und er mußte sich halten, daß er sich nicht über das Geländer
der Brücke schwang und ihr nicht nachsprang in den Fluß
hinein: ein englischer Knabe, zu wandeln zwischen den Mar-
morhäusern und Edelsteinblumen.

Bracke ging in eine Bäckerei und kaufte eine große Tüte Süßig-
keiten. Und er stellte sich auf den Markt, rief die Buben und
Mädchen und sprach:
»Kommt herbei, ich will Süßigkeiten unter euch verteilen nach
der Gerechtigkeit Gottes.«
Und sie liefen schreiend herbei und öffneten ihre Hände.
Da gab Bracke nun dem einen fünf, dem andern zwei, dem
vier, dem gar keinen Kuchen.
Da sprachen die Kinder:
»Du bist ungerecht, daß du dem einen mehr und dem andern
weniger, dem dritten überhaupt nichts gibst.«
Brackes Bart wehte:
»Ich habe euch gesagt, daß ich die Kuchen verteilen wolle nach
der Gerechtigkeit Gottes – und also habe ich getan. Denn Gott
gibt dem einen wenig, dem andern viel, dem dritten aber gar
nichts. Dies ist die Gerechtigkeit Gottes. Es ist nichts Ungerech-
teres als Gott. Geht nach Hause und erzählt dies euren Eltern
und den Pfaffen.«

Bracke rannte einsam durch die Nacht.
Da begegnete er der Wache, die hielt ihn an und sprach:
»Was hast du zu dieser Zeit der Spitzbuben und Räuber auf
der Straße zu suchen?«
Bracke drehte seinen Kopf wie eine Schraube.
»Ich suche meinen Verstand . . . er läuft mir davon wie ein ra-
sender Hengst . . . und ich komme ihm nicht nach . . . helft mir
meinen Verstand wieder einfangen, ihr guten Herren, aber tut
ihm nichts mit euren Lanzen und Spießen.«
Es ward aber Bracke kränklich und gebrechlich, da gedachte er
in ein Kloster zu gehen.
Und er klopfte an bei den Franziskanern auf dem Neumarkt.

Der Abt öffnete persönlich. Bracke zog den Hut:
»Herr, nehmt mich auf in Euer Kloster, denn ich bin alt geworden und müde der Welt.«
Der Abt fluchte wie ein Zinngießer:
»Als Ihr jung wart und lustig durch die Welt sprangt und schwärmtet, wurdet Ihr ihrer nicht so bald müde und überdrüssig und gedachtet auch in kein Kloster zu gehen. Jetzt erst, da Euch der Teufel an der Gurgel sitzt – verspürt Ihr plötzlich Sehnsucht nach dem Himmel.«
»Das ist wohl wahr«, sprach Bracke, »ich bitte Euch, macht trotzdem einen Versuch mit mir und stellt mich auf die Probe.«
»Gut«, sprach der Abt, »könnt Ihr schreiben?«
»Mit aller Kunst«, gab Bracke Bescheid.
»So werde Euch die Aufgabe, eine Vulgatabibel abzuschreiben ...«

Bracke machte sich mit Eifer an die Arbeit. Sein Geist beschwingte sich an ihr, und seine Muskeln dehnten sich bei der guten Klosterkost von neuem mächtig.
Er schrieb fein mit spitzem Pinsel und schwarzer Tusche zuerst das Evangelium Matthäi, danach Markus, Lukas, Sankt Johannes und so fort, überwand auch noch die Acta Apostolorum – aber als er, nach einigen Monaten, an die Apostelbriefe kam (es war inzwischen Frühling geworden), wurde er unruhig, die Arbeit stockte und schlich nur mühsam und langsam wie ein träger Bach weiter. Durch das Gitterfenster seiner Zelle flog sein Blick oft mit den Vögeln ins klare Blau.
Eines Tages nun, als er gerade das P des Apostel Paulus zierlich zu malen im Begriffe stand, sein Auge aber einen Moment vom Pergament hinaus durch das Gitter abirrte, schrak er zusammen. Denn er hatte Nadya, das schönste Mädchen der Stadt, einer Wendin und eines Schiffers Tochter, draußen in der Morgensonne über die Wiese gehen sehen – um derentwillen sich die Schiffer und Landsknechte mit ihren Messern Flüche in die Rippen stießen – und dennoch keiner von ihnen sich auch nur der leisesten Gunst Nadyas rühmen durfte.
Bracke stand vom Schemel auf und begann ruhelos die enge, dumpfe Zelle zu durchwandern.

Seufzend ging er wieder an seine Arbeit. Aber wie er den
Apostel Paulus als Initiale recht schön in Rot, Blau und Gold
vollendet hatte: lächelte ihm aus der blauen Kutte des Heiligen
Nadyas goldenes Gesicht entgegen.

Bracke betete die Nacht durch – aber die Nacht war sinnlich,
wie Frühlingsnächte zuweilen sind, in denen schon der Sommer zittert. Mit Gewalt drängte sich die Erinnerung an Nadya
auf, an ihren Gang, an ihr Gesicht, an ihre Hände.

Er kämpfte . . . eine Woche . . . vierzehn Tage . . . um Grieta . . .
um die Kurfürstin . . . und jeden Tag in diesen vierzehn Tagen
ging Nadya an dem Kloster vorbei. Und ihre braunen Augen
kletterten wie Eidechsen an der Klostermauer hoch . . .

Um ihr zu entgehen, ließ er sich vom Prior auf eine Predigt-
reise in die Dörfer schicken. Müde und zerschlagen kehrte er
eines Abends zurück.

Er ging zwischen Weidenbüschen, durch die Oderwiesen, nahe
schon der Stadt.

Der Mond stand hinter Wolken.

Plötzlich . . . er zuckte zusammen . . . wuchs vor ihm aus dem
feuchten Wiesennebel die Vision einer Frau. Er wollte fliehen.

Sie hielt ihn gepackt.

Er wollte das Kreuz machen.

Sie verhinderte es.

Da ließ er sich willenlos in ihre Arme gleiten.

Als sie ihr Gesicht erhob – ihn dünkte, es wären inzwischen
Jahre vergangen –, sah sie ihm lange in die Augen, lächelte
und nickte mit dem Kopf.


Bracke wagte sich eines Nachts in den Garten am Hause Nadyas.

Sie standen in zärtlicher Umschlingung unter einer Linde – als
plötzlich der Mond und mit ihm, aus dem Hause, ein Haufen
schreiender und gestikulierender Leute hervorbrach.

Denn die Eltern Nadyas hatten Verdacht geschöpft. Mit Stangen und Keulen wollten sie auf den geistlichen Liebhaber ein-
dringen, dem die Zunge im Gaumen gefror.

Da trat Nadya vor und rief (wie denn die Frauen, *wenn* sie
einmal geistesgegenwärtig sind, es mit sehr viel Geist sind):

»Fallet nieder und betet, denn seht, die heilige Hedwig ist mir erschienen.«

Da nun fielen sie alle auf die Knie: denn die Kutte des Franziskaners malte sich in der grauen Dämmerung wie ein Frauenkleid ab.

Er aber hob die Arme und segnete sie.

Und öfter noch und unbehelligter ist die heilige Hedwig dem schönen Fischerkinde Nadya erschienen.

»Gut«, sprach der Abt, als die Apostelgeschichte abgeschrieben war, »ich setze Euch nunmehr als Pförtner ein. Hier habt Ihr den Schlüssel. Ersuche Euch aber auf das strengste, nur einzulassen die frommen Brüder – und keine Landstörtzer oder Vagabunden.«

Dies sagte Bracke ihm gewissenhaft zu und setzte sich in die Pförtnerloge.

Als aber der Abt früh zur Messe schreiten wollte, hörte er ein jämmerliches Gestöhn, ging dem Geräusch nach und sah seine Mönche, siebzehn an der Zahl, vom Abendspaziergang her vor der Klostertüre ausgesperrt auf der Wiese hocken.

Bracke aber schlief fest in seiner Pförtnerloge einen guten Schlaf.

Da zerrte ihn der Abt aus dem Schlafe hoch und schrie:

»Bübischer – du hast mir meine Mönche ausgesperrt – ist das die Probe aufs Exempel deiner Befähigung zum Pförtner?«

»Herr«, Bracke rieb sich den Schlaf aus den Augen, »Ihr befahlt mir, nur die wahrhaft frommen Brüder und keine Landstörtzer einzulassen. Eure Mönche, welche huren, saufen und lästern wie der Teufel in der Hölle, sind schlimmer als die Vagabunden und Landstreicher, die kein Gelübde der Keuschheit und Mäßigkeit abgelegt. Wäre *einer* unter Euren Mönchen, der seine Tonsur mit Recht und Gerechtigkeit trüge – ich hätte ihn eingelassen . . .«

Da öffnete der Abt die Pforte, ließ die Mönche herein und jagte Bracke hinaus in den Morgen, über dem eben, strahlend rot wie ein Pfirsich, die Sonne aufging.

Bracke ging an die Oder und bedachte Anfang und Ende, da
sah er ein kleines Mädchen, das Wasser aus der Oder in einen
leeren Blumentopf füllte, der unten an seinem Boden ein Loch
hatte, durch den das Wasser immer wieder abfloß.
Aber unermüdlich schöpfte das Kind.
»Was tust du da?« fragte Bracke.
Das Kind antwortete:
»Ich schöpfe die Oder in diesen Topf ...«
Da besann sich Bracke, daß er sei wie dieses Kind und keinen
Deut klüger: daß er, so sehr er sich auch bemühe, den Strom
der Ewigkeit zu erfassen, es ihm nicht gelingen werde, mehr
davon in seine Schale zu füllen, als dieses kleine spielerische
Mädchen aus der Oder in seinen Blumentopf.
»Wenn es mir nun gelingt, die *Richtung* des Stromes zu be-
greifen, so will ich schon zufrieden sein« – und sah, wie die
Oder abwärts floß von Crossen nach Frankfurt, von Frankfurt
nach Lebus, von Lebus nach Stettin – und bis ins Meer.

Als Bracke am Ufer der Oder wandelte, fiel ihm sein Buch, in
dem er seine Gedanken und Träume zu verzeichnen pflegte, in
den Strom. Da ihm das Buch lieb war wie sein eigenes Kind,
sprang er, obwohl des Schwimmens kaum kundig, dem Buch
nach, bekam es auch zu fassen, sank aber selbst unter und wäre
elend ertrunken, wenn nicht ein Schiffer in der Nähe gewesen,
der ihn ans Land gezogen. Als er nun im Hause des Schiffers
lag und aus der Ohnmacht erwachte, war sein erstes Wort: »Wo
ist mein Buch?« Und der Schiffer gab ihm das Buch. Da froh-
lockte Bracke. Als er es aber aufschlug, da waren es leere, weiße Seiten, die ihm entgegenleuchteten. Das Wasser hatte alle
seine Gedanken und Träume weggewaschen und war kein
Wort mehr enthalten als nur die Überschrift des Buches: Mein
Leben. – Da erschrak Bracke: Wie war ich hochmütig und
glaubte, mich in das Buch der Ewigkeit eingeschrieben zu haben, und nun finde ich darin nicht einen Satz, nicht ein Wort,
das wert gewesen wäre, bewahrt zu bleiben! – Und nahm das
Buch und schenkte es dem Kinde des Schiffers, das gerade in
die Schule gekommen war, für seine ersten Schreibübungen.

Im Ratskeller zu Crossen machte Bracke sein Testament.

Er sandte, wie der reiche Mann im Evangelium (ob er gleich keinen Heller zu vergeben hatte), den Knecht vom Ratskellerwirt auf die Straße und ließ verkünden: alle fahrenden Bettler und Vagabunden und Straßenläufer möchten zu ihm in den Ratskeller kommen. Er habe sie in seinem Testament zu beschenken und zu bedenken.

Und er berief einen Advokaten und setzte ihn mit Tintenbüchse, Federkiel, Streusand, Pergament und Siegel neben sich.

Und als die Vagabunden und Vaganten erschienen – es waren ihrer etwa ein halbes Dutzend, die der Ratskellerknecht aufgetrieben hatte –, da ließ er sich von jedem den Namen sagen und vererbte einem jeden, indem er dem Advokaten diktierte, eine Gegend des märkischen Landes zur Streife.

Da vererbte er dem rothaarigen Hannes die Perleberger Gegend, dem Spenglerjochen das Prenzlauer Land, dem frommen Adolf das Bistum Lebus, dem hageren Türkenmüller den Kreis Crossen und die Niederlausitz, der Pickelmale als Frau seine Geburtsstadt Trebbin.

Und es geschah, daß jeder dieser Leute sein Testament wie einen heiligen Willen aufnahm und buchstäblich befolgte – und daß jeder wie durch Gottes Wunder in der ihm zugewiesenen Gegend reichlich stets zu leben und nie mehr zu hungern hatte. Weshalb jeder der Vagabunden, die sich später sämtlich recht und schlecht mit Mägden oder Bauernmädchen verheirateten, seinen Erstgeborenen Bracke nannte.

Der hagere Türkenmüller aber, der es in Crossen durch Weinhandel zu etwas brachte, ließ in einem seiner Weinberge eine Kapelle erbauen, in die er eine nachgeahmte Statue des Bracke stellte und an dessen Geburts- und Todestage Lichte davor entzündete wie vor einem Heiligen.

Bracke wanderte nach Schlesien und ins Gebirge hinein. Ohne andere Kleider, als die er auf dem Leibe trug: ein schmutziges Hemd, eine braune, zerrissene Joppe, eine blaue Soldatenhose dritter Garnitur, die in Hirschberg in der Herberge ein Soldat im Spiel an ihn verloren hatte.

Ruine Hermsdorf fiel bröckelnd aus dem Horizont.

Es dämmerte.

Als es dunkel wurde, sah Bracke auf der Ringmauer der Burg einen feurigen Reiter galoppieren.

Er wanderte in den Wald.

Warmbrunn lag plötzlich vor seinen Schritten. Hinter den geschlossenen Läden des Kurhauses klang Gelächter und Gläserklirren.

Ein Fenster im zweiten Stock öffnete sich.

Licht fiel über die Straße. Eine dunkle Gestalt lachte in die Nacht.

Bracke schlief im Wald unter einer Tanne ein.

Ihm träumte, die Tanne wäre ein Kirchturm und läutete. Das Geläut ihrer Glocken dünkte ihm süß und unerhört. Plötzlich schwoll der Glockenklang zu rollenden Tönen an, die ihn wie mit Hämmern auf die Stirn schlugen.

Er wachte auf.

Regen wusch sein Gesicht.

Donner grollte im fahlgrünen Frühlicht.

Er erhob sich.

Kaum war er zehn Schritte von der Tanne entfernt, die seinen Schlaf behütet hatte, als ein Blitz zischend in ihren Stamm fuhr und sie silberweiß zersplitterte.

Das Tal stieg leise an.

Der Regen stach seine Haut.

Dorf Kummhübel ließ er links liegen. Er klomm seitwärts durch den Wald nach Brückenberg empor.

Der Wald rauschte wie das Meer.

Gießbäche sprangen zwischen seine Füße. In seinen alten Schaftstiefeln floß das Wasser oben hinein und unten an den Sohlen wieder hinaus.

Eine Herde Farnhalme erregte seine Verwunderung. Er blieb stehen und betrachtete den zarten grünen Gliederbau der Pflanzen. Ihre sternhaften Arme. Ihre mädchenhafte Schlankheit.

Auf einer winzigen Waldwiese blühte Enzian.

Der Himmel ist zersprungen, dachte er. Das sind einige Scherben. Die Enzianblüten sind Scherben vom Himmel, wie wir Menschen Splitter von einem fremden zersprungenen Stern sind. Die Erde ist nicht unsere Heimat. Wir wandern fremd auf

ihr, immer die Heimat mit entbrannten Sinnen suchend. Die
Erde ist ein toter Stern. Sie ist kalt. Ich bin heiß. Ein Stück
flammender Meteor. Ich friere in dieser jammervollen Nässe.
Meine Füße kennen nur Sumpf. Meine Hände sind zerrissen
vor Kälte. Blut tropft auf den Boden. Meine Augen sind mit
grauen Wolken statt mit Sonne gefüllt. Mich hungert.

Wie weidende Kühe lagen die paar Häuser Brückenbergs vor
ihm. Er sah, wie die Bauern behäbig den Tag begannen. Sie
schlurften und schlürften hinter den Fenstern, ausgeschlafen
und trotz des öden Tages heiterer Dinge, ihre dampfende
Morgensuppe.

Oben am Tisch saß der Bauer, dann folgte die Bäuerin, der
Großknecht, der zweite Knecht, die Großmagd und die andern
Knechte, Mägde und Kinder. Sie saßen in der Ordnung, die ein un-
verrückbares, jahrtausendealtes Gesetz ihnen eingeprägt. Sie lebten ihr Leben nach ewigen Regeln: dumpf, treu und zufrieden.

Bracke pochte an das Haus.

Die Bäuerin öffnete ihm, und er bat mit höflicher Stimme um
ein wenig warme Morgensuppe.

Die Kleider zerflossen ihm am Leib.

Er schien wie ein Meergott dem Meer entstiegen.

Tang troff aus seinen Haaren. Seine Augen glänzten wie Ko-
rallen.

Die Bäuerin schüttelte den Kopf und schob ihn in die Stube.

Da saß er nun ganz unten am Tisch, noch weit hinter dem letzten Hütejungen und Stallknecht, und verzehrte mit Anstand
und Ruhe Suppe und Brot, das die Bäuerin ihm mit eigener
Hand vorgelegt hatte.

Er war es zufrieden, der menschlichen Gesellschaft als letzter
eingeordnet zu sein, und wußte von keinem Wunsch und keinem Ziel.

Niemand sprach ein Wort, und also schien es ihm schön und
natürlich.

Als der Bauer mit einem kurzen Gebet die Runde auflöste,
sagte Bracke mit klarer Stimme Amen und brachte der Bäuerin
in geziemenden Worten seinen Dank.

Die Mägde äugten verstohlen und diebisch nach dem verwil-
derten Wanderer.

Ob er das Frühstück mit Arbeit entlohnen wolle? fragte die Bäuerin. Ein Dienst sei des andern wert.

Bracke nickte willig den Kopf.

Ein Knecht führte ihn in den Holzverschlag, und er spaltete bis zum Mittag ernst und ordentlich viele Scheite Holz. Die Arbeit wärmte ihn, und die Kleider trockneten ihm am Leib.

Zu Mittag saß er wiederum in der bäuerlichen Runde und verzehrte mit dankbarer Andacht die dicke Fleischsuppe.

Danach bat er seine Freiheit zurück, die ihm gewährt wurde, und machte sich nach einer chevaleresken Verbeugung vor der Bäuerin und einem Handdruck an den Bauern wieder auf seinen Weg.

Die Mägde sahen ihm mit offenen Mündern nach.

Das Wetter hatte sich ein wenig aufgehellt: noch fielen vereinzelt große Regentropfen.

Über den Kamm rasten pfeifend die weißen Sturmwolken.

Um die Koppe jagten wilde Windpferde.

Ein Stück blauer Himmel flatterte wie eine Fahne über der Sturmhaube.

Bracke schritt den Ziegenpfad zum Gebirgskamm empor.

Er durchschritt die Zackenklamm.

Links und rechts standen Felsen, abweisend und steinern wie Menschen, innerlichst bereit, ihn zu zerschmettern und nur durch das Schicksal ihres steinernen Seins gehalten.

Der Zackenfall rauschte: Hohn, Schimpf und Gelächter sprach aus seiner Stimme. Wie kleine Steine warf er haßerfüllt Tropfen auf Tropfen bis an Brackes Stirn.

Er kletterte am Zackenfall rechts empor und gewann wieder den Wald.

Er war kaum einige Schritte gegangen, als er vor sich einen großen stämmigen Mann den Pfad erklimmen sah.

Er trat neben ihn und blickte ihm ins Gesicht.

Der andere blieb stehen, und sie betrachteten sich schweigend. Er zeigte Gewand und Manieren eines Holzhauers, ein Beil hing über seine linke Schulter. Ein braunroter Vollbart umrahmte sein schönes, wildes Gesicht. Seine großen blauen Augen musterten Bracke.

»Was wollt Ihr«, fragte der andere, »habt Ihr mich gesucht?«

»Ich habe Euch nicht gesucht, denn ich kenne Euch nicht«, sagte Bracke, »auch will ich nichts, weder von Euch noch von jemand anderm. Ich will nur mich selbst, und mich dünkt, dies sei schon zuviel, da ich nur darum in dies Gewitter und in dieses Gebirge gekommen.«

»Ich glaube, wir haben denselben Weg«, sagte der andere. Seine Stimme klang wie die Glocke des Kirchturms gestern nacht in Brackes Traum. »Ich will in die Höhe.«

Sie schritten nebeneinander.

Bracke hörte einen Vogelschrei über sich in den Lüften, und er sah, daß eine Eule den Schritt des andern hoch zu seinen Häupten begleitete.

Der Wald wich und schrumpfte in sich zusammen. Verkrüppelte Kiefern waren seine letzten Verkünder und Herolde. Dann hörten auch sie auf, im Walde zu tönen, und Knieholz wucherte wie riesiges Moos über den Felsen.

Sie hatten den Kamm erreicht.

Die alte schlesische Baude lag wie ein Klotz feuchtes und faules Holz im Nebel.

Sie wandten sich der Koppe, der Spitze des Gebirges, zu.

Steine wuchsen nur noch unter ihren Sohlen.

Pferden, Ochsen und Löwen gleichend, kamen Felsen auf sie zu und drohten ihnen den Weg zu sperren oder sie mit steinernen Mäulern zu verschlingen.

Wolken wehten wie riesige Vögel mit feuchten Schwingen um ihre Stirnen.

Abgründe und Schluchten öffneten sich.

Der Sturm blies, daß sie zuweilen vor ihm wie vor einer Wand standen.

Der Holzhauer, des Weges kundig, schritt voran.

Er schritt vor Bracke wie ein großer, starker Bruder, in dessen Hut und Führung man sich wohlbefindet.

Seine Füße stampften, seine Augen funkelten, sein roter Bart knisterte, und oben, zuweilen über Wolken, zuweilen im Sturme selbst, schrie die Eule.

Eine Wolke schob sich plötzlich zwischen Bracke und den andern.

Er sah ihn nicht mehr.

Er rief.

Aber der Wind verschlang seine Stimme.

Er tastete durch den Nebel.

Wenige Schritte vor ihm gähnte ein dunkler Abgrund.

Bracke wartete, ob die Wolke verwehe.

Es mochte eine Minute vergangen sein, da zerriß sie donnernd wie ein eiserner Vorhang.

Blau, kühl und klar wölbte sich der Himmel.

Im Abendsonnenstrahl wiegte sich ein goldener Bussard.

Das Tal lag leise und bis in fernste Winkel deutlich zu seinen Füßen.

Aber vor ihm – Geröll hatte plötzlich den Abgrund überschüttet – stand auf der Spitze des Berges, die große Sturmhaube genannt, der andere: riesig und schwarz im hellen Horizont.

Sein Auge schien das Tal zu umfassen wie seinen Besitz. Auf seiner Schulter saß die Eule. Herrisch schwang er das Beil gegen die Tiefe. Aus seinen Augen sprang die Sonne. Seine Stirn war das Abendrot.

Er hatte die Höhe erreicht.

Bracke eilte, sich mit seinem Gefährten zu vereinigen.

Er sprang das Moränenfeld empor, achtete nicht des immer neuen Sturzes, der ihm die Knie zerschlug und die Hände blutig riß.

Sein Atem pfiff.

Der Rücken schmerzte ihn. Nadelscharfe Stiche fühlte er unter den Schulterblättern. Seine Wangen erhitzten sich im Fieber.

Schwer und unbeweglich stand der andere, in seiner Gebärde versteint.

»Bruder!« rief Bracke und streckte, herangekommen, ihm die Hand entgegen.

Da fühlte er eiskalten Stein zum Gegengruß sich in seine fiebernde Hand schmiegen.

Er erschrak, er sah empor, und er erstarrte.

Ein Felsblock, der Form und Umriß des andern trug, lauschte fühllos seinem liebenden Anruf.

»Rübezahl!« schrie Bracke und sank wehrlos und erschöpft am Felsen nieder.

Frühlingsfieber schüttelte Bracke.

In seinen Blicken sproß, neu erlöst, die Blume der Welt.

Sein Atem duftete hyazinthen.

Er griff mit den Händen nach den Wolken.

Seine Füße rannten über die Berge.

Ich will mich mit der Welt versöhnen. Der Menschen Bruder sein. Wie leicht ist es, gut zu sein und Gutes zu tun! Welche Seligkeit, Verzeihung zu erlangen! Welch größere, sie zu gewähren! Ich werde meinen Brüdern dienen im Anschauen der Vollkommenheit und meiner Schwestern frommer Hüter sein. Grieta ist tot. Die Kurfürstin ist tot. Ich rufe ihre Angesichter vergeblich vom Himmel. Laßt mich eure Geister beschwören und fächelt mir aus den Winden eure Verzeihung zu!

Mein Vater, du bist noch auf der Welt: ehe ich kam, warst du Welt, und wieder bist du es nun, da ich in Friede und Frühling scheiden soll. Du hast mich erzeugt, du hast mich erzogen, was wäre ich ohne dich. Jahrzehnte habe ich dich vergessen, zum letzten Male will ich zu dir wandern, mit den brennenden Füßen und der rauchenden Seele des Heimatlosen: will Heimat sehen in deinem Blick und lieber Vater rufen. Vielleicht, daß ich an deiner Brust genese. Ich will ja nichts als auf den Arm genommen werden wie ein krankes Kind und dahinfließen in Tränen wie ein Strom.

Es dämmerte, als Bracke in Striegau eintraf.

Seine Knie zitterten, und er setzte sich müde auf eine Haustreppe.

Eine Katze strich an ihm vorbei.

Läuft mir eine Katze über den Weg? dachte er, betroffen lächelnd. Ist mir das Unglück so nah?

Hunde bellten aus allen Straßen Frage und Antwort.

Eine Fledermaus rauschte unterm Dunkel.

Der Marktbrunnen plätscherte wie Gesang leiser Nymphen.

Die Haustür klirrte, eine gebückte Gestalt erschien hexenhaft. »Meine Augen sind halb erblindet«, klang es vertraut, »wer seid Ihr, der Ihr hier an der Treppe sitzt?«

Bracke schoß auf wie eine Pflanze zum Licht. Er hob seine Arme wie Äste. Seine Augen wie Blüten.

»Mutter!« jubelte er erstickt, »ich bin es, dein kranker Sohn!«
Die Gestalt wurde von Krämpfen erschüttert:
»Mein Sohn, hast du uns nicht vergessen, lebst du, lebst du
noch?«
»Mutter, ich lebe und lebe nur darum, daß ich noch einmal
zu euch komme, euch zu sehen, zu sprechen, zu hören. Denn
ihr seid die letzten Menschen dieser Erde, die ich kenne. Ich
bin so arm, daß ich keinen Menschen mehr habe. Kein Weib
mich mehr liebt. Kein räudiger Hund mich zum Herrn haben
möchte. Mutter, wo ist der Vater, daß er mich – endlich wieder
– seinen Sohn nenne?«
Die Alte erschrak.
Sie wurde zu Lehm.
Bewegte tonlos die dürren Lippen.
Ihre knochigen Hände malten entsetzliche Gemälde.
Ihre Ohren schienen nach einem bestimmten Geräusch zu lau-
schen.
Sie fand ein paar Worte:
»Er haßt dich ... er haßt dich ... wie den Bösen ... ich habe
Furcht ...«
Schritte polterten durch das Haus innen.
»Weib!« brüllte eine rauhe Stimme.
»Bracke!« betete die Alte, totenbleich.
Die Tür knarrte, und der Physikus trat in die Nacht.
»Ich suche dich, Weib, weil ich meine lange Pfeife nicht finde.
Ich gab sie gestern der Magd zum Reinigen –«
Er hielt inne.
Vor ihm kniete ein fremder Mensch, die Hände vor dem Gesicht.
»Bracke«, wagte die Alte leise Erinnerung zu wecken, »Bracke,
verzeih ihm, es ist dein Sohn!«
Der Greis holte tief Atem. Es schien, als sauge er das ganze
Dunkel in sich hinein samt Mond und Sternen. Das Dunkel
und die kleine und die große Welt, daß nur *er* übrigblieb: er
allein in seiner wilden Pedanterie.
»Ich habe keinen Sohn mehr«, sagte er rauh, »der einmal mein
Sohn war, ist ein Landstreicher und Vagabund geworden, den
die Bauern von ihren Höfen jagen. Ist ein Dieb, ein Räuber,
ein Mörder ...«

»Vater«, wimmerte Bracke, »alles dieses bin ich, ich gestehe es:
bin Vagabund und Landstreicher, ein Räuber und Mörder.
Aber, Vater, ich bin Euer Sohn. Werfet nicht den ersten Stein
auf mich!«
Der Physikus bückte sich und löste einen Stein, der morsch im
Mauerwerk des Hauses hing.
Seine Stirne verzerrte sich. Seine Stimme quoll.
»Schert Euch zum Teufel!« – und hob den Stein und warf nach
dem Sohn.
Der Stein traf Bracke, da er auf den Vater zutreten wollte, an
die Stirn.
Dünnes Blut sprang und lief über Wimpern und Wangen. Er
hörte den Schrei der Mutter. Das Zuschlagen der Tür. Es wurde
rot vor seinen Augen, und er entlief schreiend.

Er lief durch die Stadt und warf sich auf einer kleinen Anhöhe
hinter der Kirche ins Gras.
Über ihm glänzten ruhig und fern die ewigen Sterne.
Die Wiese bewegte sich im Winde.
Ein Käfer summte.
Unten die Stadt schlief wie ein Bürger nach des Tages voll-
brachter Arbeit.
Was habe ich nun diesen Tag und meines Lebens Tag getan?
Ich wollte heute eine gute Tat tun und wurde mit Ruten ge-
peitscht.
Ich bin so müde, ein Mensch zu sein. Ach, ich bin wohl keiner,
sondern vom Mars nach hier verschlagen, mit sonderbaren und
verwegenen Organen ausgerüstet, die für diese Welt nicht tau-
gen. Ich habe zu große Augen, zu kleine Ohren, zu schlanke
Füße, zu zarte Hände.
Er richtete sich ein wenig auf, da fühlte er wieder das Blut von
der Stirn rinnen.
Ihm wurde blutrot und rot vor den Augen, und eine lange
zurückgedämmte Wut brach strahlend wie eine Eiterbeule auf.
Er sprang, tanzend und singend, den Hügel hinab zur Stadt.
In der Schmiede glomm noch Feuer unter der Asche.
Er nahm einen Span vom Boden und entzündete ihn.
Wie eine Fackel trug er ihn vor sich her und lief lautlos und

fröhlich durch die verlassenen Gassen: wohl ein dutzendmal
machte er halt und hielt die Fackel an ein Strohdach, das
tückisch zu knistern begann.
Dann eilte er wieder über den Kirchhof zum Hügel zurück.
Er stand eisern in der Nacht und wartete.
Nach kaum einer halben Stunde schossen da und dort Feuer-
garben wie Raketen in den Himmel. Schreie schwirrten durch
die Nacht. Pferde wieherten. Kinder schrien. Männer brüllten.
Häuser fielen wie Karten zusammen.
Striegau brannte.

Gepeitscht vom Wahnsinn, verfolgt zu werden, floh Bracke
aus Schlesien.
Er wanderte seitwärts durch die Wälder, scheute die Landjäger
und wagte sich nur nachts in die Dörfer.
Eines Abends traf er ein kaum fünfzehnjähriges Mädchen auf
der Landstraße, das vom Besuche ihrer Schwägerin aus dem
Nachbardorf kam.
Sie hatte einen Henkelkorb am Arm hängen, und in dem Hen-
kelkorb lagen allerlei Naturalien und Näschereien, die ihr die
Schwägerin für sie und die Eltern eingepackt hatte: Brot und
geräucherter Schinken und Zwetschenmus und Kuchen.
Bracke hatte seit einer Woche nichts gegessen.
Seine Nase schnüffelte wie die eines Jagdhundes, seine Augen
brannten räuberisch.
Er trat an das Mädchen und riß ihr den Korb aus der Hand.
Dann griff er wie mit Tatzen in den Korb und stopfte sich Brot
und Schinken und Kuchen und Mus in den Mund.
Er fraß.
Das Mus hing ihm um seine Lippen und klebte schmutzig an
seinen Fingern.
Das Mädchen stand wie gelähmt und sah ihn mit großen
Augen an.
Als er gesättigt war, atmete er tief auf und erblickte das hüb-
sche Kind.
Da kam ein anderer Hunger über ihn.
Er hob sie röhrend wie ein Hirsch in die Luft und trug sie in
den Wald.

Sie wachten auf, Tannennadeln im Haar. Ihr Herz brannte im Morgenrot.

»Ich will Vater und Mutter verlassen um deinetwillen, wie es in der Bibel steht«, sagte das kleine Mädchen.

Bracke strich ihr über die Stirn.

»Du darfst nicht bei mir bleiben. Ich habe den bösen Blick.«

Das Mädchen lächelte. Glücklich. Sie berührte seine Hand zart mit den Lippen:

»Du hast einen guten Blick.«

Bracke sah ins Morgenrot.

»Sieh, Mädchen, das ist deine Zukunft, die da vor dir flammt. Und das«, er deutete in den Wald zurück, der schwarz und dunkel hinter ihnen stand, »das ist die meine. Ich habe mich verirrt. Es ist zu spät, den Weg zurückzugehn.«

Sie fragte angstvoll:

»Muß ich dich verlassen? Meine Eltern werden mich schlagen, weil ich die Nacht ausblieb.«

Bracke hielt ihre Hand.

»Du wirst noch manche Nacht ausbleiben. Und sie werden dich in ihrer elterlichen Torheit schlagen. Aber einmal wirst du eine Nacht ausbleiben und nicht wiederkommen. Da werden deine Eltern weinen und zum Himmel flehen. Und wenn sie dich je wieder finden, werden sie erschrecken, denn dann bist du deiner Mutter Kind nicht mehr, sondern eines Kindes Mutter.«

Das Mädchen neigte die Stirn:

»Wenn ich ein Kind von dir bekäme?«

Bracke lächelte schmerzlich:

»Du wirst kein Kind von mir bekommen, denn Gott hat mich zur Unfruchtbarkeit verdammt.«

Das Mädchen schmiegte sich an ihn.

»Bin ich jetzt dein Weib?«

»Du bist es.«

»Dann will ich es bleiben für alle Ewigkeit.«

Sie hob den Kopf.

»Ich bin nur ein unwissendes Bauernkind und darf dir nicht beschwerlich fallen, denn du bist der ewige Wanderer, von dem die Mutter mir im Märchen erzählte. Du bist ein Bruder Gottes und des Teufels.«

Sie stand zwischen den Bäumen, selber ein schlanker, junger
Baum.

Sie reichte ihm noch einmal die Hand, die Brust, den Mund,
die Augen.

Dann entschritt sie zwischen den Bäumen, plötzlich verwandelt, wie ein edles Reh.

Als sie gegangen war und er mit beiden Händen ins Leere
griff, packte ihn eine grauenvolle Angst vor der Vergänglichkeit. Er sah an seinem Leibe herunter und sah sich verwesen.

Er wollte den Himmel herunterreißen und schrie:

»Nicht sterben! Nicht sterben! Daß doch ein weniges von mir
bestehe! Der Nation ein Denkmal! Daß doch mein Name ein
Fanal sei in der menschlichen Dunkelheit! Daß ich nur einer,
wenn auch der geringste Stern sei der Milchstraße, darauf die
Engel mit leisen Sandalen wandeln!«

Mit verbundenen Augen trieb Bracke durch die Mark.

Es wurde Sommer.

Es wurde Herbst.

Es wurde Winter.

Flocke auf Flocke fiel vom grau herniederlastenden Himmel.

Die ganze Erde war ein Daunenbett, in dem Bracke unhörbar
auf und nieder hüpfte.

Die grauen Schneewolken wurden blau, nun schwarz.

Die Nacht stülpte ihren Kübel über die Welt.

Einsam stapfte Bracke wie ein riesiger Rabe mit flatternden
Armen durch den Schnee. Er krächzte.

Da kreuzte, fahl aufsteigend, eine eingeschneite Vogelscheuche
seinen Weg.

Bracke zog höflich den Hut.

Die Vogelscheuche schwankte schattig.

Sie sprach heiser wie ein alter Mann:

»Ich sollte Euch eigentlich scheuchen – denn Ihr seid ein seltsamer Vogel.«

Bracke äugte wie ein Reh.

»Wo habt Ihr denn den Kopf? Ich sehe keinen – und Ihr
sprecht dennoch zu mir.«

»Ich bin froh, daß ich keinen habe. So brauche ich ihn nicht erst zu verlieren, wenn die große Stunde kommt.«

»Welche Stunde ist groß? Ich fand sie alle klein und nichtig.«

Die Vogelscheuche krähte:

»Da Ihr selbst so klein – scheint Euch alles andere ebenfalls klein.«

Bracke befühlte die Stange, die der Vogelscheuche oben aus der Jacke fuhr und auf der ein grüner Hut schaukelte:

»Ihr habt ja einen hölzernen Hals?«

Die Vogelscheuche grinste:

»Um so besser wird er allen Stricken standhalten, falls ich mal das Gelüst haben sollte, mich aufzuhängen – ein Gelüst, das, wie mir scheint, Euch nicht allzufern ist?«

Bescheiden beschied Bracke:

»Gewiß, da habt Ihr recht. Hier an der Seite habe ich den Strick, mit dem ich ehemals meine Ziege führte. Er soll mir gute Dienste tun, Gott wird mir nicht zürnen, wenn ich den Weg zu ihm suche – herauszukommen aus dieser weißen, endlosen Winternacht. Mich friert.«

»Legt Euch nur in den Schnee«, sagte die Vogelscheuche, »der hält Euch warm.«

Bracke legte sich in den Schnee.

»Was habt Ihr denn da für ein goldenes Ding an dem Strick hängen?«

»Das ist meine ungarische Trompete.«

Und Bracke blies die paar Töne eines Chorals.

Die Vogelscheuche nickte anerkennend mit dem Hut.

»Ausgezeichnet! Könnt Ihr auch Orgel spielen, die Register ziehen, die Bälge treten?« Bracke schüttelte das Haupt.

»Nun – Ihr werdet es da oben bald lernen. Die heilige Cäcilie spielt vortrefflich Orgel – während der heilige Mauritius ihr die Register zieht und der heilige Franziskus ihr die Bälge tritt.«

Die Vogelscheuche kreischte erheitert.

»Ja, so geht es da oben zu. Bei den Heiligen. Wollt Ihr nicht auch ein Heiliger werden?«

Bracke hob den Kopf ein wenig aus dem Schnee, der ihn schon fast verhüllte.

»Ein Heiliger? Ich werde ewig die Sonne um meinen Scheitel tragen als Heiligenschein. Helligkeit wird um mich sein und Wärme in mir. Ja, mein Herr Holzhals, mein Herr Ohnekopf – ich werde mit den Engeln Würfel spielen und werde ein Heiliger werden. Sankt Peter wird mir mit der Geige zum Tanz aufspielen, und ich werde selig sein in der Seligkeit.«
Der Kopf sank ihm zur Seite in den Schnee.

Bracke kam mit einem Henker, einem Mörder, einem Abdekker, einem Narren, einem Türken, einem italienischen Conte, einem Holzhacker und einem Brandstifter zugleich an den Acheron, an die Stelle, wo Charon die Seelen der Abgeschiedenen überzusetzen pflegt.
Bracke schrie:
»Ahoi, hol über!«
Da stakte Charon, ein schöner Jüngling, mit seinem Boot herbei. Und sie stiegen alle in das Boot, das unter der Last der schweren Seelen beträchtlichen Tiefgang annahm.
Als sie in der Mitte des schwarzen Flusses waren, begann das Boot zu schwanken.
Charon schrie:
»Ich habe zu tief geladen. Wir werden alle elend untergehn!«
Da sprang Bracke auf das Bugbrett, breitete die Arme und jauchzte:
»Ich rette euch, ihr Brüder, vor der Unsterblichkeit!« Und sprang über Deck in den dunklen Fluß und ward nicht mehr gesehen – in diesem und in jenem Leben nicht.

Als ein Jahr darauf, am Todestag Brackes, der Totengräber über den Kirchhof ging, fand er Brackes Grab erbrochen.
Am offenen Sarge saß ein altes, spitzes Weib, das mit Brackes Knochen spielte und irr lallte.
»Mein Süßer«, sprach sie und drückte den Totenkopf an ihre dürren Lippen, »erinnerst du dich noch, als du in der Kugelapotheke in Berlin bei mir lagst, in jener Nacht der Ewigkeit?«
Sie schüttelte die Knochen in ihrer Hand:
»Wie mager du geworden bist . . . ja . . . die Zeit vergeht . . .«

Der Totengräber packte die Irre am Handgelenk und zog sie
mit sich fort in Polizeigewahrsam. Sie warf dem Skelett noch
eine abscheuliche Kußhand zu, und hinter Büschen schon ent-
schwindend, die sie vom Anblick des Toten trennten, rief sie
noch immer:
»Die Zeit vergeht . . .«
Sankt Jemand und Sankt Niemand, zwei Pilgrime, begegneten einander auf der Landstraße des Lebens.
Sankt Jemand sprach: »Wo kommst du her, Bruder? Du bist so
betrübt.«
Sankt Niemand sprach: »Ich komme aus dem Nichts und schreite ins Leben. Und du? Du siehst so fröhlich drein?«
Sankt Jemand sprach: »Ich gehe aus der Welt, das Scheiden
wird mir leicht. Ich wandle ins Nichts.«
Sankt Niemand sprach: »Bruder, die Sonne steigt auf und ver-
sinkt. Der Mond nimmt zu, nimmt ab. Frühling, Sommer,
Herbst und Winter wechseln wie Tod und Leben. Du stirbst.
Ich werde geboren. Wenn ich einst sterbend dahinsinke, wirst
du wieder den Pilgerstab aus meinen Händen nehmen. Heilig
ist das Leben. Heilig ist der Tod. Jemand ist heilig und heißt
Sankt Jemand. Niemand ist heilig und heißt Sankt Niemand.
Gott hält die Waage in seiner Hand: die Waage der Gerechtigkeit. Da schwebt in der einen Schale das Leben, in der andern
der Tod. Sie wiegen gleich. Und also besteht nur die Welt. Und
also sind nur du und ich. Ich wär' nicht ohne dich. Du wärst
nicht ohne mich. Leb wohl. Stirb wohl. Wir begegnen uns immer wieder.«
Sankt Jemand und Sankt Niemand gaben einander die Hand
zum Abschied. Der eine schritt bergauf, der andere bergab.
Sie sahen sich noch mehrmals um. Endlich verschwanden sie
zu gleicher Zeit: der eine hinter einem Felsen der Höhe, der
andere tief im Tal. Die Sonne versank, und leise begann das
Horn des Mondes im Abend zu tönen.
So oft ein Mensch auf dem Wege ist, zu sich selber zu kommen,
fliegt die Eule von der linken Schulter Gottes, einen Spiegel in
den Krallen, zu ihm hernieder: daß er darin sich betrachte und
bekenne, belächle und beweine, leicht- und tiefsinnig. Weshalb
dieses Buch genannt ist: der Eulenspiegel, und jeder in ihm

findet etwas, das ihn ergötze oder erschüttere, nachdenklich oder zum reinen Klange stimme. Nimm meinen Dank auf den Weg, Leser, daß du mir bis hierher gefolgt bist, und meinen Wunsch und meine Hoffnung, daß wir uns in einem neuen Buche oder in einem neuen Leben wieder begegnen, bereit, uns zu helfen, so gut wir vermögen und soweit es in unsern schwachen Kräften steht: du mir und ich dir.

Roman
eines jungen
Mannes

I

Josuas Mutter saß jeden Abend am Fenster, träumte die graue
Wand an und sah nach dem Kirschbaum herunter. Als sie
Josua entdeckte, winkte sie ihm.
Josua setzte sich zu ihren Füßen auf die abgescheuerten Dielen.
Sie holte vom Kochofen eine Tasse angewärmten, dünnen Kaf-
fee und gab sie ihm. Er trank bedächtig und sah nach einer
Spinne, die über ihm an einem Faden schaukelte. Nun fällt sie
in den Kaffee, dachte er.
»Josi«, sagte sie, »jetzt kommt bald der Vater.«
»Welcher Vater?« fragte Josua.
»Dein Vater«, sagte sie.
»Ach so«, sagte Josua.
»Freut dich das nicht?« fragte sie. Sie hustete. Auf ihren
Wangen flammte sekundenlang ein hektisches Rot.
»Nein«, sagte Josua.
»Warum denn nicht?«
Josua wußte keine Antwort, dachte aber angestrengt nach.
Sie seufzte.

Nach ein paar Tagen, gegen fünf Uhr nachmittags, die graue
Wand warf nachtdunkle Schatten ins Zimmer, klapperte es die
Treppe herauf. Hinter der Türe tuschelten Stimmen, dann

klopfte es stark. Josuas Mutter faßte sich an ihr Herz, die
Freude stieg ihr ins Gesicht, sie öffnete. Durch die Türe schob
sich eine blaue Schifferbluse, an der zwei kurze energische Beine in schwarzsamtenen Pumphosen steckten. Oben aus der
Bluse quälte sich ein gedrungener Hals, aus einem dicken, runden, glattrasierten Gesicht hoben sich zwei dunkelbraune Augen und ein schöner kleiner Mund hervor, der nach Kautabak
roch. Er spuckte den gelben Saft mitten in die Stube.
»Guten Morgen, Lady! Salud, como le va? Wie jeht's?«
Paul Briegoleit lachte und packte sie mit den beiden rotaufge-
sprungenen Händen um den Hals. Sie bot ihm ihre Lippen,
und er küßte sie.
»Da bin ick, da bin ick! Wat macht de Josi?«
»Es geht ihm gut«, sagte sie leise, und ein zärtlicher Blick
streichelte Josua, der inzwischen aufgestanden war und neben
den Vater trat.
»All right«, sagte Paul Briegoleit. »Büscht'n Prachtjung' worn!
Ick häv di auch wat feins mitgebracht! Hä! Aber erst für
Mutting.«
Sie sah ihn groß und freundlich an.
»Wo warst du, Paul?«
Paul klang in ihrem Munde wie Pol. Sie rundete alle Vokale
dunkel ab.
»Señorita, wir waren in Australien, wo die Kannibalen woh-
nen, wo der Mensch man bloß als Frikassee oder Wiener
Schnitzel gilt. Aber ick här min Mitgebrachtes draußen uf'n
Korridor stehn jelassen, wegen der Überraschung.«
Damit trat er einen Schritt zurück, stieß die Türe auf – – und
vor ihm stand mit schönen schwarzen, ängstlichen, fragenden
Tieraugen, in blauem, baumwollenem Rock und schreiend ro-
ter Bluse eine Negerin, so groß wie ein Kind, aber ein ausge-
wachsenes junges Weib von vielleicht achtzehn Jahren. Auf
ihren Armen hielt sie, wie einen Säugling an die Brust gebettet,
einen kümmerlich häßlichen Affen.
Paul Briegoleit faßte sie an den Schultern und zerrte sie ins
Zimmer. Josuas Mutter starrte halb entsetzt, halb lächelnd das
fremde Geschöpf an.
»Di häv ick dir mitbracht, Mutting! Come on, Luda. Gib der

Madame deine schwarze Dreckpote. Aber ein hübsches Mädl,
wat? Erzähl mal der Lady, woher du kommst?«
Damit gab er ihr einen Puff in die Seite, so wie man etwa
dressierte Pferde mit dem Peitschenstiel zur Schaustellung ihrer Kunststücke zwingt.
Da trat das fremde Geschöpf auf Josuas Mutter zu, sah ihr fest
in die Augen und sagte mit leiernder, zerhackter Stimme:
»Vom Himmel hoch, da komm' ich her!«
Paul Briegoleit stand daneben, er quietschte wie eine getretene
Katze, pruschte los wie eine Barkasse, der der Dampf ausgeht,
und klopfte sich die Schenkel vor Vergnügen.
»Dat ist das einzige Deutsch, wat sie kann, wo ick dem schwar-
zen Fräulein unterwegs beigebracht hab'. Und treu is sie und
ehrlich, man bloß stehlen tut sie, wenn man nicht aufpaßt.«
Jetzt meldete sich der Affe und sprang mit einem Satz Josua
auf den Rücken.
»So is recht, Jack«, lachte Paul Briegoleit, »such dir dein Herr-
chen. Magst ihn behalten, Josi?«
Josua nickte.
»Ist das mein Bruder?« fragte er.
»Ja, min Jung«, sagte Briegoleit. »Dat is dein Bruder.«
Briegoleit sah sich um.
»Wieviel Betten habt ihr?«
»Zwei«, sagte lächelnd Josuas Mutter, »aber das eine ist nur
so klein wie Josi.«
»Halloh«, sagte Paul Briegoleit, »no importa, da schlafen wir
drei in einem Bett.«
»Wer wir drei?« fragte, doch ein wenig erschrocken, Josuas
Mutter.
»Nun du, ich – und Jamaika.«
»Jamaika?«
Briegoleit hatte sich eine Pfeife aus der Tasche geholt und zeig-
te mit dem Pfeifenstiel nach der Negerin. Die wurde auf ein-
mal lebendig, als sie die Pfeife sah. Ihre Augen griffen lüstern
nach dem Tabaksbeutel, den er hervorzog.
»Dat is die einzige Leidenschaft, die sie hat«, sagte Briegoleit.
»Sie qualmt wie sieben Doppelschraubendampfer.«
»Ist sie nicht ein wenig schmutzig?« fragte Josuas Mutter.

»Du mußt ihr eben waschen, Mine.«

»Und wie sie angezogen ist!«

»Gefällt dir die Tante, Josi?« lächelte sie zu Josua hinüber.

»Ja«, sagte Josua.

»Das war des Schicksals Stimme«, sagte Briegoleit. »All right. Übrigens ist sie ausgezogen janz repräsentabel.«

Der Affe krähte.

»Wenn er nur nicht die Schwindsucht hat?« sagte Josuas Mutter. »Alle Affen haben in unserem Klima die Schwindsucht.«

»Und du?« fragte Briegoleit leise.

Sie wurde kalkblaß und hustete.

Er küßte sie auf ihre geschlossenen Augen.

Jamaika stand ruhig dabei, nur ihre Hände zitterten in Eifersucht.

So lebten sie zu Fünfen und blühten wie die Lilien auf dem Felde und waren eine Familie. Die Negerin entpuppte sich als ein sanftes gutes Kind.

Besonders mit Josua freundete sie sich an.

Nach knapp fünf Monaten genas sie eines Mädchens von ganz hellbrauner Hautfarbe, welches Lili genannt wurde. Es war Josuas Mutter noch vergönnt, in der Stunde der Geburt der Negerin hilfreich beizustehen.

Drei Wochen darauf war Josuas Mutter tot.

Briegoleit kaute verzweifelt anstatt seines Tabaks Erbsen und Kaffeebohnen.

Jamaika schrie wie ein Tier.

Josua sah stumm die gebrochenen Augen der Mutter. »Wo ist sie hingegangen?« dachte er. »Liebt sie mich nicht mehr?«

Wie ein Symbol hockte der verkümmerte häßliche Affe auf den Kissen zu ihren Füßen, knackte Haselnüsse und warf die Schalen der Toten ins Gesicht.

## XXVIII

Josua fühlte seit einigen Tage Stiche im Rücken, in den Hüften und in den Schultern. Er hustete, hatte keinen Appetit, wurde plötzlich heiser und empfand schon nach einigen Schritten eine bleierne Müdigkeit in den Kniegelenken, die sich bald über den ganzen Körper verbreitete und ihm jede Lust zum Arbeiten benahm.

Er setzte sich unlustig in ein Café, las gelangweilt zwei Dutzend Zeitungen und hatte, ehe er sich versah, kalte Beine und einen glühheißen Kopf, als ob er Grog getrunken hätte. Dabei war es eine einfache Melange gewesen. Er zahlte und dachte: verdammt, da hast du dir eine schöne Influenza geholt. Wie ist das bloß möglich bei dem warmen Augustwetter?

Er beschloß, einen Arzt aufzusuchen, nahm aber, da die Müdigkeit ihn wieder überfiel, ein Auto. Vielleicht wäre es doch besser, wenn er einen Spezialisten für innere Krankheiten konsultierte. Er nannte dem Chauffeur die Klinik von Professor K.

Im Auto wurde ihm besser. Ein leises Fieber überwallte ihn zärtlich und er glaubte, über die Straßen sanft zu fliegen. Das Auto berührte gar nicht den Asphalt. Wie schön! Wie schön! Wo hast du dieses Gefühl im Rücken schon einmal gehabt?

Als Junge von neun Jahren turnte er mit einigen Kameraden im Garten eines Freundes am Reck. Es war ein blauer Maitag, der 17. Mai. Frau Triebolick feierte zu Hause Geburtstag. Immer höher steckten sie die Stange, immer höher, bis sie auf den obersten Sprossen lag.

»Paßt auf«, sagte Josua, »jetzt mache ich den Riesenschwung.« Sie jauchzten. Er schwang sich empor. Und mit einem verließ die Kraft seine zarten Handgelenke. Platt auf den Rücken wie ein klammer Maikäfer fiel er in den Sand. Da lag er nun und starrte in den Himmel, empfand gar keine Schmerzen, konnte aber nicht aufstehen, wie gelähmt lag er, und eine süße Müdigkeit kitzelte ihm leise den Rücken.

»Mir san da«, sagte der Chauffeur.

Josua schrak empor und zahlte. Er trat hinter das schmiedeeiserne Gitter, das die im Landhausstil erbaute Klinik von der Straße trennte. Als er die Treppe hochstieg, schwindelte ihm.

Eine Schwester nahm seine Karte und führte ihn in das Warte-
zimmer.

Er saß in einem ledernen Klubsessel, seine Übelheit war wie
weggeblasen.

War das denn alles nur Einbildung? sagte er sich. Du bist doch
überhaupt nicht krank.

Zudem trat der Professor ein, ein junger, schlanker, braun-
bärtiger Mann mit goldener Brille über klugen, grauen Augen.

»Bitte . . .« Er lud Josua ins Ordinationszimmer.

»Worüber haben Sie zu klagen?«

Josua berichtete.

»Bitte, entkleiden Sie sich.«

Er klopfte mit den Fingern, wie man etwa an eine Tür pocht,
und horchte mit einem kleinen Schlauch, der sich wie ein Polyp
an den Körper saugte.

»Wir werden Sie mit Röntgenstrahlen durchleuchten.«

Der Assistenzarzt verdunkelte das Zimmer.

Josuas Oberkörper wurde durch zwei milchgläserne Platten gespannt. Dann flammte es auf wie im Kinematographen. Josua
war das Bild.

»Links oben bedeutende Veränderungen . . . auch rechts oben
. . . und rechts unten . . .«

Während sich Josua ankleidete, holte der Professor zu einer
längeren Rede aus:

»Sie könnten sich auch hier behandeln lassen, es hat aber keinen Sinn, mit Halbheiten zu beginnen, die keinen sicheren Erfolg gewährleisten. Es handelt sich bei Ihnen im Anschluß an
eine von Ihnen wohl gar nicht bemerkte Rippenfellentzün-
dung um eine tuberkulöse Affektion beider Lungen, von denen
die linke ziemlich weit vorgeschritten ist, die rechte Spuren von
Kavernenbildung zeigt. Ich rate Ihnen, gehen Sie nach Arosa
oder Gardone und überwintern Sie da.

Fahren Sie, wenn möglich, morgen oder übermorgen. Ihr Zustand ist ernster, als Sie glauben.«

Viel ruhiger, als er gekommen war, ging Josua die Treppe
hinab.

»Du bist also«, sagte er sich, »schwindsüchtig.«

Sein Blick begegnete einem hübschen Mädchen.

»Schwindsüchtig«, sagte er laut und blickte dabei das Mädchen fröhlich an. Die wurde rot und böse und murmelte so etwas wie »Aff« vor sich hin.

»Allerdings«, sagte er, »Affe: da haben Sie recht. Affen werden sehr leicht schwindsüchtig in unserem Klima. Also bin ich ein Affe.«

Als er durch die Straße bummelte, leicht, von der Last des Erdentages plötzlich befreit, wunderte er sich. Er wunderte sich über alles, was er sah. Die Patina der Frauentürme glänzte heute noch einmal so blank und grün. Die Trambahnen leuchteten hellblau, als seien sie mit Himmel angestrichen. Die Schaufenster waren betörend geschmackvoll dekoriert – und, Gott, was gab es heute für schöne Mädchen in München? So viele habe ich in drei Jahren zusammen nicht gesehen. Aber wenn ihr mich verhöhnen wollt, weil ich schwindsüchtig bin, schwindsüchtig, dann sollt ihr mal sehen, dann ergeht es euch schlecht.

Er fuhr mit der Trambahn nach Hause.

»Packen«, schrie er seiner Wirtin zu, »packen! Ich fahre morgen früh acht Uhr zehn. Ich fliehe über die Grenze! Gegen die Sterne zu! Sie wissen ja, Frau Then, was ich brauche. Also, bitt schön, seien Sie so gut. Den japanischen Bastkoffer und den kleinen Reisekorb. Und für ein halbes Jahr.«

Dann fiel ihm ein: Wo bekommst du das Geld her?

Du brauchst doch Geld. Er stürmte drei Freunden, vier Redaktionen und einem Verlag in die Bude. Als er seine Brieftasche nachher zählte, ergaben sich immerhin zwölfhundert Mark. Das reichte vorläufig.

Der Abend senkte dämmernd seine blauen Schleier über die Stadt. In ihr blitzten die elektrischen Lampen wie sehr große Spinnen auf.

Erst einmal vernünftig essen.

»Marie«, sagte er zur Marie in der Torggelstube, »Marie, wissen Sie was? Ich bin schwindsüchtig!«

Sie bekam einen Lachkrampf.

»Was Sie für ein komisches Gesicht machen!«

»Ja«, sagte er und lachte ebenfalls. »Nicht wahr, es ist lachhaft! – Also einen Liter Tiroler Hügel und das Hochzeitssouper zu zwei fünfzig! Dalli!«
– Wehmütig stieß er den Rauch der Zigarette zur Decke empor:
Du meine Königin ... du meine Queen ... nun muß ich dich entthronen. Nun wirst du wer weiß wie lange nicht mehr in meinem Herzen residieren. Du milde Beherrscherin meiner erregten Phantasie. Lebe wohl, dein Andenken wird in Ehren bleiben! Wenn du bloß nicht immer so teuer gewesen wärest. Dein Preis, das war das einzig Fatale an dir (wie an so mancher Frau).
Ein Kärntnerlied vor sich hinsummend, trieb er durch die Straßen.
Mei Muatta sehgets gern, ich sollt a Geischtler wern,
Soll die Dearndl lassen, des wär ihr Begehr,
Mei Muatta folg i net, a Geischtler werd i net
Und die Dearndl laß i erscht recht net.
Nein, die Dearndl laß i erscht recht net, heut noch net.
In der Kaufingerstraße war Hochsaison: Lodenhüte, Lodenmäntel, Lodenfrauen, Lodenmänner, Lodenkinder, Bergstock und genagelte Schuhe.
Josua wandte zufällig sein Auge auf den Augustinerstock, wo die Reklametafeln prangen. Da promenierte in graugrünem Regenmantel, mit bloßem Kopf und Schneckenfrisur eine weibliche Person. Sie biegt in die dunkle Augustinergasse ein.
Josua zieht den Hut. »Darf ich Sie begleiten, Fräulein?«
Sie schürzt verächtlich die Lippen.
Josua wurde grob. »Es ist nicht meine Schuld, daß ich Sie angesprochen habe.«
Sie gibt kleinlaut bei: »Vielleicht.«
»Nein, nicht vielleicht, sondern gewiß. Warum haben Sie denn immer herübergeglotzt?«
»Glotzen«, lachte sie, »was ist das für ein Ausdruck. Bin ich ein Karpfen?«
»Nein, aber ein Paradiesfisch.«
»Wirklich?«
»Sie tragen ja eine Tracht unter Ihrem Regenmantel?«

»Ja, es ist ein Berchtesgadner Kostüm.«

»Sind Sie aus Berchtesgaden?«

»Nein, aber aus der Gegend. Aus der Gegend von Salzburg. Ich bin eine Bauerntochter.«

»Deshalb weht es um Sie wie Landluft.«

»Soll das ein Kompliment sein?«

»Natürlich.«

»Aber ich bin eine Jüdin.«

»Das ist ja kurios – ein Jude und Grundbesitz! Jüdische Bauern – gibt es so etwas überhaupt?«

»Wie Sie sehen, aber ich bin schon wieder entartet. – Was meinen Sie, daß ich bin?«

Er sah auf Ihre Schneckenfrisur und sagte:

»Schwabingerin . . . Malerin!«

»Sind Sie klug – aber was noch?«

»Schön sind Sie noch, sehr schön!«

»Und?«

»Nun?«

»Verheiratet!«

»Sieh mal einer an! So jung und schon so verdorben!«

»Aber ich liege in Scheidung.«

»Das entschuldigt manches.«

»Mein Mann hat zweimal nach mir geschossen, eine Kugel ist in die Brust, eine übers Auge gegangen. Die übers Auge war Gott sei Dank ein Streifschuß. Sehen Sie!«

Sie zeigte eine kleine Narbe über den Augenbrauen.

»Kann ich die andere Narbe nicht auch sehen?«

Sie lachte.

Ein warmer brauner Blick streifte ihn.

»Wollen wir tanzen?«

»O ja, tanzen. Im Treffler ist Tanz.«

Sie tanzten im Treffler jeden Tanz. Ob ich einen Blutsturz bekomme?« dachte Josua.

In einer Pause nahmen sie einen offenen Wagen und fuhren durch die Kaufingerstraße, hart an der Bordschwelle, damit man die Leute beobachten konnte.

Josua hörte seinen Namen rufen. Ein junger Mann sprang in großen Sätzen hinter dem Wagen drein,

»Kolk«, rief er. Er gab dem Kutscher das Signal, zu halten.
Kolk stieg ein. Er begrüßte Mimi und sprach dann französisch:
»Ich wollte dir nur mitteilen: Ruth ist krank.«
»Ich bin auch krank«, sagte Josua, »morgen fahre ich nach
Arosa oder Gardone.«
»Ruth hat versucht, sich am Chinesischen Turm zu vergiften,
mit irgendeinem ihr gleichgültigen Kerl. Deinetwegen. Der
Kerl ist tot. Sie liegt im Krankenhaus links der Isar. Scheint
gerettet.«
Josua hatte keine Lust mehr zu tanzen. Sie fuhren in die hol-
ländische Teestube. Sie tranken drei Flaschen Schwedenpunsch.
Dann nahmen sie ein Auto. In der Luisenstraße setzten sie
Kolk ab, der, tief betrunken, mit Mimi ein Rendezvous für die
nächsten Tage lallend verabredete.
»Willst du Ruth nicht noch vor deiner Abreise besuchen?«
fragte Kolk und nahm alle seine Gedanken zusammen.
»Ich habe keine Zeit mehr. Ich bin ebenso krank wie sie.
Schlimmstenfalls sehen wir uns im Himmel wieder. Ich meine:
Ruth und ich.«
Mimi gab dem Chauffeur ihre Adresse.
Josua sah durch die Fenster des Autos, an die das Dunkel wie
mit nassen Tüchern klatschte.
Mimi erwartete ein Wort von ihm. Josua schwieg.
Kurz vor ihrer Wohnung sagte sie gequält: »Wenn es Ihnen
recht ist . . . fahren wir zu Ihnen.«
»Bitte schön –«
Zehn Minuten später küßte er die Narbe an ihrer Brust.
Dieser da hat man eine Kugel in den Leib geschossen – Ruth
hat sich vergiften wollen, wo ist der Unterschied?

## XXIX

Als Schwester Anna ihm heute das erste Frühstück brachte, lag
auf dem silbernen Tablett ein Brief. Er hielt ihn eine Weile in
der Hand und starrte ihn mit leeren, in sich zerrinnenden Ge-
fühlen an. Seine Farbe war bläulich blaß, das Papier seidig, es
knisterte, als er ihn auf die weiße Decke fallen ließ.

Schwester Anna zog das Rouleau auf.

Jeden Tag derselbe Laut, mit dem der Tag in sein stilles Zimmer knatterte. Breit und fahl wälzte er sich auf seinem Licht herein. Immer dasselbe Gefühl, als zerre das Licht an ihm herum und wolle das Dunkel, das er in sich bewahrte, zerreißen und mit seinen Strahlen zersetzen.

Wie lange er keinen Brief mehr erhalten hatte!

Wer wußte überhaupt von seinem Aufenthalt?

Er sah die Schrift: steil, eckig, gewollt gemessen, mit einer feinen Feder geschrieben.

Er legte den Brief in eine Schublade, ohne ihn zu lesen.

Unten im Garten an den Büschen standen die zahmen Rehe. Wer, der ihre schlanken guten Bewegungen sieht, wie sie sanft den Fuß heben und ihre Augen in brauner Melancholie durchs Gesträuch irren lassen, möchte leugnen, daß sie besser sind als Menschen und schöner und ihre Glieder zu ihrer eigenen Freude gelenkig und geschmeidig wie ihre Seele tragen.

Ich möchte einmal eine Rehin lieben, dachte Josua. Habe ich nicht auch schon – Jüdinnen geliebt?

Dann dachte er an die Neujahrsnacht.

Er schlief nicht. Alles still. Ein Wächter schlürfte über den Gang, vorsichtig, daß es der Assistenzarzt nicht höre. Er hat aus der Küche Zucker zum Punsch geholt.

Er dachte: Salò ist fern, ob man die Glocken hören wird? Alles graut sich entsetzlich in mir und vor mir.

Die Minuten bekamen Angesicht und Körper, und es standen mißgestaltete Zwerge mit Holzgliedern und Glasaugen um ihn herum. Und wie die Zellentiere sich fortpflanzen – so trennte sich immer eine Minute in zwei ganz gleiche und jeder dieser Körper wieder, und die Stube war erfüllt von ihnen und ihren glitzernden Glasaugen und klirrenden Beinen, die sie wie Stökke aneinanderschlugen. Und dann, die Uhren in der Stadt begannen zu schlagen, 1 ... 2 ... 3 ... 4 ... 5 ... Ganz leise von fern hub es an, aber rasselnd rollte es näher, lauter, tosender, wie hallende Kugeln fielen die zwölf Schläge in sein Zimmer.

Er glaubte, er würde wahnsinnig. Er griff nach dem Revolver, den er unter dem Kopfkissen verborgen hatte.

Ich bin an der Welt betrogen. Riesengroß dünkte sie mich, unerschöpfbar – und nun schwoll ich und schwoll über sie und alles Sein und alle Geschichte.

Was war, was wurde und was werden würde, umspannte er mit Daumen und Zeigefinger, hielt er dazwischen wie den Revolver. In dieses elende Schießzeug geht die ganze Welt. Wenn ich losdrücke, zerschmettere ich die Welt.

## XXX

Als das Dienstmädchen auf dem Tische Ordnung machte, fiel ein Brief herunter und lag bläulich blaß auf dem Fußboden. Der erste Strahl der Februarsonne huschte über ihn und zeigte mit goldenen Fingern auf ihn. Sie hob ihn auf.

»Zeigen Sie her«, sagte er.

Er hatte den Brief doch in die Schublade gelegt. Wie war er denn auf den Tisch gekommen?

Er schob ihn in ein Buch. Er ärgerte sich, als ob der Brief Beine hätte zum Wandern. Er entsann sich genau, ihn nicht auf den Tisch gelegt zu haben. Übrigens wird er mich nicht zwingen, ihn zu lesen.

Er besuchte den Naturforscher und Politiker nebenan. Der liegt schon sechs Monate hier, und man weiß immer noch nicht, was er hat. Dafür reibt man ihn wöchentlich mit grüner Seife ein und hat ein Gestell an seinem Bett befestigt, woran man ihn, wie Christus am Kreuz, zuweilen aufhängt. Hängemassage. Sein Gesicht zerfiel mehlig wie Blätterteig.

Josua sah deutlich den von Goethe entdeckten Knochen durch die Haut schimmern.

Er hatte eine Zeitung auf der Decke liegen und wies mit zitterndem Knöchel darauf.

Josua mußte schwerfällig überlegen. Dann fiel ihm ein: gestern war Reichstagswahl.

»So, so«, sagte er. Politik war ihm ein leeres Wort, ein leeres Gefäß geworden, in das jeder seine Brühe gießt. Wie »Kunst«. Auch so ein Begriff.

Ich will nichts mit Begriffen zu tun haben, ich will überhaupt nicht begreifen, nur greifen.

- Josua sah in dem Buch nach, er war neugierig, ob der Brief
wieder Beine bekommen hatte: Er lag noch auf demselben
Fleck. Er sah sich den Poststempel an.
München.
Von . . . Ruth.
Also deshalb läuft er mir nach.
Er las ihn nicht, zerschnitzelte ihn und ließ die Schnitzel zum
Fenster hinaus wie Schnee über die zahmen Rehe nieder-
gehen.


## XXXI

Josua lud das schlanke braune Mädchen, welches seit einigen
Tagen neben ihm bei der Table d'Hôte saß, ein, falls ihr die
allgemeine Liegehalle nicht sympathisch sei, seinen Privatbal-
kon mitzubenützen.
Er forschte in der Fremdenliste, wie sie sich nannte. Da stand:
Señorita Ines Bergheim, Rio de Janeiro.
Sie spricht sehr gut deutsch. Ihr Vater ist ein Deutscher.
Eines Abends, als sie nach dem Nachtessen noch draußen lagen
und die Venus über Salò emporstieg, ging er plötzlich aus allen
Fugen. Er ließ die Stimmung wie eine heiße Welle über sich
zusammenschlagen, und ehe er sich versah, lag er über ihr, den
Kopf in ihrem Schoß. Er zitterte. Sie starrte über ihn hinweg
und sagte ein leises: »Ach Gott, ach Gott . . . drüben über der
Straße ist ja die Laterne noch hell.«
Am nächsten Tage ließ sie nach der Abendkur versehentlich die
Decken bei ihm liegen. Ihr Zimmer grenzte an das seine. Sie
rief durch die Wand: »Herr Triebolick . . . bitte, bringen Sie
mir doch meine Decken . . . Ich habe sie vergessen.«
Josua stand in ihrem Zimmer. Ein Geruch von fremden Pflan-
zen erfüllte den kleinen, heißen Raum. Die Zentralheizung
war geöffnet.
Sie sah ihn voll an.
Beide Decken fielen ihm aus der Hand.
Er griff zu, wie man nach einem hingehaltenen Geschenk
greift. Mit einer zaghaft seligen Sicherheit: »Man soll nicht im

Licht küssen«, sagte er. »Die Dunkelheit macht alle Wünsche verwegener und alle Küsse süßer.«

Sie lächelte, griff rückwärts und knipste das elektrische Licht aus.

»Ich verbrenne.«

»Ich bin Asche.«

»Aber dein Leib leuchtet.«

»Du hältst die Fackel deines Herzens über ihm.«

»Wer wäre gut vor dir?«

»Wer ist selig ohne dich?«

»Wer ist stark vor deiner Schwäche?«

»Simson!«

»Du streichelst meine Träume.«

»Mein Schoß ist süß von der Bitternis meiner Erniedrigung.«

Da hob sie Josua hoch aus den Kissen:

»Nun erhebe ich dich hoch über mich! Weiße Taube! Fliege!«

Schwer atmend lagen sie stumm nebeneinander. Nebenan der Herr auf Nummer sieben hustete plötzlich. Er hustete, wie ein Bernhardiner bellt: dunkel und zottig.

Sie mußten beide lachen.

»Um Gottes Willen«, sagte Ines, »wenn dich jemand hört!«

Sie stopfte ihm ihr Taschentuch in den Mund.

»Das hilft nichts«, sagte er und fing nun selber an zu husten.

Da schloß sie ihm den Mund mit ihrem Mund.

Wie lange sie lagen, sie wußten es nicht.

Als sich ihre Lippen lösten, brach ein fahles blaues Licht durch den Vorhang.

»Wenn es nur nicht Tag würde«, sagte Ines, »ich habe Angst vor dem Licht.«

»Warum?«

»Weil ich mich schäme.«

»Vor wem?«

»Ich weiß es nicht.«

»Hab doch Vertrauen.«

»Zu wem?«

»Zu dir selbst. Was du tust, kann nicht schlecht sein.«

»Weshalb?«

»Du mußt es glauben.«
»Ich habe schlechte Gedanken.«
»Für freie Menschen gibt es keine schlechten Gedanken, auch
keine schlechten Taten.«
»Sondern?«
»Nur Gedanken! Nur Taten! Auch keine guten Gedanken und
keine guten Taten. Was sie tun und denken, ist recht und ge-
recht. Sie haben kein ... Gewissen.«
»Kein Gewissen?«
»Nein, kein Gewissen. Sie empfinden keine Reue. Reue ist für
die Feiglinge. Ich kann nichts tun – ohne mich.«
»Ja, so bist du. Aber ich bin eine Frau – und mein Vater ist
deutscher Konsul ...«
Er lachte.
Sie lachte und zog seinen Kopf zu sich heran. Im Dunkel tastete sie sich mit ihren Lippen über sein Gesicht zu seinem Munde.

Am nächsten Morgen gingen sie zusammen spazieren, auf
steinigen Wegen, durch Gardone di sopra. Ines sah sehr frisch
aus. Über einer schmutzigen, verfallenen Mauer hing ein Bü-
schel gelber Mimosen. Sie knickte einen kleinen Zweig ab.
»Da«, sagte sie, »ein Stück von Ihnen ... ein Stück Natur.«
»Ja«, sagte er, »es riecht sehr gut. Aber wenn Sie die Nase
hineinhalten – bleibt der ganze Blütenstaub an Ihrem Gesicht
hängen. Bitte, fragen Sie sich, ob Sie bei Ihrem schönen Teint
noch Puder nötig haben ...«


## XXXII

Der Arzt entließ Josua als relativ gesund.
»Aber machen Sie keine Dummheiten! Fahren Sie direkt nach
Hause! Nicht etwa erst nach Venedig.«
Natürlich fuhren sie gerade nach Venedig. – Josua und ein junger Architekt namens Harry. Josua hatte den letzten Abend
fünfhundert Franken im Roulette gewonnen. Die wollten an-
gebracht sein.

Ines war schon vor Monaten nach Südamerika zurückgekehrt.
Man war einfach ausgehungert nach Weibern. Man japste nur
noch.

Sie gingen in die Markuskirche, betrachteten die Bauten am
neuen Campanile, rannten durch den Dogenpalast, ließen sich
bei den Bleikammern und der Seufzerbrücke einige Schauer
wie eine kalte Dusche über den Rücken rieseln und bummelten
die von Matrosen und Fremden aus aller Herren Länder bevölkerten Riva degli Schiavoni entlang, um im Café Korso
einen Pomeranzenschnaps zu nehmen.

»Das tut gut«, sagte Harry, der Architekt, und schmatzte über
sein ganzes indianerbraunes Gesicht.

Ein alter Matrose mit blauer Schifferbluse und schwarzsamtenen Pumphosen bekleidet, schob sich dicht an ihrem Tische
vorbei. Er betrachtete Josua aufmerksam, aus kleinen, alkohol-
zerrütteten Seehundaugen.

»Tja Mignon, eccolo la vita.«

Eine Wolke schlechten holländischen Tabaks blies er über ihren
Tisch hin.

Es war Josua, als müsse er die Pluderhose des alten Matrosen
streicheln. Aber der war schon im Gewühl verschwunden.

»Min Jung«, tönte es in ihm nach.

Er seufzte.

Mit eiliger Armbewegung zerhieb er die Rauchwolke über
dem Tisch. Sehe ich nun besser?

»Zur Academia«, rief Josua.

Sie sprangen in einen der Vaporetti, die den Verkehr auf dem
Canale Grande vermitteln.

Als Josua vor den drei Madonnen des Giovanni Bellini stand,
schnürte es ihm die Kehle zu. Die mittelste lächelte ihm schon
durch sechs Säle entgegen, und er lief auf sie zu. Ihre Anmut
brannte ihm wie Feuer ins Auge. Begierden peinigten ihn.

Herrgott, wenn man drei Monate kein Weib berührt hat –
Madonna, du lehrst mich wieder beten.

Als sie aus der Academia traten, schwamm der Himmel von
vielen rosa Wolken. Es schien ihnen, als wären es unzählige
nackte Frauenleiber ohne Köpfe, die der Wind zu ihren Häupten dahinführte.

Es wurde Abend.

Sie saßen auf dem Markusplatz vor einem Café.

Musik klang irgendwo her, wie hinter Vorhängen. Tauben schwirrten. Man hörte nur deutsche und englische Laute.

Sie speisten im Ristorante alla Negro. Harry aß vier Portionen Salami. Sein Indianergesicht glänzte speckig. Josua trank einen Liter Muscato.

Dann schritten sie Arm in Arm durch die Merceria. Bogen in eine Seitengasse ein, die nach verfaulten Früchten roch. Ein kleiner fünfjähriger Bengel lief ihnen zwischen die Beine: »Casa, casa, soldo, soldo«, schrie er.

»Diese Bengel«, lachte Harry, »was die schon für nationalökonomische Einsicht haben. Wissen die auch schon, daß Frauenfleisch der beste Handelsartikel ist.«

Er gab ihm einen Soldo.

»Deine Casa kannst du für dich behalten. Wir suchen sie uns alleine.«

Sie schritten durch die dunkle Straße.

Wie schwarze Vögel in ihren schwarzen Umhängen huschten die Huren an ihnen vorbei, blieben eine Sekunde stehen, flatterten weiter. Hurenmütter, wie Matronen gekleidet, ächzten dick und schwer hinterdrein.

An einer schmalen Seitengasse links schielte eine solche nach Josua. Es ist Fräulein Doktor, dachte er. Sie hat endlich ihr Schicksal erkannt.

Er zog Harry mit sich ins Dunkel.

»Na«, sagte Harry, er verstand keinen Brocken Italienisch. Die Dicke pfiff – und im Nu piepste, wie aus der Luft gefallen, ein schwarzer, fettiger Vogel neben ihm. Die würdige Matrone machte eine erläuternde Handbewegung.

»Aha«, sagte Harry, »ich soll sie prüfen.«

Er griff dem jungen Weibe vorn an die Brust.

»Sie gefällt mir. Ich gehe mit« – er fühlte aber zur Sicherheit nach seinem Revolver in der Tasche. »Du wartest wohl, Josua, ich bin bald zurück.«

Der Vogel flatterte vorauf. Harry folgte bedächtig, den Genuß im vorhinein auskostend.

Josua machte der dicken Matrone ein paar Komplimente, die

sie mit Grandezza aufnahm, wie: »Sie haben hübsche kleine
Ferkel, Madonna!« Oder: »Was müssen Sie für eine angeneh-
me Bettgenossin gewesen sein in Ihrer Jugend, noch heute
würde ich eine Lira für Sie geben.«
Er empfahl sich mit leichter Verbeugung.
Josua war von einem Dutzend deutscher Bettler angebettelt
worden, da stieß Harry wieder zu ihm. Er lachte über sein
ganzes indianerbraunes Gesicht.
»Ich gehe nach Hause. Ich bin's zufrieden. Du bleibst noch
hier?«
Josua nickte.
»Natürlich. Gib mir deinen Revolver.«
Harry steckte ihm den Revolver in einer dunklen Nische zu.
»Gute Nacht, Harry. Am Dogenpalast immer links halten. In
fünf Minuten bist du beim ›Sandwirt‹.«
Josua hielt den Revolvergriff in der Manteltasche fest gepackt,
nun war *er* Herr von Venedig.
Langsam ging er und genoß jeden Schritt, den er tat. Oh! Eine
lange Nacht! Und alle Frauen Venedigs gehören ihm.
Nicht weit vom Rialto traf er jenes wohlgebaute Frauenzimmer, das Harry eben gehabt hatte. Sie gefiel ihm, wie sie mit
unordentlichen Haaren, schlecht zugeknöpfter Bluse und hek-
tisch erhitzten Wangen, mit einem wildlächelnden Blick an
ihm vorüberhetzte. Er winkte ihr, als sie einen Moment still
stand.
Über zwei funzelerhellte Treppen flogen sie. Ein riesiges zwei-
schläfriges Bett stand abgedeckt in der Mitte des Zimmers. Ein
fader, lüsterner, schweißiger Geruch entstieg ihm, wie ein
Körper personifiziert.
Wie viele heute wohl schon darin gelegen haben? dachte Josua.
Sie ist hübsch – also mindestens zehn.
Aber der Gedanke irritierte ihn nicht weiter. Im Gegenteil, er
war sich bewußt, alle zehn auszustechen.
Überwunden hing sie nachher an seinem Hals.
»Du bist mein Freund! Du bist mein Freund! Kommst du
morgen wieder? Bitte!«
Es trieb ihn weiter.
Er gab ihr zehn Lire; dem Mädel, das unten aufschloß, eine

Lira Torgeld und taumelte in die feuchte, muffige Venediger
Nachtluft.

Er war keine zehn Schritte gegangen, da traf er eine andere,
die ihm gefiel.

In diesem Hause blieb er eine Stunde.

Er fand darin auch eine große dicke Negerin, namens Sarah,
die ihn maßlos reizte. Ihre Brüste hingen fast bis zu den Knien
herab. Für zehn Centesimi machte sie allerlei Kunststücke mit
ihnen. Warf zum Beispiel die rechte wie ein Gewehr über die
Schulter. Dann ging er noch zu dreien. Die letzte war eine
Deutsche.

Der heimische Dirnenjargon ekelte ihn an.

Er ernüchterte ihn.

Es war ein Uhr geworden.

Die Straßen krochen leer und grell in dunstige Dämmerung.

Er trat in eine Stehbierhalle und goß ein paar Gläser Mailän-
der Bier hinunter.

Josua floh in eine Nebengasse. Ließ sich durch sie wehen. Hin
und wieder blinkte ein Stern zwischen den hohen schwarzen
Wänden. Er mochte eine halbe Stunde dahingestürmt sein und
sich in der Nähe der Academia befinden – als er in eine Sack-
gasse plumpste. Er stand wie auf einem Hofe. Vor ihm floß der
Kanal. Gegenüber, jenseits erhob sich ein vierstöckiges Haus.
Ganz oben biegt sich jemand aus einem erleuchteten Fenster.

Josua geriet in leise moussierenden Rausch. Er konnte nicht
erkennen, ob es ein Mann oder ein Weib war.

Er fühlte plötzlich den Eisengriff des Revolvers in der Tasche.

Er entsicherte ihn. Ich werde den Schatten da oben erschießen,
dachte er, oh – nicht aus Haß oder aus Rache –: Motive sind
gemein ... ich kenne ihn gar nicht ... weiß nicht, ob es ein
Mann oder eine Frau ist ... ich will ihn erschießen aus einer
grenzenlosen Begierde, die keinen anderen Ausweg mehr weiß
... Niemand wird wissen, wer es getan und warum er es tat ...
kein Mensch ist in der Nähe ... die Sbirren sind weit ...

Er griff in die Tasche, lehnte sich an die Mauer, zielte leidenschaftlich und schoß.

Einmal nur.

Der Schatten verschwand vom Fenster.

Eine Lampe wurde sichtbar.

Drüben klatschte etwas in den Kanal.

Im Hause wurde es lebendig.

Lichter flogen durch dunkle Zimmer wie helle Falter.

Geschrei erklang.

Josua wartete einen Augenblick.

Dann ging er langsam die Straße zurück, die er gekommen war. Jetzt war er müde und wollte schlafen. Nicht weit von dem »Pilsener Bierhaus« sah er auf den Wellen eines kleinen Kanals eine einsame, schwarze Gondel sich schaukeln. Vielleicht war sie nicht angekettet? Der Zufall gab ihm recht. Die Kette war nur ein paar Mal lose um den Pfahl geschlungen. Er sprang hinein, tat seinen Mantel ab, den Revolver steckte er griffbereit in die hintere Hosentasche und packte das Ruder. Er hatte auf dem See seiner Heimat das »Pitscheln« gelernt. Diese Kunst kam ihm jetzt zustatten. Es gelang ihm, nach einigen hundert Metern die richtige Drehung herauszubringen. Er fuhr dahin wie ein gelernter Gondelier.

Bei Bauer-Grünwald stieß er auf den Canale Grande. Nun nahm er die Richtung zum Lido. Dunkelviolett glitt vor ihm die Wasserfläche.

Die Müdigkeit wich von ihm.

Mit kräftigen Drehungen trieb er den Kahn.

Ich fürchte den Tod nicht.

Noch ist er mir nicht beschieden.

Jetzt blähte der Wind Nebelschwaden vor ihm auf.

Es wurde kalt. Er dachte an die Madonna des Bellini.

Du hast mich heute gesegnet, so führe auch den Tag zum guten Ende.

Die Gondel knirschte auf den Sand des Lido. Er sprang hinaus und gab ihr einen festen Stoß mit dem Fuße. Bald tanzte sie wie eine schwarze Wasserlinse draußen auf den wilder gewordenen Wellen.

Er schritt kräftig aus, den Lido zu durchqueren. Dunkel schwang die Glocke der Nacht über ihm. Als er an das Adriatische Meer kam, zogen leise gelbe und purpurne Streifen am Saum des Horizonts vorüber.

Jauchzend warf er seine Kleider ab und tanzte ihm nackt durch die Fluten entgegen, bis der Boden unter seinem Fuße sank und er schwimmen mußte.

Er war fünfhundert Meter geschwommen, als er Stechen in den Seiten fühlte ... He, lachte er, Tod, so leicht überwindest du mich nicht.

Er legte sich auf den Rücken und ließ sich an den Strand spülen.

Mit dem ersten Vaporetto fuhr er nach Venedig zurück.

Harry im Nebenzimmer schnarchte. Erschöpft warf er sich mit den Kleidern auf sein Bett und verfiel sofort in einen traumlosen Schlaf.


## XXXIII


Er saß jeden Nachmittag von vier bis sechs in einem bestimmten nischigen Winkel des Cafés und beobachtete aus dem Hinterhalt die Menschen. Er sah den Frauen unter die großen Hüte und in ihre Augen, ohne daß sie wußten, was er ihrer Seele gab oder nahm. Er verfolgte die Mund- und Stirnlinien bei den Männern, ihre Bewegungen beim Rauchen, lauschte ihrer Sprechweise.

Die Kellner kannten ihn und behandelten ihn mit scheuer Höflichkeit, der ein Anflug von Mitleid beiwohnte. Die meisten Gäste, unter denen ja viele Stammgäste waren, musterten ihn zuerst mit erstaunter Neugier, beruhigten sich aber, wenn sie sich ein paar Mal umgesehen. Nur Fremde und Frauen bestaunten ihn offensichtlicher, als es der guten Sitte angemessen war.

Er trug stets eine weiße, seidengefütterte Maske vor dem Gesicht und an den Händen graue Handschuhe. Manche flüsterten, daß er an der Auszehrung litte und Maske und Handschuhe kranke, zerfressene Glieder verheimlichten. Sein Gesicht hatte niemand gesehen, niemand konnte bei Erregung oder Gleichmut das Spiel der Muskeln beobachten. Seine Maske, die die Aufmerksamkeit auf ihn lenkte, schützte ihn zugleich vor Überrumpelungen seines eigenen unbedachten Ichs.

In das Café verirrte sich durch Zufall an einem regnerischen Nachmittag die jüdische Frau Justizrat Ammer und ihre siebzehnjährige Tochter Mimi. Mimi sperrte die braunen Tore ihrer Augen vor Verwunderung angelweit auf. Auch die dicke Frau Justizrat wurde auf die weiße Maske aufmerksam und fragte prustend und schwerfällig in abgebrochenen Lauten, wie Asthmatiker zu reden pflegen, den Kellner nach jenem Herrn in der Nische. Der Kellner gab diskrete und durchsichtige Auskunft.

»Du, Mama, was ist?« fragte Mimi. Sie knöpfte sich die Überjacke auf. Es wurde ihr heiß.

»Nichts für kleine Mädchen«, stöhnte Frau Justizrat, etwas laut, denn die Maske hörte es, »nur so . . . er ist krank.«

»O nein, das ist aber traurig.« Mimi wandte sich um mit der hastigen eckigen Bewegung junger Mädchen von siebzehn Jahren, die ihren Körper noch nicht in der Gewalt haben.

Die Maske lächelte.

– Niemand sah es.

Mimi wurde rot und rückte verlegen an dem Mokkatäßchen. In ihrer Verlegenheit nahm sie von der Kuchenschale ein Zitronentörtchen, was sie gar nicht gern aß. Sie aß es schluckend und eifrig, scheinbar mit nichts anderem beschäftigt.

Frau Justizrat winkte dem Kellner und zahlte. Sie gab fünfzig Pfennig Trinkgeld.

»Wir wollen gehen, Mimi.«

Der Kellner verbeugte sich.

Mimi wollte sehr gern, aber sie wagte es nicht, sich umzusehen.

Am übernächsten Tage erschien Mimi Ammer in Begleitung ihres Bruders, des stud. jur. Julius Ammer, eines korpulenten und jovialen Jünglings, im Café. Die weiße Maske saß schon da und suchte in dem schmalen gebräunten Gesicht und dem länglichen, blaßroten Munde nach der Besonderheit dieses Mädchens. Mimi wagte nur einmal nach ihm hinzusehen.

»Du, wer das bloß ist?« Sie brannte vor Neugierde. Der Bruder brummte unverständlich. Er las im *Simplizissimus* und hatte den Herrn in der Maske nicht bemerkt.

Noch ein paar Tage später kam sie allein. Wie sie sich schämte!

Für was man sie halten würde!

Die Maske schickte ihr durch den Kellner seine Karte. Ganz vergeblich wird die Bekanntschaft wohl nicht sein. Vielleicht ein Stoff für eine Novelle . . . oder eine Plauderei . . . oder einen Vierzeiler. Seitdem ich langsam sterbe, bin ich Dichter geworden. Man muß mitnehmen, was sich am Wege bietet. Unsereiner, der vor lauter Abenteuerlichkeiten zu keinem Abenteuer kommt!

Sie las den Namen. Sie genas plötzlich von ihrer Unruhe und wurde froh. Der Name schien ihr bekannt. Sie barg das Kärtchen in ihrer Tasche und war am andern Tage pünktlich zum Rendezvous.

Er lernte einen Backfisch kennen, kapriziös und hausbacken, toll und sehr verständig, sehr anständig und sehr pikant.

Wenn sie sich in mich verliebt, das heißt in meine Maske . . ., wird es gefährlich, sagte er sich, lud sie aber in seine Wohnung zum Tee.

Sie freute sich ihrer Heimlichkeiten und kam eines Nachmittags nach der Klavierstunde.

Es wird ein wenig langweilig, sagte sich die Maske, wie kann ich sie noch verwerten, in welcher Situation?

Er brauchte nicht lange zu warten.

Sie fiel in ihrer Überspanntheit vor ihm nieder und sagte, während sie nach seinen behandschuhten Händen griff, die er ihr entzog:

»Ich liebe Sie, bitte (und dieses ›bitte‹ war inbrünstig herausgestöhnt) tun Sie die Maske ab. *Einmal* nur will ich Ihr wahres Gesicht sehen.«

Die Maske hinter der Maske lächelte.

»Es ist häßlich und beleidigt Ihre Schönheit. Nie habe ich mir so weh getan«, dachte er. Aber er verlor nicht die Geistesgegenwart und Kraft, seine Regungen bis in ihre feinsten Enden und Verzweigungen zu beobachten.

Sie ist nur neugierig, dachte er.

Sie schluchzte und lag auf dem Teppich. Ihre kleinen, unentwickelten Brüste schlugen taktmäßig auf den Boden. Er wollte sie aufheben.

»Sie werden sich erkälten«, sagte er.

Sie blickte auf.

»Bitte, *bitte*, Ihr Gesicht.«

Da nahm er die Maske ab.

Langsam wie eine Schlange wuchs ihr schlanker Leib aus dem Boden zu ihm empor.

Unnatürlich groß lagen seine blauen Augen in den tiefen Höhlungen: er hatte keine Wimpern mehr. Und der Nasenknochen glänzte, vollständig fleischlos, als hätte ihn ein Tier abgenagt.

Sie stand dicht vor ihm, daß er ihren klaren Atem fühlte. Ihre Blicke bohrten sich grausam verzückt in seine häßlichen klaren Augen.

Ehe er es hindern konnte, hatte sie ihn geküßt.

Er erschrak und trat einen Schritt zurück.

Dann band er sich die Maske wieder vor.

»Ist Ihre liebenswürdige Neugier nun – befriedigt?« sagte er leise.

Sie atmete tief, gab ihm die Hand und ging.

»Alles will ich für Sie tun, weil ich Sie liebe, aber Sie sollen nicht wissen, wie.«

Eine Woche später las er im Café in der Zeitung, daß die junge schöne Tochter des Justizrats Ammer in plötzlicher geistiger Umnachtung einem Anfalle von Selbstverstümmelung zum Opfer gefallen sei. Sie habe sich mit einer Nadel beide Augen ausgestoßen. Man fürchte für ihr Leben.

Die Zeitung fiel zur Erde. Seine zitternde, behandschuhte Rechte glitt tastend über die kalte Marmorfläche des Tisches. Mit der Linken rückte er die Gesichtsmaske zurecht. Sie hatte sich verschoben.

## XXXIV

Es sollte Josua nicht erspart bleiben, der Frau mit der Ratte zu begegnen. Eines Nachts, als er mit Kolk aus dem Bunten Vogel kam, sah er sie. Sie ging vor ihm, einen bunten Schal um die Schultern mit Fransen daran, wie ihn die Huren Marseilles tragen, wenn sie durch faulige Gassen huschen.

Sie ging mit leisen Schritten im Schatten der Häuser.

Plötzlich blieb sie stehen.

Josua und Kolk schritten an ihr vorbei. Josua blickte ihr ins Gesicht. Es war gelb, faltig, mit zwei spitzen blauen Augen.

Jetzt öffnete sie den zahnlos übelriechenden Mund und pfiff scharf und gellend.

Da lief etwas durch die einsame dunkle Straße entlang: wie ein Hund und doch kein Hund.

Josua war stehengeblieben und sah dem Tiere entgegen.

Er fühlte, wie es ihm kalt und kitzlich durchs Rückenmark fuhr.

Ich habe doch nie Furcht gehabt, dachte er. Aber seine Zähne klapperten. Habe ich zu viel Samos getrunken?

Jetzt rauschte das Tier an ihm vorbei – es war eine Ratte, eine zahme Ratte. Ihre Herrin hatte sie einst einem Kloakenarbeiter für zwei Mark abgekauft. Eine heiße Liebe hegte sie für dieses Tier. Wenn es eben im Kot geschnüffelt hatte – sie küßte es auf seine Schnauze. Und die Ratte vergalt ihr ihre Liebe: durch kuriose Kapriolen und piepsende Laute.

Einmal trat in der Dunkelheit einer ihrer Besucher versehentlich auf die Ratte. Die Ratte biß ihn dafür ins Bein. Es gab eine Blutvergiftung, und die Polizei machte sich bei ihr bemerkbar. Sie sagte mit unschuldiger Miene, derartiges Ungeziefer verunziere das ganze Haus, und verwies den Beamten an den Hauswirt. Allmählich aber gelangte die Ratte zur Berühmtheit, und manche gingen nur deshalb zu ihr, um die zahme Ratte zu sehen.

– Jetzt bückte sie sich und zog eine rosa Schnur durch die Öse des Halsbandes, welches die Ratte trug.

Josua trat auf sie zu.

»Ich gebe dir zwanzig Mark – laß mir die Ratte.«

Josua sah das Tier mit bösen Blicken an.

»Ich will nicht«, winselte sie mürrisch.

»Dreißig Mark.«

»Kasperl«, sagte das Weib und klapperte mit ihrem Schlüsselbunde lockend und vertraulich, gen Kolk.

Kolk ekelte sich. Er faßte Josua am Arm.

»Komm.«

»Das Schwein«, sagte Josua.

Unvermutet sagte Michael: »Ich verstehe nicht, mit was für Weibern du immer herumläufst.«

»Wen meinst Du?« Josua horchte.

»Ruth, zum Beispiel.«

»Soll das eine Assoziation auf Schwein sein?« fragte Josua bitter, noch halb im Spott.

»Vielleicht.«

Josua grollte.

»Laß mir Ruth in Ruhe.«

– »Ich liebe sie.«

»Und mich liebst du ebenfalls. Ich will nicht mit einem Weib zusammen geliebt werden. Sie oder ich. Wen wählst du?«

Soll ich ihm nun eins in die Fresse geben, dachte Josua. Er kommt mir immer wieder in die Quere.

Das Weib mit dem Schlüsselbunde und der Ratte räusperte sich.

»Ich gehe mit dem . . . Frauenzimmer da«, sagte Josua.

Kolk schüttelte sich.

»Guten Appetit. Adieu.«

Josua ging neben ihr her. Hinter ihnen trippelte pfeifend die Ratte. Er hielt ihre Hand. Sie eilten durch leere Straßen, über verkommene Plätze und verträumte Anlagen, wie zwei Geschwister, Hand in Hand.

Sie klinkte eine klapperige Haustüre in der Zieblandstraße auf, gegenüber dem Kirchhof.

Wie in Salzburg, dachte Josua. Die Gräber brechen auf.

Sie ließ ihre elektrische Taschenlampe spielen, über einen muffigen, nie gelüfteten Korridor, in dem Geruch von Speiseresten und schmutzigen Kleidern raunte, stolperten sie ins Zimmer.

Ruth sprach monoton . . . wie von ferne her . . . mit einer angelernten Stimme:

»Soll ich mich ausziehen?«

Er war erschüttert.

»Ganz und gar. Einmal noch will ich mich über deiner Nacktheit verwundern.«

Sie lachte trocken auf. Wie wenn tote Blätter im Herbstwind rascheln.

Süße Nacktheit . . . verwundern.

Er lehnte sich ans Fenster.

Er blickte über die Kirchhofmauer.

Wo ist mein Grab?

Müde trommelte der Regen an die Scheiben.

Dann wandte er sich um.

Da stand sie nackt, ein fahles, verfallenes Fleisch. Schlaff und hilflos hingen ihre Brüste. Die Haut war rissig und zerfurcht. Am linken Schenkel brannte ein Geschwür, wie ein Furunkel, rot, eitergelb umrändert. Am Gesäß blühten Dutzende roter Schwielen, wie bei gewissen Affenarten.

»Komm.«

Ein wenig von der Zärtlichkeit der Vergangenheit klang aus ihrer Stimme.

Sie stiegen ins Bett.

Erst als er über sie kam, erkannte sie ihn. Sie schluchzte auf.

»Was gibst du mir, Josua?« sagte sie leise.

»Den Rubin!«

»Oh du . . .«

Er glaubte, nie so wild geliebt zu haben. Ein rasender Drang nach Zerstörung, trieb ihn in sie hinein.

Sie winselte glückselig – plötzlich spürte er, wie ihre Schenkel kälter und kälter wurden. Die Adern bogen bläulich aus ihrer Stirn.

Sie stirbt! Ich liebe eine Sterbende.

Wie kann ich mich retten?

Ich muß sie erwürgen, sonst halte ich es nicht aus.

Mit beiden Händen umkrampfte er ihren Hals.

Er entband sich jauchzend.

Ließ entspannt los. Lag ruhig atmend auf ihrem toten Leib.

Er öffnete den Schrank und entnahm ihm das Pagenkostüm.

An ihrem Halse blinkten die Strangulationsmale.

Er trug sie aus dem Bett, wand ihr einen aus ihrem Hemd gedrehten Strick um den Hals und schlang das andere Ende um den Fensterriegel. Noch einmal küßte er ihren bleichen Mund, der schöner geworden war denn je.

Nur ihre Augen glotzten ihn wie Krötenaugen an.

Er ließ sie aus dem Fenster hängen.

Er ging.

Fände die Polizei seine Spur?

Und wenn – was tut es? Sie würden nur einen Sterbenden finden.

– Josua rannte durch die Straßen. Um fünf Uhr sprang er in den Donysl und aß Weißwürste und trank zwei Maß Bier.

Die Kapelle am Klavier spielte das »Lied an der Weser«.

Er gab zehn Pfennig Trinkgeld. Darauf stimmte er die preußische Nationalhymne an, wurde aber von zwei Schenkkellnern an die Luft gesetzt.


XXXV


Der Wind wirbelte große, weiße Flocken durcheinander. Der erste Schnee.

Josua trieb durch die Straßen.

Es war gegen sieben Uhr abends, die elektrischen Lampen hingen wie glühende Orangen über der Hohenzollernstraße, welche von hastigen Menschen bewegt war. Manche wandelten als Pakethaufen. Die Begierde, einmal im Jahr zu schenken, verführte viele Leute zu den erfreulichsten Torheiten.

In der Hohenzollernstraße lief ein elegant gekleideter Herr herum und drückte jedem, der ihm danach auszusehen schien, ein Markstück in die Hand. Die Taschen seines Ulsters klapperten von Geld.

Auch Josua bekam sein Markstück.

Er betrachtete es und steckte es in die Tasche.

Vor einem Metzgerladen staunte er. Im Schaufenster spreizte sich ein Tannenbaum mit gelben Wachslichtern besteckt und allerlei Würsten: Weißwürsten, Wienerwürsten, dicken, dünnen behängt.

Da wußte Josua: Heiliger Abend.

Er sah auf die Wachskerzen und glaubte, ihren süßen Honigduft durch die Fensterscheiben zu spüren.

Und eine Melodie sprang in ihm auf wie ein Tier, das auf der Lauer gelegen.

Vom Himmel hoch, da komm' ich her . . .

Er zitterte. Er ahnte (zum ersten Mal in seinem Leben) eine Sehnsucht. Dahin will ich. Dahin . . .

Wenn ich eine Mutter hätte. Jene alte Drogistenfrau ist doch nicht meine Mutter. Ich bin ein Mensch ohne Mutter und Vater.

Er ging weiter.

Im Takte sprach er vor sich hin: Wer liebt mich? Wen liebe ich? Und er setzte das rechte Bein vor und sagte: Wen liebe ich? Und er setzte das linke vor und sagte: Wer liebt mich?

Er blickte aus sich hinauf in den Schnee. Die Flocken fielen in seine Augen, und jede Flocke war eine Träne.

Dann versuchte er, Verse zu machen. Und es wurde ein kleines Gedicht, und es schien ihm das beste, was er je gemacht hatte und je würde machen können:

> Alle Welt ist voll Wind.
> Der Herbst fällt von den Bäumen.
> Wir sind
> In Träumen.

> Der erste weiße Schnee . . .
> Wer auf ihn tritt, tritt ihn zu Dreck.
> Ich sehe weg,
> Weil ich mein Herz seh.

Das ist das beste Gedicht, das es überhaupt gibt, sagte er zu sich. Aber niemand wird es mehr lesen. Ich muß es den Leuten bekannt machen. Sie müssen es hören.

Er schwenkte in eine stille Villenstraße und läutete an der ersten Türe.

Ein Dienstmädchen öffnete, schön frisiert, mit weißer Haube und festlicher Miene: »Was ist?«

Er nahm seinen Hut ab und sagte das Gedicht auf.

Sie hörte nur die erste Strophe, lief in die Küche, holte ein Zehnerl, drückte es ihm in die Hand und schlug die Türe zu. Drinnen verflog ihr Lachen.

Josua ging zur nächsten Türe und so fort durch die ganze Straße.

Meist bekam er ein Zehnerl, nur einmal von einer jungen, aber unglücklich verheirateten Frau eine wollene Jacke und im halbdunklen Korridor einen Kuß, den er einsteckte wie die Zehnerl.

Im Hause Friedrichstraße 2 wohnte ein deutscher, aber korpulenter älterer Dichter. Drei Treppen hoch. Er war ebenso berühmt als Dramatiker wie als Gründer und Beherrscher einer Mittwoch-Kegel-Gesellschaft, das Eosinschwein benannt.

Josua kam auch zu ihm. Der Dichter, in schwarzer Samtweste, öffnete persönlich.

»Was ist denn, mein Lieber? Was, was, was, was wollen Sie denn? ist Ihr Begehr?«

Seine Augen glühten in grotesker Güte.

Josua nahm den Hut ab und sagte seinen Spruch.

Der Dichter war erstaunt: Immerhin... dachte er... das ist Poesie...

Laut sagte er: »Kommen Sie herein... So... genieren Sie sich nicht... So... legen Sie ab... So... wo haben Sie... haben Sie denn die... die poetische Ader... Ader her... Sie bringen uns doch immer die Semmeln früh? Nicht? Wie? Nun ... pardon... sind Sie der Schornsteinfeger?«

Josua sagte nichts und sah ihn groß an.

Der Dichter schob ihn ins Wohnzimmer. Dort war des Dichters Familie versammelt: seine schöne Tochter, eine Zigarette im Mundwinkel, lag in einem Lehnstuhl und winkte. Der älteste Sohn, Schauspieler, war von Augsburg zum Heiligen Abend herübergeflitzt und beugte sich in Romeo-Pose über seine Schwester. »Es ist die Nachtigall und nicht die Lerche.«

Erik Ernst Kummerlos, der Herausgeber des Blattes für Eigenkultur »Kanitverstan« (Mitarbeiter dankend verbeten, sämtliche Beiträge sind vom Herausgeber), war als Junggeselle und Freund des Hauses ebenfalls anwesend. Er trug heute anstatt seines üblichen Jägerhemdes einen weißen Klappkragen, der ihn fast zu einer karnevalistischen Maske machte.

Die Gattin des Dichters ging mit einem Tablett umher und bot Portwein in Gläsern an.

»Hierher... Marie... hierher... unser Gast... zuerst unser Gast...«

Alle Blicke wandten sich jetzt dem Fremdling zu, der, seinen Hut in der Hand, unter dem Kronleuchter stand, mit schmutzigen Schuhen, die auf dem Parkettfußboden graue Lachen bildeten, grünem abgetragenem Anzug und blau verfrorenen Händen. Aus seinem müden glatten Knabengesicht leuchteten, blau und groß, zwei Kinderaugen.

Wo war seine Maske? Wo seine fleischlos verunstaltete Nase?

»Er ist wie der Heiland«, sagte die Frau des Dichters zu Erik Ernst Kummerlos, teils aus Frömmigkeit und teils aus Poesie.

Erik Ernst Kummerlos nickte schwermütig. Er formte im Geiste diese Szene zu einem blendenden Artikel für die nächste Nummer des »Kanitverstan«.

Romeo und seine Schwester gafften den Fremdling schief an, ohne besonderes Verständnis.

»Bitte, nehmen Sie«, die Gattin des Dichters hielt ihm das Tablett hin. Er nahm ein Glas und trank. Wie ein Reh trank er.

Kaspar Hauser, dachte der Dichter und dann sagte er es. »Kaspar Hauser...«

»Nein«, sagte Josua auf einmal. »Josua Triebolick.«

»Angenehm«, sagte der Dichter. »Max Trumm.«

Josua lachte laut und belustigt auf.

Auf der Stirn des Dichters schwoll die Ader. »Immerhin... Immerhin... so viel Lebensart sollte man haben... um mich zu kennen... Und nicht über mich zu lachen...«

Nebenan ertönte eine Glocke. Das Signal zur Bescherung.

Die Ader auf der Stirn des Dichters schwoll ab.

»Kommen Sie«, sagte er freundlich.

Die Flügeltüren brachen auf. Ein sehr großer Tannenbaum, nur mit Engelshaar und Lichtern geschmückt, dessen Spitze als blecherner Engel an die Decke stieß, marschierte ihnen entgegen.

An einem langen Tisch war für jeden aufgebaut. Auch für die Dienstmädchen. Der Dichter war in seinen Geschenken erfrischend unliterarisch. Er schenkte Schlipse, Blusen, Oberhemden, Bronzen...

Er verdiente ungefähr zwanzigtausend Mark im Jahr und erwies sich als geschäftstüchtig. Da er gerade wieder einen Prozeß

gegen eine Filmfabrik gewonnen hatte, die eine Szene aus
einem seiner Dramen unbefugt verfilmt hatte, prangte, auf
dem Platze seiner Frau, Stucks Amazone in Bronze, welche
neunhundert Mark, direkt von Stuck bezogen, kostete. Der
Dichter aber hatte noch zehn Prozent Rabatt durchgedrückt.
Stuck hatte ihn gefragt, ob er Rabattmarken wünsche?
Auch dem Fremdling wurden in Eile einige Kleinigkeiten be-
schert: eine Büchse Gänseleberpastete, eine Büchse Thunfisch,
eine Flasche Danziger Goldwasser.
Die Tochter setzte sich ans Klavier und spielte: Stille Nacht,
heilige Nacht.
Nachdem alle Strophen durchgesungen waren, herrschte eine
weihevolle Stille.
Da trat Josua vor den Tannenbaum und mit klarer dunkler
Baßstimme sang er:
Vom Himmel hoch, da komm' ich . . .
Der Dichter fuhr sich mit dem Taschentuch über die Augen und
dachte an eine seiner Novellen, wo er das Motiv dieses Kirchen-
liedes ebenfalls refrainartig verwandt hatte.
Die Dienstmädchen schluchzten.
Romeo räusperte sich.
Die Gattin des Dichters aber verließ das Zimmer, um den
Kalbsbraten noch einmal zu begießen.
– Josua wurde mit einem Paket entlassen, in das man, abge-
sehen von den Geschenken, noch Pfefferkuchen, Äpfel und
Pralinés gestopft hatte.
Die Gattin des Dichters wollte ihm noch fünf Mark verehren.
Aber der Dichter wollte es nicht.
»Heilige Menschen«, sagte er, »brauchen kein Geld. Es hindert
sie nur an ihrer Heiligkeit. Heilige müssen hungern. Für wie
alt hältst du den Menschen?«
Sie sann:
»Er hatte ein Knabengesicht . . . Und nicht einmal Flaum auf
den Wangen . . . Er ist höchstens achtzehn Jahre . . .«
Erheitert und ein wenig verächtlich äußerte der Dichter, der
als scharfer Psychologe bekannt war:
»Hast du nicht gesehen, daß dieses Knabengesicht nur Symbol
und Seele ist? Es ist Ahasver . . . die ewige Jugend . . . dieser

Mensch ... Mensch ... muß viel gelitten und ehrlich gelitten
haben. Sieh, wie rein er geblieben ist ... Es ist ein Mann ...
vielleicht ein Greis.«

Hier fiel der Dichter in eine Grube, die er sich selbst gegraben
hatte. In seinen Novellenstil.


## XXXVI


... Josua kroch durch ausgestorbene Gassen. Wie ein Leichen-
wurm.

Hinter jedem Fenster brannte ein Tannenbaum. Verwesten
Herzen.

Er ging die Hohenzollernstraße entlang und bog dann in die
Belgradstraße ein, die auf freies Feld führt.

Plötzlich ging vor ihm ein Knabe. Klein, verwachsen, mit
einem Buckel.

Unter einer Laterne holte Josua ihn ein. Sie sahen sich beide an.

»Was hast du da?« sagte der Bucklige.

»Mein Weihnachten«, sagte Josua, »willst du mit mir teilen?«

Der Bucklige nickte.

»Hast du noch Eltern?« fragte Josua.

»Ja«, sagte der Bucklige, »aber ich mag sie nicht. Und zu essen
haben wir auch nicht.«

»Wie alt bist du«, fragte Josua.

»Dreizehn.«

»Dreizehn ist eine Unglückszahl«, sagte Josua. »Warum bist
du dreizehn Jahre alt?«

»Ich weiß nicht«, sagte der Bucklige.

Und dann sang er mit einer piepsenden, im Stimmwechsel be-
fangenen Stimme ein Schnadahüpfl:

> Mei Schwester spuilt die Zither
> Mei Bruder spuilt Klarinett,
> Der Vatta schlagt die Mutta
> Und dös gibt a Quartett ...

»Du hast eine sehr schöne Stimme«, sagte Josua, »möchtest du
nicht zur Bühne gehen? Du solltest Tristan singen.«

Sie gingen durch die hintere Belgradstraße, links wie eine Indianerburg mit Palisaden umgeben, lag Pension Führmann. Und Indianergeheul schnob durch die heruntergelassenen Rolladen.

»Das sind die reichen Leut'«, sagte der Bucklige, und äugte gehässig nach der Pension Führmann, »die reichen Leut', wo's Geld wie Heu haben. Und hübsche Frauen auch.«

»Was weißt denn du von den Frauen«, lächelte Josua.

Da zischte ein wilder Blick entsetzt aus den verkniffenen Augen des Kleinen:

»Ich bin bucklig.«

Jetzt gingen sie auf freiem Feld, schon hinter dem Krankenhaus. Der Schnee fiel dichter. Sie wateten über Äcker.

»Na, was stapfen wir hier so umeinander?« sagte der Bucklige.

»Wir gehen so weit, bis wir kein Licht mehr sehen . . . Ist es dir recht?«

»Mir schon«, sagte der Bucklige.

In einer Vertiefung des Feldes warteten sie.

»Ehe wir unser Mahl halten«, sagte Josua, »wollen wir uns ein Haus bauen«, und warf das Paket seitwärts ins Gebüsch.

»Wir haben ja keine Steine«, sagte der Bucklige.

»Aber Schnee, sehr viel Schnee«, meinte Josua. Er blies befeuernd in die Hände und begann einen Schneeklumpen zusammenzurollen. Das gleiche tat der Bucklige.

Schweigend arbeiteten sie. Nach einer Stunde standen drei Wände eines imaginären Hauses.

»Wir brauchen nur drei«, sagte Josua, »sonst können wir nicht mehr heraus.«

»Und das Dach?«

»Das ist der Himmel. Uns kann der liebe Gott ruhig ins Haus und bis ins Herz sehen.«

Josua betrachtete sein Werk:

»Endlich ein eigenes Haus . . . Und es ist ganz mein Werk . . . Mein Lebenswerk.«

»Ich hab' Hunger.« Der Bucklige schneuzte sich in die Hand.

»Also gehen wir ins Haus. Setzen wir uns«, er zog seine Jacke aus und sie setzten sich darauf.

»Ist sie nicht wie ein persischer Teppich?«

Dann packte er aus ... Die Pfefferkuchen ... Die Gänseleber-
pastete ... Die Äpfel ... Das Danziger Goldwasser ...
»Ah«, machte der Bucklige lüstern, als er die Flasche sah.
»Hast du ein Messer?«
Der Bucklige hatte eins.
Josua bat es sich aus, er schmierte die Gänseleberpastete auf
den Pfefferkuchen und bot dem Buckligen an. Mit dem Messer
entfernte er den Kork von der Flasche.
Der Bucklige biß fest in den Gänseleberpfefferkuchen. »Das ist
eine Delikatess', wo sonst nur die reichen Leut' fressen.«
Josua ließ ihn trinken.
Sie tranken und aßen abwechselnd.
In ihre unterernährten Mägen rann der Schnaps wie flüssiges
Feuer.
»Ich habe ein Mädchen ermordet«, sagte Josua.
»Das macht nichts«, sagte der Bucklige, »deswegen bist du
doch mein Freund ...«
»Aber die Polizei?«
Josua zitterte.
»Die findet dich hier draußen nicht«, beruhigte ihn der Bucklige.
»Tanzen«, sagte Josua. Er sprang auf, hob seine Hosen wie ein
Frauenkleid.
»Musik«, sagte Josua.
Der Bucklige sang sein Schnadahüpfl.
Danach tanzte Josua Solo: ein zierliches Menuett im Schnee.
Dann tanzten sie zu zweien. Der Bucklige als Dame.
Dann tranken sie wieder.
Bis sie besoffen und in widerlicher Verschlingung verzückt in
den Schnee rollten.

## XXXVII

»Ehe ich sterbe, will ich noch meinen Leichnam waschen und
einbalsamieren«, sagte Josua.
Er kaufte sich eine große Flasche Eau de Cologne, eine Flasche
Kanadolin für die Haare, einen Karton Lilienmilchseife sowie
Dantes *Göttliche Komödie* und ging in das Türkenbad.

Die Badedienerin war ein scheußliches Weib mit einer moosigen Flechte mitten auf der Stirn und einem Grinsen nach dem Sofa hin.
Er badete sorgfältig, nahm eine kalte Dusche, begoß sich von oben bis unten mit Eau de Cologne und legte sich aufatmend auf den Diwan, um in der *Göttlichen Komödie* zu lesen.
Beim Anziehen zerbrach ihm der Kragenknopf.
Er klingelte der alten Vettel.
»Haben Sie vielleicht einen Kragenknopf?«
Sie schlurfte davon und im Moment zurück.
Ihr zahnloser, fauler Mund verzog sich höhnisch in die Breite – als sie ihm einen grauweißen unansehnlichen Kragenknopf überreichte und wieder hinter der Tür verschwand, noch in das Zimmer zurückbrummelnd:
»Es ist mein letzter . . .«
Er wollte den Kragenknopf eben anlegen, als er noch einen Blick darauf warf.
Es war ein schmutziger, karöser, menschlicher Zahn.
Des alten Weibes letzter Zahn.
Und ihr eben ausgefallen.

## XXXVIII

Josua stand, vom Schein der mit einem grünen Papierschirm überdeckten Lampe grünlich grau überstäubt, am Tisch mit dem Rücken gegen einen Spiegelschrank.
Plötzlich begann sein Herz rasend zu klopfen, stockte ruckweise und jagte dann weiter – wild, erleichtert, wie ein Rennpferd, das am letzten Hindernis seinen Jockei abwirft.
Der Spiegelschrank knarrte.
Das ist der Tod, dachte Josua. Er steht mir im Rücken. Wenn ich mich umwende und in den Spiegel sehe, erkenne ich ihn.
Der Eimer am Waschtisch klirrte.
Das ist der Tod, dachte Josua.
Er schloß die Augen.
Ein weißer Schatten zuckte auf und verkrampfte sich in widerstreitende Gestalten, Prismen, Kugeln, Sterne. Dann erschien

der Raum rosa gestreift, dann rotkariert, wie eine Bauern-
bettdecke.

Mutter fiel ihm ein. Aus dem Bauernbett quoll wie Daunen
gelber Rauch und überzog die Landschaft.

Aus dem Rauch drangen runde blaue Augen, violett umrändert. Kiefern wuchsen aus dem Boden.

Das ist der Tod, dachte Josua. Er hat tausend Augen.

Ein Zittern überschlich seinen Körper. Er tastete ein paar
Schritte rückwärts und stützte sich am Waschtisch. Sein rechter
Arm wurde steif. Seine Finger hölzern. Wem gehört dieser
Arm? Das bin ich doch nicht?

Instinktiv führte er ihn ans Herz. Die rasenden Schläge pochten wieder Blut in die Finger.

Draußen an das Fenster klopfte es. Mit dem Spazierstock.
Irgendein weinlauniger Passant, der vorüberschwankte.

Es ist der Tod, dachte Josua. Er klopft wie Ruth.

Das Bett knarrte. Der Spiegel glänzte. Im Ofen knisterte das
Feuer.

»Ich habe Furcht«, sagte er laut.

Die Worte klangen gar nicht wie aus seinem Munde.

Damit habe ich ihn übertrumpft, dachte er. Worte kann er
nicht ertragen, der Tod ... das überwindet ihn.

Der Herzschlag beruhigte sich.

Er sah auf die Uhr.

Er sah zur Decke.

Eine Spinne hing an der Decke. Wird sie mir in den Kaffee
fallen?

Spinne am Abend.

Heiter und labend.

Er lachte.

Er zog seinen Mantel an.

Ich könnte mich erschießen, wenn ich damit irgendeine Tat
täte.

Wenn ich ihn damit überlistete. Aber er ist so stark, er zwingt
mir auch den Revolver in die Faust. So leicht mache ich es ihm
nicht. Mag er selbst kommen.

Es war ihm, als verbeuge sich hinter seinem Rücken jemand.
Der Tod. Aus Hochachtung.

Er setzte den Hut auf. Öffnete die Tür. Im Briefkasten lag ein Brief. Er hatte ihn vorhin übersehen. Er steckte ihn in die Manteltasche, ging noch einmal zurück und blies das Licht aus.

Einen Moment schien es ihm, als läge in der Dunkelheit ein großes wundervoll grünes Auge, wie ein erhabener Türkis.

Jetzt ist es kein Rubin mehr. Jetzt ist es ein Türkis.

Er verließ das Haus.

Der Mond strahlte empfindliche Kälte aus.

Josua fröstelte.

Wenn ich mir einen Hund kaufe. Daran habe ich noch gar nicht gedacht, dann brauche ich mich nachts nicht mehr allein im Zimmer zu fürchten. Eine Frau hilft gar nichts. Dann ist man nur noch einsamer. Aber ein Hund: da habe ich etwas Lebendes, etwas, das schnuppert, raschelt, bellt, blickt.

Ein weißer Hund. Ein Spitz.

Eine Bologneser Hündin.

Eine Hündin. Nina.

Ich hätte mir eine Zigarette anzünden sollen. Im Dunkeln. Feuer lebt immer. Das hätte ihn verblüfft. Jetzt ist's zu spät.

Er klingelte bei Kolk.

Kolk hatte noch Licht.

Er warf ihm den Hausschlüssel herunter.

Josua tappte die vier Treppen, die zu Kolks Atelier führten, im Dunkeln.

»Jetzt habe ich keine Furcht mehr«, sagte er laut.

Einmal blieb er stehen. Es war ihm, als hätte ihm jemand die Hand auf die Schulter gelegt.

»Josua – so spät?« sagte Kolk.

Josua hing seinen Mantel an die Wand. Als er sein von Kolk gemaltes Bild sah, drehte er es lächelnd um.

»Ich will es nicht sehen«, sagte er, »ich will mich nicht mehr sehen. Ich habe Furcht. Ich bin deshalb zu dir gekommen. Ich will die Nacht bei dir schlafen.«

Nun standen sie beide, Arm in Arm, und betrachteten eine der Palmenlandschaften Kolks.

»Ich friere«, sagte Josua. »Ich möchte unter deinen Palmen wandeln.«

»Nicht ungestraft«, lachte Michael.

Josua zitterte.

»Zieh dich nur immer aus und leg dich ins Bett.«

Kolk stellte Josua einen Teller mit Apfelsinen und Datteln und ein Glas Wasser ans Bett und hob die Laute vom Bordbrett.

Josua legte sich nach der Wand um.

Er betrachtete die Wand.

Nun steht eine Wand vor mir, dachte er, die hindert meinen Weg. Durch sie kann ich nicht hindurch.

Josua, träumte er, Josua war ein König in Israel.

Er hatte den Brief mit ins Bett genommen.

Ihn fröstelte.

Nun schmiegte er den Brief unter der Decke an seine Brust.

Wie das wärmt.

Er las ihn nicht. Es stand etwas Gleichgültiges darin. Von irgendeinem Mädchen.

Er fühlte den Brief an seiner Brust ruhen wie eine Frau.

Wie das wärmt . . . eine Frau . . .

Die Lampe warf ein fahles Licht an die Wand.

Sonne stehe still im Tale Gideon . . .

Sammle Weizen, Ruth . . .

Michael trat zu ihm heran, mit der Laute. Die farbigen Streifen und Bänder fuhren Josua über die Stirn.

»Josua«, sagte Kolk, und dann erzählte er irgendeine Geschichte.

»Josua«, Michael hatte geendet. »Josua –«

Josua schlief.

# Erzählungen

Geschichten
von
der Liebe

## DER KLEINE LORBEER

Wenn der kleine bescheidene Lorbeer spazierenging, mit trippelnden vorsichtigen Schritten, die den Boden um Vergebung baten, daß sie ihn berührten, blieb er alle zehn Sekunden stehen, einem Frauenzimmer nachzustarren. Sie mochte hübsch oder häßlich, groß oder klein sein, wenn sie nur einen breiten Busen hatte. Er schämte sich und wurde rot, wenn er hinsah, aber er mußte doch hinsehn. Und starrte noch, wenn das Fräulein längst im Omnibus oder um die Straßenecke verschwunden war. Abends in seinem möblierten Zimmerchen, das im vierten Stock lag, öffnete er sein Fenster, ließ den blauen, zitternde Schauer weckenden Nachthimmel herein und blickte ängstlich und ehrfürchtig zu den Sternen, ob sie ihm Helfer sein könnten in seiner Not. Und er betete zum lieben Gott und zeihte sich schmutziger Sünden und Gedanken. Aber ihm wurde nicht besser; das Gebet brachte ihm die Lockungen seines Herzens schmerzlich nah ins Gedächtnis, daß er schauderte vor seiner Verderbnis und sich doch nicht von ihr lösen konnte. Er schlug sich und wimmerte und bebte in seiner Entheiligung des Gebetes. Weiße, starkbrüstige Frauen schritten durch seine Träume und rankten und krallten sich an seine sittliche Kraft, daß er sie nicht losreißen konnte. Sie zehrten an

ihr. Und wie Lianen schlangen sich ihre flammenden Arme
um seine Gedanken, wenn er ihnen entfliehen wollte. Nächtelang lag er wach, mit rotem Gesicht und klopfenden Pulsen,
oder hockte und sah nach dem gelben Fenstervorhang, an den
die Gaslaternen von der Straße herauf flackernde Bilder warfen, die wie sichtbar gewordene Seufzer über das gelbe Tuch
wehten. Seine Bitten zu Gott wurden von Tag zu Tag unauf-
richtiger. Er bereute die Wollust seiner Gedanken ja gar nicht,
er plapperte es sich nur vor, weil er das Verschwommene, Un-
sichere liebte und die Wahrheit fürchtete. Er haßte seine Gedanken, o ja! aber er haßte sie nur, weil sie so schwächlich waren und nie zur Tat wurden.

Wie beneidete er seine Kollegen im Kontor, wenn sie Weiber-
geschichten erzählten. Fast jeder hatte ein Verhältnis, das er
abends in den Konzertgarten oder zum Tanzsaal führte: La-
denmädchen, Telephonfräulein, Konfektionöse. Sie sprachen
einen vollkommen ausgebildeten erotischen Jargon, der sich
entsetzlich roh anhörte. Ihre Mädchen nannten sie: Bolzen,
Spritzen. Mit ihrem Mädchen ausgehen nannten sie: sich die
Ziege vorbinden. Ein Mädchen verführen, hieß »umbiegen«,
und wer das nicht wenigstens einmal fertig gekriegt hatte, galt
ihnen als »Schlappschwanz«. Der arme Lorbeer war darum
ihrer mitleidigen Verachtung anheimgefallen. Wie sehr er sich
auch mühte, seine wahre Natur zu verbergen, sie fanden bald,
wie es mit ihm stand, und höhnten ihn. Der Don Juan des
Kontors, ein junger Mann mit Namen Ziegenbein, der künst-
lerisch gewundene Krawatten trug, deren Enden wie Fahnen
über Weste und Rock flatterten, und den linken Fuß etwas
nachzog, schlug dem kleinen Lorbeer vorn auf die Hühnerbrust und schnatterte: »Immer 'ran, mein lieber Lorbeer, immer 'ran an den Speck. Nur keine Bange nich. Es gibt immens
viel Frauenzimmer – sehen Sie mich! Nicht retten kann man
sich vor ihnen. Immerhin« – er spuckte sich in die Hände und
bestieg wieder seinen Bock –, »manchmal ist es zum Kotzen.
Sehen Sie mich, lieber Lorbeer. Um gewissermaßen ein Gleichnis zu gebrauchen, einen Vergleich! Wie die Bienenkönigin bin
ich, rings um mich 'rum sind Bienen, und ich stecke drin, ganz
tief. Da 'rauskommen heißt schwer.« Und er begann langsam

an einem kalligraphischen D zu malen, während das ganze Kontor zustimmend verehrungsvoll grinste, der kleine Lorbeer aber, weil er sich durchschaut sah, abwechselnd blaß und rot wurde. Heimlich äugte er von nun an, so oft es ging, zu Herrn Ziegenbein hinüber, neugierig, geradezu gefoltert von der Qual der Erwartung, einmal herauszubekommen, *weshalb* Herr Ziegenbein so nachhaltig auf die Frauen wirke. Hübsch war er nicht – wenn man von seiner Krawatte absah, die er jeden Tag zu wechseln pflegte. Sonntag trug er eine weiße Krawatte, Montag eine blaue, Mittwoch eine grüne, die Farbe der Hoffnung, da es nun wieder auf Sonntag ging, und so weiter. Die Farbe jedes Tages bedeutete ihm ein Symbol. Hübsch war Herr Ziegenbein nicht, seine Nase wuchs sogar über das braune Stutzbärtchen hinaus bis auf die Lippen, Herr Ziegenbein humpelte sogar – und trotzdem...? Durch seine Klugheit? Der kleine Lorbeer zuckte verächtlich mit den Schultern. Klugheit, Bildung, da war er ihnen allen voraus. Wer von ihnen las Gedichte oder versuchte sich manchmal gar selbst in der Poesie? Oder ging ins Theater? Wenn er einem Mädchen durch Bildung hätte imponieren können! So viel war ihm klar, daß Bildung bei Mädchen nicht verfängt. Ja, er dachte deshalb geringschätzig von den Mädchen, daß sie geistige Anmut nicht zu würdigen verstünden – aber er ersehnte ihre Leiber doch und brannte nach ihnen. Er guckte heimlich schnell in seinen Taschenspiegel: schön... so schön wie Herr Ziegenbein war er längst – wenn seine Augen auch in einem Blau schimmerten, das allzu verwässert schien. Woran lag es also, daß er den Mädchen nicht gefiel? Er erinnerte sich, daß er noch gar nicht einmal die Probe aufs Exempel gemacht, daß er die Verachtung der Mädchen immer nur aus der Ferne gefühlt und aus ihren Blicken gelesen hatte. Konnte er sich nicht täuschen? Ein Stein rollte von seinem Herzen! Er wollte es wagen, er wollte einmal ein Mädchen ansprechen! – Des kleinen Lorbeers Verehrung des weiblichen Geschlechtes war immer auf das Ganze gegangen. Eine einzelne bestimmte hatte er nie geliebt, wer ihm den Weg kreuzte und sich passabel genug ausnahm, der hatte ihm als »Weib« gegolten, als Weib schlechthin in diesem Augenblicke, bis der nächste Augenblick vielleicht schon die Ablösung brachte.

Am Abend nach Geschäftsschluß schlenderte der kleine Lorbeer
durch die Straßen und sah Ladnerinnen, Fabrikarbeiterinnen
und jenen andern, die ihm immer als die schönsten erschienen
waren, frechschüchtern ins Gesicht. Hin und wieder fing er
auch einen Blick, wie die Kinder Heuhupfer auf der Wiese fangen, hastig zugreifend aus Angst, er könne ihm sonst entsprin-
gen. Er konnte sich aber nicht entscheiden, einem Mädchen
nachzulaufen, es waren so viele, und wenn er ein paar Schritte
hinter einer Blonden herlief, kam jetzt eine Braune, die ihm
bei weitem mehr gefiel. Da trippelte eine kleine Schwarze,
zwei Freundinnen kichernd am Arm. Sie war eine übermütige
Kröte und drehte ihm große runde Blicke und bog sich schmach-
tend nach ihm um. Er verstand ihre Zuvorkommenheit aber
falsch: den Atem hielt er an vor verliebter Erschrockenheit,
seine wasserblauen Augen öffneten sich weit und sahen aus
wie zierliche blaue Teller aus Delfter Porzellan. Dann atmete
er tief auf und besann sich: er mußte ihr nach. Wo war sie
aber? Ganz in der Ferne leuchtete ihre rote Bluse wie eine
Mohnblume auf graugrüner Wiese. Er lief und lief, stieß Damen ungalant mit dem Ellenbogen zur Seite, trat einem vornehmen Herrn auf die Lackstiefel und hätte am liebsten ge-
schrien: »Haltet den Dieb, haltet den Dieb!« Denn, sagte er
sich, sie hat mein Herz gestohlen, wie es in den Romanen immer heißt, meistens um die fünfzigste Seite herum, wenn die
Liebeserklärung nahe ist. Als er sie endlich eingeholt hatte,
waren ihre Freundinnen nicht mehr bei ihr, sie ging lachend
und ihre veilchenfarbene Tasche schlenkernd – in Begleitung
eines jungen Mannes, augenscheinlich eines Studenten, der
mit eckigen und abrupten Arm- und Handbewegungen über-
zeugend auf sie einredete.

Der arme kleine Lorbeer blieb mitten auf dem Trottoir stehen
und stand mit zusammengekniffenen Augen und gekrampften
Lippen, unbeweglich, wie unter einer unangenehm kalten Dusche.

»Abendpost, Abendpost!« schrie jemand dicht neben ihm. Und
ein Schulknabe mit dickem, pfiffigem Gesicht pflanzte sich
hart vor ihm auf und piepste: »Sie Männeken, jehn Se man
weiter, Sie stören den Verkehr.«

Ein paar Passanten lachten.

Der kleine Lorbeer ging weiter. Seine Niederlage schmerzte ihn. Er hatte keine Lust zu ferneren Abenteuern. Erbost betrat er eine Stehbierhalle, trank einige Gläser Bier und begab sich auf den Heimweg. Seine vorher so lebhafte Begierde hatte einem leeren toten Gefühl Platz gemacht, in dem Zorn, Hoffnung, Resignation und Müdigkeit um den Vorrang stritten. Es wollte keines zum Siege gelangen, seine Gedanken wallten in ein sumpfiges Chaos, das ihn anekelte.

Diese Nacht schloß er das Fenster und sah nicht nach den Sternen. Am nächsten Tag plagten ihn Kopfschmerzen. Er machte einen so blassen, grämlichen Eindruck, daß man im Kontor anzügliche Bemerkungen vom Stapel ließ und der Don Juan, Herr Ziegenbein, eine Behauptung aufstellte, die ihm das Blut vor Scham in den Kopf trieb – weil sie leider der Wahrheit ermangelte. Da wurde es ihm wieder klar, daß er es seiner Ehre schuldig sei, endlich ein Mädchen zu gewinnen. Und am Abend machte er sich wieder auf den Weg, diesmal von tollkühnem Wagemut besessen. Heute traute er nicht jedem verwegenen Mädchenblick, und so kam er überhaupt zu keinem Entschluß und lief schon eine Stunde durch die Straßen, als er am Gitter einer Villa der Vorstadt ein Mädchen sah, dessen stahlblauer Blick wie ein Blitz zischend in seine wasserblauen fuhr. Strohgelbe Haare flochten sich wie ein Erntekranz um ihren Kopf, und unter dem Blau ihrer Augen schimmerte ein leichter rosa Glanz – wie oben in der schwarzblauen Nordsee in heißen klaren Sommernächten ein rosa Ton liegt, den das Meer vom Tage, von der Sonne zurückbehielt.

Der kleine Lorbeer kreiste wie eine Fledermaus verlegen um sie herum, wurde rot, würgte an einer Anknüpfung; plötzlich trat er mit einem Ruck auf sie zu.

»Gestatten … statten Sie, mein Fräulein, warten Sie … auf … auf jemand?«

Sie sagte langsam und langweilig, ohne ihn anzusehen: »Auf Sie nich.«

Der kleine Lorbeer stand fünf Minuten neben ihr, mit dem Gefühl einer unrühmlich verlorenen Schlacht. Es wollte sie irgendwie gutmachen. Aber er fand keine Worte.

Er ging in die Stehbierhalle und begab sich auf den Heimweg.
Drei Tage dachte er überhaupt nicht an Weiber und arbeitete
im Kontor mit einem Eifer, als ob er sich eine Gehaltsaufbesse-
rung verdienen wolle.

Am vierten Tage stellten sich seine verliebten Gedanken wieder ein. Und er nahm sie nicht ungnädig auf, brachten sie ihm
auch Unruhe genug. Er hielt sie vorerst in Schranken. Sie be-
nahmen sich so gesittet, daß er sogar die Tochter des Portiers,
ohne sie zu entkleiden, aus nur kindlichem Wohlgefallen betrachten konnte.

Am 23. Juli aber – er ist der wichtigste Tag im Leben des kleinen Lorbeer und verdient namhaft gemacht zu werden – drohte der kleine Lorbeer den ganzen Tag in Liebessehnsucht zu
verschmelzen. Heimlich betete er im Kontor zum lieben Gott,
er möge ihm doch seine einzige Bitte erfüllen.

Diesen Abend – es war ein warmer Sommerabend, an dem
keine Bank unbesetzt ist von Liebespärchen und selbst die
Schutzleute paarweis durch den Park patrouillieren – ging er
nach Geschäftsschluß noch einmal nach Hause, band sich einen
neuen rotseidenen Schlips um und spritzte sich Parfüm »Königin der Nacht« auf den Rock. Seinen Spazierstock ließ er fröhlich zwischen seinen Fingern tänzeln. Heute wandte sich sein
Blick vorzugsweise jenen Frauen zu, die so apart gekleidet sind
und einen so exklusiven Eindruck machen, auch eine exklusive
Stellung in der Gesellschaft einnehmen. Man lädt sie zwar
gern durch die Hintertür zum Souper, treibt sie aber vom
Vorderaufgang, »Nur für Herrschaften«, mit Peitschen hinweg.

Der kleine Lorbeer wußte, daß es eine Liebe für Geld gebe. Er
hatte oft genug geschwankt, ob er sie nicht einmal probieren
solle? Aber so reizend ihn diese Frauen dünkten, die viel schöner als Ladnerinnen, Mamsells und Stubenmädchen aussahen
– er hatte ein Prinzip, und das sagte ihm, diese Liebe um Geld
sei unmoralisch, ja gemein. Denn jeder könne die Frau besitzen, die er vielleicht grade begehrte, wenn er nur Geld habe.
Heute, wie er sich wieder mit diesem Problem zu schaffen
machte, zeigte es ihm plötzlich überraschend neue Seiten. Wie –
konnten diese Mädchen nicht auch – lieben? Würden sie nicht

manchen, dem sie mit seltsamen Blicken winkten – vielleicht
wirklich lieben – ohne Geld – wenn sie ihn, sein gutes Herz,
seinen Charakter näher kennenlernten? Wenn nun er...? Der
kleine Lorbeer suchte in den Augen der schön geputzten Damen nach Verständnis... nach Liebe; würde er sie nicht bei
einer – bei einer wenigstens finden?
Da streifte ihn eine schlanke Schöne. Ihre Augen waren klein
und braun, ihre gutgeformten Brüste hoben sich unter der
weißen Bluse deutlich ab. Sie trug kein Korsett. Dem kleinen
Lorbeer wurde schwindlig. Diese, diese... war es. Er lief hinter ihr, dann neben ihr und zog seinen Hut. Sie lachte, als sie
den Kleinen sah. Dann bogen sie in eine Nebenstraße ein,
dann in ein Haus. Es ging vier Treppen hoch. Vier Treppen,
wie bei mir, dachte der kleine Lorbeer. Sie schloß auf, ließ ihn
herein und klinkte die Tür wieder zu. »Leg ab«, sagte sie und
machte die Nadeln vom Hut los, den sie sorgfältig auf einen
Stuhl legte.
»Wie gefällt er dir?« sie zeigte auf den Hut.
Der kleine Lorbeer hatte bisher kein Wort gesagt, sie nur immer verwundert, beklommen und sehr verliebt angesehen.
Wenn sie ihn doch lieben möchte... lieben... ohne Geld.
Denn das ist ja keine Liebe... mit Geld.
»Sag«, und sie rieb ihre Brüste an seinen Oberarm, »du gibst
mir etwas?« Er erschrak. –
Er fiel vor ihr nieder, sein Kopf lag zwischen ihren Knien: Er
stöhnte, und die Worte kamen wie Bröckel und Klötze, die sich
vom Felsen seines Leides lösten, unbeholfen, von verhaltenen
Tränen durchströmt, aus seinem Munde:
»Du, lieb mich, hab mich lieb... warum willst du Geld? Dann
ist es keine Liebe... Dann ist es Sünde... Mich hat noch nie-
mals eine Frau geliebt... warum wollen Sie Geld? Warum
lieben Sie mich nicht?«
Das Mädchen sah auf ihn herab mit frommen Blicken, wie die
Madonna auf einen Büßer, der ihr sein Herz beichtet.
Sie zupfte zärtlich an seinen Haaren:
»Kind, du bezahlst mich doch nicht... ich hab' dich wirklich
lieb... sieh... du schenkst mir nur etwas... freiwillig...
ganz freiwillig.«

Der kleine Lorbeer verstand langsam, dann jubelte er auf: das war Liebe! –

Im Kontor trug er nun ein selbstgefälliges Wesen zur Schau. Nebenbei ließ er durchblicken, daß er eine Geliebte habe, eine Geliebte.

Dreimal wöchentlich besuchte er seine »Geliebte«, indem er ihr jedesmal ein kleines Geldgeschenk mitbrachte.

Übrigens stand sein Fenster des Nachts wieder auf. Der blaue Nachthimmel kam herein und brachte die Sterne mit, die, einst Zeugen seiner Not, nun Zeugen seines Glückes wurden.

Nach knapp einem halben Jahr lud der arme kleine Lorbeer zur Hochzeit.

## PROFESSOR RUNKEL

Sowie es klingelte, riß Professor Runkel die Tür auf und stand mit einem Ruck in der Klasse.

»Asseyez-vous.«

Die Stuhlklappen polterten donnernd nieder. – Dann atemlose Stille. »Primus.« Der schoß erschreckt in die Höhe. »Wie kann es noch heißen?« Professor Runkel rollte die Augen, daß man nur das Weiße sah. Der kleine Jude auf der letzten Bank begann zu kichern, leise, verstohlen. Zur größeren Vorsicht kroch er hinter den breiten Rücken seines dicken Vordermannes.

»Assoiyez-vous«, stotterte der Primus und machte seinen berühmten devoten Augenaufschlag.

Arnold Bubenreuther, als er ihn ansah, schüttelte sich vor Ekel. – Runkel stülpte seinen schwarzen Schlapphut mit der riesigen Krempe auf den Kleiderhalter und zog seinen grünen Lodenmantel aus. Unter dem Lodenmantel kam noch ein schwarzer halbwollener Sommerpaletot zum Vorschein.

Die Klasse hielt sich mucksstill.

Arnold Bubenreuther blickte zum Fenster hinaus. Er sah nichts als ein Stück heiß blauen Sommerhimmels, in dem die verkrüppelte und verstäubte Krone eines Kastanienbaumes hing.

Runkel entledigte sich des zweiten Mantels und stürmte auf das Katheder. Den Kopf mit der buschigen Mähne nach hinten gestreckt, saß er da und zerrte an den beiden Enden seines braunen Vollbartes.

»Wer hat das Fenster aufgelassen?« schrie er plötzlich. »Ich werde den Betreffenden gleich zum Fenster 'raushalten. Zum Teufel, Sie wissen, seit mich in dem verfluchten Kriege die verfluchte Kanonenkugel in den verfluchten Schenkel getroffen, kann ich keinen Zug vertragen. – Sie, schließen Sie das Fenster.«

Irgendeiner schob den Riegel zu. Die Klasse duckte sich murrend. Nun konnte man wieder eine geschlagene Stunde in dieser muffigen Luft hocken, nur weil es diesem Kerl da oben so gefiel.

Runkel schlug das Klassenbuch auf. Als ob er nicht genau sehe, brachte er die rechte Hand vors Auge und drehte mit der andern das Buch herum.

»Ordnungsschüler«, brüllte er. Der kleine schüchterne Penschke ging mit unsicheren Schritten vors Katheder.

»Was haben Sie denn für eine Sauschrift? Da soll es doch gleich Bauernjungen oder Holzklöppel regnen! Das geht doch über die grasenden Mitternachtsnächte mit ultravioletten Schatten! Verflucht, wer kann das lesen? Ist das Siamesisch? Arabisch? So herum? Wie herum?«

Der kleine Penschke war dem Weinen nahe.

Bubenreuther scharrte mit den Stiefeln.

»Bubenreuther« – Runkel schnellte wie der Teufel des Kinderspielzeugs aus der Kiste, die das Katheder darstellte, empor. – »Sie denken wohl, ich sehe Sie nicht? Ich werde Sie an der Busenkrause nehmen und mit drei Stunden Arrest zum Tempel 'rausschmeißen. Darauf können Sie Gift, darauf können Sie Blausäure nehmen. – Penschke, setzen Sie sich, Bubenreuther, die Lektüre, lesen Sie, wir sind Seite . . .?«

»62, Herr Professor«, klang es unisono.

»Was, Fessor, Fessor? Das ist ja teuflisch! Nennen Sie mich meinetwegen Herr Gelehrter, meinetwegen Heinrich, aber nicht dies gottverdammte Professor. – Bubenreuther, Sie Schächer, lesen Sie.«

Bubenreuther las:

»Nous avions perdu Gross-Goerschen; mais cette fois, entre Klein-Goerschen et Rahna, l'affaire allait encore devenir plus terrible . . .«

Runkel fauchte und biß auf die Unterlippe, daß sein Bart wie eine borstige Wand dastand:

»Kein Franzose sagt avions, es heißt a-wü-ong, die zweite Silbe kurz a-wü-ong. Lesen Sie weiter.«

Bubenreuther las und übersetzte leidlich.

Runkel klopfte ihm auf die Schulter:

»Da soll der Teufel dem Eosinschwein das Licht halten: der fürnehme Baron von Bubenreuther hat mal präpariert. – Fahren Sie fort, Schulz.«

Schulz konnte vor Angst kaum das Buch in den zittrigen Händen halten. Er trug eine Brille, war blaß, dumm und sehr fleißig. Runkel ärgerte ihn mit Vorliebe, gab ihm aber nachher bei der Zensur, weil er ihm nie Widerstand entgegensetzte, immer genügend.

»Schulz«, schrie er ihn an, »Sie sind wohl vom Affen frisiert. Ich habe mit Ihnen erst noch was zu besprechen – von gestern, ein Hühnchen mit Ihnen zu rupfen, um nicht zu sagen einen Hahn. Habe ich Ihnen nicht verboten, mich zu grüßen, wenn Sie mit Ihren Eltern auf der Straße gehen? Weshalb haben Sie mich gegrüßt? Damit die Leute mich anglotzen und sagen: da läuft wieder der tolle Runkel, he, was?«

Die Klasse verbiß sich mit Mühe das Lachen. Aber lachen durfte niemand. Wer herausplatzte, flog unweigerlich in Arrest.

Draußen klopfte es leise.

Runkel fuhr herum:

»Das ist doch, um mit der Jungfrau zur Decke zu fahren: wer stört den Unterricht? Es ist sowieso bald voll und man kommt zu nichts. Primus, sehen Sie nach.«

Der Primus öffnete die Tür und ließ den Schuldiener ein, welcher Runkel ein Heft und einen Bleistift überreichte.

»Es ist von wegen Hitzeferien«, sagte er und plinkte zu den Jungens herüber.

Mit einem Schlage spielte um alle verdrossenen müden Gesichter ein seliges Lächeln.

»Gott sei Dank.« Bubenreuther atmete es leise vor sich hin.

»Mein lieber Bubenreuther« – Runkel war heute gnädiger Laune –, »mäßigen Sie sich. Hitzeferien? Es ist zum Wahnsinnigwerden, Hitzeferien bei dieser Kälte. Ich friere immer – immer. Sehen Sie meine beiden Paletots. Einen Pelz könnte ich vertragen.«

Der Schuldiener klingelte. Es war also heute die letzte Stunde.

»Präparieren 64 und 65. Unsern Ausgang segne Gott. Penschke wird die Aufgaben erst ins Klassenbuch schreiben. Amen . . . –«

Runkel tobte durch die Straßen, den Schlapphut in die Stirn gedrückt.

»Wieder einmal erlöst von den verdammten Bengels . . . sie wissen es nicht, was für eine Mühe es mir macht, der zu sein, der ich bin . . . Du lieber Gott, Du lieber Gott . . . wenn ich sie nicht pisacke, pisacken sie mich . . . wie kann ich sie sonst meiner Überlegenheit versichern, ich muß sie unter die Knute nehmen, sonst glauben sie's nicht. Und ich bin ihnen überlegen . . . wenn ich's diesem Bubenreuther nur geben könnte. Er hat ein impertinentes Gesicht.« –

Bubenreuther ging mit zwei kleineren Schülern an ihm vorbei. Runkel schwenkte ironisch lächelnd zuerst seinen Hut:

»Morgen, Morgen – sind das Ihre Brüder, lieber Freund?«

Bubenreuther beantwortete die Frage, während er sich ein wenig rückwärts wandte:

»Nein, Herr Gelehrter.« Dann lüftete er seine Mütze.

»Pardon«, schnarrte Runkel, »Pardon.«

Wenn ich ihn nur erwischen könnte, dachte Runkel. –

Nach knappen zehn Minuten hielt er vor einem Eckhaus. Er rückte den Hut zurecht und putzte sich den Kneifer. Es schien, als ob er die eine Straße heruntersehe, nach dem Fabrikschornstein oder der Kirchturmspitze, oder in die andere Straße hinein, die schon auf freies Feld führte: im Hintergrund verlief sich ein bläulich blasser Hügelzug in dunstige Wolken. Es schien nur so. In Wahrheit schielte er nach dem zweiten Stockwerk des Eckhauses hinauf.

Würde sie wissen, daß er heute um elf Uhr frei wäre? Würde sie überhaupt da sein? Wenn sie das Thermometer nachgesehen hätte, hätte sie sehen müssen, daß es Hitzeferien geben würde.

In einem Fenster des zweiten Stockes verschob sich eine gelbe
Tüllgardine. Wenig später – und aus dem Haustor trat ein
schwarzseidnes ältliches Fräulein, das einen Pompadour überm
Arm trug und sich eben die Handschuhe zuknöpfte.
Runkel grüßte sehr galant, seine Bewegungen verloren auf
einmal das Eckige, Groteske.
»Sehen Sie, Herr Professor«, lächelte sie, »das hab' ich mir gedacht. Da werden Sie und Ihre Jungen froh sein. – Es liegt
aber auch ein Gewitter in der Luft«, fügte sie hinzu und zeigte
mit dem Sonnenschirm auf den trüben Horizont.
»Wohin geht es nun – in den Stadtpark, oder übers Feld nach
Gerbersau?«
»Nach Gerbersau, sobald es Ihnen genehm ist«, sagte Runkel
mit vollendeter Höflichkeit. Jeder Gedanke an Stadt und Gym-
nasium berührte ihn heute unangenehm. Er könnte allen
möglichen Schülern begegnen . . .
»Der Weg unter den Pappeln ist schattig und der Wald nachher
bei der Hitze kühl und wohlig«, suchte er sie zu bestechen.
»Nanu, wo bleibt Ihr frostiges Gemüt, lieber Professor, frieren
Sie ausnahmsweise nicht? – Aber gut, Gerbersau sei die Pa-
role«, pflichtete sie bei.
Sie setzten sich langsam in Bewegung.
Runkel war sehr einsilbig.
Ich hätte sie früher heiraten können. Verflucht, warum habe
ich es nicht getan?
Das Fräulein plauderte viel und lustig: von der Verlobung Ella
Munkers mit Leutnant Beckey, und daß sie beide kein Geld
hätten und er wahrscheinlich Polizeioffizier werden müßte,
wenn sie sich überhaupt einmal heiraten wollten . . . von der
Fleischteuerung, dem Barbier von Sevilla und den letzten
Reichstagswahlen – sie trieb Politik mit Leidenschaft. Runkel
hörte mit halbem Ohre zu. Er sah von ferne sich eine Gestalt
nähern, die ihm bekannt vorkam.
Er wurde unruhig und wollte durchaus umkehren.
»Aber weshalb, lieber Professor«, lachte das Fräulein, »wir
werden doch nichts Halbes tun.«
Der Professor stand eine quälende Angst aus. Der Schweiß
tropfte ihm von der Stirn. –

Arnold Bubenreuther grüßte höflich, als er dem Paare begegnete. Runkel vergaß ganz wiederzugrüßen – in seinem Erstaunen. Diesmal vergaß er es wirklich ohne Absicht.

»War das nicht der junge Bubenreuther?« fragte das Fräulein. Runkel überhörte die leise Frage.

»Wo hat dieser Bubenreuther nur sein ironisches Gesicht gelassen?« dachte er erregt, »er steckt es doch sonst alle Augenblicke auf? Und seltsam, ich weiß genau, er wird von dieser Begegnung der Klasse nichts erzählen. Warum? Hat er – Mitleid mit mir?«

Runkel schnitt ein böses Gesicht, daß das Fräulein erschreckt stehenblieb. »Was haben Sie denn, Professor?«

»Nichts, liebes Fräulein«, Runkel lächelte grimmig, »ich glaube, die Schüler halten hier draußen in Gerbersau ihre verbotenen Kneipereien ab. Man müßte ihnen das Handwerk legen.«

Insgeheim dachte er: der Bubenreuther, dieser – Hund hat Mitleid mit mir. Er erfrecht sich, Mitleid mit mir zu haben. Wenn ich ihn nur fassen könnte . . .


## DER JOCKEY


Das Rennen nahm ein sehr interessantes und völlig unerwartetes Ende. Nachdem Imperator bis hundert Meter vorm Ziel geführt hatte und der Sieg ihm sicher schien, setzte sich plötzlich Atalanta, die an vierter Stelle lief, von einer wütenden Kraft getrieben, vor und kam in leichtem, scheinbar mühelosem Galopp mit einer Pferdelänge vor Imperator durchs Ziel.

Es war eine ungeheure Aufregung, die Menge drängte an, die Reitknechte sprangen herbei – aber ehe man den Jockey Harsley, der Atalanta geritten hatte, vom Pferde heben konnte, scheute Atalanta, bäumte sich empor und warf den Jockey, der zu geschwächt war, um sich halten zu können, auf den Rasen. Er fiel so unglücklich, daß ein Holzpflock ihm in die Brust drang und er das Bewußtsein verlor. Man schrie nach dem Arzt, nach der Sanitätskolonne, die sofort zur Stelle war und

ihn in die Klinik schleppte. Wochenlang rang der Jockey unter
entsetzlichen Schmerzen mit dem Tode. Die Lunge wies schwere Verletzungen auf. Er spie Blut. Nacht für Nacht wachte ein
Wärter an seinem Bett. Eine Schwester wurde mit ihm nicht
fertig, da ihn im Fieber Wutanfälle wie wilde Hunde packten
und aus den Kissen zerrten.
Und durch alle seine Fieberträume klang ein Wort, zuerst
zaghaft, leise, liebkosend, dann flehender, fordernder: Tilly.
Und schließlich fand man auch am Tage nur dies eine Wort
auf seinen Lippen: Tilly. Man versuchte vorsichtig, ihn nach
dem Sinn dieses Wortes auszuforschen, aber er erlangte ja nie
volles Bewußtsein. »Vielleicht seine Braut«, sagte der Professor.
Aber niemand wußte von einer Braut. »Eine Geliebte«, sagte
der junge Assistenzarzt und machte ein pfiffig selbstverständ-
liches Gesicht. Man hatte ihn nie, wie die andern Jockeys, mit
Mädchen der Halbwelt oder Damen der Gesellschaft zusam-
mengesehen. Endlich riet man auf eine heimliche Geliebte.
Aber hätte sie sich nicht längst nach ihm erkundigt? Hatte
nicht der Unglücksfall, sentimental drapiert, in allen Zeitungen gestanden? Also eine Dame der höheren Kreise, die sich
aus dem schützenden Dunkel ihrer Anonymität nicht hervor-
wagen darf?
Immer stürmischer, klagender, trostloser klang es von den Lippen des Kranken: Tilly. In einer größeren Zeitung erschien ein
Feuilleton, betitelt »Tilly . . .« und dann ein paar Punkte, aber
es erfolgte nichts, Tilly machte sich nicht bemerkbar.
Eines Tages, als der Wärter ihm mit einer Trinkröhre das zwei-
te Frühstück – Milch – einzuflößen suchte, sprang er, ehe man
ihn halten konnte, aus dem Bette auf, schlug die Glasröhre zur
Seite, daß die Milch über das Kopfkissen floß, und lehnte am
Fenster. »Tilly«, flüsterte er und stierte hinaus. Unten auf der
Straße hatte ein Pferd gewiehert.
Der Wärter meldete dem Professor den Vorfall. Und nun ward
es allen klar: Er sehnt sich nach einem Pferde namens Tilly.
Das war nun bald im Stalle des Herrn v. W., des Brotherrn
Harsleys, gefunden. Es war jene Atalanta, die der Jockey für
sich Tilly getauft hatte. Und er hatte sie nur für sich so getauft,
keiner sonst durfte sie so nennen.

»Wir wollen ihm die Freude gönnen«, sagte der Professor, »er hat sowieso höchstens noch eine Woche.«

Und an einem warmen Morgen fuhr man den kranken Jockey in Decken gepackt auf den Hof des Krankenhauses. Ein glasklarer blauer Himmel wölbte sich über den Gebäuden und glitzerte hinter dem grünen Laub der Linden. Einige Rekonvaleszenten der dritten Abteilung gingen in ihren grauschmutzigen Anstaltskleidern stumm und beschaulich auf den strahlenden Kieswegen.

Plötzlich wurde das Tor am Portierhaus geöffnet und Atalanta von einem Diener hereingeführt. Sie tänzelte mit kleinen koketten Schritten, schlug mit dem Schwanz und steckte den Kopf steif und grade in die Sonne. Auf ihrem braunen glatten Fell spiegelten blitzende Glanzlichter.

Der Jockey hatte die Lider geschlossen.

Als er Atalantas Gang hörte, riß er sie auf und hob freudig die Arme. Nun wieherte sie – ganz nahe bei ihm. Und stand still. Er konnte ihren Kopf greifen. Er zitterte und weinte. Der Wärter richtete ihn in den Kissen auf, da packte er mit beiden Händen ihren Kopf, zog ihn zu sich nieder und küßte ihr breites heuduftendes Maul, um das in kaum sichtbaren weißen Wölkchen ihr Atem schnob.

»Tilly«, sagte er lächelnd und sank zurück, glückselig aufatmend.

Der Professor gab ein Zeichen: man solle das Tier wieder fortführen. Tilly sah ihn mit einem langen glatten Blick an und wandte sich scharrend um. Ehe man zur Besinnung kam, schlug sie aus und traf den Jockey mitten auf die Stirn. Er war sofort tot.

»Ein ergreifender Tod«, sagte der alte Professor, ». . . von seiner Geliebten ins Jenseits befördert zu werden«, sagte der junge Assistenzarzt und schrieb den Totenschein.

## CELESTINA

Ist nicht gar lange Zeit, nachdem Crossen bis auf den Grund
gantz und rein ausgebrennet, daß auch nicht ein Häuslein,
ausgenommen die Sakristey, welche mit dem Blute eines Kal-
bes, so gelauffen kommen, gelöscht worden, übrig und stehen
blieben, Johannes Sultano aus dem fernen Lande Venezia in
die Gegend gekommen und, nachdem er rings in andern Städten Bauwerke in einem schönen und frembden Styl aufgeführt,
Anno 1538 vom Rate zu Crossen bestellet worden, ein Kauff-
haus am Markte auf- und herzurichten. Und hat selbiger ein
Mägdlein mit sich gebracht, Celestina geheißen, und sie als
seiner in Gott verstorbenen Schwester Kind bezeichnet. Deren
Schönheit ist wie ein seltener Stern über uns aufgegangen,
also daß ihr der Name Celestina, in unserer Sprache die Himmlische genannt, zu Recht und Seligkeit gegeben schien. Schwarz
ist sie gewesen an Haar und Augen, schwarz wie die dunkle
Nacht, wann sie sich im Weiher spiegelt, und ist doch immer
ein Leuchten von ihr hergegangen. Schritt sie über die Gassen,
stolz und fein als ein junger Hirsch, haben Fenster geklirrt und
Thüren und Herzen, und hat Jung und Alt die Köpfe gesteckt,
sich an ihrem Anblick zu ergetzen. Aber in unsere Weiber ist
der bleiche Neid und rote Haß gefahren und haben hinter ihr
getuschelt, daß sie der Männer Blicke und Gedanken von ihnen
kehre. Der ich jetzt diese Zeilen der Posteritati zum Gedächtnis
schreibe, während des Alters weiße Strähnen spärlich mir über
die Stirn fallen, sehe ich meine goldene Jugend und höre der
Venetierin italisches Lachen wieder wie Schwalben meinen
Weg umbzwitschern. O meine Jugend! Requiescat. – Wir junge
Fante, in primo mein Freund Christianus Licht, Christiani
Gerichts-Assessorii Sohn, candidatus juris zu Frankfurt, und
ich machten der Venetierin verwegene Cour. Aber sie lachte
nur und spottete unser: »Wag's Euch nicht, blondes Gesindel!«
Schnitt uns der Spott der geliebten Frau wie mit Messern in
die Seele, also daß wir manche Nacht, unser hitziges Blut zu
betäuben, in den Sauff- und Branntweinhäusern lagen, den
literis und moribus und auch den civibus zu Trotz.

Die Weiber aber hatten nicht Ruhe und Freude, bis sie ihr gar schlimme und abscheuliche Dinge anhingen. Und war die erste die Frau des Ratsherren Gottwald, welche, als eines Tags Celestina deren Kind auf der Gassen liebkosete (denn wenn sie uns Ältere schon verachtete, liebte sie doch die Kinder sehr) –, es gewaltsam aus ihren Armen riß und wehklagte und schrie, Celestina sei eine unehrliche Person und, wie man wohl wisse, dem Henker verfallen, dessen Knecht sie wahrlich kennen müsse, und welcher von ihr berührt sei, der werde unrein und sei obligiret, sich in den Kirchen zu reinigen. Lachte Celestina und ahnete schier nicht, weß eines Verbrechens sie schuldig war, und sagte: »Ob des Henkers Knecht nicht auch ein Mensch sei, und ein stattlicher dazu?«

Von diesem Tage an wichen die Weiber und notgedrungen auch die Männer ihr aus, ob auch manch verliebter Blick noch zu ihr sprang, heimlich, wie die Maus aus dem Loche. Denn es ward offenbar, daß sie allein und jeglicher Begleitung bar, vor das Glogauische Thor spazierete, und erfuhr man auch warumb. Lag dort das Gebäude, wo der Henker und Abdecker samt seinem jungen Knechte Martin wohnete. Sind Henker und Abdecker ein unehrlich und mißachtet Volk, und wer sie je berührt oder unvermutet mit ihnen zu Tische saß, muß öffentlich Buße leiden. Und aus welchem Becher ein Henker trank, der ist ihm verfallen; denn niemand möchte nach ihm drauß trinken. – Celestina aber liebte des Henkers und Abdeckers Knecht Martin. Der war schwarz und wild an Aug und Haaren wie sie und ein wüster Gesell.

Brachte nun dieses Jahr eine curieuse Erscheinung der Natura. Es wurde nämlich eine Arth unbekannter Vögel hier gefangen, in der Größe einer Drossel, mit einem dicken Schnabel wie die Seidenschwäntze, am Leibe aber gantz und gar umb und umb schön scharlachroth. Es gelang nun, den obstinaten Weibern (wie ja Weiberlist kein Ende hat), eine accusatio beim Rathe zu erwirken gegen Celestina, daß man ihr den Hexenprocessus mache. Da sie kraft ihrer höllischen Künste und Talente jene unbekannten Vögel herbeigerufen, die Stadt zu verängstigen. Haben viele, mit ratione begabte Männer (ermangeln die Frauen, quod inter omnes constat, ja gäntzlich der Vernunfft)

dagegen protestiret. Quorum in numero auch ich; denn war
meine Liebe, trotz wilder Ausschweifungen in Baccho, so ich in
Melancholie begangen, nicht gestorben. Half alles nicht und
wurde das Judicium gegen sie gefällt und das Datum bestimmt, an welchem sie öffentlich und vor allem Volk auf dem
Marktplatz sollte verbrennet werden.

In strahlender Sonne und italischer Bläue zog der Tag ihrer
Hinrichtung herauf. Von früher Stunde an war ein Gewimmel
von Menschen auff dem Markt wie von Heuschrecken in schlimmen Jahren. Um 10 Uhr fuhr der Henkerkarren, mit einem
Esel bespannt, daneben der Henker und sein Knecht Martin
schritten, durch das Glogauische Thor. Sie selber stand darin,
die zarten Knöchel gefesselt, und nur mit einem weißen Hemd-
lein bekleidet. Und sah ich nie ein Weib (und werde wohl keines mehr sehen mit meinen siebzig Jahren), dem, trotz aller
Tollheit ihrer Liebe, die reine Schönheit so anmutig und fast
heilig im Gesicht und der holden Schlankheit ihres Körpers
geschrieben stand. Der Karren hielt auf dem Markt. Das Volk
ward vom Schweigen wie bedrückt. Ein Diener Theologiae ging
aus dem Kreis auf sie zu. Sie sah ihn, schüttelte den Kopf und
lächelte. Und wie dies Lächeln auf ihren bleichen Wangen
schimmerte, da trat des Henkers Knecht Martin – welcher in
seiner Einfalt dem Judicium geglaubt und sie als Hexe geachtet und ihre erst genossene Liebe geflohen hatte – hervor,
packte ihre gefesselten Hände und schrie: »Sie ist mein Weib,
mein Weib!« und hob sie mit seinen starken Armen wie ein
Kind zu sich herab. Das zischte wie ein Peitschenhieb über die
Menge, also daß jeder verlegen seinen Nachbarn anblickte,
nicht allerletzt die Richter. Ward man doch nun gezwungen,
das uralt Recht des Volkes zu respektieren und zu honorieren,
nach welchem eine Hexe frei und ihrer Bande ledig würde,
falls ein Mann sich fände und also gab man den Befehl, sie zu
lösen. Des Henkers Knecht Martin fiel wie vor einer Heiligen in
die Kniee, und Thränen funkelten wie Dolche in seinen Augen:
»Bin auch ein Mensch! Ein Mensch! Kein Vieh!« Dann hob er
Celestina, die in Ohnmacht gesunken war, wieder auf seine
Arme und trug sie, ohne ihrer Last inne zu werden, hinaus,
durch das Glogauische Thor, auf die Schanze, wo des Henkers

und Abdeckers Gebäude standen. – Und gilt davon noch heutigen Tages im Volke das Wort: »Wann sich Henker und Hexe begegnen, muß der Teufel die Ehe segnen.«


## MARIETTA
### Ein Liebesroman aus Schwabing


Ich habe kein Vaterland.
Ich habe kein Mutterland.
Jede fremde Sprache berührt mich heimatlich.
Ich bin eine polnische Prinzessin: hübsch, aber schlampig.
Ich schiele.
Das ist meine Weltanschauung.
Eigentlich müßte ich ein Monokel tragen.
Ich gewinne auf der Münchener Wohlfahrtslotterie eine kleine Kuhglocke.
Ich binde sie mir um den Hals und lasse sie läuten.
Jeder möchte mein Hirt sein.
Ich bin Marietta.

Aber ich bin noch nicht ganz Marietta.
Ich will Marietta werden.
Ich schwanke noch.
Bin funkelndes Feuer.
Und sehr viel Rauch.
Ich habe eine unordentlich zugeknöpfte orangine Bluse und verkünde nachts im Simplicissimus blaue Fabeln und graue Anekdoten von Klabund.
Manche nur sind leise rosa und schmecken wie Himbeerkompott.
Ich kriege für den Abend vier Mark und nicht mal warmes Abendbrot.
Ich suche nach Nebenverdienst.
Gestern kam ein sehr junger Mann mit glattem Gesicht in Begleitung Etzels in den Simplicissimus.
Etzel sagte: »Der Herr möchte ein Manuskript tippen lassen!«

Ich kann Schreibmaschine schreiben, denn ich war eine Zeit-
lang auf dem Büro der Zeitschrift »Lese« (am Rindermarkt)
beschäftigt.
Ich sagte: »Ich werde es gerne tun.«
Der junge Mann bestellte ein Glas Bowle für mich.
Ich setzte mich neben ihn auf die Bank.
Wir sprachen nicht viel.
Einmal legte er schüchtern seinen Arm um meine Hüfte.
Emmy Hennings sang das Lied von den »Beenekens«.
Sie kreischte wie eine dänische Möve, die sich von den Wellen
des Kattegatt erhebt.
»Kommen Sie morgen früh um elf und holen Sie sich das
Manuskript«, sagte der junge Mann und ging.
Er ging mit Schritten wie ein Gymnasiast und mit den Augen
eines Seeräubers.
Er trug einen segelblonden Anzug.
Der roch nach Tang und wehte.

Der junge Mann wohnt Kaulbachstraße 56, parterre.
Die Tür stand offen, als ich kam, und er sagte: »Begleiten Sie
mich ein Stück? Hier ist das Manuskript!«
Auf dem Tisch lag eine Postanweisung von der »Jugend«.
Ich nahm das Manuskript.
Es waren Verse.
Ich fragte ihn: »Haben Sie das gemacht?«
»O nein«, lächelte er, »gewiß nicht!«
Aber ich glaubte, daß er es sei.
– Wir gingen durch die Kaulbachstraße. In der Sonne.
Er nahm den Hut ab, und die Sonne ließ sich wie ein goldener
Vogel auf ihn nieder.
»Ich habe einen schönen Akt«, sagte ich.
Ich mußte doch etwas sagen. »Der Habermann hat mich ge-
malt.«
Er sah mir durch die Bluse und meinte:
»Vielleicht!«
An der Ecke der Kaulbach- und Veterinärstraße hockte eine
italienische Blumenverkäuferin.
Er kaufte ihr eine rote Nelke ab und schenkte sie mir.

Ich fühlte, daß er sie mir schenkte.
Er ist hochmütig.
Ich mag ihn nicht.
Er verabschiedete sich.

Um zu einer Schreibmaschine zu gelangen, stieg ich nachts durch ein Parterrefenster in den Verlag Heinrich F. S. Bachmair, bei dem ich früher einmal Fräulein gewesen war.
Ich tippte die Gedichte auf offizielle Briefbögen des Verlages Heinrich F. S. Bachmair, weil ich kein anderes Papier fand.
Becher kam mit Dorka und überraschte mich. Er wollte mich schlagen. »Was hast du denn hier zu suchen, du Aas?«
Aber Dorka beruhigte ihn.
Sie gingen zusammen ins Nebenzimmer und aufs Sofa.

Der junge Mann war nicht mehr in München.
Ich brachte das Manuskript einem Herrn, den er mir schriftlich bezeichnet hatte.
Ich empfing acht Mark.
Ich weinte.
Ich haßte den jungen Mann in der Ferne.
Der mir fremd war.
Der mir »über war«.
Wie ein Aviatiker.
Ich mußte fort.
Ich erbrach München.

Major Hoffmann sagte im Café Stefanie zu mir: »Möchten Sie nicht als Modell zur Fürstin von Thurn und Taxis?«
Ich sagte: »Sehr gern« (. . . ich habe einen schönen Akt. Der Habermann hat mich gemalt . . .).
Man schickte mir telegraphisch das Reisegeld, und ich fuhr.

Die Photographie der Fürstin von Thurn und Taxis hängt immer über meinem Bett.
Sie ist eine fürstliche Frau. Ihre Geschenke sind fürstlich.
Aber die Hände, mit denen sie sie reicht, sind die einer entthronten Bürgerin.

Während sie mich modelliert, lese ich aus einem Buch vor: Die japanische Nachtigall.

Oder ich erzähle ihr allerhand Geschichten.

Aller Hand streichelt dann über mich hin, und ich bin wie Welt.

Ich erzähle ihr, daß ich in Treppenhäusern geschlafen habe und auf einer Bank in den Anlagen der Pinakothek.

Gegen vier Uhr öffnete ich die Augen, und die Schildwache stand vor mir.

Sie lächelte mit geschultertem Gewehr: »Schon ausgeschlafen?«

Sie sagte, daß sie Bäcker sei und immer früh aufstehen müsse.

Sie stehe gern des Nachts Posten, wenn die Sterne wie goldene Kinder über den Himmel gingen, Hand in Hand.

Sie habe viel Spaß an dem Soldatensein.

Es gab schöne Rosen in den Anlagen: hell- und dunkelrote. Die Schildwache sagte, ich solle mir welche abpflücken. Sie passe auf, daß kein Schutzmann komme.


Es wird schon sehr kalt.

Ich habe keinen Mantel.

Ich schlafe mit dem Kaufmann Hirsch.

Er sieht aus wie ein verstaubtes Buch, das man nicht gern zur Hand nimmt.

Er ist anonym.

Er sprüht angeregt.

Er hat einen Bruder und einen Freund, die beide Maler sind.

Sie spotten: »Bei der Marietta kommst du nicht so leicht an! Das ist ein Mädchen aus der Bohème. Die geht nicht für Geld!«

Kaufmann Hirsch hat mir fünfzig Mark gegeben.

Er macht mir einen Heiratsantrag.

Er ist sehr besorgt um mich.

Er läßt mir vom Keller einen Fußschemel bringen.

Ich stelle die Füße unter den Schemel, damit man meine zerrissenen Schuhe nicht sieht.

Er ist sehr unglücklich.

Sein Bruder und sein Freund hätten einen idealen Beruf.

Er sei nur Kaufmann.

Was könne er mir bieten?
Ich sei ein ideales Mädchen. (Ich glaube, er hat Murgers *Bohè-me* gelesen, ehe er mit mir schlafen ging.)
Ich sagte, ich sei gar kein so ideales Mädchen, wie er dächte.
Denn ich würde nie mehr mit ihm schlafen.
Trotz der fünfzig Mark.

Ich lasse mich nicht auf den Boden schlagen.
Wir sitzen im Café Stefanie.
Der junge Mann ist auch da.
Er ist eben zurückgekommen.
Während ich in Paris war, war er in der Schweiz.
Ich bin durch das rote Meer in Paris geschritten, trockenen Fu-ßes, und die Wogen wölbten sich vor mir.
Er glaubt noch immer, über mich hinwegzusehen wie über einen Kiesel.
Aber ich bin nun ein Fels.
Er erschrickt.
Seine Stirn blutet vom Anprall ans Gestein.
Ich liebe ihn.
Sein Blut rinnt in meinen Schoß.
Ich erzähle ihm von Paris.
Wir trinken Samos im »Bunten Vogel«.
Wir fahren im Auto zu neunen nachts ins Isartal.
Er regnet.
Wir überfahren einen Hasen.
Es war eine Häsin und hatte drei Junge im Leib.
Der Chauffeur wird ihn sich braten.
Seine Frau wird ihn mit Gurkensalat servieren.
Wir kommen auf den Gedanken, einen Verein zu gründen und uns alle grüne Schärpen zu kaufen.

Es ist fünf Uhr früh.
Der junge Tag schwingt seinen gelben Hut. Zwischen Wolken hervor.
Wir wandeln durch die Leopoldstraße.
Die Pappeln stehen steif wie männliche Glieder, aber belaubt.
Ich erzähle ihm von Paris.

Er schweigt wie ein Parlograph, in den man alles spricht, der alles treu bewahrt.
Oh, daß er mich ganz bewahre!
Nicht meine Sprache nur: auch meine Locken.
Meine kleinen Brüste.
Meine schiefen abszönen Augen, meine turmschlanken Füße.
Und meinen durstigen Mund.
Ich bin sein Kind.
Ich liege gekrümmt in seinem Bauch.
Die Hände vor meinen blinden Augen zu Fäusten geballt.
Wen wollen sie schlagen, wenn meine Blicke sehend werden?
Er wird mich gebären.

Am Morgen bestellt er Frühstück bei seiner Wirtin.
Eier, Kakao und Schinken.
Sein Zimmer ist sehr klein.
An den Wänden hängen Bilder, die er auf der Auer Dult gekauft hat.
Das Stück zu etwa 1,25 Mark.
Er sagt, sie seien von Veronese, Habermann (den kenne ich), Paolo Francese und Anton von Werner.
Ein Akt ist auch da, dem wirbeln die Brüste bis auf die Knie.
Der Geldbriefträger klopft.
Ich ziehe die Decke über den Kopf.
Der junge Mann gibt mir zehn Mark.
Er lächelte: er werde ein Feuilleton über mich schreiben.
Im Berliner Tageblatt.
Er gewähre mir zehn Mark Honorarbeteiligung. Vielleicht werde er noch einmal sehr viel an mir verdienen, wenn ich mit ihm im künftigen Frühling nach Monte Carlo ginge.
Als sein Kapital.
Er würde mir die Garderobe bezahlen.
Und meine Aktien würden steigen bis weit über 500 ...

Ich berichte dem jungen Mann (er hängt jetzt neben der Fürstin von Thurn und Taxis über meinem Bett: ein lachendes Gesicht in Hut und Mantel) – daß ich ein Tagebuch führe.
Ich führe es, wie man ein Maultier führt im Gebirge: steinige

Straßen, an brodelnden Schluchten vorbei und patinagrünen Almen.

Aber über der Ferne leuchtet die weiße Jungfrau mit dem Silberhorn, und Grindelwald ruht in besonntem Schweigen.

Er ist begeistert.

Er meint, ich solle ihm das Tagebuch doch einmal bringen.

Vielleicht könne man es seinem Verleger zeigen. Vielleicht würde der es drucken.

Als ich ihn verließ, lag auf der Treppe ein zertretener Nelkenstrauß.

Hat er mich je geliebt?

Mein Kopf wird herumgeworfen.

Er ist kein Mensch.

Er ist ein Wald mit tausend Bäumen.

Hochwald.

Der streckt sich nach einer anderen Sonne.

Und seine Winde wehn von Uruguay.

»Marietta«, sagte der junge Mann, »ich werde die Köpfe der Gehenkten über mich befragen . . .«

Ich hatte Angst und lachte.

Denn die Gehenkten wissen jede dunkle Zukunft.

»Wenn sie die Wahrheit sagen, opfere ich dir einen Taler, Marietta.«

Er verschwand hinter dem Vorhang.

Auf einmal ertönte Geschrei.

Nicht *ein* Schrei: Millionen entsetzlicher Schreie. Es klang von außen, von der Straße, und warf mich, ich stand am Fenster, betäubt ins Zimmer zurück.

Ich zog den Vorhang.

Der junge Mann hing am Ofenhaken.

Die Augen krochen ihm wie zwei schwarze Weinbergschnecken aus den Höhlungen.

Am Boden zu seinen Füßen lag ein funkelnagelneuer Taler.

Ich werde *nie* die Köpfe der Gehenkten über mich befragen.

(Und jenes entsetzliche Geschrei beim Tode des jungen Mannes

weiß ich *natürlich* zu deuten: es kam vom nahen Schlachthof. Es brüllte aus Tausenden von sterbenden Ochsen, Kälbern, Schweinen.)
Bei meinem Tode werden nicht die Ochsen schreien ...
Ich habe Sehnsucht nach dem elektrischen Rausch der Boulevards.
Nach Paris.
Nach den kleinen Dirnen, die am Abend wie Porzellan blinken. Nach den dünnen Blumenmädchen, die gegen einen Frank Honorar im dämmerigen Hausgang mit einem onanieren.
Mein Kopf ist wie gehenkt.
Der junge Mann hat mich gehenkt.
Mein Kopf hängt lotrecht wie ein Kronleuchter von der Decke.
Meine Augen brennen wie Wachskerzen.
Sie duften.
Wie Weihnachten.
Ich bin Maria.
Ich werde den Heiligen Geist unbefleckt empfangen.


## DIE HEIMKEHR


Als Moritz Jeckel aus dem Zuchthaus entlassen war und zu seiner Frau kam, dachte er sich einen guten Tag zu machen und sagte:
»Marie, zieh dich deine jute Bluse an.«
Sie stand am Waschtrog und scheuerte. Als sie ihn hörte, hob sie die rauhen roten Hände aus dem Wasser, trocknete sie am aufgekrempelten Rock und wandte ihm ihr verblühtes Gesicht zu, das noch immer ein wenig hübsch war.
»Fängste schon wieder los. Du bist woll varückt. Statt zu arbeeten, meenste, det ick et wieder tu, von wejen, allens hab ick für dich jetan, und nu ...«
Er wurde krebsrot im Gesicht vor Wut und schlug mit seinem Knotenstock über das Waschfaß, daß es dröhnte. »Weib, ick sage dir, zieh dich deine Bluse an, mach mer nich wietend.«

Sie wagte keinen Widerspruch mehr und schlich in die Kammer. Du Luder, dachte sie, du Luder.

»Machta«, sagte sie zu einem dreizehnjährigen Kinde, das in einer Ecke über einem zerlesenen schmutzigen Buche hockte und an einer Pflaumenmusschnitte lutschte, »Machta, paß uff die Kleene uff, ick jehe wech, Vata is jekommen.«

Das Kind rührte sich nicht und leckte den linken Daumen ab. – Sie zog sich vor einem kleinen zerbrochenen Spiegel um.

»Hörste nich, Vata is da. Willst'n nich juten Tag sagen?«

»Schon jut«, sagte das Kind. Es war ihm alles gleichgültig. Nun würde es wieder jeden Tag Prügel setzen.

Moritz Jeckel wusch sich im Troge die Hände, legte sein Bündel mit dem geringen Ersparnis seiner Zuchthausarbeit beiseite und pfiff vergnügt zwischen den Zähnen:

> »Wo man singt, da laß dich ruhig nieda
> Böse Menschen hab'n keene Lieda.«

Das Weib trat aus der Kammer, in dunkelblauer grüngestreifter Bluse und schwarzem Kapotthute.

»Wat«, sagte er und schlang seinen dicken muskulösen Arm um ihre Taille, »ick bin doch keen böser Mensch nich, Marie?« und gröhlend begann er wieder: »Wo man singt...«

Sie sah ihn furchtsam an: »Du hast woll schon eenen jeschnapst?«

»Vasteht sich«, grinste er, »vasteht sich... Komm.« Er zog sie mit sich fort. »Wir woll'n Pölemanns Karlen abholen.«

Pölemanns Karl besohlte grade einen wenig zierlichen Damenstiefel. Er strich sich seinen strohblonden mächtigen Schnurrbart, der zu seiner schmächtigen Gestalt kurios stand, zog sich seine schwarze Sonntagsjacke an und ging mit.

»Da biste ja wieda«, sagte er und musterte Moritz Jeckel von der Seite.

»Da bin ick«, sagte Moritz Jeckel, »da bin bin ick.«

Sie gingen in die Destillation von Petersen Gustav. Eine sogenannte Zigeunerkapelle, zwei phantastisch aufgeputzte geigende Mannsleute und ein Tamburin schlagendes mageres Weibsstück vollführten eine abscheuliche Musik. Die verqualmte Luft stand undurchsichtig wie eine graue Mauer.

»Seid jegrüßt ihr Völkerscharen«, Petersen Justav machte immer ausgezeichnete Witze, heute machte er einen ganz famosen, denn er freute sich, seinen besten Kunden wiedergefunden zu haben.

»Jawoll, zurück von der Wandaschaft!« Moritz Jeckel schrie, denn die Kapelle spielte fortissimo.

Pölemanns Karl schlug eine dröhnende Lache an, die man seinem kleinen Körper kaum zutraute.

»Also drei Pullen«, Petersen brachte sie schon. Moritz Jeckel stampfte zum Podium, griff dem häßlichen Weibsstück unters Kinn und gab ihr zehn Pfennig.

»Wie a pussiert«, Petersen Gustav pruschte ordentlich. Er war nie nüchtern, aus Geschäftsrücksichten.

Maries Augen stierten und glänzten. Sie hatte die Flasche halb leer. Moritz Jeckel war schon bei einer zweiten. Pölemann Karl kniff zaghaft Maries rechten Schenkel und stellte noch ganz passable Fleischmengen fest.

Moritz Jeckel bemerkte es, als er die dritte Flasche kommen ließ. Er lachte, daß das Fortissimo der Musik kläglich darin unterging.

Nach der sechsten Flasche fühlte er nach seinem Gelde: es reichte nur noch für eine.

»Hoho«, dachte er und glotzte Pölemann Karl an, dessen breite Hand zärtlich auf Maries hinterer Rundung ruhte.

Dann packte er ihn und schob ihn vor sich her hinter den Bretterverschlag.

»Schmeißt du 'ne Runde?«

»Nee«, brummte Pölemann Karl, »ick hab ooch nich mehr so ville.«

»Aber wenn ick dir was versprechen tu, schmeißt du 'ne Runde?«

»Wat versprichste mir denn?«

Pölemann Karl rülpste.

»Wenn de mir fünf Runden schmeißt, kannste –«

»Wat kann ick'n dann?«

Pölemann Karl wurde neugierig.

»Kannste heut Nacht – du vastehst.«

»Höh?«

Pölemann Karl klang das sehr unwahrscheinlich.
»Also du schmeißt mir noch?«
»Meinswejen«, sagte Karl. –
Moritz Jeckel soff noch vier Flaschen.
Aufgedunsen und bläulichrot lag er unter der Bank und gröhl-
te: »Böse Menschen – hab'n keene Lie–da . . . Lie–da . . . Lie–
da.«
Pölemann Karl und Marie tappelten und torkelten Arm in
Arm nach Hause. Marie fuchtelte mit der einen Hand be-
geistert in der Luft herum und schrie unaufhörlich: »Du juter
Mann, Du – juter Mann.«
Pölemann Karl blies auf der Mundharmonika, die Spitzen sei-
nes sonst stolz aufgewirbelten Schnurrbartes hingen feucht
herab. Seine Augen waren zusammengekniffen und schienen
oben und unten durch zwei scharfe rote Striche begrenzt.
Und er blies eine verzwickte Melodie auf seiner Mundharmonika, eine verzwickte Melodie:
»Dideldum, Di – del – dumm, di – del – dumm . . .«


IL SANTO BUBI


Er saß ganz oben an der Tafel, neben dem Sekretär der Kur-
verwaltung. Sein rundes, rosiges, glattes Gesicht, große blaue
Kinderaugen, ein kahlgeschorener, blonder Schädel und die
kurzen, schwarzweißkarierten englischen Pumphosen ließen
ihn beim ersten Anblick als einen Gymnasiasten von höchstens
18 Jahren erscheinen. Als ich die Unvorsichtigkeit beging, ihn
an der Tafel zu fragen, wann er sich dem Abiturium zu unter-
ziehen gedenke, begegneten seine Blicke den meinen mit einem
liebenswürdig überlegenen Spott, und er stellte sich als Referendar Dr. jur. S. vor, nicht ohne seine Titel als Lächerlichkei-
ten mokant zu betonen. Er war sehr schwer krank, obgleich er
niemals hustete und ein blühendes Aussehen zur Schau tragen
mußte. Er saß an der Tafel zwischen fünf jungen Damen und
wurde von ihnen zärtlich verwöhnt und (vielleicht) geliebt. Da

er Süßspeise sehr gern aß, stellten ihm die Damen reihum ihren Anteil daran zur Verfügung, und er quittierte über ihre Freundlichkeit mit einem stets neuen und stets anmutigen Scherzwort, nahm sie aber im übrigen als selbstverständlich und berechtigt entgegen.

Er spielte schlecht Klavier (und wußte es). Dennoch mußte er sich jeden Abend nach dem Souper ans Klavier setzen und »In der Nacht, in der Nacht, wenn die Liebe erwacht« spielen – eine Melodie, die er selbst als niederträchtig, blödsinnig empfand, mußte spielen, nur damit die jungen Mädchen seine schlanken, schönen, spielerischen Hände in der Bewegung beobachten und verehren und in Gedanken streicheln durften. Dies aber wurde mir bald klar: wie er Klavier spielte, spielte er sich selbst: als eine Operettenmelodie. Aber er spielte sie schlecht. Man hörte deutlich Schmerz und Seele hinter den Mißtönen klingen, merkte die Absicht und wurde nicht verstimmt. Im Gegenteil: man fühlte sich in Moll berührt, angeklungen, beinahe gemartert von dem Schauspiel des kranken Menschen, der man selbst war. Der Referendar machte schon fünf Jahre hintereinander Kur, in allen berühmten Höhenorten für Lungenkranke. Tag für Tag acht Stunden liegen, bei gutem Wetter auf der Veranda, bei schlechtem im Zimmer. Spazierengehen war ihm täglich eine halbe Stunde erlaubt. Wenn er die halbe Stunde überschritt, bekam er Atemnot, Temperaturen und kroch auf eine Woche ins Bett.

Ich fragte ihn einmal, ob ich ihm Bücher borgen solle? Er schüttelte dankend den Kopf. Sie langweilten ihn. Er lese nicht einmal mehr die Zeitung. Er sehe den Himmel, er sehe die Wolken, die Berge, die Sterne und zuweilen ins eigene Herz. Mehr brauche, wolle – und könne er nicht mehr »tun«. Wie er das aussprach, setzte er es ironisch in Anführungszeichen.

Drei Damen waren seine besonderen Trabanten: eine junge Schweizer Lehrerin aus Zürich, eine kleine Bajuvarin aus Kempten im Allgäu und eine Italienerin. Die Italienerin (»Die Königin der Berge« nannte sie einst Herr K., Xylograph aus Braunschweig) galt als seine Geliebte, denn sie benutzte seinen Privatbalkon mit. Die drei spielten abends mit ihm Bridge (wobei er merkwürdigerweise immer gewann, obgleich doch die Parteien wechselten), kochten ihm auf einem Spirituskocher – was doch eigentlich in der Pension verboten war – seine Milch (er trank Kindermilch), nähten ihm Knöpfe an, wuschen ihm die Kissen vom Liegestuhl mit Salmiak. Als ihn neulich ein kleines Geschwür am Hinterkopf plagte, mußte er sich in die sachverständige Behandlung der kleinen Schweizer Lehrerin begeben, die einen Samariterkursus durchgemacht hatte.

Manchmal saßen sie zu dreien an seinem Bett, und er erzählte ihnen merkwürdige Geschichten, die er selbst erlebt haben wollte, sehr lustige Geschichten in einem traurigen Tonfall, worüber sie sehr lachten. Il Santo Bubi nannten die drei ihn unter sich. Bubi hatte ihn das bayerische Mädel getauft. Il Santo, der Heilige, setzte die Italienerin dazu, denn, sagte sie: er ist gewiß ein Heiliger. Er tut, denkt, spricht nie etwas Schlechtes. Und hat es nie getan. Nur ist er krank. Aber alle Heiligen sind krank.

Kürzlich, bei der Untersuchung, verkündete ihm der Arzt, er könne vorläufig nicht mehr hier oben bleiben. Er müsse ins Tiefland hinab. Möglichst bald. Nach Heidelberg in die Klinik. Zu einer kleinen, ganz unbedeutenden, ganz ungefährlichen Operation. – Wir wissen alle hier, was es heißt, wenn einer der Unsern (wir sind ein Volk, wir Kranken) mit dieser Beschwichtigung in die Ebene zurückgesandt wird. Die Operation ist das letzte Mittel. Und hilft in einem von hundert Fällen. Manchmal schickt man die Leute auch nur hinunter, damit sie hier oben nicht sterben. Wegen der Statistik . . .

Der Referendar weiß das alles. Während seine drei Trabanten weinen, lächelt er. Er hat eine Extrapost bestellt, die drei werden ihn begleiten.

Ich sprach mit ihm über sein Schicksal, ruhig, sachlich, wie man über Geschäfte spricht. Die Krankheit ist schließlich ein Geschäft.

»Ich werde nicht sterben«, seufzte er, und sein junges Gesicht verwandelte sich in das eines Greises, »ich kann nicht sterben, glauben Sie mir . . .«

Am nächsten Tage fand ich zwei Gedichte von seiner Hand auf meinem Platz am Frühstückstisch liegen. Mit einem kurzen

Abschiedsgruß. Er war früh um sechs mit der Italienerin da-
vongefahren.
Das erste Gedicht, bissig, von verzweifelter Komik, lautet:

> Sie müssen ruhn und ruhn und wieder ruhn.
> Teils auf den patentierten Liegestühlen
> Sieht man in Wolle sie und Wut sich wühlen,
> Teils haben sie im Bette Kur zu tun.
>
> Nur mittags hocken krötig sie bei Tisch
> Und schlingen Speisen, fett und süß und zahlreich.
> Auf einmal klingt ein Frauenlachen, qualreich,
> Wie eine Äolsharfe zauberisch.
>
> Vielleicht, daß einer dann zum Gehn sich wendet
> – Er ist am nächsten Tage nicht mehr da –
> Und seine Stumpfheit mit dem Browning endet.
>
> Ein andrer macht sich dick und rund und rot.
> Die Ärzte wiehern stolz: Halleluja!
> Er ward gesund! (. . . und ward ein Halbidiot.)

Über dem zweiten Gedicht steht die Überschrift:

### *Ahasver*

> Ewig bist du Meer und rinnst ins Meer,
> Quelle, Wolke, Regen – Ahasver.
> Tor, wer um enteilte Stunden träumt,
> Weise, wer die Jahre weit versäumt.
> Trage so die ewige Last der Erde
> Und den Dornenkranz mit Frohgebärde.
> Schlägst du deine Welt und dich zusammen,
> Aus den Trümmern brechen neue Flammen.
> Tod ist nur ein Wort, damit man sich vergißt . . .
> Weh, Sterblicher, daß du unsterblich bist!

Il Santo Bubi ist bei der Operation gestorben. Oder ist er nicht gestorben, der kranke Ahasver, der ahasverische Kranke? Lebt er noch? In Heidelberg? Oder sonstwo? Bin ich es vielleicht? Liegt er immer noch acht Stunden am Tag und geht eine halbe Stunde spazieren, gestützt von seinen Trabanten, daß er beim Glatteis mit seinen schwachen Beinknochen nicht fällt?

Was bedeutet das: tot sein? Il Santo Bubi war gewiß kein richtiger Dichter. Aber wie schön ist jene Zeile »Tod ist nur ein Wort, damit man sich vergißt« . . . Damit man sich vergißt . . .

Geschichten
vom
Krieg

## DER BÄR

Diese Geschichte beginnt wie ein Märchen der Brüder Grimm.
Es ist aber kein Märchen. Es ist auch keine rechte Geschichte
mit dem nötigen Schlußpunkt: eine runde Geschichte etwa,
rund und durchsichtig wie eine Glaskugel, mit einer schillernden Moral. Diese Geschichte ist nämlich (beinahe) wahr und
hat sich zugetragen in der kleinen Stadt, in der ich kürzlich zu
Besuch weilte. Sie ist nichts als eine traurige und lächerliche
Arabeske zu dem erhabenen Ereignis des Krieges, das sich
draußen (weit von hier, die kleine Stadt weiß nicht wo . . .)
abspielt.
An dem Tage, an dem Deutschland an Rußland den Krieg er-
klärte, traf in der kleinen Stadt der weit- und weltberühmte
Zauberer Francesco Salandrini ein, welcher dort eine Vorstellung seiner großen und geheimen Künste zu geben gedachte.
Er vermochte Wasser in Wein und Wein in Wasser zu verwandeln. Er zog den Bauernburschen auf dem Lande und den ver-
blüfften Jünglingen und den kichernden Fräuleins der kleinen
Städte nur so die Taler aus Nase und Ohren und ließ sie klap-
pernd in seinen schwarzpolierten Zylinder springen, obgleich
offensichtlich zutage trat, daß er selber nicht im Besitze eines
einzigen dieser silbernen Dinger war. Er zerschlug in seinem

bereits erwähnten Zylinder, dem man gewisse magische Kräfte nicht absprechen durfte, ein halbes Dutzend roher Eier und buk ohne Feuer und ohne Pfanne in nichts als eben diesem Zylinder einen veritablen wohlschmeckenden Eierkuchen.

Herrn Salandrinis Gefährt, das mit einigen kleinen Fenstern versehen und ziegelrot angestrichen war, rollte, von einem schwermütigen und betagten Pferde gezogen, über die Oder-brücke rumpelnd in die Stadt ein. In seiner Begleitung befanden sich noch seine Frau: Bella, die Schlangendame, die schwebende Jungfrau, das überirdische Medium und eine Person, welche den prosaischen Namen Hugo führte.

Herr Salandrini, der sich mit Weltgeschichte und Politik noch nie in seinem Leben befaßt hatte (und es auch fürder nicht zu tun gedachte, da er Steuern zu zahlen weder willens noch fähig war), verwunderte sich nicht wenig, die kleine Stadt in heller Aufregung zu finden. Alle Leute liefen durcheinander, die Kinder schrien und sangen, und die Frauen sahen besorgt aus den Fenstern.

Nichtsdestoweniger lenkte Herr Salandrini seinen Wagen ruhig und besonnen nach dem Salzplatz, wo an Jahrmärkten die Würfelbuden prunken und die Karussells sich munter drehen, um dort sein »Interessantes Wundertheater« aufzuschlagen.

Er hatte mit Hilfe der schwebenden Jungfrau gerade den ersten Pflock in die Erde getrieben, einen Strick darum geschlungen und Hugo daran gebunden, als sich federnden Schrittes der dicke Polizist Neumann nahte, der ihn ebenso bestimmt wie freundlich darauf aufmerksam machte, daß er sich die weitere Mühe der Errichtung seines »Interessanten Wundertheaters« sparen könne. Der Krieg sei erklärt. Die für heute abend angesagte Vorstellung könne vom Bürgermeister in Anbetracht der ernsten Zeitumstände nicht mehr gestattet werden. Es gehe jetzt um andere Dinge als um den Eierkuchen im Zylinder oder um den gedankenlesenden Bären Hugo. Kein Mensch habe Lust, sich derlei abenteuerlichen Unsinn jetzt anzusehen. Er möge sein »Interessantes Wundertheater« bis auf günstigere Zeiten suspendieren. Damit entfernte sich der Polizist Neumann, freundlich und bestimmt, wie er gekommen war.

Herr Salandrini war wie vor den Kopf geschlagen. Die Mög-

lichkeit eines internationalen Konfliktes, der ihn um Beruf und
Brot bringen konnte, hatte er nie im entferntesten in Berechnung gezogen. Auch Hugo, der gedankenlesende und wahr-
sagende Bär, hatte ihn davon in Kenntnis zu setzen verab-
säumt, ja, er schien selber noch nichts von dem drohenden Unheil, das sich auch über seinem Haupte in dunklen Wolken
zusammenballte, zu ahnen. Er saß klein und verhungert neben
dem Pflock, knabberte wie ein Kind an seinen Pfotennägeln
und starrte mit jenem Ausdruck beseelten Stumpfsinns vor sich
hin, der unsere Lachmuskeln ebenso reizt, wie er unser Grauen
erweckt.

Herr Salandrini setzte sich auf die Wagendeichsel und sann
den ganzen Tag, was er nun anfangen solle, um sich und seine
Familie durchzubringen. Er hieß eigentlich Schorsch Kraut-
wickerl und war aus Bamberg. Zum Heeresdienst würde man
ihn nicht mehr einziehen, dazu war er zu alt. Im übrigen war
er sich sehr klar, daß er augenblicklich bei niemand auf Verständnis und Teilnahme für seine merkwürdigen Kartenkunst-
stücke und die erstaunliche Begabung des gedankenlesenden
Bären Hugo zu zählen habe.

Er sann mehrere Tage. Dann ging er auf das Bürgermeister-
amt und bat um irgendeine, wenn auch die geringste, Arbeit.
Die schwebende Jungfrau und der Bär blieben in banger Erwartung zurück. Sie teilte schwesterlich mit ihm eine alte Brot-
kruste.

Herr Salandrini kehrte mit der frohen Botschaft zurück, daß
er als Koksarbeiter bei der städtischen Gasanstalt Verwendung
gefunden habe. Das war wenigstens etwas, wenn auch nicht
viel, denn das Gehalt, das Herr Salandrini empfing, reichte
kaum für einen Magen (der Bedarf an Koksarbeitern ist schon
im Frieden nicht nennenswert). Wenn also die schwebende
Jungfrau zur Not noch mit versorgt war – vielleicht fände sie
in der Stadt eine Stelle als Aufwaschfrau? –, was sollte aus dem
kleinen, sowieso schon halb verhungerten Bären, ihrem Liebling, Kapital und Abgott werden?

Am nächsten Tage erschien in der Zeitung ein Inserat: »Edle
Herrschaften werden um Abfälle gebeten für den wahrsagenden Bären des Zauberers Salandrini.«

So sättigte sich der Bär Hugo von nun ab an den Abfällen edler
Herrschaften, die ihm nicht so reichlich zukamen, daß sie ihn
völlig befriedigten. Er saß auf dem Salzplatz, an seinen Pflock
gebunden, unter Aufsicht der schwebenden Jungfrau, welche
Wäsche ausbesserte, und der Herbstregen wusch seinen Pelz.
Es wurde Spätherbst, und der Bär fror. Sein Pelz zitterte, und
seine müden Augen sahen furchtsam zum bleiernen Himmel
empor. Die schwebende Jungfrau weinte.
Da kam Herr Salandrini auf einen guten Gedanken. Er war ja
Koksarbeiter an der Gasanstalt. Er bat den Magistrat um Erlaubnis, den Bären in einen leeren warmen Raum der Gasanstalt, neben den großen Öfen, unterbringen zu dürfen. Der
Magistrat, der sich von der Harmlosigkeit des halb verhungerten und schwächlichen kleinen Bären längst überzeugt hatte,
gab die Einwilligung, und der Bär hockte nun hinter einer
hölzernen Gittertür und blickte mit traurigen Augen in die
feurige Glut der Öfen. Hin und wieder besuchten ihn die Kinder des Gasanstaltsinspektors und brachten ihm ein Stück
Kriegsbrot oder Küchenreste. Er fraß alles, was ihm zwischen
die Zähne gestopft wurde.
Eines Morgens aber lag er tot hinter dem Gitter, und das rosa
Licht der Öfen tanzte über sein dunkelbraunes spärliches Fell.
Herr Salandrini war erschüttert, aber als Koksarbeiter hatte er
keine Zeit zu langen Meditationen. Die schwebende Jungfrau
warf sich schreiend über den toten Bären, und das Ganze sah
aus wie ein Bild von Piloty.
Ob der Bär an Gasvergiftung oder an Unterernährung zugrunde ging, war nicht festzustellen.
Herr Rechtsanwalt K. kaufte Herrn Salandrini das Bärenfell
samt dem Kopfe ab. Herr K. ist im Begriff, die Stadt zu verlassen und in Z. eine neue Praxis aufzunehmen. Er wird sich
das Fell des wahrsagenden Bären Hugo in seinem Herren-
zimmer an die Wand nageln, und wenn er Freunde bei sich zu
Gast hat, wird er mit einer großen Gebärde auf das Fell deuten, seine Zigarrenasche nachlässig abschlagen und zerstreut zu
erzählen beginnen:
»Als ich noch in den schwarzen Bergen Bären jagte ...«

## IM RUSSENLAGER

Hier spürt man an einem Tage mehr vom Krieg als in München in fünf Monaten. Kaum war ich in C. eingetroffen, sah ich schon einen Zug von etwa dreihundert gefangenen Russen, die in einem langsamen schläfrigen Marsch, von Landsturmleuten mit aufgepflanzten (erbeuteten französischen) Bajonetten eskortiert, durch die Straßen zu ihrer Arbeitsstätte zogen. Einmal faßten sie Tritt. Sie schmeißen nicht die Beine wie unsere Soldaten, sondern stampfen mit gebogenem Knie den Boden. Wie Pferde bei verhaltenem Trab. Eine unpraktische und sicher sehr ermüdende Art zu marschieren.

Sie waren zum größten Teil vorzüglich mit hohen schwarzen Juchtenstiefeln und dicken lehmfarbenen Mänteln ausgerüstet. Einige wenige gingen in Holzpantinen und hatten sich aus umgeworfenen Tüchern phantastische Uniformen hergestellt. Einige sahen wie Mönche oder fromme Pilger aus, die mit leidenden Gesichtern wie zur Melodie eines unhörbaren Trauermarsches marschierten. Einer in dottergelbem Umhang leuchtete, gleichsam ihr Götze und wie die Inkarnation ihrer gefangenen Sehnsucht, der braunen Kolonne weit voraus. Am Schluß krochen kleine greisenhafte Kerle mit gelben zerknitterten Masken: Kirgisen und Mongolen aus den sibirischen Regimentern. Kosaken sah ich keine. Auch später bei meinem Besuch im Lager nicht. Es sind sicher welche darunter, aber sie haben sich unkenntlich gemacht. Wenn man nach Kosaken fragt, glauben sie, man wolle sie für die Kosakengreuel in Ostpreußen verantwortlich machen und spießen oder hängen. Ein hagerer, verkommener Bursche in schwarzer Pelzmütze, den ich als Kosak anredete, hob beschwörend wie ein Heiliger auf frühmittelalterlichen Kirchenfenstern beide Hände gegen mich und sagte: »Oh, oh, nix Kosack, nix Kosack.«

Die Holzbaracken, in denen die Russen wohnen, sind hoch und luftig und sehr gut ventiliert. Einige Baracken gehen halb in den Erdboden. Die Lagerstätten oder Betten sind dreifach übereinander gestaffelt: die Gefangenen schlafen auf Holz-

wollsäcken und erhalten als Oberbett feste Wolldecken. Jede
Baracke wird von einem großen Ofen geheizt. In einigen
Baracken sind noch einige kleine Kochöfen vorhanden, wo die
Leute sich ihr Essen aufwärmen oder Tee kochen können. Die
hölzernen Tische, auf denen sie essen und arbeiten, lassen sich
durch sinnreiche Vorrichtung (Umklappen der Platte) in große,
mit Zinn ausgeschlagene Waschschüsseln verwandeln.

In der Küche kam ich gerade dazu, wie das Mittagessen ausge-
teilt wurde. Ein Koch eines großen Berliner Hotels ist Ober-
koch; ihm unterstehen zwei Dutzend russische Köche. Es gab
heute Reisfleisch, das heißt Rindfleisch in einer dicken Reis-
suppe. Zehn Zentner Fleisch waren dazu verarbeitet.

Jeder Mann empfängt einen Liter, Leute, die den Vormittag
streng gearbeitet haben, anderthalb Liter. Dazu erhält jeder
den Tag ein Pfund (in der Stadt gebackenes und auch von den
Einwohnern gern gegessenes) »Russenbrot« – mit Kartoffel-
mehl durchsetztes Roggenbrot.

In der Hauptbaracke sang uns der russische Gesangverein, der
unter Leitung eines gefangenen Petersburger Musikdirektors
steht, einige slawische Lieder vor. Zuerst das Glockenlied. Der
Vorsänger führt die Melodie. Alle anderen singen im Baß wie
Glocken. Zuletzt sangen sie das schwermütige Lied ihrer Erinnerung an die Heimat:

> Sag, wo bist du nur, geliebte Heimat?
> Wo die Sterne sind, bist du gewiß.
> Mädchen, liebes Mädchen, ich muß reiten
> In die Ferne und die Finsternis.
> Wenn die goldnen Augen nachts vom Himmel sehen,
> Denk an mich, der in die Fremde ritt.
> Alle Wolken, die von Westen wehen,
> Bringen meine Sehnsucht mit.

Ein blutjunger Russe, Infanterist eines Odessaer Korps und bei
Suwalki gefangengenommen, stand an die Wand gelehnt für
sich allein, stützte den Kopf in die Hand, schloß die Augen und
sprach die Verse leise mit. Seine Lippen bebten und seine Wimpern zitterten. Einige, die faul auf ihren Betten lagen, hielten
den Atem an und wußten nicht, wohin sie sehen sollten.

Der merkwürdigste Insasse des Lagers und wert, namentlich
genannt zu werden, war der Hund Samuel. Er wurde (eine Art
Terrier mit leichtem Einschlag von Dackel) vom Osteroder
Landsturmbataillon in der Schlacht bei Tannenberg »erbeutet«. Da man sich mit ihm nicht zu verständigen vermochte,
gab man ihn an die Russen zurück und internierte ihn im Lager von C. Aber auch die Russen wußten mit ihm nichts anzu-
fangen: er hörte weder auf Russisch noch auf Polnisch. Bis ein
Jude, Kaufmann aus Lodz, auf den Gedanken kam, jiddisch
mit ihm zu reden. Der Hund sprang, halb irrsinnig vor Freude,
verstanden zu werden, an seinem neuen Freunde empor, we-
delte mit dem Schwanz, und seine braunen Augen leuchteten
wie die eines fröhlichen Kindes. Der Hund mußte im Besitze
einer alten jüdischen Familie gewesen sein und war wahrscheinlich mit mehreren Juden bei Tannenberg zu den Deutschen übergelaufen. Er wurde von den Russen spöttisch Samuel
genannt. Er vertrug sich mit keinem rechtgläubigen Russen,
bellte sie tapfer an und nahm nicht die verlockendsten Bissen
von ihnen.

Der jüdische Kaufmann und die anderen russischen Juden des
Lagers gewannen ihn sehr lieb. Manchmal dachten sie: wenn
nur alle Juden so viel Mut gegen die Russen aufbrächten wie
dieser Hund. Dieser Hund, so spürte man, haßte die Russen
aus einer Seele heraus. Und da er ein Tier war, legte er seiner
Vernunft keine Zügel an, trug seinen Haß unverhohlen zur
Schau und biß die Russen in die hohen Stiefel. Weil er zu allem
Überfluß noch ihre Fleischportionen stahl (die er aber nicht
fraß, sondern verscharrte), griff eine heftige Mißstimmung gegen ihn unter den Russen Platz. Und da man sich nicht an die
wirklichen Juden halten konnte (man war doch nicht in Rußland), erkor man den jüdischen Hund zum Opfer eines Po-
groms. An einem Sabbat fanden ihn die Juden erschlagen
hinter der Latrine. Sie waren keine Tiere, sondern Menschen,
und außerdem in hilfloser Minderzahl. Was würde es nützen,
die Russen anzubellen, da man sie nicht beißen durfte? Sie
gruben dem Hunde Samuel ein Grab, und ein gefangener
Rabbiner hielt ihm die Leichenpredigt, als wäre er einer der
ihren gewesen und ganz ein Jude.

## DIE BRIEFMARKE AUF DER FELDPOSTKARTE

Hauptmann R. schied ungern von seiner schönen jungen Frau, die er vor einem Jahre geheiratet hatte und die, 18 Jahre alt, noch heute ein Kind war. Er brachte ihr jene väterlichen Gefühle entgegen, die dem Manne über 35 Jahren so leicht werden. Wie sollte er aus der Ferne für sie sorgen. Sie war seiner Sorge ewig bedürftig. Und ein hilfloses kleines Mädchen ohne seine leitenden Blicke, Gebärden und Worte, mit denen er sie bald zärtlich, bald streng wies oder verwies. Sollte er sie ihren Eltern, dem Zahnarzt P. und seiner Gattin, für die Dauer des Krieges anvertrauen? Er war froh, daß er sie deren seelischen Plombierapparaten und Kneif- und Brechzangen entrissen hatte. So ließ er sie in der Obhut einer älteren Tante, welche schlecht hörte, aber vortrefflich und ausdauernd Klavier spielte. Er hoffte, daß Annette (so hieß die schöne junge Frau) den Tröstungen der Musik nicht unzugänglich sei und mit ihrer holden Hilfe die Trennung leichter überwinden werde. Nun ist Chopin nicht die rechte Musik, jemand auf helle Gedanken zu bringen. Aber was blieb dem älteren Fräulein übrig, als Chopin zu spielen? Da sie ihn und nur ihn seit 43 Jahren spielte? Sie spielte Chopin, und Annette lauschte, seufzend und strikkend.

Zum Abendbrot erschien jeden Mittwoch und Samstag ein entfernter Vetter von ihr, ein junger Postreferendar, welcher entweder als unabkömmlich erklärt war oder dem ungedienten Landsturm angehörte. Er erzählte ihr von seiner Briefmarkensammlung, und sie lachte gern mit ihm. Eines Mittwochabends küßte er sie im Korridor. Und den Samstag darauf wußten sich ihre Lippen kaum zu trennen. So ineinander verbrannt waren sie.

Hauptmann R. machte Namur und Charleroi mit. Er wurde in den Straßenkämpfen schwer verwundet und in das Lazarett von Lüttich eingeliefert. Hier lag er nun und träumte fiebernd von seiner jungen, schönen Frau, welche noch ein Kind war. Sollte er ihr schreiben lassen, wie es um ihn stünde? Eine nie zuvor begriffene Eifersucht ließ ihn heftiger glühen, da er sein

Weib blühend und gesund und sich selber für alle Zeit ver-
krüppelt und verstümmelt fühlte. Er diktierte der Schwester
eine Feldpostkarte: »Liebe Annette, ich liege leicht verwundet
im Lazarett von Lüttich, Du brauchst Dir keine schlimmen Gedanken zu machen. Sei umarmt von deinem getreuen Gerd.«
Aber auf die Feldpostkarte klebte er eine belgische Briefmarke.
In den Tagen ihrer Verlobung hatten sie ihre heimlichen Lie-
besgeständnisse immer in winziger Schrift unter der Briefmarke verborgen.
Die Feldpostkarte langte eines Samstagabends an. »Oh«, sagte
Annette bedauernd, »er ist leicht verwundet. Aber es geht ihm
gut.« »Zeig einmal die Briefmarke«, sagte der Postreferendar.
»Willst du sie für deine Sammlung haben?« fragte Annette
und begann sie vorsichtig abzutrennen. Leise erschrak sie und
las: »Wenn es Dich treibt, im Gedächtnis unserer Brautzeit
die Marke zu entfernen, so weiß ich, daß Du mich noch liebst
wie einst und daß Du stark genug bist, auch das Entsetzlichste
zu vernehmen und mit heiligem Herzen zu tragen: meine
Augen sind erblindet, meine Füße von einer Granate zerrissen.
Ich bin nur noch ein Stumpf. Sei stark. Es liebt Dich wild wie
je Dein Gerd.«
Annette faßte sich an die Brust. Sie wollte schreien. Der Postreferendar war erblaßt. Im Nebenzimmer spielte die Tante
einen Chopinschen Walzer. Wie zwei zerschossene Vögel fielen
die Augen der Annette tot in sich zusammen.

## DER FLIEGER

Als der Fliegerunteroffizier Georg Henschke, Sohn eines märkischen Bauern, vom Kriege nach Hause auf Urlaub kam,
stand sein Heimatdorf schon einige Tage vorher kopf. Bei seiner Ankunft lief alles, was Beine hatte, ihm halber Wege,
einige Beherzte sogar eineinhalb Stunden bis zur Bahnstation
Baudach entgegen, und die Kinder und die halbwüchsigen
Mädchen saßen auf den Kirschbäumen, welche die Straße
säumten, die er kommen mußte.

Nun war er da. Das ganze Dorf drängte sich eng um ihn, daß
er kaum Luft holen konnte, seine Mutter weinte: »Georgi,
mein Georgi!« und der Pastor sagte: »Welch eine Fügung Gottes!« »Kinder«, lachte Georg Henschke, »Kinder, ich habe einen
Mordshunger!« Da stob man auseinander, um sich gleich darauf zu einem Zuge zu gruppieren, der ihn würdevoll zur Tafel
geleitete. Sie war unter freiem Himmel aufgeschlagen. Das
Dorf nahm sich die Ehre, ihm ein Essen zu geben. Man zählte
ungefähr sieben Gänge, und in jedem kam in irgendeiner
Form Schweinefleisch vor. Dazu trank man süßen, heurigen
Most.
Nach dem Essen, als der Wein seine Wirkung tat, wurde man
keck. Man wagte Georg Henschke anzusprechen, zu fragen,
zu bitten. »Georgi«, staunte zärtlich seine Mutter, »du kannst
nun fliegen!« »Wollen Sie uns nicht einmal etwas vorfliegen?«
fragte schüchtern die kleine Marie. »Oh«, lachte Georg Henschke, »das geht nicht so ohne weiteres. Da gehört ein Apparat
dazu!« »Er hat ihn sicher in der Tasche«, grinste verschmitzt
der Hirt, »er will uns nur auf die Folter spannen.« »Ein Apparat, das ist so etwas zum Aufziehen?« fragte seine jüngste
Schwester Anna. Denn sie dachte daran, daß er ihr einmal aus
Berlin einen Elefanten aus Blech mitgebracht hatte. Eine Stange lief unbarmherzig durch seinen Bauch, und wenn man sie
ein paarmal herumdrehte, begann der Elefant zu wackeln,
mit seinem Rüssel auf den Boden zu klopfen und plötzlich wie
ein Wiesel und in wirren Kreisen im Zimmer herumzulaufen.
»Nein«, sagte Georg Henschke, »ich habe den Apparat nicht
bei mir, denn er gehört dem Staat.« »So, so«, meinte der Hirt
mit seinem weißhaarigen Kopf, »der Staat. Das ist auch so eine
neue Erfindung.« »Ganz recht«, lachte Georg Henschke.
»So erzähle uns doch etwas vom Fliegen, und wie man es lernt,
Georgi«, bat seine Mutter. Sie war so stolz auf ihn.
Da stand Georg Henschke auf, und alle mit ihm.
»Gut, ich will es tun. Hört zu!«
Er sprang auf einen Stuhl. Sie scharten sich um ihn. Aufgeregt, seinem Willen hingegeben, wie die Herde um das Leit-
tier. Sie hoben ihre Köpfe, sehnsüchtig, und der blaue Himmel
lag in ihren Augen. Georg Henschke aber reckte die Arme,

schüttelte sie gegen das Licht, in seinen Blicken blitzte die Freude des Triumphators, und als er sprach, flammte es aus ihm. Er selber fühlte sich so leicht werden, so lächelnd leicht, der Boden sank unter seinen Füßen, seine Arme breiteten sich wie Schwingen, wiegten sich, und wie ein Adler stieß er hoch und steil ins Blau.

Das ganze Dorf stand wie *ein* Wesen, das hundert Köpfe in den Himmel bog. Und sie sahen Georg Henschke im Äther schweben, ruhig und klar, fern und ferner, bis er ihren Blicken entschwand.

## DER KORPORAL

Es war in der letzten Hälfte des August 1914, als man den Korporal Georges Bobin vom III. französischen Linienregiment gefangen einbrachte.

Er sah wie aus dem Ei gepellt aus: schmuck, reinlich, rasiert, mit erdbeerroten Hosen und einem blauen Frack von tadellosem Schnitt.

Er stellte sich dem Husarenoffizier, der ihn verhörte, verbindlich lächelnd vor: als Monsieur Georges Bobin vom III. französischen Linienregiment, gebürtig da und da her ... natürlich aus dem Süden ..., im Privatberuf Sprachlehrer. Er kenne die Deutschen. Oh la la. Er werde die Deutschen nicht kennen. Drei Jahre hintereinander war er vor Ausbruch des Krieges in Deutschland. Eine lange Zeit. Drei Jahre. Wenn man drei Jahre das Mittelländische Meer nicht sieht. Und Marseille, dieses romantische Drecknest, nicht riechen darf. Denn: es gibt Städte, die man sieht. Florenz zum Beispiel. Und Städte, die man hört. Berlin zum Beispiel. Und Städte, die man riecht. Marseille gehört zu den letzteren. Und da der Geruchs- mit dem Geschmackssinn Hand in Hand gehe, wenn das kühne Bild erlaubt sei, so esse man in Marseille so gut und billig wie nirgends in der Welt. Für ein paar Sous, für ein Nichts Austern und Fische in verwegener Zubereitung, gedünstet, gebraten, gebacken und gesoßt, wie sie sich der phantasievollste Gaumen des ausschweifendsten Feinschmeckers nicht vorzustellen vermag. In Deutschland, wo er an dem Realprogymnasium einer kleinen brandenburgischen Stadt zuletzt tätig gewesen sei, habe er immer Kohlrouladen und Königsberger Klopse essen müssen. Nun: wie dem auch sei. Er habe sich daran gewöhnt. Er finde besonders das erstgenannte Gericht, abends zum Souper noch einmal aufgewärmt, recht appetitlich und schmackhaft. Auch der Landschaft, in der die kleine Stadt lag, könne er eine gewisse Anmut nicht absprechen. Ein wenig nüchtern. Ein wenig preußisch. Aber freundlich belebt von den Dampfern und Kähnen der schiffbaren Oder und sanft gemildert von den zärtlichsten Sonnenuntergängen. Und Weinberge stiegen am östlichen Ufer empor: mit rotem und gelbem Wein bepflanzt. Und wenn man den roten ein wenig mit Italiener verschnitte, so bekäme man den schönsten Bordeaux. Nun: er übertreibe. Gewiß. Aber ein guter Crossener ist besser als ein schlechter Bordeaux. Pardon: man wolle das alles wohl von ihm nicht wissen. Ja: was er für Gefechte mitgemacht habe? Eigentlich gar keine. Dies, in dem er gefangengenommen worden sei, sei sein erstes Gefecht. Er habe fünfzig Patronen verschossen, habe dann vorgehen müssen, seine Kompagnie sei in flankierendes Feuer geraten. Voilà.

Übrigens: er habe zu viel gesagt. Oder vielmehr zu wenig. Er habe doch noch ein zweites Gefecht mitgemacht. Ein sehr merkwürdiges Gefecht. Vielleicht das merkwürdigste des ganzen Krieges.

Das Regiment war auf dem Marsch. Man näherte sich der feindlichen Zone. Ein Dorf lag plötzlich vor ihnen. Ein unansehnliches und höchst gleichgültiges Dorf, wie ein längliches Brot in den Backofen einer engen Talmulde geschoben.

War das Dorf vom Feind besetzt?

Zwei Züge mit Patrouillen an den Spitzen wurden ausgeschickt, das Dorf zu sondieren. Der eine Zug unter dem Befehl des Korporals Georges Bobin kam von der linken, der andere von der rechten Höhe. Das Dorf sollte wie von einer Kneifzange gefaßt werden.

Schleichend und äugend kam Korporal Bobin mit seiner Spitze

bis dicht an das erste Haus. Er war vielleicht noch zwanzig
Schritte entfernt, als plötzlich Schüsse ertönten.
Pfff ... flog ihm auch schon eine Kugel an der Nase vorbei.
Sehr ungemütlicher Zustand das. Aber weiter. In Deckung vor.
Woher kamen die Schüsse? Er befragte seine Leute. Sie sagten
übereinstimmend: aus dem Hause da vorne.
Also mußte das Haus vom Feinde besetzt sein.
Er kroch fünf Schritte näher.
Pfff ... neue Schüsse ... ein leiser Schrei ... einer seiner Leute
war am Schenkel verwundet ... das Blut rann ihm in die Ho-
se ... Er schickte ihn zurück zum Regiment. Die übrigen wur-
den unruhig und knallten unaufhörlich in das Haus hinein.
Kein Fenster im Hause war mehr ganz.
Wieder ein Verwundeter ... Noch einer ... Der erste Tote ...
Was sollte er machen?
Es war unmöglich, das Haus, das stark besetzt schien, frontal
zu stürmen.
Er gab den Befehl zum vorsichtigen Rückzug.
Kriechend und knallend zogen sie sich zurück.
Als sie den Ausgang des Dorfes erreichten, sahen sie von der
anderen Seite die zweite Kolonne sich ebenfalls knallend und
kriechend zurückschrauben.
Und nun wußte er – und während er erbleichte, brach er in ein
krank- und krampfhaftes Gelächter aus:
*Die beiden Züge hatten sich gegenseitig beschossen!*
Zwischen den Häusern und durch die Häuser hindurch.
Das Geknalle hatte aber nicht nur das Regiment, sondern die
ganze Division, bei der sich auch Artillerie befand, nervös ge-
macht.
Den ganzen Nachmittag und Abend böllerte es noch die Täler
und Dörfer entlang.
Die Artilleristen, welche eifersüchtig darauf waren, daß die
Infanterie »ihr Gefecht hatte«, zogen die Revolver und be-
gannen ebenfalls zu knallen.
Und da es keine Feinde zu erschießen gab, so schossen sie auf
alles Lebende, was ihnen in den Dorfstraßen in den Weg kam.
Alle Hühner, alle Enten, Kühe, Schweine, Katzen, Hunde,
Kaninchen, Tauben fielen ihrer Kampfwut zum Opfer.

Die Gräben lagen voll zerfetzter und wimmernder Tiere. Pferde brüllten wie Tiger. Eine tote Katze hing wie der Kasperle im Kasperltheater nach der Vorstellung über der Rampe eines Zaunes. Eine Muttersau verblutete mitten auf der Gasse, und drei lebende Ferkel sogen quietschend an ihren toten Brüsten.

## DER FELDHERR

»Die menschliche Seele«, sagte der junge bulgarische Offizier, der neben mir bei Tisch saß, »ist um vieles dunkler, doppeldeutiger, unvernünftiger, als uns die Psychologen beweisen und weismachen wollen. Besonders im Kriege, wo jahrtausendalte Hemmungen und Traditionen wie verrostete Riegel von morschen Türen springen, der Weg in unerklärlich helle Höhen und unergründlich grauenvolle Tiefen offen wird, offenbart sie die ganze Unerfaßlichkeit ihrer Gefühls- und Willenskomplexe. Da meinen die Psychologen, weil etwas *so* ist, muß ein zweites *so* sein. A folgt aus B und B aus C. Man konstruiert einen Parallelismus der (geistigen) Bewegungen aller Menschen und macht die Psychologie zu einer mechanischen Motivenlehre, die in der Literarhistorik und besonders in der Kriminalistik schon manches Unheil gestiftet hat. Man folgert (ein holperiges Wort im Deutschen: es klingt wie »stolpern«) aus Stoff- oder Stilähnlichkeiten zweier Dichtwerke, daß das eine von dem andern beeinflußt sei. Wenn ein Verbrechen verübt und jemand ermordet worden ist: muß das aus dem und dem Grund geschehen sein. Sehr richtig. Aber die Zahl der polizeilich genehmigten und registrierten Motive ist gering: Mord aus Rache, Eifersucht, Erbschleicherei, Raubmord, Lustmord. Man ist bald am Ende. Wie: wenn es bei einzelnen von uns Motive für unsere Handlungen gäbe, die – unbürgerlich, verwegen und merkwürdig – außerhalb jeder Berechnung stehen? Müßte ein solches Verbrechen bei einigermaßen geschickter Anlage nicht unentdeckt bleiben, da der Dietrich der üblichen Motivenlehre versagt? Diese Erkenntnis (aus der ein

Reformversuch unserer Kriminalwissenschaft und unseres Straf-
rechtes herzuleiten wäre) dämmert gewiß nicht mir zum ersten Male und ist, irre ich nicht, auch schon in Fachzeitschriften
diskutiert worden. Aber ich schweife ab. Ich wollte Ihnen noch
eine kleine Geschichte aus dem ersten Balkankrieg erzählen.
Die Geschichte illustriert anschaulich meine Thesen und leuchtet gleichsam mit einer Blendlaterne in die Höhle des Ewig-
Ungewissen, das wir Seele nennen. Metaphysisch heißt sie –
und liegt doch unter der Erde. Ihr Zugang ist durch Gestrüpp
versperrt, durch das zur Nachtzeit zuweilen die Hoffnung der
Sterne mit goldenen Augen blinkt und mit fernen Glocken
läutet.

General S., der Führer unserer ersten Armee, erwies sich als
ein ungewöhnlich befähigter Feldherr. Er leitete alle Opera-
tionen mit einer trotzigen und selbstsicheren Gelassenheit, die
ihn auch in Augenblicken persönlicher Gefahr nicht verließ.
Ich erinnere mich noch sehr gut (ich hatte die Ehre, dem Stabe
des Generals S. anzugehören), wie ein feindlicher Flieger Bom-
ben auf das Hauptquartier warf. Eine Anzahl Soldaten, Chauf-
feure und Pferde wurden mehr oder weniger schwer verwundet
und getötet. Der General zuckte mit keiner Wimper. Er hob
den Feldstecher und beobachtete aufmerksam den Aluminium-
vogel, der erregt und zitterig über ihm kreiste.

Dem General S. ist der große Sieg bei L. zuzuschreiben, der
auf die Theorie der unbedingten Vernichtungsstrategie aufgebaut, seinen Namen in der Kriegsgeschichte unsterblich machen wird. Ich war bei dieser Schlacht als persönlicher Adjutant
zum General befohlen und verbürge mich für die Wahrheit der
folgenden Anekdote. Sie ist früher zu Ende, als Sie glauben
werden, und eigentlich mit einem Satz zu erledigen.

Der General war den ganzen Tag von einer lebhaften Unruhe
befallen. Er saß am Kartentisch, zwirbelte an seinem Bart, sah
alle fünf Minuten nach der Uhr, kurz: war sinnlich gereizt und
erregt, wie ein junger Mann, der seine Geliebte erwartet. Seine
Anordnungen gab er nachlässig und zerstreut. Rapport nahm
er entgegen, als höre er gar nicht hin, und wir gerieten in Bestürzung und Furcht, ein uns unerklärliches Leiden, das vielleicht seine Entschlußfähigkeit und sein Dispositionstalent be-

einträchtige, möchte den General plötzlich befallen haben. – Der Abend brachte uns einen vollkommenen Sieg. Beide feindlichen Flügel waren eingedrückt. Die Verluste des Feindes an Gefangenen und Kriegsmaterial ungeheuer.

Der General fuhr im Auto aufs Schlachtfeld und ritt zu einer kurzen Besichtigung bis zur ersten genommenen Stellung. Sein Gesicht hatte sich verklärt und erheitert. Seine Augen zeigten einen metallenen Glanz, den wir der Freude an dem eben errungenen Sieg zuschrieben. Seine Nervosität hatte völlig nachgelassen. Er tastete mit uninteressierten Blicken über ein paar gefallene Stafetten, einen Haufen Sandsäcke, ein paar tote Infanteristen. »Gut, gut!« sagte er, und dann ritten wir zurück. »Wissen Sie, Leutnant«, er warf den Kopf zur Seite und griff in die Tasche, »ich habe eben noch zu guter Letzt einen Brief erhalten.« – »Von Hause?« wagte ich zu fragen. »Von Hause. Ja. Ich bin so froh. Ich war den ganzen Tag unruhig. Ich habe gewartet auf den Brief – und da ist er.« Dann schwieg er und sah in den Horizont. Er seufzte befreit: »Das Experiment ist gelungen.«

Ich dachte an die gewonnene Schlacht und wollte den General von neuem beglückwünschen. Da neigte er die Stirn und sagte leise: »*Sie blüht . . .*«

Ich habe vom General später erfahren, was es mit diesen zwei, mir wie Ihnen im ersten Moment unverständlichen Worten auf sich hatte. Der General ist ein leidenschaftlicher Kakteenzüchter. Da hatte er eine kleine Kaktee zu Hause zurückgelassen, die ungewöhnlich schwer zu züchten und zu ziehen war. Ich kenne ihren botanischen Namen nicht oder habe ihn vergessen, denn ich beschäftige mich in meinen Mußestunden mit Ölmalerei, in der ich es zu einer gewissen Fertigkeit gebracht habe – die Kaktee mußte in diesen Tagen ihre erste Blüte erschließen. Es war ungewiß. Es war kaum zu vermuten und doch so süß zu hoffen. Das Experiment gelang. Die Kaktee blühte. Was war dem General der Ruhm der großen Schlacht? Die Hoffnung auf Unsterblichkeit? Der Dank des Vaterlandes? Er gab sie dahin leichten Herzens, erschüttert und beglückt von dem Ereignis einer blühenden Blume.

## DER KRIEGSBERICHTERSTATTER

Siegfried Silbermann, der schon den Buren- und den Balkankrieg als Kriegsberichterstatter der *Neuen Freien Trompete* mitgemacht hatte, wurde telegraphisch in das Hauptquartier von Exzellenz Eydtkuhnen, Oberbefehlshaber Nordost, berufen – jenes Feldherrn, der erst anläßlich dieses Krieges in so glänzende Erscheinung getreten ist.

Schon ehe er das Auto des Pressestabes bestieg, wurde Siegfried Silbermann mit einem dunklen Tuch wie einem Parlamentär die Augen verbunden, damit er auf der Fahrt nach der Front ja nichts zu sehen bekäme, was sich im geringsten als militärisches Geheimnis darstellen und von ihm vielleicht als Anlaß zu einer seiner hinlänglich bekannten Plaudereien benützt werden könne. Es gehört zur seelischen und beruflichen Eigenschaft des Kriegsberichterstatters, daß er nichts, aber auch rein gar nichts vom Kriege sieht: hin und wieder nur wird ihm die Binde abgenommen, und er fühlt sich erstaunt vor einem toten Pferd oder einem niedergebrannten Haus. Darüber darf er dann als »Augenzeuge« berichten. Wendet er seinen Blick von dem toten Pferd oder dem niedergebrannten Haus ein wenig empor und in die Weite, so sieht er nichts als ein graues, ödes, endloses Feld, das sich viele Meilen bis an den Horizont erstreckt. Das nennt er dann die »Leere des modernen Schlachtfeldes«.

Siegfried Silbermann schlug die Augen auf und fand sich einem ältern, stattlichen Herrn gegenüber, dessen Brust mit Orden und Ehrenzeichen übersät war. Breite rote Feldmarschallsbiesen funkelten herrisch an seinen gestrafften Beinen. Er zwirbelte nachdenklich an seinem braunmelierten, altertümlichen Bart.

Silbermann zog seinen Notizblock und notierte: martialisch.

Exzellenz Eydtkuhnen, der große Feldherr – denn er war es in eigener Person –, legte seine große, knochige Hand schwer auf Siegfried Silbermanns schwankende Schulter. Silbermann zitterte. Er feuchtete den Tintenstift leise an der Zunge an und notierte: leutselig.

Silbermann wagte endlich, die nähere Umgebung prüfend zu betrachten.

Um ein riesiges rauchiges Lagerfeuer hockte malerisch gekrümmt eine Anzahl höherer und niederer Offiziere. Es war der Stab des Feldherrn. Sie rauchten eine Pfeife, die reihum ging: die sogenannte Friedenspfeife. Über dem Feuer wurde ein Ochse von mehreren Ordonnanzen am Spieß gedreht. Man traf Vorbereitungen zum Mittagsmahl.

»Wollen Sie mit uns speisen?« sagte Exzellenz Eydtkuhnen. Des Feldherrn Stimme rollte in gutturalen Kehllauten.

Silbermann notierte: nicht nur die Tatze, nein, auch die Stimme des Löwen . . .

»Ich habe mit dem feindlichen Heerführer ausgemacht, daß die Schlacht erst nach dem Mittagessen, sobald der Kaffee abserviert ist, beginnt.«

Silbermann notierte: humane Kriegführung.

Es war nur ein Feldstuhl vorhanden.

Silbermann notierte: spartanische Lebensweise . . .

»Wollen Sie sich nicht setzen?« lächelte Exzellenz Eydtkuhnen. »Das Schreiben und Denken im Stehen ermüdet.«

»Bitte, nach Ihnen, Exzellenz«, verbog sich Silbermann devot.

»Oh«, wehrte die Exzellenz ab, »ich stehe schon so lange im Felde, daß ich ruhig noch ein wenig länger stehen kann.«

Silbermann notierte: Beharrlichkeit . . . Ausdauer . . . germanische Zähigkeit . . . Oben in den Lüften begann es zu pfeifen und zu surren, zu schnauben und zu knallen.

Exzellenz Eydtkuhnen murmelte erheitert: »Feindliche Aeroplane . . . sie haben es auf mein Hauptquartier abgesehen . . . aber beruhigen Sie sich, lieber Silbermann: sie treffen nie etwas. Höchstens, wenn man sich etwa auf neutralem Boden befände, könnten sie einem gefährlich werden.«

Krrrrrrrtz . . . knautz . . . rum . . . eine Fliegerbombe platzte in fünfzig Schritt vor Silbermann.

Silbermann konnte gerade noch: Kaltblütigkeit notieren, dann fiel er in Ohnmacht. Exzellenz Eydtkuhnen winkte, und Silbermann wurde von den Ordonnanzen, die eben noch den Ochsen gebraten hatten, ins Auto des Pressestabes geschafft.

Auf der Redaktion der *Neuen Freien Trompete* war es, wo er

wieder zur Besinnung kam. Noch die Abendausgabe der *Neuen Freien Trompete* brachte auf ihrer ersten Seite Silbermanns nachgerade so berühmt gewordenes Interview des Oberbefehlshabers Nordost, Exzellenz Eydtkuhnen.

Vier Wochen später erschien bei der Verlagsbuchhandlung Brösel & Co. *Die eiserne Mauer,* Eindrücke und Expressionen, Erlebtes und Erschautes von der Nordostfront, von Siegfried Silbermann – ein stattlicher Band in Lexikonformat.

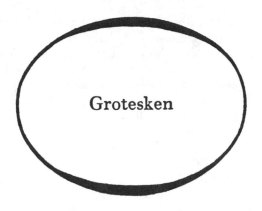

Grotesken

## DER VOLKSKOMMISSÄR

Eines Morgens lag auf meinem Kaffee-Ersatz-Tisch eine unfrankierte Postkarte folgenden Inhalts:

Genosse!
Wie wir hören, sind Sie kürzlich umgezogen. Wären Sie bereit, Ihre Fachkenntnisse in den Dienst der guten, der besten Sache zu stellen und das Volkskommissariat für Transportkrisen zu übernehmen?

Mit internationalem Handschlag
*Blaukraut*
Vorsitzender
im Rat der Volkskommissäre

Aha! dachte ich. Da haben wir nun also die Revolution. Sie, die langersehnte, ist plötzlich über Nacht, unverhofft wie eine Eierkiste aus Holland, eingetroffen. Und ich, gestern abend noch kaisertreu bis in die Knochen, die andere Leute für mich zu Markte trugen, war heute zu einem der führenden neuen Männer auserkoren.
Ich schrie: »Emmchen!« (Womit ich nicht meine Hunderttausend, sondern die Eine, Einzige, meine Haushälterin Emmi

meinte) und befahl ihr, aus dem roten Rande meines Krieger-
vereinstaschentuches, auf dem die Schlacht bei Sedan abgebildet ist, eine rote Revolutionsrosette unverzüglich zu verferti-
gen.

Mit dieser geschmückt, eine alte Radfahrpelerine, die ich vom
Boden holte, lässig umgeschlungen, begab ich mich, also pro-
letarisiert, in das Staatsgebäude.

Blaukraut, ein früherer Hausbursche von mir, empfing mich
jovial. Er schlug mir auf die Schulter und schrie: »Na, was
sagen Sie dazu? Wie haben wir das Ding gedreht? Der Un-
mut, der Mehr-als-Mut, der Über-mut des Volkes hat die Tore
der Freiheit gesprengt. Freiheit, die ich meine! Freiheit, die *ich*
meine! Gesinnung, das ist jetzt die *Haupt*sache. Wer die nicht
hat, wird um die erste Silbe kürzer gemacht. Ein soziales Gewissen! Na, das haben Sie ja an mir bewiesen! Menschlichkeit!
Es gilt die Sozialisierung der Seelen.«

Mir wurde das Hotel Monopol als Bürogebäude zugewiesen.
120 Zimmer standen mir zur Verfügung.

Ich saß in einem tiefen Klubsessel des Zimmers Nr. 1 und
drückte auf einen Knopf. Mein Obersekretär erschien, ein ehemaliger Seiltänzer.

Ich befahl ihm, sofort sämtliche Züge im gesamten Deutschen
Reich anhalten und stille stehn zu lassen. Die armen Loko-
motivführer sollen auch einmal ihre Ruhe haben. Seit meiner
Kindheit gehörte nebst den Ammen meine größte Sympathie
den Lokomotivführern.

Ich mußte mit meinem sozialen Gewissen doch Ehre einlegen –
dauernd, wie Kalkeier. Ich drückte wieder auf den Knopf.

Es erschien mein zweiter Sekretär, ein ehemaliger Bräukellner.

Ich befahl ihm, den Lebensmittelzug D 777 I, A, f. aus Ostpreußen vom Bahnhof Friedrichstraße nach dem Anhalter
Bahnhof, in die Nähe meiner Wohnung, überführen zu lassen.

Leider muß ich feststellen, stieß ich mit meinen Maßnahmen
nicht überall auf das erhoffte Verständnis.

Die Beschwerdebesuche häuften sich. Man machte mich ganz
nervös. Ich ernannte einen taubstummen Vetter von mir zum
Beschwerdekommissar zwecks Entgegennahme von Beschwer-
den.

Nach und nach bringe ich so alles in den rechten Schwung.
Was der Krieg nicht ruiniert hat, das werde ich ruinieren.
Todsicher.
Da können Sie sich auf mich verlassen.


## DER ABSOLUTISMUS BRICHT AN...


Was, Sie schwören noch auf Einstein? Auf die Relativitätstheo-
rie? Junge, Junge: daß Sie aber auch immer eine Viertelstunde
zu spät kommen! Einstein: is nicht mehr. Das wäre ja gelacht,
von wegen Brechung der Sonnenstrahlen! Mensch, sind Sie
doof! Lassen Sie sich mal schleunigst Ihr Weltbild und Ihren
abgetragenen Cheviotsakko wenden. Der Relativismus hat ab-
gewirtschaftet. Wir haben die absolute Wahrheit mit Löffeln
gefressen. Merken Sie nicht? Der Absolutismus bricht an.
Das is mal absolut richtig, Sie da. Waren Sie neulich im Großen
Schauspielhaus? Dufte Sache, dieser Danton. Es ist was Großes
um eine Revolution ... im Großen Schauspielhaus. Und wie
da am Schluß dieser eine mieckrige Bursche kreischt: Die Republik wird erst dann rein sein – wenn die Republik nicht
mehr ist ... da hätten Sie mal den Applaus des p. t. Publikums
hören sollen. Der ganze Pölzig donnerte. Es war eine riesige
Kundgebung gegen die Republik, das heißt den Relativismus:
und für den Absolutismus.
Da weiß der Mensch doch wenigstens, woran er ist: er ist geborgen, er hat seinen Halt, es gibt absolute Wahrheiten, nach
denen man sich zu richten hat, und damit gut. Zum Beispiel:
»Rechts gehen!« »Das Betreten dieses Grundstückes ist verboten!« »Sprechstunde des Geheimen Regierungsrates von 5 bis
$^1/_46$.« »Heute frische Metzelsuppe!« »Herren – dort.« »Nach
dem Bezirkskommando – hier.« Daran gibt es nischt zu tifteln
und zu deuteln. Das absolute Prinzip denkt und lenkt. Der
Mensch braucht überhaupt nicht zu denken.
In sämtlichen Kiosken ist »Die absolute Wahrheit« vorrätig,
ein Blatt in Kleinquart, Kostenpunkt 15 Pfennig. Da stehen

die dreiunddreißig absoluten Wahrheiten gemeinverständlich drin verzeichnet. Alles andere, merken Sie wohl, ist Quatsch, Blödsinn, Humbug, Heckmeck. Wenn Sie uns nicht glauben, dann werden wir Ihnen die absolute Wahrheit schon beibringen, Onkelchen. Beim Knüppel-Kunze sind tausend Gummiknüppel abgeladen. Einer wird ja auch für Ihre Schädelform passen, Sie Guter. Oder ziehen Sie es vor, mit Handgranate und Browning bekehrt zu werden? Allens da. Bei uns is nich wie bei arme Leute. Wir sind mit allen verfügbaren geistigen Waffen hervorragend ausgerüstet.

## DIE GRILLE

Eine Grille, namens Helene, zirpte vom 1. Juni bis 31. Juli (einundsechzig Tage) ununterbrochen, bis ihr der Stoff ausging. Darauf setzte sie sich ihren Kapotthut auf, hängte sich ihre altmodische Markttasche um und begab sich eiligst in die nächstgelegene Klein- beziehungsweise Mittelstadt. Sie trat in ein Posamenteriewarengeschäft und sprach: -
»Ich möchte siebentausend Meter Stoff.« Der gelbhaarige Kommis errötete bis in die Haarspitzen und klappte sein Mundwerk wie eine Unke verwundert auf und zu:
»Wie bitte?«
Bereitwillig wiederholte die Grille:
»Ich möchte siebentausend Meter Stoff.«
Der Kommis schwänzelte:
»Sieben – tausend Me – ter Stoff! Zu Diensten, gnädige Frau. Wir werden das Gewünschte durch einen Grossisten besorgen lassen. Darf ich fragen, welchen Stoff Sie benötigen?«
»Siebentausend Meter Stoff«, sagte die Grille und bekam vor Aufregung einen grünen Kopf.
Der Kommis knabberte erregt an seinen Fingernägeln.
»Gnädige Frau«, flötete er, »darf ich fragen, von welchem Stoff?«
»Siebentausend Meter Stoff«, sagte die Grille.

Der Kommis wippte wie eine Spitzentänzerin auf seinen Zehen:
»Gnädige Frau, von welcher Art darf der Stoff sein: Seide?
Voile? Leinen? Samt? Barchent? Wolle? Crêpe de Chine?«
»Stoff«, sagte die Grille.
Der Schweiß stand ihr auf der Stirn. Sie fiel schwer ächzend in
einen Lehnstuhl. Ihr Kleid knackte in allen Nähten. Veitstänzerisch schwankte der Kommis. Sein Ruf klang hilfeheischend
wie der Schrei des Nebelhornes in dunkler Nacht.
»Was für ein Stoff, gnädige Frau?«
»Stoff«, sagte die Grille, »einfach Stoff.«
Der Kommis bullerte:
»Wozu benötigen Sie den Stoff, gnädige Frau?«
Die Grille raunzte ärgerlich:
»Wozu? Frage? Zum Zirpen natürlich . . .«
»Zum – Zirpen –?«
Der Kommis platzte wie ein aufgeblasener Frosch.
Das gab Stoff – für die Reporter – siebentausend Zeilen.
Die Grille ging leer aus.

GESTELLUNG

Obgleich ich schon längst tot bin, bekam ich eine Aufforderung, mich beim Militär zu stellen. Das verwunderte mich
nicht wenig, und ich begab mich trotz dem Aufsehen, das ich
in den Straßen erregte, auf das Bezirkskommando.
»Entschuldigen Sie«, klapperte ich mit meinen Zähnen und
schüttelte den Knochenstaub von meinen Füßen, »hier muß
ein Irrtum vorliegen. Ich bin bereits 1797 in der großen Revolution – sonderbarerweise auf dem natürlichen Wege des Erstickens an einem Putenknochen – gestorben. Und jetzt soll ich
noch Militärdienste leisten? Das ist eine contradictio in adjecto.«
Der Bezirksfeldwebel musterte mich kritisch. »Große Revolution? Sie sind Sozialdemokrat.« »Verzeihen Sie, ich bin über-

haupt nicht. Dies zuvor. Ich bin *gewesen* ...« »Keine Wort-
spaltereien. Sie sind Anarchist. Negieren den Staat, den Sie
zu verteidigen hätten.« – »Herr Feldwebel, wenn man selber
negiert ist, bleibt zum Negieren anderer wenig Lust und Zeit.«
Der Feldwebel runzelte die Stirne. »Genug. Ich philosophiere
schon zu viel. Vergesse die Achtung, die ich der Realität meiner
Tressen und Interessen entgegenzubringen habe. Disputiere
mit Untergebenen. Sie sind geboren wann?«
»1747.«
»Jahrgang 1747? Aber Menschenskind, dann gehören Sie ja
zum Landsturm letzten Aufgebots. Der Jahrgang wird schwerlich einberufen werden. Überhaupt haben Sie einen verdammt
schmalen Brustkasten. Haben Sie irgendeinen bemerkenswer-
ten körperlichen Fehler?«
»Knochenfraß!« schrie ich und ließ gelben Staub aus meinen
Rippen rinnen.
»Bißchen unterernährt sehen Sie ja aus. Sie können gehen.
Warten Sie neue Order ab.«
Ich stolperte die Treppe hinunter und fiel beinahe über einen
blutjungen Leutnant, den ich militärisch grüßte, weil das Vor-
schrift im Bezirkskommando ist. Ich sah seine junge Wange,
sein blitzendes Auge, seinen strahlenden Gang, und ehe ich's
mir versah, stürzte ich an seine Brust und weinte tränenlos.
»Bruder«, rief ich, »auch du wirst sterben müssen wie ich. Er-
barme dich meiner und gib mir wieder Blut. Da drinnen, dein
Feldwebel, donnerte Paragraphen. Setze mir Fleisch zwischen
die Rippen, und ich will gerne tausendfältiges Ziel der Maschinengewehre sein. Nur eine Sekunde atmen! Sieh, ich habe
keine Lungen mehr, lebe längst nicht mehr!«
Brüsk stieß der Leutnant mich von sich und klemmte das Ein-
glas ins rechte Auge. »Sind Sie besoffen, einen kgl. preußischen
Leutnant zu duzen? Drei Tage in den Kasten.«
Er winkte einer Ordonnanz. Schnell entsprang ich die Treppe
hinab und eilte im Laufschritt auf den Friedhof, wo ich mich,
müde von den Ereignissen des Tages und wenig gewillt, in
Haft zu treten, in meinem Sarg ausstreckte und den Deckel
über mir zuklappte. Mochten sie mich nun suchen. Sie werden
mich schwerlich finden. Der Briefbote, der meine Sargnummer

weiß, wird mich nicht verraten, denn er bekommt bei jedem
eingeschriebenen Brief mit tödlicher Sicherheit ein beträcht-
liches Trinkgeld von mir.

## IM NEUNTEN MONAT

Acht Monate hatte ich den Krieg getragen. Wie eine Mutter
verweint und scheu ein Kind unterm Herzen trägt, das ihr ein
blauhaariger Vagabund in verwünschter Notzucht aufgedrun-
gen. Im neunten Monat hielt ich es nicht mehr aus.
Ich stieß den Krieg von mir.
Ich abortierte.
Es wurde eine Mißgeburt. Ein riesenhafter wachsweicher Kopf.
Eine hölzerne Brust. Und keine Beine. Nur Eisenstümpfe. Ich
stopfte ihm Gräser ins Maul. Moos wuchs aus seiner Nase. Die
Augen fielen wie goldene Kiesel aus ihren Höhlen. Er erstick-
te.
Ich wurde verrückt.
Ich ging zu einem Spezialisten für nervöse Überreizung.
Er tanzte wie eine braune Medizinflasche vor mir und ließ
immerzu knallend seinen Korken springen: »Sehen Sie weiße
Mäuse? Sind Sie Alkoholiker? Klettern Sie im Traum perma-
nent an Telegraphenstangen empor? Blasen Sie das Wald-
horn?«
Ich schlug dem Arzt die Hirnschale ein und floh entsetzt, als ich
– zu spät – bemerkte, daß er die Uniform eines Reservestabs-
arztes und die gelben Äskulapstäbe auf den Achselklappen
trug.
Dies brachte mich auf den Gedanken, mir statt eines Spazier-
stockes, den ich auf meinen nächtlichen Wanderungen im Wol-
kengebirge und auf der von Sternen ganz verschütteten Milchstraße dringend benötigte, einen Äskulapstab zu kaufen. Übrigens: der liebe Gott sollte auf dem Himmel endlich einmal
eine Chaussee bauen lassen, daß man ihn ohne Gefahr eines
Genickbruches passieren kann. Wozu hat er denn seine Frem-

denlegion, in der ja doch nur Teufel dienen. Höchstens, hier
und da, ein Engel als Korporal. Um einen Äskulapstab zu bekommen, frug ich in 111 Geschäften nach. Niemand hatte
einen Äskulapstab vorrätig, auch Tietz nicht. Und ob ich vielleicht einen dieser modernen Stöcke ohne Griff meine?
Ich war sehr erstaunt, daß es Stöcke ohne Griff gibt.
Da muß es doch auch Menschen ohne Köpfe geben.
Ich kaufte mir Bleisoldaten, und zwar nur Kavallerie, damit
ich Reiten lerne, und spielte damit.
Abends ging ich auf den Feldern vor dem Schwabinger Krankenhaus spazieren. Wenn ich eine Blume pflückte, rann rotes
Blut aus ihrem Stiel. Jagte ich einem Schmetterling nach, so
war es ein Totenkopffalter. Wollte ich in eine Trambahn stürzen, so erwies sie sich als Leichenwagen.
Ich malte mir ein rotes Kreuz auf die Stirn, schrie: »Christus«,
und meldete mich zur freiwilligen Kranken- und Verwunde-
tenpflege.
Ich hätte gern noch einmal ein Mädchen geliebt. Aber die
Mädchen, die ich traf, hatten allesamt Glasaugen, falsche Haare aus Seetang und künstliche Gliedmaßen. Die allerschönsten
wurden in Rollstühlen gefahren und hatten keinen Unterleib.
Fahr wohl, du schöne Welt, sagte ich mir und ließ mich von
einer Konservenfabrik zu Büchsenfleisch verarbeiten.


## DAS SPRICHWORT


Es ist nicht gut, daß der Mensch allein sei, dachte die Kröte.
Denn sie war den ganzen lieben langen Tag und die ganze
lange liebe Nacht allein. Niemand mochte sie, niemand ging
mit ihr spazieren, niemand spielte mit ihr im Kaffeehaus Ta-
rock, niemand verstand sie. Es war ein schauderhaftes Leben.
»Zahlen!« zischte sie in der Bar, wo sie bösartig auf einem
hohen Schemel hockte und Glühwein trank, was ihr sowieso
nie bekam, zog sich ihre Regenhaut an und begab sich zum
Schöpfer aller Dinge.

Sie lüftete höflich ihren braunen Plüschhut und trug ihm ihr
Anliegen vor.

»Es ist nicht gut, daß der Mensch allein sei«, sagte sie, weinerlich und betrübt, »habe ich jemandem etwas Leides getan? Ich
sehe nur so aus.«

»Entschuldigen Sie«, sagte der liebe Gott, »ich verstehe Sie
nicht recht – aber Sie zitierten soeben ein Sprichwort: sind Sie
vielleicht ein Mensch?«

Betroffen dachte die Kröte nach, und kleinlaut gab sie schließlich zu: »Nein.«

»Also«, sagte der liebe Gott. –

Die Kröte lebte hinfort einsam weiter. Was blieb ihr auch anderes übrig? Sie war der Dialektik des lieben Gottes nicht gewachsen.

FABEL

Ich stocherte mit meinem Spazierstock in einem Ameisenhau-
fen herum. Wild und geängstigt liefen die Tiere durcheinander. Plötzlich hob ich ihn heraus und ging davon. Die Ameisen,
die den Stock in den Lüften verschwinden sahen, schrien:
»Welch ein seltsamer Vogel!« – Eine besonders kecke Ameise
war am Stock emporgeklettert. Ich mußte sie abschütteln. Ganz
aufgeregt kam sie bei den anderen an. Atemlos stieß sie hervor: »Er hatte einen Menschen in den Klauen, er frißt Menschen!« – Darauf ging sie hin, fiel in Tiefsinn, schrieb ein Buch:
»Art, Abstammung und Organismus des neu entdeckten Stock-
vogels« und wurde zum ordentlichen Professor der Zoologie
an der Ameisenuniversität Przmnldtbk ernannt.

## DER JOURNALIST

Nichts leichter als dies, dachte ein brünetter, aber unsympathischer Jüngling und schickte ein Schreiben folgenden Inhaltes an die Chefredaktion des *Generalanzeigers*:

Gestern kam in den Mittagsstunden auf der wenig belebten Schwanthaler Straße infolge des Glatteises ein lahmer Greis zu Fall. Er ritzte sich seine Wange, so daß in Kürze der Schnee sich im Umfange von 1 cm blutrot färbte, konnte aber ohne ärztliche Hilfe, infolge Eingreifens eines Passanten, seinen Weg fortsetzen.

Diese Notiz erschien am nächsten Tage unter der Rubrik »Innerpolitisches« im *Generalanzeiger,* und der Jüngling, welcher sie entworfen hatte, empfing nach einem halben Jahr 60 Pfennig Honorar per Postanweisung. Dieser unerwartete Erfolg ließ seinen Stolz und seine magere Hühnerbrust beträchtlich schwellen. Er setzte sich in eine Gartenwirtschaft und bestellte sich ein paar Würstchen mit Salat nebst einem halben Hellen. Darauf schrieb er:

Die Terrainspekulationen des Kommerzienrates Z. haben sich als im weitesten Umfang als unlauter und verfehlt herausgestellt. Die unsauberen Machenschaften sind enthüllt. Der Übeltäter sieht seiner Bestrafung entgegen. So soll es allen ergehen, welche am Mark des Volkes saugen. Dieses Skriptum, ordentlich kuvertiert, sandte der strebsame junge Mann an das *Schreiende Unrecht,* ein Druckblatt zweifelhafter Observanz, in dem es am übernächsten Tage auf der ersten Seite in Fett- und Sperrdruck erschien unter der Marke: Enthüllungen aus der Finanzwelt. Großstadtkavaliere.

Nach knapp drei Monaten empfing unser junger Mann ein Honorar von 1,30 Mk. in Briefmarken. Er hatte wieder ein halbes Jahr zu leben. Nachdem diese Summe aufgebraucht war, beschloß er, an eine Aktion großen Stiles zu gehen. Er sandte ein Telegramm an die *Tägliche Berliner Kohlrübe*:

Glänzend verlaufenes Gastspiel des Berliner Intimen Theaters in unserer Stadt. Applaus über Applaus. Kränze über Kränze. Direktor Gummiballon siebenunddreißigmal gerufen. Einige unverbesserliche Enthusiasten wurden am nächsten Morgen noch unter den Kleidern der Schauspielerinnen gefunden. Der Eindruck des Gastspiels ist ein unvergeßlicher.

Umgehend erhielt unser junger Mann eine telegraphische Postanweisung von 100 Mk. von der Direktion des Intimen Theaters. Er legte sie in Munitionsaktien an und setzte sich zur Ruhe. Aus seiner Hühnerbrust wurde ein Fettbauch. Er läßt sich nur noch Herr Doktor nennen. Seiner geschätzten Feder begegnet man nur noch selten in den Spalten unserer führenden Blätter. Er hat es nicht mehr nötig zu schreiben. Er hat sich auf indische Philosophie geworfen. An Stelle des Nabels betrachtet er seine dicke goldene Uhrkette.

## DAS SCHREIBMASCHINENBUREAU

»Geflügelte Hand«, Bureau für Schreibmaschinen-Arbeiten, stand unten an der Tür auf schwarzumrändertem Porzellanschild.
Ich läutete.
Lautlos öffnete sich die Tür, und ich stand im Bureau. Es war völlig schwarz tapeziert. Die Fensterläden waren geschlossen. Auf einem Schreibtisch brannte eine grüne elektrische Lampe.
Ein äußerst schwindsüchtiger Herr, der sich in dem grünen Lichte wie ein längst Gestorbener ausnahm, trat, hohl hustend, auf mich zu. Seine Lunge rasselte. Aus seinem Munde kroch fast körperlich, wie eine quallige Masse, fauliger Atem.
»Sie wünschen?« flüsterte der Schwindsüchtige.
»Ich möchte jemandem diktieren. Haben Sie Angestellte, die Sie mir empfehlen können?«
Der Schwindsüchtige schüttelte den Kopf.
»Ich habe keine Angestellten –«
»Und die geflügelte Hand?« –
»– bin ich selbst ...«
Er verneigte sich zeremoniell.
Ich sah unwillkürlich auf seine Hände; sie waren zart und

schlank wie die Hände von Frauen. Sie allein schienen noch
von Blut durchpulst, das bis zum Kopf nur noch in spärlichen
Fasern und Rinnen gelangte.

Es war eine sonderbare Situation. Unleugbare Sympathien zogen mich zu diesem Verwesenden, dessen Gegenwart mich dennoch peinvoll bedrückte.

»Ich möchte Ihnen mein... Leben diktieren«, sagte ich zö-
gernd. »Radiotelegraphisch. Werden Sie folgen können? Ich
bin noch jung. Ich stehe fiebernd in allen Flammen. Selbst
meine Ruhe rast. Sehen Sie meine Augen! Sie prüfen die Dinge tausendstrahlig wie mit den Armen eines Polypen. Meine
Fäuste zerschmettern die Sterne und die Türen, die sich mir
nicht öffnen wollen. Ich glaube glücklich, etwas zu gelten. Den
Enkeln soll mein Leben noch lebendig sein. Ich werde kurz vor
meinem Tode bei Ihnen vorsprechen und das Manuskript kor-
rigieren. Schreiben Sie! Ich zahle mit meinem Blut...«

Der Dürre verbeugte sich, und ich ging. Das Leben wurde bunter mit jedem Tag. Die Jahreszeiten schaukelten wie Schmetterlinge an mir vorbei: silbern, grün, rot und golden. Eine
Kette von Frauen schlang sich um meinen Schlaf. Taten türmte
ich. Mein Wille wirkte. Bis an den Thron scholl mein Ruhm.
Orden bewiesen, daß ich für Ordnung warb. Geld, daß ich
galt. Ruhm, daß ich rühmte. Das Volk klatschte den Herren
und Helden, die meinem Griffel entgeistert über die Bühne
schwankten, begeistert zu. Schon lasen ehrfürchtig erstarrte
Schüler in den Schullesebüchern meine moralischen Geschichten, meine göttlichen Gedichte. An den Universitäten begann
man Vorlesungen über meine Werke zu halten. Ich alterte zu-
sehends.

Als ich meine letzte Stunde nahen fühlte, begab ich mich,
mühselig am Stocke dem Auto entsteigend, in das Bureau der
»Geflügelten Hand«. Der Dürre empfing mich gemessen lächelnd und heiser hustend.

»Die Arbeit, die ich Ihnen aufgab«, sagte ich und sank mühselig in einen Stuhl.

»Ich habe wenig Arbeit mit Ihnen gehabt. Weniger als ich vermutete. Hier ist das Manuskript.« Und er reichte mir einen
winzigen Zettel, darauf standen diese Worte:

»Er war ein Mensch, nicht weniger, nicht mehr. Er starb, bevor er starb. Möge er leben, nachdem er lebte.«

Ich schrie, zermalmt von den wenigen Worten: »Siebzig Jahre bin ich alt geworden und schrieb siebzig Bücher: ist dies das Resultat meiner Rechnung? der Wert meines Wesens?«

Da strich der Dürre mit knochiger Hand über meine Stirn: »Beruhigen Sie sich, bitte, mein Bester. Millionen gehen mit einem leeren, weißen Zettel zu Grab. Bleibt nur ein Wort von Ihnen für die Ewigkeit, so leben Sie unsterblich im Liede des menschlichen Leides . . .«

Ich lehnte den kahlen Kopf an das Polster des Stuhles: »Was habe ich zu zahlen, bitte? —«

Maßlos übermüdet fiel ich, weinend wie ein Kind, trostlos erschüttert in den letzten Schlaf.

Ich bemerkte noch, wie der Dürre mir das Herz aus dem Leibe, die Augen aus dem Kopfe schnitt und wieder eintönig auf seiner Maschine zu klappern begann.

Legenden
und
Gleichnisse

## DER KINDERKREUZZUG

Eines Sommermorgens, die Sonne stieg gerade über den schieferblauen Bergen empor, erschien mir, als ich die Herden zur Weide durch Tau und Dunst trieb, ein junger, lockiger Engel, wie er auf den Spruchblättern zur heiligen Kommunion abgebildet ist. Er trat zwischen zwei Birkenstämmen hervor, trat auf den Leitbock zu und faßte ihn zart zwischen den Hörnern. Der Bock hob den bärtigen Kopf und sah mit stumpfem, grünem Auge verwundert zu ihm auf. Die beiden Schäferhunde sprangen herbei und sprangen, ohne anzuschlagen, wedelnd an dem Fremdling empor, der hell zu lächeln begann. »Stephan«, so sprach der fremde Jüngling, »Gott hat dich wie einst den Hirten Moses zu seinem Gesandten, Gesalbten und Verkünder auserkoren. Sahst du in den Wäldern deiner Heimat den Heerwurm ziehen? Einer nur weiß den Weg, und alle andern folgen ihm blind und blindlings. Du sollst der eine sein. Hebe deinen Stab, laß deine Hirtenflöte tönen, sie werden dir folgen, deine Brüder und Schwestern, die Kinder, die Knaben und Mädchen aller Völker. Denn wisse: wie der Herr gesagt hat: Lasset die Kindlein zu mir kommen, so wird das Heil der neuen Welt nur von den Kindern kommen. Die Alten sind verdorrt wie entwurzelte Bäume und sind nur wert, auf dem

Scheiterhaufen verbrannt zu werden. Der Schoß ihrer Weiber
aber ist unfruchtbar zum Guten. Wie einst die Jungfrau Maria,
so wird der Schoß einer Jungfrau von dreimal drei Jahren, dem
heiligen Zeichen der Trinität, in dreimal drei Monaten den
neuen Heiland gebären. Du wirst sein Prophet und Vorläufer
sein, Stephan. Ich rufe dich zum Kreuzzug gegen alle Laster,
gegen Trägheit, Lüge, Mord, Neid, Bosheit. Nimm den Heer-
ruf der Kreuzfahrer in deiner Seele auf: Herr Gott, erhöhe die
Christenheit! Stoß in den Abgrund die Heiden! Herr Gott, gib
uns das wahre Kreuz wieder!« Der Engel löste sich im Nebel
auf, den die Morgensonne durchbrach. Die Hunde bellten. Der
Leitbock schnupperte und senkte die Hörner. Ich trieb die Tiere
auf die Weide, schnitzte mir aus Weidenholz eine Flöte und
blies ein lustiges Lied in den Junimorgen des Jahres 1212. –
Am Abend trat ich vor den Bauer und sprach: »Gib mir Urlaub, Bauer. Ich muß dich verlassen, ich kann dein Hirt nicht
mehr sein.« Sprach der Bauer: »Du bist ein Hammel von der
Sorte, wie du sie auf die Weide treibst. Du hast dein Auskommen bei mir, auch Wams und Schuhwerk und zu Weihnachten
einen Taler: was willst du mich verlassen? Hast wohl an deinen
dreizehn Jahren zu schwer zu tragen?« Ich sprach: »Ich muß
Gott suchen und die von ihm erkorene neue Jungfrau, welche
den neuen Heiland gebären wird, wie mir der Engel am Kreuz-
weg verkündet hat.« Der Bauer machte Topfaugen. »Welcher
Engel hat dir was verkündet?« Ich erzählte dem Bauern die
Begebenheit. Er aber lachte mich aus. Da ging ich in die Nacht,
nur mit meiner Flöte und dem Hirtenstab. Aber wie wunderlich: die zwei Hunde und der Leitbock und die ganze Herde
folgte mir. Und alle Ställe öffneten sich, und aus allen Häusern
folgten mir die Lämmer und Ziegen durch die Nacht. Die
Sterne leuchteten blank. Es war warm. Aber ich fror und schritt
schnellen Schrittes voran. Am Morgen gelangte ich in das Dorf
Bloies bei Vendôme. Tausend Tiere folgten mir und war kein
Halt, denn auch die Hunde schlossen sich meinem Zuge an. Da
setzten mich die Bauern gefangen in einen Turm. Die Schafe
blökten, die Böcke meckerten, die Hunde bellten. Als ich aber
auf die Brüstung des Turmes trat, verstummten sie. Ich machte
das Zeichen des Kreuzes über sie und sprach: »Geht zu euren

Herren und dient ihnen! Gott wird sein Kreuz in Wahrheit
bald errichten, in dessen Schatten ihr dann grasen werdet!
Geht mit Gott!« – Und sie gingen, die Köpfe gesenkt, die Hunde aber mit zwischen den Hinterbeinen eingeklemmtem
Schwanz. – Die Bauern ließen mich voll Staunens aus dem
Turm. Da hob ich meine Flöte ans Licht und begann zu blasen:
ein Kreuzfahrerlied:

> Maria himmeloben
> Maria herzeninn
> Du hast uns hoch erhoben
> Zum Dienst nach deinem Sinn.

Da tanzten die Türen der Häuser, wie beim spanischen Tanz
Herr und Fräulein, auseinander: und Knaben, Mädchen, Kinder kamen auf mich zugelaufen und umdrängten mich dicht.
Ich blies ihnen das Lied, und sie folgten mir, singend und jubi-
lierend. Es half kein Gewaltmittel der Alten, der Ältern, der
Eltern und Priester. »Herr Gott, erhöhe die Christenheit! Stoß
in den Abgrund die Heiden! Herr Gott, gib uns das wahre
Kreuz wieder!« schrien sie zwischen den einzelnen Gesängen.
Durch Dörfer und Städte zogen wir, und je mehr unser wurden, um so williger ließ man uns ziehen. Es war bei hunderttausend Kriegern nicht gelungen, das Heilige Grab den Ungläubigen zu entreißen. Gott hatte sie geschlagen, weil er in
ihre schwarzen Herzen sah. Er sah darin, worum sie in Wirklichkeit kämpften: das war nicht der heilige Leib, die Gebeine
der Märtyrer, die geschändete heilige Erde, die in Schutt und
Asche gelegten Zinnen Jerusalems. Die einen hatten das Kreuz
auf dem Mantel, weil sie reiche Beute beim Sultan zu machen
gedachten, die andern lockten die braunen heißen Frauen der
türkischen Heiden. Die dritten aber zogen mit, weil sie unterwegs durch Diebstahl, Mord, Plünderung im Namen Jesu
Christi wohl auf ihre Kosten zu kommen gedachten. Wir Knaben und Kinder aber, wir trugen Gott in unsern Herzen und
wollten das Heilige Grab mit unsern Herzen erobern. Kein
Blut sollte fließen, kein Mord geschehn, keine Untat, kein un-
ziemlicher Gedanke. Da wurden die Dörfler und Städter von

uns bezwungen: ohne Rede, ohne Wort: nur daß wir zogen, wie die Heuschrecken ziehen, wie die Winde wehen, wie die Fische im Meere ziehen. Sie gaben uns Almosen in Hülle und Fülle, und wo wir übernachteten, übernachteten wir in den Domen und Kirchen, und wo wir zu Mittag speisten, da waren es die Tafeln der Bürgermeister, Barone, Chorherren und Bischöfe. Der König von Frankreich sandte uns einen königlichen Kurier mit der Lilienstandarte und befahl uns, zu unsern Eltern zurückzukehren. Wir aber kannten keinen König von Frankreich und keine Eltern, denn unser Gedanke war nur des Gottes voll.

Wir zogen durch Frankreich und zogen am Mittelmeer entlang nach Italien. Wir erreichten Piacenza und Genua und wandten uns nach Rom. Tagelang vor Rom schon sah ich die Peterskuppel in den Wolken glänzen. Ich stieg mit meinen Knaben und Mädchen die Freitreppe auf dem vatikanischen Platz zum Petersdom empor. Schweigend bildete das sonst so laute römische Volk Spalier. Oben unter der Säulenhalle stand Papst Innozenz. Er hob die Hand, wie um uns abzuwehren. Da machte ich das Kreuz über ihn und segnete ihn. Danach fielen wir, dreißigtausend Kinder an der Zahl, in die Knie und ich sprach: »Segne uns, Heiliger Vater, für unsern Zug über das Meer!« Und der Papst, blaß und schweigend, segnete uns. Ich aber höre noch seine leise zum Kardinalstaatssekretär geflüsterten Worte: »Wir schlafen. Diese Kinder sind erwacht. Wie fröhlich ziehen sie zum Grabe.« – Da war es, daß ich zum erstenmal erschrak. Ich schlief in dieser Nacht in einem Saal des Vatikan, der mit prächtigen Bildern aller Heiligen geschmückt war. Der heilige Sebastian war diese Nacht bei mir und schloß mich in seine Arme und küßte mich. Wir zogen weiter durch die Campagna und bis nach Brindisi. In der Campagna, an einer Ruine der römischen Wasserleitung, traf ich ein neunjähriges Mädchen namens Maria. Es hatte mich kaum an der Spitze des Zuges erblickt, so fiel es vor mir nieder, küßte mir die Füße und folgte mir demütig. Da glaubte ich, die Mutter des neuen Heilandes gefunden zu haben, und vergrub meine weinenden Augen in ihrem dunklen Haar, das süß nach Feigen roch. Und es überkam mich eine grenzenlose Begierde und Sehnsucht, Gott

zu zeugen, und angesichts der ganzen Pilgerschaft, die in die
Knie gefallen war und die Köpfe im Staube barg, erkannte ich
sie fleischlich. – Von Rom aus folgte allerlei liederliches Gesindel unserm Kreuzzug: Laienmönche, Bettler, entlassene Landsknechte, Kuppler und Kupplerinnen. Endlich war Brindisi erreicht, das Meer, das wir durchschreiten mußten, lag vor uns.
Ich schlug mit meinem Stab in das Meer – aber die Wogen teil-
ten sich nicht wie vor Moses. Es waren aber zwei Schiffsherren
in Brindisi, die erklärten sich bereit, uns für Gotteslohn um
des heiligen Zweckes willen nach Alexandria überführen zu
wollen. Wir segelten mit sieben Schiffen ab. Zwei Schiffe ken-
terten in der Nähe von Sardinien bei der Insel San Pietro. Es
schien mir ein gutes Vorzeichen, daß es die beiden Schiffe waren, auf denen sich der erwachsene Troß unseres Zuges eingeschifft hatte: die Bettelmönche, Landsknechte, Kuppler und
Kupplerinnen. Mit lautem Geschrei: »Herr Gott, erhöhe die
Christenheit!« begrüßten wir die aus silbernen Nebeln tau-
chende afrikanische Küste. Jubelnd und singend durchzogen
wir Alexandria. Aber als wir auf dem Markt ankamen, fanden
wir plötzlich alle Straßen, die aus dem Markt hinausführten,
von bewaffneten Matrosen abgeriegelt. Auf dem Markt aber
standen, Pistolen im Gürtel, mit feisten, grinsenden Gesichtern
unsere beiden Schiffsherren Hugo Ferreus und Guilelmus Porcus, letzterer in der Tat wie ein bekleidetes Schwein anzusehen.
Der erstere schoß eine Pistole in die Luft ab und schrie in das
allgemeine Schweigen, das eingetreten war: »Die Versteigerung kann beginnen! Wer bietet als erster?« – Wir waren gerade rechtzeitig zum jährlichen großen Sklavenmarkt eingetroffen und wurden, noch zehntausend an der Zahl, von einem
Abgesandten des Kalifen für die Summe von achtzigtausend
Goldstücken den Schiffsherren abgekauft. Der Kalif sann uns
zuerst an, unsern Glauben abzuschwören, da wir aber standhaft
beharrten, ließ er von seinem Plan ab. Maria, das kleine Mädchen aus der Campagna, die Mutter des künftigen Heilandes,
hatte allein der Seelenverkäufer Porcus für sich zurückbehal-
ten. Sie hat, wie ich erfahren konnte, in seinem Harem ein
Kind geboren, von dem ich nicht weiß, was aus ihm geworden
ist. Der Kalif, dessen Kammerdiener ich geworden bin, hat mir

einmal einen Besuch des Heiligen Grabes verstattet. Es liegt
verfallen und ungepflegt außerhalb der Stadt Jerusalem in
einer dürren Einöde. Eine Herde weidete darauf, und ein Hirt
blies auf einer selbstgeschnitzten Flöte ein lustiges Lied in das
fahlgrüne Frühlicht. Da Christus von den Toten auferstanden
und zum Himmel emporgefahren sein soll, wie uns die Evan-
gelien berichten, so meinte ich, ein leeres Grab zu finden. Dem
war aber nicht so. Vielmehr lag ein wohlerhaltener Totenschädel darin und allerlei Gelenk- und Hüftknochen eines menschlichen Skeletts. Ich nahm den Totenschädel in die Hand und
sah lange in seine leeren Augenhöhlen. Freilich, dachte ich, da
du gestorben bist, wie andere Menschen auch sterben, und tot
bist und nicht zu Gott emporgefahren und nicht neben ihm auf
dem diamantenen Thron sitzest, hast du mir auch nicht helfen
können auf meiner Fahrt. Ein trügerischer Engel ist mir erschienen, der mich narrte, daß ich die anderen narren mußte.
Nun ist Gott tot in mir, und ich weiß gar nichts mehr von ihm.
Hätte er sich meiner wie ich mich seiner erbarmt! Nun werde
ich meinen christlichen Glauben abschwören, das Kreuz an
meinem Halse zerbrechen und ein Heide werden wie der Kalif,
mein gnädiger Herr. Als ich am Abend bei der Tafel dem Kalifen meinen Entschluß anzeigte, war er hocherfreut. Er umarmte mich und küßte mich wie einst das Phantom des heiligen Sebastian im vatikanischen Saal in Rom. Du sollst nicht
mehr Stephan heißen, sprach er, ich werde dich Ali taufen, wie
der erste Sohn Mohammeds hieß. Meine Hand zitterte, als ich
ihm aus der weißen Kristallkaraffe roten Wein eingoß, und
eine Träne fiel aus meinen Wimpern in sein Glas, das er schweigend leerte.
Ich habe unter meinem gnädigen Sultan Al-Kamil in den Reihen der Sarazenen gegen Friedrich den Zweiten gekämpft und
sein christliches Heer. Ich habe manchen Christen mit dem
Morgenstern erschlagen. Durch einen Zufall gerieten in den
Wechselfällen des Krieges die beiden Seelenverkäufer Hugo
Ferreus und Guilelmus Porcus, die sich diesmal als Streiter
Christi kostümiert hatten, weil sie in dieser Tracht bessere Geschäfte zu machen glaubten, in meine Hand. Ich ließ die beiden Schächer in Jerusalem auf dem Ölberg kreuzigen und er-

richtete in der Mitte zwischen ihnen ein drittes Kreuz, daran
ließ ich den Totenkopf und das Skelett Christi, daran ließ ich
Christus zum zweiten Male kreuzigen.

## DER RABBI

Der Rabbi schritt durch die stürmende Nacht. Der Schnee la-
gerte sich in dicken weißen Flocken auf seinem schwarzen
Kaftan wie ein Schwarm weißer Vögel auf einem Schiefer-
felsen. Er sah nichts. Seine Augen waren verklebt. Der Wind
heulte so laut, daß er vor lauter Lärm nichts mehr hörte. Auf
den Baumstümpfen am Wege hockten frierende Raben. Sie
glichen in ihren sonderbaren Verkrümmungen den Buchstaben
des hebräischen Alphabets. Allif! kreischte der erste. Bejs! der
zweite. Der Rabbi hörte sie nicht, als wäre er ein Amuriz, ein
Ungläubiger. Er sah nach innen, er lauschte nach innen. Ein
Glanz war erschienen wie von tausend Sonnen. Eine Stimme
hatte sich erhoben wie von tausend Schofar. Der ewige Tag war
angebrochen, Jomkipper, an welchem Gott unerbittlich Gericht
hält und sein Urteil fällt. Das Licht strahlte, als wäre Sohar,
das Buch des Glanzes, aufgeschlagen. Er hatte das Kolniddri
längst gesprochen, sein Leib war leer vom Fasten und bereit,
die Speise des Geistes aufzunehmen. Glanz und Geschrei im
Innern und der Schneesturm betäubten ihn. Er blieb stehen
und schnellte seinen Oberkörper hin und her, wie eine Woge
sich immer wieder an den Strand wirft. Er dawwinte. Er betete.
Da er aber allein war und die Gemeinschaft der zehn Brüder
nicht bei ihm, die er bedurfte zur Vollkommenheit des Gebetes,
hielt er inne. Da sah er auf einem Baumstumpf zehn Raben
sitzen. Sie waren weiß wie Schnee und sahen aus wie zehn
fromme Beter in langen weißen Kitteln. Allif! kreischte der
erste. Bejs! der zweite. Da machte er das Minjin mit ihnen.
Und die Raben warfen ihre Körper ekstatisch in den Wind wie
der Rabbi. Das Gebet erschöpfte den Rabbi. Er setzte sich auf
einen Meilenstein zu Füßen des Baumstumpfes. Allif! kreischte

der erste Rabe. Er hat recht. Er weiß alles. Was weiß ich mehr
als er? Allif, der erste Buchstabe, ist die Wurzel allen Wesens.
Aus ihm ist die Welt entstanden, als Gott ihn zum erstenmal
aussprach. Als er das Alphabet zu Ende gesprochen, da war
auch die Welt zu Ende geschaffen. Tuwa, der letzte Buchstabe,
ist das Ende allen Wesens. Vor Allif war nichts und hinter
Tuwa wird nichts sein. Von Schabbes zu Schabbes fasten: das
mag einiges bedeuten. Sobald man aber dadurch seine Frömmigkeit beweisen will, so wird dieses Fasten von Gott für nichts
geachtet. Da ist es besser, daß man fresse und saufe und treibe
Völlerei. Denn es ist lästerlich, sich und anderen seine Frömmigkeit zur Schau zu spielen, ein Schauspieler, ein Gaukler
Gottes zu sein. O mein Gott, mein Gott: erniedrige doch meinen Hochmut, daß ich glaube, Dein Diener und der Deine zu
sein. Ja, daß ich nicht in Versuchung komme, als Pharisäer, als
Zaddik, als Gerechter, Selbstgerechter mich zu betrachten und
anzuhimmeln: will ich lieber den Teufel anbeten und als unter-
ster Teufel ihm dienen, daß ja ich Deiner Gnade nicht teil-
haftig werde, deren ich nicht wert und würdig bin. Ich habe
viele Traumfragen an Dich gestellt, Gott. Aber ich weiß nicht,
wer sie mir beantwortet hat: Du oder der Böse. Denn aus Gutem kann Böses, und aus Bösem Gutes erfragt werden. Das
Böse ist die unterste Stufe des Guten. Meine Seele hat mich oft
geflohn. Sie entwischte mir als Maus. Da fing ich sie mit Speck
in einer Mausefalle. Sie schwebte als Schmetterling über mir.
Da nahm ich einen Käscher und haschte sie. Warum wollte
meine Seele mir entfliehn? Sie flatterte als Schmetterling und
wollte ins Licht und Lichte zu Dir. Sie grub sich als Maus ein
Mauseloch und wollte ins Finstere der Erde. Als ich sie gefangen hatte, da schächtete ich sie. Sie mußte alles Blut lassen, bis
sie nur noch eine graue Hülle war. Das Blut trank die Erde.
Aber ein roter Dunst wehte empor bis zu Dir, Herr. Du rochst
das Opfer meiner Seele. Wäre ich im verborgenen geblieben, so
wäre ich zur Offenbarung gekommen. So aber schrie ich meine
Lehre in die Welt wie ein Trompeter vor der Jahrmarktsbude,
ich sammelte Schüler, ich lehrte sie lernen und denken wie ich.
Weh mir! Was soll das alles! Da ich schon zuviel bin auf der
Welt, sind nun viele, die sind wie ich: viel zuviele. Sie studieren

die Toiri und meinen, Gott damit zu dienen. Aber sie wollen nur sich dienen, ihrer geistigen Eitelkeit, ihrem seelischen Hochmut. Sie wissen nicht, daß Gott außerhalb der Toiri sich im geheimen am tiefsten offenbart. Sie hoffen auch auf eine Belohnung im Jenseits für ihre guten Gedanken und Taten. Aber wahrlich, wahrlich, nur der wahrhaft Hoffnungslose kann wahrhaft gut sein. Ihn erwartet kein Lohn, keine Seligkeit, kein Glück. Der wahrhaft Gottlose ist Gott am nächsten. Allif! kreischte der erste Rabe, dem Rabbi zu Häupten. Tuwa! sprach eine Stimme aus dem Wehen des Windes. Und eine schwarze Gestalt stand plötzlich vor ihm. Es war der Engel des Todes. Er trug ein Buch in der Hand. Und der Rabbi sprach: Was ist das für ein Buch, das du da trägst? Und der Engel sprach: Es ist das Buch, das du geschrieben hast! Und er schlug auf, und der Rabbi begann zu lesen, und er erstaunte vor Schreck und Scham. Wahrlich, sprach er, es ist entsetzlich, was ich da lese an meinem letzten Tage. Irrlehre ist alles, was hier verzeichnet steht, Aberwitz und Ketzerei. Und der Rabbi sah eine Flamme aus seiner eigenen Brust schlagen, es war die Flamme, die ihn den ganzen Weg schon im Innern begleitet hatte. Sie durchbrach nun die Wand seines Leibes und schlug hoch aus ihm, wie aus einem Scheiterhaufen. Da nahm der Engel das Buch und warf es in seine brennende Brust. Da verbrannte es zu Asche. Da sprach der Engel: du bist entsühnt, du hast gebüßt. Gott hat sich mit dir versöhnt. Der lange Tag ist zu Ende. Sei gesegnet! Und er segnete ihn. Die Flamme erlosch. Der Lärm der tausend Schofar verstummte. Der Schneesturm ließ nach. Der Mond stieg empor. Sein fahles Licht beglänzte den toten Rabbi, der in einem weißen Schneemantel auf dem Meilenstein saß. Zwei Raben saßen auf seiner Stirn. Sie pickten an seinen Augen. Ein Belfer und ein Bocher fanden den toten Rabbi. Er hatte keine Augen mehr. Aber in den Augenhöhlen lagen zwei Wisisi, die kleinen Röhren, die der Pergamentrollen mit dem Schma, dem heiligsten Gebet, dem Bekenntnis der Einzigkeit Gottes, enthalten. Die Toiri aber, die er geschrieben, waren verschwunden und nicht mehr auffindbar.

## DER LETZTE KAISER

Der kaiserliche Knabe wachte auf. Er schlug den gelbseidenen
Vorhang zurück. Er lauschte wie ein Hase, der Männchen
macht. Die regelmäßigen Atemzüge der schlafenden Diener
und Eunuchen drangen aus dem Vorzimmer durch die dünne
Sandelholzwand zu ihm. Er erhob sich; eine kunstvolle euro-
päische Uhr, ein Schmied, der auf einen Amboß hämmert, begann sieben zu schlagen. Er läutete mit einer kleinen goldenen
Glocke, die auf einem Mahagonitischchen neben dem Ruhe-
bett lag. Die Flügeltüren wehten auf, und der Oberhofmeister,
ein Mandarin letzten Grades, erschien. Neunmal berührte seine Stirn den Boden vor dem Kaiser, der in roten Lederschuhen,
einem gelben, mit Symbolen bestickten Mantel auf einem
Blaufuchsfell stand. Drei Diener sprangen wie aus dem Bauch
des fetten Mandarinen hervor: der erste offerierte eine Tasse
mit Tee, der zweite eine Schale mit Konfitüren, der dritte eine
Lackdose mit Zigaretten. Der Kaiser nippte im Stehen am Tee.
Er betrachtete aufmerksam die Frühlingslandschaft, die auf
der Tasse abgebildet war: blühende Aprikosenbäume, darunter
ein Liebespaar, in der Ferne ein Teich, eine Gondel, im Hintergrund ein Hügel mit einer Pagode. Der Kaiser kräuselte die
Lippen, als er das Liebespaar sah, in Unschuld jeder Seligkeit
hingegeben. Eine Falte durchbrach seine glatte, kindliche Stirn.
Der Diener, der das Teebrett hielt, zitterte. Kaum vermochte er
sich auf seinen bebenden Knien zu halten. Der Kaiser stellte
die Tasse nieder, daß sie klirrte. Er machte eine Handbewegung. Die drei Diener schnellten zurück. Der dicke Mandarin
erneuerte den neunmaligen Kotau. Dann sprach er, mit zu
Boden gesenkten Blicken: »Die Tasse, in der der Diener Yüan
Yng den Tee servierte, erregte das Mißfallen Euer Himmlischen Majestät. Ich werde Befehl geben, den Diener auszupeit-
schen.« Der Kaiser überhörte die geflüsterten Worte: »Laß Hi
kommen.«
Hi, die Amme, watschelte auf ihren geschwollenen Füßen herbei. Die Augen des Knaben leuchteten, als er sie sah: »Zieh
mich an, Hi.« »Welches Gewand befehlen Euer Majestät? Das

himmelblaue, mit Orangenblüten bestickte? Das schwarze mit
den Sternen und himmlischen Figuren? Das braune mit den
Darstellungen des Ackerbaus und der Viehzucht? Das purpur-
rote mit den Symbolen der glücklichen Liebe?« – Der Knabe
war erblaßt. Er stampfte mit dem Fuß dem Blaufuchs auf den
präparierten Schädel, daß er knackte. Die Amme sah schief von
unten, die Arme demütig über dem weichlichen Bauch gefaltet,
zu ihm empor. Er wandte sich nach der Wand und zerdrückte
eilig eine Träne, die eines Kaisers und Gottes nicht würdig
war. »Man hat mir Fey-yen genommen. Man hat mein Herz
verwundet.« Die Amme schwieg. »Als ich gestern nacht, von
zwei Eunuchen begleitet, die Gemächer der Kaiserin, meiner
Frau Gemahlin, aufsuchte, trat mir ein Zeremonienmeister,
ein dürrer, fragwürdiger Intrigant mit einem neunmaligen
Kotau und einem Grinsen des Bedauerns entgegen: Ihre Majestät, die Frau Kaiserin, wäre in dringender politischer Mission am späten Abend zu Ihrer Majestät der Kaiserinwitwe
Tsze-hi in den Sommerpalast berufen worden. Man habe mir
soeben einen Boten geschickt. Der Bote habe mich nicht mehr
erreicht. Nun sage selbst, was für eine politische Mission kann
Fey-yen, die ein Kind ist, fünfzehn Jahre alt und noch ein Jahr
jünger als ich, in ihre kleinen unwissenden Hände nehmen?
Diese Hände sind dazu da, mich zu streicheln, wenn ich Schmerzen habe. Wann wird Tsze-hi, die böse Warzenkröte, mir Fey-
yen, meine Libelle, wieder schicken? Sie wird sie verschlingen,
wie sie alles verschlingt, was in ihre Nähe kommt. Und dabei
kostümiert sie sich als Kwanyin, als Göttin der Barmherzigkeit!
Sie martert mich, nur weil ich der Kaiser bin und weil sie Pläne
mit mir vorhat, die dunkel sind wie die Anschläge der Dämonen des Nordens.« Hi schwieg noch immer. Sie tat, als habe sie
nichts von den Worten des Kaisers gehört.
Der Kaiser trat an ein Fenster. Ein junger Gärtner war davor
beschäftigt, Sträucher zu beschneiden. »Ich will keines von
diesen kaiserlichen Gewändern mehr am Leibe haben«, der
Knabe knirschte wie ein Pferd in der Kandare. »Hi, geh zu
dem Gärtner da, gib ihm einige Käsch und versichere ihn meiner kaiserlichen Gnade: er soll mir seine Kleider leihen.« Hi
wollte etwas sagen. Der Kaiser schnitt ihr mit einer scharfen

Handbewegung die Worte ab, ehe sie den Mund verließen. Hi
watschelte von dannen. Sie kam mit den schmutzigen Lappen
zurück. Der Kaiser war entzückt und klatschte in die Hände.
Er warf sie sich über und besah sich im Spiegel. »Endlich sehe
ich einmal wie ein Mensch aus – was meinst du, Hi? Wenn ich
in dieser Maske unter meine Armee trete – werden sie in mir
den Kaiser erkennen?« Er riß das Fenster auf, sprang in die
Sträucher und Stauden und war verschwunden. Hi schrie wider
alle Etikette auf. Dann kroch sie jammernd zum Oberhofmeister, der sofort einige Mandarine erster Klasse hinter dem
Kaiser herschickte. –
Der Kaiser schlug sich durch Seitenwege und Gestrüpp. Er kam
an einen verfallenen Turm; stieg ihn hinauf und sah hinab.
Das Land lag noch vor dem ersten Frühling. Bäume, Häuser,
Wiesen, Dächer, Kuppeln, Erde, Himmel: alles Gelb in Grau
und Grau in Gelb. Monatelang schon herrschten diese Farben
über Peking. Sie ermüdeten ihn. Er sehnte sich nach blauem
Meer, nach grünen Wiesen, nach roten Lippen, nach den roten
bemalten Lippen seiner kleinen Kaiserin – deren Lippen rot
und zart waren wie die Lippen der geheimnisvollen Göttin im
Tempel der Enthaltsamkeit, die nur er kannte. Er hatte sie entdeckt eines Tages in einem halbverschütteten Gewölbe, das
zerschlagen worden war von den Geschossen der fremden Barbaren. Sie war die beste, die reinste, die schönste Göttin. Er
betete zu ihr in allen schmerzlichen Stunden seines Daseins. –
Der Kaiser lag auf dem Turm, auf dem pelziges, grausilbernes
Moos wucherte. Da hörte er Wehklagen und sah in einen Hof,
wo der Diener, der ihm früh den Tee serviert hatte, mit Bam-
bushieben regaliert wurde. Über die gelbe Haut flossen kleine,
hellrote Blutbäche. Der Kaiser empfand ein leises Wohlbeha-
gen, als er das Rot in all dem Grau und Gelb aufschimmern
sah. Er stieg den gebrechlichen Turm hinab, wobei er eine
Fledermaus ins Tageslicht scheuchte. Er ging weiter durch die
unendlichen Gärten. Er kam durch kleine Zypressenhaine, an
Lotosteichen, kleinen Tempeln, Marmorbauten vorbei, an
Landschaften, die er noch nie gesehen. Er stieg auf einer Brük-
ke empor, die sich wie ein Kamelrücken wölbte: in neun Bögen
über neun Kanäle. Auf der Höhe der Brücke blieb er, an das

Geländer gelehnt, stehen und blickte hinab, wo die Gärtner im
Teich die alten Lotospflanzen versetzten und jungen Raum
gaben. In der Mitte ließen sie eine kleine Wasserstraße für die
Gondeln und Lustjachten frei. Manche der Gärtner standen bis
zum Nabel im Wasser. Einige sangen ein monotones Lied:
Lotosblüte,
Tochter des Himmels,
Lustgeborne, Lusterkorne,
Wie bald verduftest, verblühst, verfaulst
Auch du –
Einer der Aufseher sah zufällig zur Brücke empor und entdeckte den Kaiser in der Gärtnertracht. Er schwang seinen Bam-
busstab: »He, du Faulpelz, du Lump, du Tagedieb, willst wie
der Kaiser vom Thron zusehen, wie andere arbeiten! Herunter
mit dir, sonst lasse ich dir die Bastonade auf die Fußsohlen geben!« Der Kaiser lachte und lief die Brücke auf der anderen
Seite flink hinab. Er fand einen Kahn lose angekettet und
stakte sich auf das andere Ufer. Enten und Wassertauben be-
gleiteten seinen silbernen Weg. Er sprang über eine Wiese,
dann in ein dichtes Farngebüsch. In einer Lichtung warf er
sich zu Boden und schlief sofort ein.
Als er aufwachte, saß ein Mädchen neben ihm, vielleicht siebzehn Jahre alt. Sie lächelte verlegen und kratzte sich ihren
grindigen Kopf. Sie war hübsch, aber schmutzig und verwahr-
lost. »Störe ich dich in deinen Träumen? Die Winde des Südens
mögen dir gewogen sein und dir zärtlicher als die Hand einer
Geliebten über die Stirn streichen.« »Mögen die Dämonen
des Nordens dir immer fernbleiben und möge Kwanyn aus
dem silbernen Krug, den sie in ihrer Linken hält, dir ewig das
Wasser des Lebens aus den Yüquellen spenden. Ich freue mich,
dir zu begegnen.« Der Kaiser richtete sich ein wenig auf. Libellen flogen über ihm hin, gelbe Schmetterlinge, die wie flatternde Mandarine aussahen. »Du bist wohl von deiner Arbeits-
stelle weggelaufen?« Sie blickte ihm forschend ins Gesicht.
»Zeig deine Hände.« Sie nahm seine Hände. »Sie sind zart, als
hätten sie nie gearbeitet. Und hier: was bedeuten diese Ringe?« Der Kaiser erschrak. Er hatte bei seiner Verwandlung vergessen, die kaiserlichen Ringe: den riesigen in Brillanten ge-

faßten Saphir, den Ring der neun heiligen Perlen abzulegen. Er lächelte verlegen: »Die Steine sind falsch. Ich habe sie mal in der Vorstadt einem Tändler für ein paar Käsch abgekauft.« Das Mädchen drehte seine Hand mit den Steinen in der Sonne, die das Gebüsch zu durchbrechen begann. »Aber sie sind hübsch und glänzen zierlich. Schenk mir einen Ring! Wenn du magst, will ich dich dafür lieben.« Der Kaiser dachte: wenn ich die Ringe von mir gebe, bin ich kein Kaiser mehr. Sie gehören zu den Insignien des Kaisertums. Jahrhunderte haben die Söhne des Himmels den blauen Saphir als Symbol des Himmelsgewölbes getragen, und jetzt soll ich ihn einem schmutzigen Mädchen hinwerfen, dessen Vater ein Rikschakuli und dessen Mutter ein Mädchen aus einer niedersten Teeschänke ist. Ein Mädchen, das ich nicht kenne, das ich nicht liebe und von dem ich mich auch, die Götter mögen mich behüten, nicht lieben lassen werde. Das den unermeßlichen Wert des Ringes nicht einmal ahnt und ihn dem ersten besten Mandschusoldaten oder Tortenbäcker weiter verschenken wird. – Der Gedanke der Sinnlosigkeit dieses Geschenkes und der tiefen Selbsterniedrigung und Demütigung entzückte ihn aber derart, daß er den Ring mit dem Saphir vom Finger streifte, eine Sekunde zauderte und ihn dann ihr an die Hand steckte. Sie pfiff vor Freude wie eine Haselmaus und legte seine beiden Hände an ihre jungen Brüste. »Wer bist du?« fragte er. »Ich diene als Küchenmädchen im Sommerpalast Yü Schau Ihrer erhabenen Majestät der Frau Kaiserinwitwe Tsze-hi.« Der Kaiser sprang auf die Beine. »Ich habe dir einen Ring geschenkt, und wenn er auch nicht viel Wert besitzt, so bist du mir doch einen kleinen Gegendienst schuldig. Ich bin augenblicklich ohne Stellung, der Gärtnerberuf behagt mir nicht mehr recht, bring mich zu deinem Küchenmeister. Er soll mich als Küchenjunge anstellen. Mit meinen Kenntnissen der Gemüse und Pilze und Früchte und Salate vermag ich ihm gewiß dienlich zu sein.« Das Mädchen klatschte in die Hände: »Komm.« Wenige Schritte hinter der Farnhecke war die Mauer des Palastgartens. In der Mauer war eine winzige Öffnung, durch die sich beide durchzwängten. Noch einige Schritte durch eine Heckenrosenhecke und sie standen auf der Straße an der großen Mauer. Die Straße war von Geschrei, sausenden Rikschas, Händlern, Gauklern, Eseln, räudigen Hunden, trippelnden Frauen, jaulenden Kindern, Straßenmusikanten belebt. Zelte und Buden waren errichtet. Hier pries einer, einen spitzen, unwahrscheinlich verfilzten Hut auf dem Kopfe, Hundeherz an Stäbchen gebraten an. Hier gab es Eselsfleisch, Froschschenkel in weißer Eiersauce. Hier war eine Bäckerei von Reiskuchen und Zuckertorten. Es roch nach schlechtem Öl und ranzigem Fett. Nach Moschus, nach Knoblauch. Nach Zwiebeln, die jeder dritte im Munde kaute. Den Frauen bot ein Krüppel, dem beide Beine fehlten und der in einem kleinen Holzwagen sich mit zwei Stäbchen vorwärtsbewegte, Riechkissen an. Ein Verbrecher, eine hölzerne Krause um den Hals, wurde von Soldaten vorübergetrieben. Er grinste frech und höhnte die Vorübergehenden mit unflätigen Redensarten, unter denen »Tochter einer Schildkröte« noch die geringste war. Wahrsager und Zauberer hatten ihre Buden. Der eine sagte aus Reiskörnern, der andere aus Linien der Hand, der dritte aus den Zeichen des Himmels wahr. Je nach der Anzahl der Käsch bekam man Böses oder Gutes geweissagt. Die Reichen hatten insgesamt Glück und Seligkeit zu gewärtigen. Aus Teeschänken klang Gitarrenmusik. Eine Theatertruppe spielte unter freiem Himmel eine historische Tragödie »Der letzte Kaiser der Mingdynastie«. Der Kaiser kam gerade zurecht, um zu sehen, wie der letzte aus der Mingdynastie sich die Schnur umlegte. Er schauderte ein wenig. Hatte ihm der Literat, der ihn in Geschichtswissenschaft unterrichtete, das furchtbare Ende der Mings verheimlicht? Oder phantasierte der Schauspieler nur, ein grell geschminkter Bursche mit den Allüren eines Lustknaben? Bei einem Drachenverkäufer kaufte der Kaiser einen Papierdrachen. Er ließ ihn über den Buden emporsteigen, den heiligen gelben Drachen. Wild und ungebärdig tanzte er im Winde. Da riß die dünne Schnur. Kopfüber schoß der Drache zu Boden und war verschwunden. Der Kaiser erschrak wiederum. Was waren dies alles für üble Vorbedeutungen? Der letzte Kaiser der Mingdynastie, der heilige Drache, der erst steil emporsteigt, um plötzlich unterzugehen. War der Faden, an dem Chinas Geschicke hingen, so dünn und leicht zerreißbar? Der Kaiser trat

auf einen Wahrsager zu: »Sag mir die Wahrheit!« Der Wahrsager wog die paar Käsch in seiner Hand. Es war ein Zauberer,
der in einer Ruine des Yuan ming yuan, des alten Sommer-
palastes, hauste. Er strich sich seinen Bart und sagte: »Wenn
man die Wind- und Wassergötter beunruhigt, so ist Sturm und
wilde Flut zu erwarten. Man erhöhe sich nicht zu den Göttern,
wenn man nur ein Mensch ist. Die Tempel baue man klein,
daß sie sich der Erde anschmiegen: desto eher findet der Geist
des Himmels zu ihnen. Von Menschen, die mit Ratten und
Wanzen zu hausen gezwungen sind, ist keine friedfertige Gesinnung zu erwarten. Man mache die Menschen glücklicher, so
werden sie besser werden. Der Große opfere sich um ein Kleines,
der Kleine um ein Großes auf. Das Opfer ist der Sinn des Lebens und der Sinn des Todes. Die Gnade träuft von den Göttern wie Harz von einem Baumstamm.«
Der Kaiser ging nachdenklich von dannen. Hinter ihm trippelte
das Küchenmädchen, den blauen Saphir eitel in der Sonne
drehend. Sie führte ihn zu einem Seitentor des neuen Palastes,
wo ein Mandschusoldat, zu dem sie in gewissen Beziehungen
zu stehen schien, Wache hielt. Er kaute Tabak und spuckte
träge vor sich hin. Der Kaiser trat auf ihn zu und verneigte
sich: »Mein älterer Bruder möge verzeihen, wenn sein jüngerer
Bruder ihn in seinen Meditationen stört. Ich bin einer Wild-
gans begegnet und ihrem Flug gefolgt. Ich wäre entzückt, dich
als meinen Freund begrüßen zu dürfen, denn ich gedenke die
Stellung eines Küchenbeamten in diesem erlauchten Hause an-
zunehmen.« »Tritt nur ein«, sagte der Soldat, ein wenig barsch,
aber nicht unfreundlich, der hübsche Junge gefiel ihm: »Du
kommst zu einer wunderlichen Stunde. Hättest du an einem
der Haupttore Einlaß begehrt, man hätte dich nicht hereinge-
lassen.« »Was bedeutet deine Rede, Tu-Wei?« sagte das Mädchen, »du machst mich ganz ängstlich.« »Die Pfeile, die den
stolzen Reiher treffen, sind schon gespitzt. Das bunte Kleid des
kaiserlichen Pfauen wird bald verblassen. Es ist Revolution in
der Stadt.« »Revolution?« fragte der Kaiser und mußte sich das
Wort klarmachen. »Warum Revolution und gegen wen?« »Gegen wen anders als gegen den Kaiser«, sagte der Soldat, »hast
du dich nie mit Politik beschäftigt?« Der Kaiser schüttelte den

Kopf. »Politik ist das, was die alte, böse Kaiserinwitwe Tsze-hi
betreibt. Es kann nicht gut sein.« Der Soldat runzelte die Stirn:
»Sei nicht so vorlaut. Und sprich vor allem von Ihrer Majestät
der Kaiserinwitwe in einem andern Ton. Vielleicht bist du gar
selbst ein Revolutionär?« Der Kaiser lächelte aus seinem bleichen Gesicht heraus. Der Soldat fuhr, ohne eine Antwort zu
erwarten, fort: »Es sind einige Literaten zweifelhafter Grade,
Rechtsanwälte und Rechtsverdreher, aus dem Ausland, aus
Amerika zurückgekommen. Sie haben sich die Zöpfe abgeschnitten und tragen Zylinder und Gehröcke wie die weißen
Barbaren. Nun wollen sie, daß wir alle uns die Zöpfe abschneiden und Zylinder und Gehröcke tragen: deshalb ist Revolution.
Verstehst du das?« Der Kaiser nickte. »Sie stehen also mit den
weißen Barbaren im Bunde. Sie sind Verräter unseres Volkes.
Wie entsetzlich.« Der Soldat nickte. Er spuckte den braunen
Saft im Bogen an die Mauer. »Sie haben geheime Gesellschaf-
ten gegründet und im Volke agitiert gegen den Kaiser und die
Kaiserinwitwe im Namen der Menschenrechte: der Freiheit,
der Demokratie, des Selbstbestimmungsrechtes der Völker.«
Der Kaiser buchstabierte vor sich hin: »Der Men–schen–rech–te
. . . was bedeutet denn das? China ist doch ein Kaiserreich seit
Jahrtausenden. Der Kaiser ist der Sohn des Himmels, der Mitt-
ler zwischen den Menschen und Schang-ti, dem Geist des Himmels. Wie wollen sie mit den Göttern verkehren, wenn sie keinen Kaiser mehr haben?« »Lieber Junge«, sagte der Soldat
zärtlich, »jeder will eben ein Kaiser sein und persönlich mit
dem Geist des Himmels in Verbindung treten.« Dann lachte
der Soldat und machte mit der rechten Hand eine Gebärde des
Geldzählens und Einsäckelns. »Beim heiligen Delphin, du bist
aber schwer von Begriffen: verdienen wollen sie – das, was die
Mandarine als Stellvertreter des Kaisers bisher verdient haben,
das wollen sie selbst verdienen. Tael! Tael! Käsch! Käsch! Kwai
zau für die kleinen Lumpen, nachdem die großen abgetreten
sind.«
Der Kaiser war verblüfft von der Suada des Soldaten, die auf
ihn einstürmte. Ganz begriff er ihn nicht. Seit wann handelte
es sich im Leben des Menschen um Tael oder Käsch? Das waren doch ganz nebensächliche, lächerliche metallische Begriffe,

mit denen man Hundeherz am Rost, einen Papierdrachen, vielleicht auch eine Frau kaufen konnte. Aber der Geist des Himmels – was hatte er mit Taels zu tun? Das Mädchen drängte: »Komm nur herein. Das Tor wird bald geschlossen, und du mußt wissen, woran du bist.« Der Kaiser verbeugte sich vor dem Soldaten, bat, ihn Seiner Hochwohlgeborenen Familie zu empfehlen, und folgte dem Mädchen. Das Mädchen führte ihn zum Küchenmeister Wang, der mit krebsrotem Gesicht in einer Terrine rührte. »Ich bringe Euer Hochwohlgeboren einen diensteifrigen Knecht.« Der Kaiser trug seinen Wunsch mit Anstand vor. »Nun gut«, sagte der gutmütige Wang, der nie nein sagen konnte, auch den Frauen gegenüber nicht; er ahnte, daß durch Annahme des Küchenjungen zum mindesten bei Noa etwas für ihn heraus- oder hereinspringen werde. »Nun gut, wir wollen's mit dir probieren. Kannst du auch servieren? Du hast ein hübsches, gelecktes Gesicht, so als lecke dich deine Mutter, die Katze, jeden Tag dreimal ab. Man könnte dich bei Hof präsentieren.« Der Kaiser hatte die Manieren der Diener bei den seinen studieren können. Er glaubte bei Hofe stilgerecht aufwarten zu können. »Nun gut. Wir werden sehen. Noa wird dich zum Bekleidungsmeister bringen.«

Gerade, als der Kaiser in die kleidsame, weiße Tracht der Diener gehüllt wurde, entstand eine Aufregung im Palast, die sich von den Toren ins Zentrum der Gemächer der Kaiserinwitwe und von da in alle Seitenflügel strahlenförmig fortpflanzte. Der Kaiser war aus dem alten Palast verschwunden und trotz eifrigster Forschungen nicht aufzufinden. Man hatte ihn in den neuen Palast in Sicherheit bringen wollen: er war gewiß den Rebellen, den verfluchten Republikanern und irrsinnigen Anhängern der westlichen Barbarenideologie, in die Hände gefallen. Die Kaiserinwitwe war außer sich. Sie schlurfte in ihrem Geheimgemach, das von Parfüm betäubend roch, asthmatisch aufgeregt auf und ab. Yng, der Obereunuch und ihr Vertrauter, immer hinter ihr her wie ein Küchlein hinter der Henne. »Yng, was soll ich tun?« Sie tat einen Zug aus einer Opiumpfeife, die in einer Ecke lag. »Er ist davongelaufen. Das ist es. Er ist selber ein Rebell, der Sohn des Himmels, Yng. Ein ungeratener Junge ist es, dem wir immer noch zu viel nachgese-

hen haben. Was wird er tun? Er bekommt es fertig, sich zu den
Rebellen zu schlagen und gegen mich zu konspirieren: als
kaiserlicher Republikaner, als republikanischer Kaiser. Tschang-
tü-tsi, den sie zu ihrem Präsidenten machen wollen, ist ein alter
Narr und Knabenschänder. Er wird sich in den Kaiser verlie-
ben, und wir haben die Bescherung.« Sie schnaufte schwer und
sah wie ein großer brauner Frosch aus, der auf Land schwer
atmet. »Yng, was macht die junge Kaiserin?« »Sie hat sich in
den Schlaf geweint, Majestät.« »Sind die Wachen verstärkt?
Ist für den Fall eines Abzuges durch den geheimen unterirdischen Gang alles in Ordnung?« »Alles in Ordnung, Majestät!«
Die Greisin ließ sich jammernd auf ein Kissen fallen und griff
nach kandierten Nüssen, die in einer Schale auf einem Tisch-
chen standen. »Yng, was wäre aus den Mandschus geworden,
wenn ich nicht gewesen wäre.« Sie wiegte wie ein Marabu den
Kopf. »Wir müssen den Kaiser wieder haben, so oder so. Zum
Glück ist die junge Kaiserin schwanger. Daß sie einen Sohn ge-
bärt: dafür werde ich sorgen . . .« –
Die junge Kaiserin ließ sich das Abendessen in ihrem Schlafzimmer servieren, während sie auf dem Kang lag. Zufällig fiel
ihr Blick auf einen der Diener. Sie senkte die Wimpern, befahl
den Eunuchen und zwei Dienern das Zimmer zu verlassen. Der
dritte blieb. »Kwang-sü!« rief sie leidenschaftlich und drückte
ihn, der kaum Zeit hatte, die Pastete beiseite zu stellen, an ihre
Brust. »Die Winde des Südens haben dich zu mir geweht. Wie
verlangte mich nach dir! Mich und dein Kind!« Sie führte seine
Hand unter die Decke, wo er unter ihrem seidenen Hemd die
erste Regung seines Kindes spürte. Eine Träne wollte wieder in
sein Auge. Er beherrschte sich. »Ich bin verfolgt und weiß nicht
von wem. Ich bin geraubt und weiß nicht wozu. Ihre Majestät,
die Kaiserinwitwe, ließ mir sagen, alle geschehe zu meiner
persönlichen und der Dynastie Sicherheit. Es tobe ein Aufstand
in der Stadt. Nieder mit dem Kaiser, riefen sie. Ist das wahr,
Kwang-sü? Was hast du ihnen getan? Du kannst doch nieman-
dem Böses tun?« Der Kaiser zuckte die Achseln: »Aber vielleicht bin ich böse, vielleicht bin ich für die Aufrührer das böse
Prinzip, und das ist's, was sie vernichten wollen. Man hat mich
aufgezogen in dem Glauben, daß ich des Himmels Sohn sei,

der Stellvertreter Gottes auf Erden: aus der Gnade des Geistes heraus. Habe ich mir diese Gnade erworben, erkämpft? Wo habe ich ein Opfer gebracht? Fey-yen: ich bin ein armseliger Mensch, nichts weiter. Ich habe nie etwas getan: weder Gutes noch Böses. Jetzt müßte ich eine Tat tun: aber welche?« Er fiel in Sinnen. Fey-yen streichelte seine Stirn: »Du bist aus dem alten Palast geflohen in der Tracht eines Dieners?« Der Kaiser lächelte: »O nein. Wovor hätte ich fliehen sollen? Ich wußte nichts von der Rebellion, als ich von Hause wegging im Gewand eines Gärtnerburschen. Das Schicksal ist vor mir hergelaufen. Als ich hier ankam, war es schon da und berichtete mir in Gestalt eines Soldaten der Torwache, was geschehen.« Die Kaiserin streichelte seine Hand, ihr Tastsinn vermißte eine goldne Unebenheit, sie zog die Hand erschreckt herauf: »Kwang-sü, wo ist der himmlische Saphir? das Symbol deiner Kaiserkraft?« – Der Kaiser kämpfte: »Fey-yen – wirst du mich begreifen? Ich habe den Stein verschenkt, erbleiche nicht, Fey-yen, ganz einfach, ja eigentlich sinn- und zwecklos verschenkt. Die Person, die den Stein empfangen hat, weiß gar nicht, was es mit ihm für eine Bewandtnis hat. Und ich habe ihn verschenkt, weil, ja weil ich an die Tradition der Jahrhunderte nicht mehr glaube, sondern nur noch an mich. Vielleicht glaube ich auch nicht an mich, vielleicht zweifle ich nur an mir: aber Glaube und Zweifel sind ja Kinder eines Vaters. Entweder das Kaisertum besteht ohne den Ring in mir – oder es besteht gar nicht. Vielleicht haben wir es schon verloren. Und überdies« – er lächelte höflich – »den Ring mit den neun heiligen Perlen besitze ich ja noch.« – Die Kaiserin lag da, die Augen geschlossen, Tränen zwischen ihren Wimpern. Er verließ sie auf den Zehenspitzen, durchschritt im Vorzimmer die Reihe der Eunuchen, die vor ihm auswichen, ohne zu wissen warum. Er verließ bei seinem Freund, dem Soldaten der dritten Seitenwache, den Palast, gelangte durch das Loch in der Mauer in den Park des alten Palastes und schlich auf Seitenwegen zum Schloß. Das Fenster zu seinem Schlafzimmer stand offen. Er schwang sich hinein. Er hörte im Vorzimmer die Diener und Eunuchen aufgeregt wispern. Er warf sich ein gelbes Gewand über und schellte. Die Türe ging auf, Diener mit Leuchtern erschienen.

Der Kaiser stand in der Mitte des Raumes: »Ruft mir Hi, die Amme!«

Wie ein Lauffeuer verbreitete sich die Nachricht, daß der Kaiser wieder da sei. Wang zerschmetterte vor Freude beinah seine Stirn im Kotau. Er hätte seinen Kopf verloren, wenn der Kaiser nicht zurückgekehrt wäre.

Hi watschelte verschlafen, schlecht gekämmt und unausgeträumt herbei. Ihr Gesicht hatte noch einige Runzeln mehr als am Tag. »Hi, salbe mir das Haar, öle mir den Körper, kleide mich in das schwarze Gewand, das mit den Sternen und Himmelsfiguren bestickt ist. Ich habe einen heiligen Gang zu tun.« »Euer Majestät: das schwarze Gewand ist das Gewand des kaiserlichen Opfers zur Wintersonnenwende oben auf dem Marmoraltar.« – »Tu, wie ich dir sage.«

Noch einmal rief der Kaiser das Gottesgericht an. Er wählte das Bambusorakel, neun Bambusstäbe verschiedener Länge. Er zog geschlossenen Auges einen Stab. Es war der kürzeste. Gott hatte gesprochen. Gesalbt, geölt und geschmückt, ein Perlendiadem auf dem Haupt, ein goldnes Krummschwert an der Seite, schritt der Kaiser aus dem Palast und die heilige dreigeteilte Straße zum Tempel aufwärts. Eine Krähe kreuzte seinen Weg. Das erste Morgenrot dämmerte herauf. Im Frühwind läuteten die Glocken und Glöckchen unzähliger Pagoden. Er schritt den mittleren Weg, den Weg, der nur von den Geistern beschritten werden durfte und den keines Menschen Fuß bisher gegangen. Er durchquerte die Halle der Enthaltsamkeit. In einer verborgenen Nische stand die Kwanyin aus Yade. Die Lippen rot geschminkt wie Fey-yen, die linke Brust leicht entblößt. Der Kaiser küßte die über dem Herzen sich wölbende Brust. Er schritt weiter die neun mal neun Marmorstufen zum Opferhügel empor. Als er oben angelangt war, blieb er aufatmend stehen. Keine Minister und Ministranten, keine Tänzer und Tänzerinnen, Chöre und Musikkapellen waren bei ihm wie sonst beim nächtlichen Opfer des Kaisers zur Zeit der Wintersonnenwende. In den Sternenmantel gehüllt wie jener, der über ihm thronte und dessen Gleichnis und Sendbote er war, stand er allein und einsam seinem Gott gegenüber und bot ihm stolz und demütig zugleich das Opfer seines Leibes und Lebens. Dreimal kniete er vor ihm nieder. Neunmal beugte er die Stirn im Kotau. Schang-ti, der Geist des Himmels, kam im Gespann der Morgenröte über den Horizont gefahren. Da öffnete der Kaiser sich mit dem goldenen Schwert die Ader am Hals und ließ sein Blut in die Marmorschale rinnen. Das Blut des Himmelssohnes vermischte sich mit den blutigen Tränen, die der Geist des Himmels aus der Morgenröte herniederweinte. – Die sechzehn Tore Pekings stiegen aus dem Staub der Nacht. Dort, im Zentrum des Palastes, stand das innerste Tor, das Tor der himmlischen Reinheit, das er nicht hatte betreten dürfen. Die westlichen Hügel hoben sich aus der Dämmerung. Auf dem Bahnhof lief der sibirische Expreß ein. Um diese Stunde stürmten die Rebellen den Palast. Sie fanden den Kaiser, das Haupt über die Marmorschale gebeugt und sie mit beiden Händen umklammernd. Die Kaiserinwitwe und die junge Kaiserin hatten den Sommerpalast durch den geheimen unterirdischen Gang verlassen und befanden sich, von kaiserlichen Truppen umgeben, auf der Flucht außerhalb Pekings. Noa schenkte den Ring mit dem blauen Saphir dem Soldaten der dritten Torwache. Es war derselbe, der als General Tu-Wei später die Geschicke Chinas einige Jahre in seiner Hand halten sollte. –

## GLEICHNISSE

### *Mörder*

Seth sprach:
Gestern war ich auf dem Richtplatz. Ein Mörder wurde hingerichtet. Viel Volk war erschienen, um seiner Rede zu lauschen, die er der Tradition gemäß halten darf, ehe sein Haupt in den Sand rollt.
Der Mörder war ein junger Literat, der seinen Vater umgebracht hatte. Er sprach vom Richtblock wie ein Prediger von der Kanzel, und zwar über das Thema: Darf eine Gesellschaft,

die den Mord als unethische Tat verdammt, einen Mörder morden? Das Ergebnis seiner geistvoll vorgetragenen Maximen und Reflexionen war: Nein, die Gesellschaft darf den Mörder nicht morden, wenn sie sich selbst nicht aufheben will. Tut sie es aber doch, wie bedauerlicherweise in seinem Falle, ist der Mörder ihr gegenüber in jeder Hinsicht frei. Er ist so frei, zu morden, weil sie so unfrei ist, zu morden.

Das Volk hörte aufmerksam zu und klatschte seiner Rede Beifall. Auch der Mandarin schien, wenn nicht von seiner Argumentation, so doch von seinem eleganten Stil entzückt. Er befahl, daß man dem Mörder als besondere Gnade den Kopf mit in die Grube lege. – Was hält der Herr von diesem kuriosen Mörder?

Li sprach:

Dieser Mörder hatte nicht so unrecht, weniger unrecht zum mindesten als das Gesetz, sein Henker.


### Nächstenliebe

Seth sprach:

Ich besuchte gestern eine Garküche. Sie war dicht gefüllt mit allerlei zweifelhaftem Volk. Da bemerkte ich, wie ein Taschendieb einem Baccalaureus die Geldtasche stahl, ohne daß er es bemerkte. Ich bewunderte die Geschicklichkeit des Diebes, wenngleich mir sein Handwerk Abscheu einflößte.

Li sprach:

Der Dieb war sehr ungeschickt. Er stahl dem Baccalaureus die Geldkatze, ohne daß er es bemerkte. Aber er konnte es nicht verhindern, daß du es bemerktest.

Seth sprach:

Der Herr hat recht. Ich bin beschämt. Ich winkte einem Polizeisoldaten und ließ den Dieb verhaften, der durch mein Zeugnis überführt war. Er wird der Gerechtigkeit zugeführt werden.

Li sprach:

Du nützest der Allgemeinheit. Aber dir selbst hast du geschadet.

Seth sprach:

Woher weiß der Herr das?
Li sprach:
Ich weiß es, ohne es zu wissen.
Seth sprach:
In der Tat hat der Herr recht. Während ich nämlich den einen
Dieb beobachtete, stahl mir ein anderer – meine Tasche . . .
Li lachte.
Da hast du die Probe aufs Exempel deiner Nächstenliebe. Um
ein Nahes hast du das Nächste nicht beachtet und bist also mit
Recht zu Schaden gekommen.

### Die grüne Fliege

Seth fragte:
Wie schütze ich mich vor meinen Feinden?
Li sprach:
In meinem Zimmer trieb sich eine grüne Fliege herum, die
mich abends, wenn ich die Lampe entzündet hatte, empfindlich
störte. Sie brummte und summte unaufhörlich gegen das Licht.
Am Tage verhielt sie sich still. Am Tage wußte ich von ihr gar
nichts und wußte gar nicht, daß eine grüne Fliege in meinem
Zimmer sei. Nachts aber brummte und summte sie immer un-
erträglicher und störte mich in meinen Meditationen. Da tötete
ich sie. Sie brachte mich um meine Gedanken, und so brachte
ich sie um die ihren.
Seth zog sich leise auf den Zehenspitzen zurück.
Li rief ihn zurück.
Du tust recht, leise zu gehen und deine Schuhe draußen vor
der Matte abzulegen. Hätte sich die Fliege durch ihr vorlautes
Benehmen nicht immer wieder bemerkbar gemacht, sie wäre
noch am Leben.
Wer Feinde hat, suche sich in Vergessenheit zu bringen.

# Schauspiel

# XYZ
## Spiel zu dreien in drei Akten

*Carola Neher zu eigen*

*Figuren*

X

Y

Z

EIN DIENER

*Zeit:* Heute

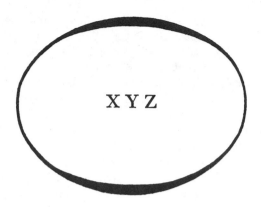

X Y Z

## ERSTER AUFZUG

*Man hört Klavierspiel: die kleine Nachtmusik von Mozart.*
*Wenn der Vorhang aufgeht, zeigt er die Halle des Schlosses*
*derer von Y. Im Hintergrund führt eine breite Glastür in den*
*Garten. Vorherbst. Die Bäume draußen brennen in dunkelroten*
*und hellbraunen Farben. Komtesse* HENRIETTE VON Y *sitzt*
*am Klavier, bricht disharmonisch ab, wirft den Klavierdeckel zu,*
*geht, steht, die Hände an den Türpfosten mit dem Rücken ge-*
*gen das Publikum, an der geöffneten Tür.*
*Ein sehr alter* DIENER *kommt und deckt den Frühstücks-*
*tisch.*

Y : Wie früh es dieses Jahr Herbst wird
DIENER : Es wird dieses Jahr sehr früh Herbst
Y : Voriges Jahr wurde es viel später Herbst. Da blühten um
diese Zeit noch die letzten Rosen
DIENER : Gnädigste Komtesse müssen sich dieses Jahr mit den
ersten Georginen begnügen
(*Ordnet Georginen in einer Vase*)
Y : Wirf die Georginen zum Fenster hinaus. Ich mag sie nicht.
Georgien sind etwas für alte Jungfern. So alt bin ich schließ-
lich doch noch nicht.

DIENER: Gnädigste Komteß sind die Jugend in eigener Person

Y (*dreht sich mit einem Ruck um*): Wie alt bin ich, Tom? Es geht die Sage, daß du mich auf den Knien gewiegt hast. Wie alt bin ich also? Du mußt es wissen.

DIENER: Neunzehn Jahre akkurat, gnädigste Komteß

Y: Neunzehn Jahre! Du schwindelst ja, Tom. Bist du schon so alt, daß du das Gedächtnis verloren hast? Achtzehn Jahre bin ich alt und keinen Tag älter. Wenn du noch einmal neunzehn sagst, kratz' ich dir die Augen aus.

DIENER: Ich bitte tausendmal um Verzeihung

Y (*geht zum Kamin. Auf dem Kamin eine als Lautsprecher eingerichtete Buddhastatue*): Schließ die Tür – und leg einige Scheite in den Kamin – achtzehn Jahre bin ich alt – und ich fröstle – so kalt – so muffig ist es hier – wie in einem Antiquitätenladen

DIENER: Aber gnädigste Komteß

(*Legt Scheite in den Kamin*)

Y (*im Lehnstuhl am Kamin*): Hat es telephoniert?

DIENER: Es hat nicht telephoniert

Y: Keine Post gekommen –?

DIENER: Keine

Y: Papa und Mama scheinen in Wien wichtigere Dinge zu tun zu haben, als sich der von ihnen leichtfertig in die Welt gesetzten Sprößlinge zu erinnern

DIENER: Gnädigste Komteß gehen zu weit, wenn Sie sich als Sprößling zu bezeichnen belieben

Y: Ich meine nicht nur mich, sondern auch die beiden Rangen da oben, das naseweise Zwillingspaar, meine gräflichen Brüder – wo stecken sie?

DIENER: Die beiden jungen Herren sind ausgeritten, nicht ohne allerdings zuvor eine chinesische Vase zertrümmert zu haben.

Y: Welche Vase? Die blauglasierte aus der Tangzeit, die Papa so abgöttisch liebt?

DIENER: Ebendieselbe!

Y: Um Gottes willen!

DIENER: Das hab' ich den jungen Herren auch gesagt. Aber sie meinten, der Vase schade das nichts. Sie wäre sowieso gefälscht, und der gnädigste Herr Graf hätte sie sich von einem Berliner Kunsthändler als echt anhängen lassen. Der Herr Graf – gnädigste Komteß verzeihen, ich rekapituliere nur –, der Herr Graf verstünden von chinesischen Vasen noch weniger als von seinem eigenen landwirtschaftlichen Mist.

Y : Wie alt sind die beiden jungen Herren?

DIENER: Zusammen achtundzwanzig.

Y : Dividiert durch zwei macht pro Stück vierzehn

DIENER: Es wächst eine neue Jugend herauf, gnädigste Komteß, eine Jugend, über die mich alten Mann manchmal das Staunen ergreift.

Y : Sie staunt über sich selbst, lieber Tom. Das ist vielleicht ihr liebenswürdigster Zug.

DIENER: Liebenswürdig scheint sie mir im großen ganzen nicht, gnädigste Komteß. Zum Beispiel war es mein Kopf, der zur Zertrümmerung der chinesischen Vase herhalten mußte.

Y : Armer Tom, sie haben dir die Vase an den Kopf geworfen?

DIENER: So ist es

Y : Und warum?

DIENER: Weil ich mir gestattete, das Bibelwort zu zitieren: Vor einem grauen Haupte sollst du Ehrfurcht haben

Y (*zeigt ein Buch*): Kennst du dieses Buch?

DIENER: Jawohl. Es ging den gleichen Weg wie die chinesische Vase.

Y : Es ist ein schweres Buch.

DIENER: Das habe ich gemerkt.

Y : Es ist ein heiliges Buch, wie die Bibel.

DIENER: Dann bin ich beruhigt.

Y : Es sind die Reden Gotama Buddhas.

DIENER: Sind sie so amüsant wie die Reden des Herrn Grafen beim Jagdfrühstück?

Y: Rede keinen Unsinn, Tom. Buddha, das war so was Ähnliches wie ein Gott. Da oben steht seine Büste

DIENER: Der Lautsprecher

Y : Ja. Papa hat den alten Gott zu einem Lautsprecher umarbeiten lassen. Er sagt, Buddhastatuen wären nicht mehr modern. Aber so als Lautsprecher mache Buddha noch eine ganz gute Figur.

DIENER: Zweifellos. Der alte Gott, wie Komteß die Büste zu titulieren belieben, hat eine klare, deutliche Aussprache

Y: Was wären wir ohne ihn in der Einöde! Er vermittelt uns einen Hauch von der großen Welt draußen. London, Paris, Rom, Wien, Zürich, Berlin, alle Weltteile, alle Sprachen sprechen durch seinen Mund zu uns. Stell ihn doch einmal an. Wir wollen hören, was er heute zu sagen hat.

DIENER (*stellt ein*)

LAUTSPRECHER: Achtung! Achtung! Achtung! Hier ist Königswusterhausen auf Welle eintausenddreihundertundacht. Privatdozent Doktor von Krause setzt seinen Vortrag über Gotama Buddha fort

Y: Der Gott spricht über sich selbst – lauschen wir ihm!

LAUTSPRECHER: Meine verehrten Damen und Herren! Die Weise guter Menschen will ich euch zeigen und die Weise schlechter Menschen! Das höret und achtet wohl auf meine Rede. Was ist nun die Weise schlechter Menschen? Da ist ein schlechter Mensch aus einem vornehmen Hause hingegangen, der gedenkt bei sich: Ich bin freilich aus einem vornehmen Hause hinausgezogen, diese andern Leute aber sind es nicht. Um seiner vornehmen Abkunft willen brüstet er sich und verachtet die andern. Das ist die Weise schlechter Menschen. Ein guter Mensch aber gedenkt bei sich: nicht doch um einer vornehmen Abkunft willen kann man eitle Eigenschaften verlieren. Wenn auch einer nicht aus einem vornehmen Hause hinausgezogen ist und er wandelt der Lehre gemäß auf dem geraden Wege, so ist er darum doch hoch zu ehren, hoch zu preisen. – Also spricht der Erhabene

Y: Was sagst du dazu, Tom?

DIENER: Der alte Herr, wenn ich ihn recht verstanden habe, scheinen gegen den Kastengeist der oberen Klassen zu protestieren, scheinen eine Art Sozialdemokrat. Nur gut, daß der Herr Graf ihn nicht gehört haben, sonst ginge er noch heute den Weg der chinesischen Vase

Y: Der alte Herr hat recht, er hat bestimmt recht

DIENER: Gnädigste Komtesse haben immer für depravierte und desolate Existenzen eine unstandesgemäße Vorliebe an den Tag gelegt

Y : Stell den Gott ab. Ich möchte jetzt in Ruhe standesgemäß frühstücken.

(DIENER *tut es*)

Ich unterhalte mich sehr gern mit dir, Tom.

(Y *frühstückt.* DIENER *bedient sie*)

DIENER : Sehr schmeichelhaft für mich, gnädigste Komteß.

Y : Du bist ein gebildeter Mensch, Tom. Du kannst zuhören. Du läßt mich reden, reden, reden – es sind nicht Buddhas Reden und nicht des Herrn Grafen Reden beim Jagdfrühstück – aber ich höre mich gern reden. Es ist so unterhaltend, sich zuzuhören. Doktor Posaulke behauptet immer, ich sei ein egozentrischer Mensch, wie ihm noch keiner vorgekommen. Findest du das auch, Tom?

DIENER : Ist's was Gutes, so glaube ich es bestimmt, denn gnädigste Komteß können nur gut sein

Y : Na, na, na – das ist wohl etwas übertrieben. Ich kann schrecklich böse sein. Zum Beispiel bin ich schrecklich eifersüchtig. Wenn ich einmal heirate und mein Mann betrügt mich, so hacke ich erst ihr, dann ihm den Kopf ab. Unweigerlich.

DIENER : Gnädigste Komteß hacken erst ihr, dann ihm den Kopf ab – das ist allerdings entsetzlich.

Y : Weißt du übrigens, daß ich heiraten soll?

DIENER : Daß der Plan im Schoß der gräflichen Familie erwogen wurde, ist mir nicht unbekannt

Y : Den Grafen z. – Kennst du ihn?

DIENER : Er geruhte mir gelegentlich einer Treibjagd einige Schrotkörner in die Verlängerung meines Rückens zu verabfolgen. Ich kenne ihn also nur oberflächlich.

Y : Er soll ein ganz oberflächlicher Mensch sein. Aber Papa ist ganz begeistert von ihm. Wahrscheinlich, weil er uns sanieren soll. Er spielt mit ihm im Klub immer Poker.

DIENER : Graf z ist wohl ein gewiegter Pokerspieler

Y : Im Gegenteil. Er soll miserabel spielen. Sonst würde er doch Papa nicht gefallen. Papa gefallen nur Leute, die an ihn verlieren.

DIENER : Unglück im Spiel, Glück in der Liebe

Y : Du kannst abräumen. Du kannst gehen. Ich will jetzt ein wenig nachdenken. Über mich. Den alten Gott. Den Grafen z,

die Liebe im allgemeinen und im besonderen. Gib mir eine
Zigarette – Streichhölzer – danke

(DIENER *ab. Das Telephon klingelt*)

Y (*hebt ab*): Hallo – hal-lo – was? w-a-s? Ob hier eine Leiche
abzuholen ist? Nein, wir sind hier alle sehr lebendig. Hier ist
keine Leiche abzuholen. – Wer ist denn dort? Friedhofsverwal-
tung? Wen wollen Sie denn sprechen? Den gestern gestorbenen
Förster Klabusch? Dann sind Sie falsch verbunden – falsch verbunden. – Am frühen Morgen eine Leiche

(*Hängt ein. Es läutet wieder*) Hallo – hallo – ob ich am Telephon bin? Ja, ich bin am Telephon. In eigener Person. Ob ich
was? – Ob ich Ihre Frau werden will? Warum nicht? Mit wem
spreche ich denn? Hal-lo, hal-lo. Der Feigling hat eingehängt.
Wenn mal einer dran ist, hängt er ein

(*Es läutet wieder*)

Ja – was ist denn los – wer ist dort? Hallo – Wien?

(*Enttäuscht*)

Du bist es, Papa? Guten Morgen, guten Morgen. Sehr lieb von
dir, anzurufen. Ob ich mich langweile? Na – soso lala. Man
hat ja so allerlei – nein, zu tun hat man gar nichts – aber zu
denken – ja, denken ist nicht so einfach. In letzter Zeit denke
ich sehr viel. Du willst ein wenig Abwechslung in meine Langeweile bringen – das ist aber scharmant von dir – du hast mir
eine überraschende Mitteilung zu machen – willst du dich
scheiden lassen? Schon wieder? – Was? Graf Z jagt hier in der
Nähe und wird mir heute oder morgen eine Visite machen?
Na schön.
Ja, ich bin hocherfreut, ich bin riesig aufgeregt, ich kann's vor
Erwartung gar nicht erwarten. Er soll nur kommen – ich werde
ihm schon die Flötentöne beibringen – ja, das Flötenkonzert
von Menzel im Musiksalon werde ich weghängen lassen – es
zerspringt schon – ja: zerspringen werden meine Freundinnen
– man versteht aber schlecht heute – du und Mama, ihr versteht euch schlecht – es wird schon wieder gut werden, Papa.
Grüß Mama von mir – versöhnt euch wieder um eurer Kinder
willen – an Kindessegen ist alles gelegen – auf Wiedersehn!
Auf Wiedersehn! Bring mir einen Nerz mit! Nein, nicht dein
Herz, einen Nerz – Nerrrz – Adio

*(Sie tritt an die Glastür im Hintergrund. In diesem Moment geht draußen ein Mann vorbei.* DIENER *zurück)*

DIENER: Draußen ist ein wunderlich gekleideter Mann voll sonderbaren Gehabens, der Komteß seine Aufwartung zu machen wünscht

Y: Wen will er sprechen? Mich persönlich?

DIENER: Komteß persönlich. Er scheint eine depravierte, desolate Existenz. Seine Absätze sind schiefgetreten. Soll ich ihn fortschicken?

Y: Wenn auch einer nicht aus einem vornehmen Hause hinausgezogen ist und er wandelt der Lehre gemäß, so ist er darum doch hoch zu ehren, hoch zu preisen – laß ihn herein.

*(*DIENER *läßt mit einem mißbilligenden Blick* x *eintreten, der ihm beim Eintritt Regenschirm und Strohhut in die Hand drückt.* x *ist in einen absurden großkarierten Anzug oder einen ähnlichen Mantel gekleidet. Grelle Krawatte. Strohgelbe Haare. Er hat wundervolle helle Augen. In seinen Bewegungen und Gesten liegt viel Scharm und Anmut. Der lächerliche Eindruck, den er hervorruft, muß sofort verschwinden. Er hat einen ramponierten, mit Bindfaden verschnürten japanischen Bastkoffer bei sich und ein übertrieben elegantes Suitcase. Stellt beides auf den Boden. Er sucht langsam, dann ein wenig nervös in seiner Brusttasche nach einer Visitenkarte)*

x: Ich bitte um Verzeihung – ja – hier

Y *(liest)*: Nathanael Ehrenpreis, Vertreter des Seidenimporthauses Baruch & Coleric, Brünn.

*(Sieht ihn prüfend von oben bis unten an)*

x *(irritiert)*: Sitzt meine Krawatte nicht?

Y: Sie sitzt.

x: Gefällt sie Ihnen nicht?

Y: Ausnehmend. – Ist sie auch von Baruch & Coleric?

x: Jawohl.

Y *(prüft sie mit den Fingern)*: Kunstseide

x *(lächelnd)*: Vielleicht

Y: Dritte Qualität

x: Gewiß

Y: Und was ist das? *(Zeigt darauf)*

x: Mein Suitcase.

Y : My home is my suit-castel –?

X (*lächelnd*): Yes.

Y : Allright.

X : Parfaitement.

Y : Vous parlez français?

X : Ça va de soi-même.

Y (*betrachtet seine Stiefel*)

X (*irritiert*): Gefallen Ihnen meine Stiefel nicht?

Y : Es geht

X : Glauben Sie, daß ich sie gestohlen habe?

Y : Nein! Dann hätten Sie sich gewiß ein Paar bessere ausge-
sucht!

X : Verzeihung

Y : Pardon (*betrachtet die Visitenkarte*). Die Visitenkarte hier
ist ja nicht einmal gedruckt – sie ist mit der Hand geschrieben

X : Visitenkarten mit der Hand geschrieben sind der letzte
Schrei der Mode. Sie vermitteln einen persönlichen Eindruck,
haben eine individuelle Note, wie gedruckte Karten niemals.

Y : Diese Karte ist besonders individuell. Sie ist noch extra mit
Bleistift geschrieben.

X : Tintenstift

Y (*betrachtet aufmerksam die Karte*)

X (*irritiert*): Was interessiert Komteß an der Karte so besonders?

Y : Die Schrift.

X : Sind Komteß – Graphologin?

Y : Zuweilen . . .

X : Und was bemerken Komteß an der Schrift?

Y : Eine gewisse Flüchtigkeit, Leichtfertigkeit, einen gewissen
Übermut, um nicht zu sagen – Hochmut. Dieses »Nathanael«
ist mir zu schwungvoll in die Welt gesetzt – dieses hochfahren-
de N – aber dann

X : Aber dann –?

Y : Kommt der Absturz

X : Wieso Absturz?

Y : Ehrenpreis. Die Buchstaben haben vom großen E ab eine
deutliche Tendenz nach unten – sie sind verrutscht

X : Ich bin verrutscht

Y : Sie laufen schräg nach unten

x : Ich laufe schräg nach unten

y : Wieso Sie? Die Buchstaben laufen schräg nach unten. Sie leiden an Depressionszuständen – Anfällen von Melancholie.

x : Die Buchstaben leiden an Depressionszuständen – Anfällen von Melancholie.

y : Wieso die Buchstaben? Sie

x : Natürlich ich.

y : Habe ich nicht recht?

x : Zu recht.

y : In summa: das Ganze eine Mischung aus Frechheit und Feigheit

x : Ich bin begeistert

y : Von dieser Charakteristik?

x : Von Ihrer graphologischen Kunst. Von ihrer Menschenkenntnis. Es stimmt. Es stimmt auffallend.

y : Wollen Sie sich nun über den Zweck Ihres Besuches aussprechen? Womit also kann ich Ihnen dienen?

x : Nicht Sie sollen mir, ich möchte Ihnen dienen

y : Womit?

x : Mit meiner ganzen Person.

y : Zeigen Sie einmal, was Sie haben!

x : Charakter

y : Nein, ich meine, in dem Ding da. (*Zeigt auf den Bastkoffer*)

x : Sie zweifeln vielleicht die Güte meiner Ware an. Tun Sie das bitte nicht. Ich führe nur Qualität. Die Toiletten für die Damen der großen Welt, die früher unbedingt aus der französischen Metropole kommen mußten, werden heute von den Brünner Salons in gleicher Erlesenheit hergestellt. Diese Entwicklung wurde besonders durch das große Seidenimporthaus Baruch & Coleric, Brünn, begünstigt, welches seit vielen Jahren an die ersten Modellhäuser die französischen Originalseidenstoffe liefert. Durch die Schaffung einer Detailabteilung machte dieses Haus seine Exklusivmuster und Dessins auch einem größeren, freilich immer noch exklusiveren Kreis zugänglich. (*Er schnürt den Bastkoffer auf, dem ganze Ballen feinster Seide entquillen, die er nach und nach mit freigebigen, eleganten Gesten im ganzen Zimmer verstreut, auf Tische, Stühle, Schränke, Empore*)

Y (*bückt sich, nimmt die Stoffe zwischen ihre Finger*): Hören Sie
mal, mein Lieber, das ist aber etwas anderes als Ihre Krawatte
x (*ausbreitend*): Crêpe Lisette
Y : Fabelhaft
x : Faille souple
Y : Entzückend
x : Crêpe Gaze
Y : Unbeschreiblich
x : Crêpe tentale
Y : Berauschend
x : Crêpe Georgette – die apartesten Dessins und Farbenzusam-
menstellungen. Wie würde dieses zarte Rot zu Ihrem Haar
kontrastieren – dieses herbstliche Braun Ihren Frühlingsteint
hervorheben
Y : Ich bin in der Tat überrascht und entzückt – aber leider habe
ich keinen Bedarf – und außerdem kein Geld. Papa und Mama
bringen mir meine Wintergarderobe aus Wien mit.
x : Papa! Mama! Ein Künstler muß Sie kleiden – ein Klei-
dungskünstler – ein Mann von höchstem Takt, von feinstem
Empfinden für Nuancen. Anbeten muß er Ihre Schönheit, lieben muß er Sie, um Sie kleiden zu können, um den zartesten
Regungen dieses gottbegnadeten Leibes nachgehen zu können
– und er muß Sie kleiden, ohne Rücksicht auf die äußeren Un-
kosten – er ist genug belohnt, daß er Sie kleiden darf! – Ein
wahrer Künstler sieht nicht auf Verdienst. Ihm bedeutet die
Schöpfung des Kunstwerkes alles, das Geld – nichts. Gestatten
Sie mir, bezaubert von Ihrer Anmut, Ihnen diesen Muster-
koffer als bescheidenes Tribut Ihrer Schönheit hochachtungsvoll
zu Füßen zu legen, verehren, schenken zu dürfen . . .
Y : Ja, sind Sie wahnsinnig – ?
x (*reißt alle Stoffe aus dem Koffer und schlingt einen nach dem
andern um sie*): Ja, ja, ja – ich bin wahnsinnig, und ich bin
froh, daß ich's bin – diesen Crêpe Lisette um die Hüften – diese
Crêpe tentale um den schönsten Nacken – diese Faille souple –
um den sanftesten Busen
Y (*stößt ihn zurück*): Ja, sind Sie vollkommen närrisch
x : Ja – ja – ja – ich bin närrisch – ich bin glücklich – ich bin
irrsinnig – ich bin irrsinnig glücklich

Y : Trinken Sie ein Glas Wasser (*Schenkt ein, stampft mit dem Fuß*) Trinken Sie! Gehorchen Sie! (x *trinkt*) Fassen Sie sich!

x : Mich fassen? Sie will ich fassen, Sie kostbaren Edelstein in die kostbarste Fassung chinesischer Mandarinenseide – hier hab' ich einen Mandarinenmantel – ein Vermögen wert – hat nichts mit der Stoffabteilung zu tun – ein Erbstück – ich habe es persönlich geerbt – vom Kaiser von China. Sie sollen den Mantel haben – als Bademantel (*Hängt ihr ihn um*) Nehmen Sie ihn – hier aus dem Grunde meines unerschöpflichen Zauberkoffers zaubere ich noch allerlei exquisite Nouveautés: ein weißes englisches Crêpe-de-Chine-Kleid mit Hohlfalten in der Farbe des Mantelfutters – ein grüner mit weißem rosa doublierten Hermelinkragen ausgestatteter Mantel – dazu ein grünes Kleid – ein champagnerfarbener Gazemantel, verbrämt mit Naturgoldopossum – ein lila ombrierter Schwimmanzug – ein rosa Georgette-Pyjama, mit Gold und Silber kombiniert

(*Das ganze Zimmer liegt voll der kostbarsten Seidenstoffe und Toiletten*)

Y (*klingelt.* DIENER *erscheint*): Werfen Sie das hinaus!

DIENER (*mit einem Blick auf* x): Den?

Y (*mit einem Blick auf die Stoffe und Toiletten*): Das da! Nehmen Sie einen Besen und kehren Sie das alles hinaus!

x : Um Gottes willen!

Y : Haben Sie's mir nicht soeben geschenkt?

x : Ja – aber

Y : Also – hinaus damit (*Wirft dem* DIENER *allerlei Stoffe zu*) Den Mandarinenmantel kannst du da lassen, Tom. Der da ist's. Mit dem will ich's mir noch überlegen (DIENER *kehrt alles hinaus.* DIENER *ab*)

So, jetzt sind wir ganz unter uns – was wollen Sie also? Wer sind Sie?

x : Oh . . . ich bin ein einfacher Reisender – sonst nichts. – Ich reise von Ort zu Ort. Mal mit der Eisenbahn. Mal zu Fuß. Auch Aeroplan. Auto. Rolls-Royce. Ford. – Wie's gerade trifft.

Y : Und wie hat es heute getroffen?

x : Ungrade. Ich hab' es heute schlecht getroffen

Y : Sie haben mich getroffen

x : Es ist wahr – ich darf nicht undankbar gegen das Geschick
sein.

y : Sie haben etwas in den Augen

x (*reibt sich die Augen*): Was denn?

y : Was mir gefällt. – Irgend etwas an Ihnen – ein Glanz in
Ihren Augen – eine Handbewegung – empfiehlt Sie mir

x : Mein Freund, der Graf, hat mich an Sie empfohlen

y (*überrascht*): Welcher Graf?

x : Graf z

y : Graf z?

x : Graf z

y : Sie kennen ihn?

x : Ich kenne ihn ausgezeichnet

y : Woher kennen Sie ihn?

x : Wir haben uns im Gefängnis kennengelernt

y : Im Gefängnis?

x : Im Gefängnis

y : Das heißt: *Sie* saßen im Gefängnis, und der Graf besuchte
Sie? Oder wie verhält es sich?

x : O nein – wir saßen beide im Gefängnis

y : Sie lügen. Der Graf ist nie im Gefängnis gesessen. (*Kleine
Pause*) Was hat er denn verbrochen?

x : Wir waren beide in der gleichen Nacht von der Polizei aus-
gehoben worden – ich in einer Art Obdachlosenasyl und der
Graf in einem verbotenen Spielklub – wir blieben eine Nacht,
bis unsere Personalien festgestellt waren, in der gleichen Zelle
inhaftiert. Und da haben wir uns kennen und schätzen gelernt.
Ich kann wohl sagen, daß der Graf einer meiner intimsten
Freunde geworden ist. Ich erinnere mich seiner oft und gern.
Wir haben noch in der Nacht in der Zelle in Ermangelung von
Alkohol aus Wassergläsern mit Wasser Brüderschaft getrunken

y : Der Graf und Sie?

x : Ich und der Graf.

y : Sie stellen Ihren Namen dem des Grafen voran?

x : Ich erkenne die Rangordnung der Stände nicht an. Gott
schuf den Mann und aus der Rippe des Mannes das Weib. In
holder Nacktheit. Erst die Menschen haben sich mit Uniformen
und Abzeichen behängt und die Rangordnung der Natur durch-

brochen, in der jedes Geschöpf gleich viel gilt. Machte Gott den Löwen zu einem Grafen? Den Wolf zu einem Geheimrat? Verlieh er der Stechpalme das Großkreuz des Andreasordens und dem Faultier den Roten Adler vierter Klasse? Kennt Gott eine Rangordnung unter den Geschöpfen? – Vielleicht ist ein Zitronenfalter mehr wert als eine Feldmaus – oder wie denken Sie darüber?

Y: Ich denke mir, Sie werden Hunger haben – oder täusche ich mich?

X: Komteß täuschen sich nie

Y: Also gehen Sie in die Küche und lassen Sie sich etwas zu essen geben

X (*frappiert, dann verlegen*): Ich möchte mir den Vorschlag gestatten, daß man mir das Essen hier serviert. Sollte ich, was ja nicht ausgeschlossen scheint, hier im Hause öfter zu tun haben, würde es auf die Dienstboten einen unpassenden Eindruck machen, wenn ich wie ein Domestik mein Essen in der Küche einnehmen müßte.

Y: Aber Sie sagten doch vorhin, Sie wollten mein Diener sein

X: Ihr freiwilliger Diener. Freiwillig dienen kann nur – ein Herr.

Y (*sieht ihn scharf an*): Nun – gut (*Klingelt.* DIENER *erscheint*) Herr Ehrenpreis erhält hier ein kleines Frühstück serviert

DIENER (*gefaßt*): Sehr wohl. Welche Weinsorte befehlen Komteß?

X: Portwein.

Y: Portwein. Der Arzt hat mir zum Frühstück Portwein empfohlen

DIENER (*entsetzt, dann*): Sehr wohl. (*Ab*)

Y: Sie tun so, als ob Sie hier zu Hause wären?

X: Würde ich anders tun, so würde ich Sie und dieses gastliche Haus beleidigen

(DIENER *trägt inzwischen auf*)

Auf Ihr Wohl, gnädigste Komteß! – Der Diener hat nur ein Glas gebracht. Darf ich Sie zu einem Glase Portwein einladen? (*Zum* DIENER) Ein zweites Glas, bitte

DIENER (*Blick zur Komtesse*)

Y: Ein zweites Glas.

DIENER : Sehr wohl. (*Bringt ein zweites Glas, dann ab*)

x : Man serviert mir hier eben Krebse. Ich bedaure sehr, sie nicht essen zu können, da ich mit Krebsmesser und Krebspinzette nicht umzugehen verstehe. Kann man Krebse nicht mit dem Dietrich öffnen?

y : Kommen Sie – ich werde Ihnen die Krebse öffnen (*Tut es*) Die Krebsschwänze sind eine besondere Delikatesse. Nehmen Sie von der Brester Poularde?

x : Ah – das schmeckt anders als Suppenhuhn

y : Sehen Sie! Jetzt richten Sie selbst eine Rangordnung unter den Geschöpfen auf! Eine Brester Poularde ist mehr wert als ein Suppenhuhn!

x : Sie sind beide tot. Unter toten Wesen, besonders den zum Verspeisen geeigneten, mag eine Rangordnung bestehen – unter lebenden nicht!

y : Aber unter den Lebenden besteht doch eine Rangordnung! Ich bin zum Beispiel Komteß und Sie sind Reisender

x : Ja. Wenn Sie eine gute Komteß sind, und ich bin ein schlechter Reisender – so sind Sie mehr wert. Sind Sie aber eine schlechte Komteß, und ich bin ein guter Reisender – so bin ich mehr wert.

y : Nun – sind Sie ein guter Reisender?

x : Ich bin ein ... armer Reisender

y : Sie werden sentimental. Soll ich Ihnen mit einer kleinen Summe aushelfen

x : O danke – darum handelt es sich hier nicht

y : Und worum handelt es sich?

x : Um mich – um Sie?

y : Um mich?

x : Ja

y : Wieso?

x : Ich bin feige. Sonst würde ich offen sprechen

y : Reden Sie so offen, wie Sie es für gut befinden!

x : Ich liebe Sie!

y : Nein. Das glaub' ich nicht.

x : Ich trage Ihr Bild, das neulich in der »Dame« war – eine Schönheit aus der Gesellschaft – immer mit mir herum. (*Zieht ein ganz zerknülltes Papier aus der Tasche, das er sorgfältig glättet*) – ich habe es im Café Central heimlich herausgerissen, auf die Gefahr hin, wegen Diebstahls auf der Stelle abgefaßt zu werden – was sagen Sie dazu?

Y (*betrachtet das Bild, erstaunt*): Ja, es ist tatsächlich mein Bild.

X: Sehen Sie!

Y: Ja, ich sehe es – was soll ich nun davon halten?

X: Von dem Bild? Es zeigt die schönste Frau der Welt. (*Küßt das Bild*)

Y (*entreißt ihm das Papier*): Und der, der es mit sich herum-trägt, ist der frechste Kerl der Welt

X: Nun, so hart möchte ich das nicht ausgedrückt haben.

Y: Es ist noch viel zu sanft. (*Wendet sich abrupt ab*)

X: Komteß

Y (*schweigt*)

X: Komteß

Y: Sie machen einen ja ganz nervös – was wollen Sie?

X: Ich will Sie . . .

Y (*springt auf*): Mich wollen Sie – sind Sie wahnsinnig?

X: Sie müssen mich ausreden lassen. Ich will Sie überzeugen.

Y: Wovon?

X: Von mir

Y: Also doch!

X: Aber gnädigste . . .

Y: Ich bin nicht gnädig. Ich bin sogar sehr ungnädig.

X: Sie sind auf einmal schlechter Laune. Das ist alles.

Y: Das ist viel. Und wer hat mich dazu gebracht?

X: Ich bekenne mich schuldig, schuldig, dreimal schuldig.

Y: Verlassen Sie sofort das Haus!

X: Nicht ohne Sie . . .

Y: Unverschämter Bursche!

X: Bitte ausreden lassen! Nicht ohne Sie um eine Gefälligkeit gebeten zu haben.

Y: Was wollen Sie? Aber schnell.

X: Ich weiß nicht, wie ich mich ausdrücken soll.

Y: Sie sind doch sonst nicht auf den Mund gefallen.

X: Nein, aber auf den Kopf geschlagen.

Y: Von wem?

X : Von Ihnen

Y : Ich bin kein Boxer

X : Nein, so sanft wie ein Boxer sind Sie wiederum nicht. Denn Boxen ist ein Sport und Spiel, und Sie – machen Ernst

Y : Jawohl – machen Sie, daß Sie endlich hinauskommen

X : Kommen Sie mit!!!

Y : Ich mit Ihnen mit? Ich glaube, Sie sind irrsinnig geworden

X : Irrsinnig vor Liebe

(*Sie geht erregt im Zimmer herum, und er immer hinter ihr her*)

Hören Sie mich doch an – das Schloß hier – das ist doch eine romantische Ruine – ein alter Prunksarg – wenn man so jung ist wie Sie – begräbt man sich selbst doch nicht lebend in einem Prunksarg – unter Moder, Schutt und Asche – wie es hier riecht – nach Vergangenheit – nach Verwesung – nach Tradition

(*Der* BUDDHA *beginnt zu sprechen*)

BUDDHA : Achtung! Achtung! Achtung!

X : Keine Achtung, mein lieber Gott! Nichtachtung! Ausgesprochene Nichtachtung! (*Er wirft den Gott herunter, der in tausend Stücke zerspringt*)

Y : Was tun Sie? Sie – Sie – Anarchist

X : Ich zerbreche alte Tafeln

Y : Was für große Worte! Sie nehmen den Mund sehr voll!

X : Ich nehme ihn noch viel voller – mit noch größeren Worten – ich – liebe Sie

Y : Das haben Sie mir schon einmal erzählt

X : Ich kann es nicht oft genug wiederholen

Y (*hat einen großen Lehnstuhl wie einen Schild vor sich*): Hören Sie – Sie erzählten vorhin, daß Sie den Grafen z so gut kennen

X : Ja

Y : Nun, dann wissen Sie wohl auch, daß ich den Grafen z heiraten soll, daß ich so gut wie verlobt mit ihm bin

X : Natürlich weiß ich das

Y : Sie wollen also Ihren Freund, den Grafen z, schmählich hintergehen, Sie wollen mich ihm abspenstig machen?

X : Ganz im Gegenteil

y : Im Gegenteil?

x : Sie kennen den Grafen noch nicht?

y : Persönlich? Nein. Nur aus den Erzählungen von Papa und Mama. Ich habe aber heute mit Papa telephoniert. Graf z jagt hier in der Nähe – er wird mich besuchen – morgen – oder heute – er kann jeden Augenblick die Tür hereinkommen (*Es läutet*) Da ist er!

x : Da ist er!

(DIENER *tritt ein mit Tablett*)

DIENER : Ein Telegramm!

y : Ein Telegramm

x : Ein Telegramm

(DIENER *ab*)

y (*reißt es auf*): Von wem, glauben Sie, ist das Telegramm?

x : Vom Grafen z

y : Ja.

x : Er meldet Ihnen für heute seinen Besuch

y : Woher wissen Sie?

x : Ich selbst habe das Telegramm aufgegeben – in seinem Auftrag

y : Sind Sie sein Kammerdiener?

x : Im Gegenteil – soll ich Sie mit ihm bekannt machen?

y : Mit wem?

x : Mit dem Grafen

y : Wann?

x : Sofort

y : Sofort??

x : Sofort!

y : Ich sehe weit und breit keinen Grafen – haben Sie ihn mitgebracht und wartet er draußen im Garten?

x : Er hatte die Marotte, sich auf eine besondere Art bei Ihnen einzuführen. Er wollte Sie durch mich gleichsam prüfen lassen, ehe er sich definitiv bände. Nun, Sie haben das Examen glänzend bestanden.

y : Ich verstehe kein Wort

x : Einen Moment. Ich zähle bis sieben

y : Warum zählen Sie bis sieben?

(*Er ergreift das Suitcase und verschwindet durch die Glastür*

*im Garten. Er zählt: Eins – zwei usw. Er kehrt sofort in einem
sehr eleganten Anzug zurück. Der Schauspieler trägt den ersten lose über dem zweiten und kann ihn in der Kulisse blitzschnell abstreifen)*
Heut ist doch nicht Karneval?
x : Nein, etwas viel Schöneres: Der Tag unserer Verlobung.
y : Ich falle aus den Wolken
x : Ich bin in allen Himmeln – Komteß, darf ich mir gestatten,
Sie um Ihre Hand zu bitten? Der Einwilligung Ihrer Herren
Eltern habe ich mich vergewissert.
*(Er öffnet das Etui, das eine kostbare Perlenkette enthält, er
legt ihr die Kette um, sie betrachtet erstaunt das Etui, liest die
Inschrift)*
y : Hier ist ja etwas eingraviert
x : Lesen Sie!
y *(liest)*: Graf z seiner geliebten Braut Komteß y zur Verlobung. Sie sind – Graf z?
x : Ich bin's. Das läßt sich nicht länger verheimlichen
y : Ich kann's kaum glauben
x *(lächelnd)*: Wünschen Sie polizeilichen Ausweis? *(Greift in
die Brusttasche)* Bitte: Man ist mit allem Nötigen versehen
y *(nimmt den Paß)*: Graf z. Ja, es stimmt – das Bild – etwas
undeutlich
x : Wie alle Paßbilder
y : Augen blau – es stimmt – Mund gewöhnlich – *(aufblickend)*
das stimmt nicht... *(Lächelnd)* Mund ist ungewöhnlich
hübsch...
x : Ich bin entzückt, daß ein so unbedeutender Körperteil wie
mein Mund Ihren Beifall findet
y : Sie sind ein reizender Mensch, Graf!
*(Gibt ihm den Paß zurück, den x irgendwie erleichtert ein-
steckt)* Sie haben sich so originell bei mir eingeführt – ich
müßte Sie darum allein schon lieben – aber ich liebe Sie –
überhaupt – Sie waren mir vom ersten Moment an sehr sympathisch – und ich bin froh, daß Sie Graf z sind, denn ich liebe
Sie.
x *(umarmt sie)*: Du!
y : Du!

x : Also willst du dein Versprechen halten, daß du mir heute leichtfertigerweise am Telephon gegeben hast

y : Ich hab' dir ein Versprechen gegeben?

x : Allerdings. Ich habe dich heute früh angerufen und dich gefragt, ob du meine Frau werden wolltest – und du hast am Telephon geantwortet: Natürlich – mit wem spreche ich denn?

y : Und ich habe mit dir gesprochen?

x : Mit mir!

y : Da kann man nichts machen. Sein Versprechen muß man halten.

x : Du hältst dein Versprechen – und ich halte – dich. (*Halten sich umschlungen*)

y (*klingelt.* D I E N E R *erscheint*):
Kehren Sie den Gott hinaus. Ich habe ihn versehentlich zerbrochen. – Das mit dem Hinauskehren vorhin – das mit den Seidenstoffen – und Toiletten da – war natürlich nicht so ernst gemeint – sie liegen doch noch im Garten?

D I E N E R : Das weibliche Personal ist gerade dabei, die Toiletten unter sich zu verteilen – das wird nächsten Sonntag ein Hallo im Dorf geben – die dicke Köchin im Crêpe-de-Chine-Kleid mit Hohlfalten und die Kuhmagd im grünen, mit weißem, rosa doubliertem Hermelinkragen verbrämten Mantel. Die Leute werden glauben, die Weltrevolution ist ausgebrochen

y : Sie ist auch ausgebrochen, Tom : ich habe mich verlobt

D I E N E R : Mit dem da?

y : Mit dem da. Der da ist nämlich der Graf z.

D I E N E R : Oh, ich bitte tausendmal um Vergebung

x : Bitte

y : Bitte doch die Mädchen in der Küche, mir wenigstens den rosa Georgette, mit Gold und Silber kombinierten Pyjama zu lassen. Den wird ja doch Sonntags bei der Dorfmusik keine anziehn. Aber ich möchte ihn gern zur Erinnerung an meine Verlobung – in der Hochzeitsnacht tragen.

D I E N E R : Sehr wohl.


(*Vorhang*)

## ZWEITER AUFZUG

*Eine amerikanische Grammophonplatte ertönt. Der Vorhang geht auf und zeigt ein elegantes Zimmer. Ein Riesendivan. Viel Kissen, Y läuft, im Kostüm einer Streckenläuferin, im regelmäßigen Dauerlauf im Zimmer herum. x steht in eleganter Hausjoppe in einer Ecke mit der Stoppuhr und zählt dann.*

x : Eins – zwei – eins – zwei – eins – zwei – eins – Kopf zurück – Brust heraus – zwei – eins – zwei – eins – zwei – ein Kilometer – Stopp –

Y *(atemlos)*: Uff

x : Du bist heute fabelhaft gelaufen *(Stellt Grammophon ab)*

Y : Wie lange?

x *(hüllt sie in ein Tuch)*: Sieben Minuten

Y : Na, das ist nicht so besonders – du, ich glaube, ich werde zu dick

x *(lacht laut)*: Zu dick?

Y : Ja, findest du nicht? Hier zum Beispiel

x : Aber Henriette

Y : Aber Henriette – aber Henriette – ich werde Paraffinbäder nehmen.

x : Du bist ja ein ganz paraffiniertes Geschöpf

Y : Mach keine dummen Witze. Hilf mir lieber, die Beine zu strecken *(Stellt sich an einen Stuhl)* So – erst von vorn – so – noch weiter – noch weiter – noch weiter

x : Aber ich breche dir ja dein hübsches Bein ab

Y : Unsinn – so – ach, das tut wohl – so und jetzt – Spagat *(Macht Spagat)* So, und jetzt kommst du *(Streckt ihm das Bein, der sich komisch wehrt)*

x : Du könntest zum Zirkus gehen

Y : Das werde ich auch noch tun – und dich nehme ich als Clown mit

*(Läuft ins Nebenzimmer und zieht sich schnell um, spricht von dort)* Du

x : Ja?

Y : Du – hörst du?

X : Ja

Y : Es war eine fabelhafte Idee von dir, daß wir uns heimlich in
der Großstadt trauen ließen. Ich fand das sehr romantisch –
besonders die Trauzeugen –, aber meinst du nicht, daß es bald
an der Zeit wäre, Papa und Mama zu benachrichtigen, wo wir
eigentlich stecken? Ich begreife auch nicht, weshalb wir hier
inkognito wohnen, nachdem wir auf dem Standesamt doch
rechtlich als Graf und Gräfin z getraut worden sind – was für
eine Marotte

X : Es war stets mein Hauptgrundsatz im Leben, nicht aufzu-
fallen.

Y : Nun, da hat bei mir dein Hauptgrundsatz kläglich versagt.
Mir bist du erheblich aufgefallen . . .

X : Ja, du hast auch eine besonders feine kleine Spürnase

Y : Ich merke alles! Ich komme dir hinter alle deine Schliche!
(*Tritt auf im Pyjama*) Wenn du mich einmal betrügst und ich
erwische dich, so hacke ich erst ihr, dann dir den Kopf ab. Unweigerlich!

X : Und dann wirst du uns vermutlich noch braten und verzeh-
ren.

Y : Nein, meinen Hunden werfe ich euch dann vor

X : Du bist ja eine Berserkerin!

Y : Ich habe Blut in den Adern – aber du Limonade, wenn du
das nicht verstehst. Denn ich liebe dich sehr, bedingungslos.
Unbedingt.

X : Bedingungslos? Unbedingt? Ich nehme dich beim Wort –
vielleicht einmal

Y (*fällt ihm um den Hals*): Nimm mich – nimm mich – bei
diesen und bei allen Worten

X : Mein Herz – mein Herz – ja du bist mein Herz, denn ich
habe keines

Y : Renommier nur nicht – du hast viel zuviel Herzen
(*Es klopft*)

X : Herein. (*Herein tritt z in der Livree eines Dieners*)

Z : Die Zeitung, Herr Graf

X : Danke. Keine Post?

Z : Keine.

x : Telegramm?

z : Keines!

x: Gut. – (*Diener ab*)

y : Dieser Diener kommt mir merkwürdig vor – dir nicht?

x : Mir ganz und gar nicht. Wieso?

y : Er ist so schrecklich vornehm

x : Alle Diener sind vornehm – sie sind viel vornehmer als ihre Herren.

y : Hast du seine Leibwäsche gesehen?

x : Wie käme ich dazu! Und wie kämst du dazu?

y : Ich hab' in seiner Kammer gestöbert, als er Ausgang hatte. Seidene Hemden! Seidene Unterhosen! Fabelhaft! Ein so üppiges Gehalt bezieht er doch nicht, daß er sich davon so etwas leisten könnte. Weißt du, wofür ich ihn halte?

x : Nun?

y : Für einen Hochstapler

x : Ach?!

y : Für einen ganz raffinierten Hochstapler! Ich merke alles! Ich komme ihm hinter alle seine Schliche!

x : Ja, du hast eine besonders feine kleine Spürnase

y : Mit dem werden wir noch was erleben – aber ich halte meine Augen offen, auch wenn du schläfst

x : Ich schlafe so gern

y : Du bist ein Faultier.

x : Willst du die Freundlichkeit haben, mich jetzt mal einen Moment ruhig in die Zeitung sehen zu lassen. Die politische Lage in Österreich ist derart interessant

y : Da hast du sicher eine alte Zeitung erwischt.

x (*liest*)

y : Meine Güte, was gibt es denn bloß so Amüsantes in der Zeitung?

x : Ich lese einen Artikel über moderne Götzen

y : Ich kenne nur einen Götzen, den von Berlichingen.

(*Kleine Pause*)

Du frißt ja förmlich die Buchstaben in dich hinein. An der Stelle, wo du gelesen hast, ist die Zeitung ja schon ganz weiß.

x : Das ist eine zensurierte Stelle.

y : Welcher Oberlehrer hat sie denn zensuriert?

x (*verzweifelt*): Willst du nicht vielleicht so gütig sein – du bist doch mit deinem Kreuzworträtsel noch nicht im reinen

y (*seufzend*): Also schön

(*Redet vor sich hin, klettert auf dem Diwan zwischen den Kissen herum und sucht die Rätselzeitung und einen Riesenbleistift*) dazu hab' ich wohl geheiratet, um den ganzen Tag Kreuzworträtsel zu lösen. (*Nimmt sich das Rätsel vor,* x *liest*) (*Nach einer Weile*) Nat?

x: Ja?

y: Kennst du eine zweisilbige Stadt in Sachsen, die eine Taubstummenanstalt beherbergt?

x: Wenn sie eine Taubstummenanstalt beherbergt, wird sie wohl sehr einsilbig sein. Taubstumme pflegen sehr einsilbig zu sein

y: Du bist sehr albern, Nat

x: Danke sehr

y: Bitte schön (*Pause, dann*) Nat . . .

x: Mein Kind?

y: Kind – Kind – Ich bin nicht dein Kind – du tust ja geradeso, als ob ich noch ein Backfisch von vierzehn Jahren wäre.

x: Ich weiß, was ich deinen neunzehn Jahren an Ehrerbietung schulde

y: Neunzehn Jahre? Neunzehn Jahre? Ja glaubst du vielleicht, ich bin schon Großmutter? Untersteh' dich, mir noch einmal neunzehn Jahre vorzuwerfen. Ich bin achtzehn, keinen Tag älter. Wenn du noch einmal neunzehn sagst, kratz' ich dir die Augen aus.

x: Laß mir meine Augen, und ich laß dir deine achtzehn Jahre, Kind.

y: Schon wieder: Kind . . .

x: Also: mein Weib

y (*nimmt einen Handspiegel und spiegelt sich in ihm*): Wenn ich in den Spiegel seh', seh' ich, daß ich so schlank bin wie ein Knabe

x: Sieh in den Spiegel meiner Augen, Liebling.

y (*streckt ihm die Zunge heraus*): Bäh!

x: Aber jetzt laß mich mal in Ruhe einen Moment in die Zeitung sehen.

Y : Bei uns wird den ganzen Tag Zeitung gelesen. (*Schmollend, nach einer Pause*) Nat?

X : Ja?

Y : Weißt du ein Säugetier, vorn mit A und hinten mit e?

X : Amme

Y : Du bist unmöglich. (*Pause*) Nat.

X : Ja, mein Süßes?

Y : Kennst du ein fünfsilbiges Beruhigungsmittel für die Nerven?

X : Alle Nervenberuhigungsmittel, die ich kenne, haben nur drei Silben: Morphium, Kokain, Eu-ko-dal, O-pi-um!

Y : Na höre mal, du kennst dich in Nervenberuhigungsmitteln aber nicht schlecht aus.

X : Kein Wunder. Ich habe in meinem kurzen, aber ereignisreichen Leben meine Nerven oft genug beruhigen müssen, wenn eine Frau durch törichte Fragen sie beunruhigt hatte

Y : Das wird ja immer reizender. Jetzt stellst du mich mit den andern Frauen, die du vor mir geliebt, schon in eine Reihe. Hältst du mich für eine Hu? Ich bin eine Frau, deine Frau, daß du's weißt.

X : Danke, ich weiß Bescheid.

Y : Bitte, ich auch (*Pause*) Nat?

X (*ungeduldig*): Ja?

Y : Jetzt fehlt mir eine einsilbige ausländische Geldsorte

X : Liebes Herz: mir fehlen sämtliche ein- und mehrsilbigen in- und ausländischen Geldsorten

Y : Weißt du einen zweisilbigen berühmten Juden und Religionsstifter?

X : Einen zweisilbigen Juden? – Moses.

Y : Geraten! Es stimmt! Übrigens, Nat

X : Mein Herz

Y : Du hast ja auch so einen eigenartigen Vornamen – warum heißt du eigentlich Nathanael? Findest du den Namen nicht leicht läppisch?

X : Ich finde den Namen Nathanael ungewöhnlich dumm.

Y : Und warum heißt du so?

X : Weil ich auf den Namen getauft worden bin

Y : Getauft – das klingt ja äußerst verdächtig

x : Wieso – hältst du mich, den Grafen z, vielleicht gar für einen Juden?

y : Warum nicht? Eventuell könntest du auch ein Jude sein.

x : Selbstverständlich. Genauso, wie du eine zentralafrikanische Negerin sein könntest.

y : Wieso?

x : Wenn du nicht zufällig eine deutsche Komtesse wärest – denn wenn du die nicht wärst, könntest du ja alles andere sein.

y : Selbstverständlich! Sogar ein Gaskocher oder ein Schirmständer.

x (*küßt sie*): Oder ein blühender Birnbaum – oder eine wehende Wolke – oder ein zahmer Zeisig

y : Nun, ein zahmer Zeisig wär' ich gewiß nicht.

x : Nein – aber eine Wildkatze

y : Oder ein Adlerweibchen. Dann würde ich meine Jungen mit Menschen füttern. Ja, das würde ich.

x : Auch Kannibalismus traue ich dir unbesehen zu.

y : Ich finde, du versuchst das Gespräch abzulenken, machst Ausflüchte

x : Wohin?

y (*setzt sich auf seinen Schoß, wiegt sich hin und her*): Ich habe dich nach deinem Vornamen gefragt

x : Nun – und?

y : Warum bist du auf den Namen Nathanael getauft?

x : Weil meine Eltern es so wollten

y : Und warum wollten deine Eltern es so?

x : Weil mein Großvater in seinem Testament es so bestimmt hatte

y : Was war dein Großvater für ein Mann?

x : Ein bekoweter Mann.

y : Was heißt das?

x : Ein bekannter Mann, er war ein sehr bekannter Mann, mein Großvater

y : Und warum hatte es dein Großvater so bestimmt?

x : Aus dem einfachen Grunde, damit du einmal Gelegenheit bekommen solltest, dich so intensiv danach zu erkundigen

y : Wenn ich etwas wissen will, bin ich immer sehr intensiv, Nat.

x : Du bist sehr wißbegierig und bildungshungrig. Das ehrt

dich und zeichnet dich vor deinen Geschlechtsgenossinnen aus. Um deiner Wißbegierde zuvorzukommen und sie a priori zu befriedigen: in unserer Familie haben wir alle biblische Vornamen. Mein Vater hieß Samuel!

Y: Samuel! Wie im Freischütz!

x: Mein Großvater Abraham. Und mein Sohn wird Adam heißen. Denn mit ihm soll die Welt wieder von vorn beginnen

Y: Dein Sohn soll Adam heißen? Da habe ich auch noch ein Wörtchen mitzureden. Wenn es nach mir geht, so wird er einen guten deutschen Namen bekommen: zum Beispiel Wodan oder Siegfried (*Streichelt über seinen Kopf*) Oh, du hast ja hier eine Narbe – ich spür's durchs Haar hindurch.

x: Einen – Schmiß

Y: Hast du das bei einem Duell bekommen?

x: Ja, bei einem Duell

Y: Bei den Bonner Borussen?

x: Nein, bei den Borussen des Scheunenviertels.

Y (*springt ihm vom Schoß*): Wegen einer Frau?

x: Ja, eine Frau war auch im Spiel

Y (*wütend*): Gib doch endlich mal die dumme Zeitung aus der Hand (*entreißt sie ihm, verblüfft*) Du – hier ist ja ein Artikel rot angestrichen

x: Rot angestrichen?

Y: Hast du ihn rot angestrichen?

x: Aber ich habe die Zeitung ja eben erst bekommen – sollte der Diener

Y: Natürlich der Diener – natürlich der Diener – dein sauberer Diener war's. Wer denn sonst? Nicht genug, daß er deine Zigarren raucht, deine Liköre trinkt und deine Frau so sonderbar ansieht, jetzt liest er auch schon deine Zeitungen zuerst.

x: Zeig doch mal her

Y: Nein, erst will ich sehn

x: Vielleicht ist's das, was ich suche

Y: Was suchst du denn?

x: O ich suche gar nichts.

Y: Aber du hast doch eben gesagt, daß du etwas suchst.

x: Unsinn

Y: Dann laß mir doch einen Moment die Zeitung, ich will ja

nur sehen, was der Diener rot angestrichen hat. Vielleicht ist's
was Unpassendes.

x: Dann darfst du's erst recht nicht lesen

y: Nun gerade. – (y *mit der Zeitung davon, über den Diwan
usw., x ihr immer hinterher*)
Nein – nein – laß, du kriegst sie doch nicht
(*Sie reißen an der Zeitung, reißen sie ganz entzwei, y erwischt
aber den Fetzen mit dem rot angestrichenen Artikel, springt
damit triumphierend auf den Tisch, schwingt ihn wie eine
Fahne, liest dann*)
Steckbrief!

x: Steckbrief!

y: Ein Steckbrief – meine Nase!!!

x: Wieso deine Nase?

y: Das ist sicher der Steckbrief, mit dem sie ihn suchen

x: Wen suchen?

y: Den Diener natürlich – unsern Diener (*Liest*)
Der am vierten November in Zopron gebürtige Siegfried Cohary wird wegen fortgesetzten Verbrechens der Hochstapelei,
der Urkundenfälschung, Fundunterschlagung und Führung
eines falschen Namens gesucht und ist beim Ergreifen der
nächsten Polizeibehörde zuzuführen. Nähere Kennzeichen: Gestalt mittel, Gesicht oval, Farbe der Augen: blaugrau, Farbe
des Haares: blond. Besondere Kennzeichen: Muttermal am linken Ohrläppchen – – –
Das Ohrläppchen von dem Burschen werd' ich mir jetzt mal
betrachten

x: Von welchem Burschen?

y (*klingelt. Der Diener erscheint*)

z: Frau Gräfin wünschen?

y: Kommen Sie mal her (*geht um ihn herum, mustert ihn nach
dem Zeitungsblatt*) Gestalt: mittel. Stimmt. Gesicht: oval.
Stimmt. Farbe der Augen: blaugrau. Stimmt. Farbe des Haares: blond. Stimmt. Besonderes Merkmal: Kommen Sie mal etwas näher – noch näher (*berührt mit dem Bleistift sein Ohr*)
was haben Sie denn da am linken Ohrläppchen? Haben Sie
Ohrringe getragen? Es ist gut, Sie können gehn.

z (*mit Verbeugung ab*)

Y (*enttäuscht*): Er hat kein Muttermal am linken Ohrläppchen.

x : Vielleicht hat er es woanders.

Y : Wo denn sonst?

x : Muttermale kann man überall haben.

Y : Der sieht mir nicht nach Muttermalen aus. – Der Steckbrief ist ja auch so allgemein gehalten, der paßt auf jeden.

x : Wir sind eben alle Verbrecher . . .

Y : Komm einmal her (*Geht um ihn herum, mustert ihn*) Gestalt: mittel. Stimmt. Gesicht oval. Stimmt. Farbe der Augen: blaugrau. Stimmt. Farbe des Haares: blond. Stimmt. Besonderes Merkmal – – komm mal etwas näher – was hast du denn da am linken Ohrläppchen? (*verblüfft*)

Ein *Muttermal!* Na, das ist aber mal komisch.

x : Sehr komisch

Y : Was es für Zufälle gibt. Kein Wunder, wenn die Polizei so selten den richtigen erwischt.

x : Da siehst du, wie leicht ein Ehrenmann in einen falschen Verdacht kommen kann.

Y : Und sogar eingesperrt werden kann.

x : Da sei Gott vor. Das ist eine unangenehme Geschichte.

Y : Wieso?

x : Sag', hast du mich sehr lieb, das heißt: liebst du mich? Mich?

Y : Sehr, Nat, sehr

x : Mich, wie ich hier bin: als Erscheinung, Totalität, Charakter

Y : Ganz und gar. Mit Haut und Haar.

x : Du siehst nicht nur Teile von mir; Facetten – mosaikartig – du liebst mich *ganz*?

Y (*lachend*): Voll und ganz

x : Liebst du den Grafen z oder liebst du mich, sozusagen Nat?

Y : Ich liebe den Grafen z, also Nat, also dich

x : Lassen wir den Grafen weg – liebst du mich so wie damals, als ich in dem lächerlich karierten Anzug zu dir kam – als Strolch – als Vagabund – würdest du mich heute, wenn ich in demselben, schäbigen, geschmacklosen Anzug zu dir käme, wieder lieben?

Y : Wieder? Noch! Der Anzug, den du anhast, ist mir doch ganz egal

x : Würdest du auch den – Strolch lieben?

y *(lachend)*: Jawohl – du Strolch *(Küßt ihn)*

x : Es – ist – gut

y : Du bist ja auf einmal ganz blaß – fehlt dir was, Nat?

x : Ich bin so abgespannt heute – ich glaube, die Hitze – erlaube, daß ich mich zurückziehe

y : Soll ich einen Arzt rufen lassen?

x : So schlimm ist es nicht *(Leise)* schlimmer

y : Nimm eines deiner dreisilbigen Nervenberuhigungsmittel: A-spi-rin oder Eu-ko-dal. Schlaf gut, Strolch. Gute Besserung! *(x geht ab, y geht nach hinten zu einem Vogelkäfig, wo ein Kakadu drin sitzt, spricht mit ihm)*

y : Kakadu – Kakadu – Kakadu

KAKADU : Kakadu!

z *(ist lautlos eingetreten)*

y *(dreht sich um)*: Sie haben mich aber erschreckt

z : So bitte ich tausendmal um Vergebung

y : Einmal genügt. Was wollen Sie?

z : Es ist ein Telegramm für den Herrn Grafen angekommen

y : Bringen Sie's dem Herrn Grafen hinein! Oder nein, geben Sie's mir!

z *(reicht ihr auf Tablett das Telegramm)*

y *(wiegt es in der Hand, reißt es dann, einer Eingebung folgend, auf)*: Geschäft wackelt – – was soll das heißen?

z: Vielleicht betrifft es die Börsenspekulation des Herrn Grafen

y : Gewiß – natürlich. Sagen Sie mal: was haben Sie denn da für einen Ring?

z : Was für einen Ring?

y : Dort am Ringfinger der linken Hand – der glänzt ja so auffällig

z : Oh, das ist ein ganz billiger, unechter Ring

y : Zeigen Sie bitte Ihre Hand

z : Aber Frau Gräfin

y : Ich kann nämlich in den Linien der Hand lesen.

z : Ich zweifle nicht daran

y : Genieren Sie sich oder fürchten Sie sich?

z : Wie sollte ich Frau Gräfin, die ich verehre und hochschätze, die ich – liebe, fürchten.

Y (*betrachtet seine Hand*): Auf der Dienerschule haben Sie wohl vor allem Maniküre gelernt?

z : Ja – ja – allerdings

Y : So – und was haben Sie denn noch gelernt?

z : Ach – was man so lernt

Y : Und was lernt man denn so?

z : Zum Beispiel – Tischdecken

Y : Tischlein deck dich – aber mit dem Tischdecken ist es bei Ihnen nicht weit her – Sie legen Messer und Gabel immer prinzipiell – prinzipiell – an die falsche Stelle

z : Ja – ich habe prinzipiell Prinzipien.

Y : Wo das Messer hingehört, legen Sie die Gabel, und wo die Gabel hingehört, das Messer

z : Es soll nicht wieder vorkommen, Frau Gräfin. (*Will abgehen*)

Y (*unerbittlich*): Was ist der Unterschied zwischen Dienerjackett und Dinnerjackett –?

z : Der Unterschied – der Unterschied – ist – ist ziemlich groß.

Y : Was trägt der herrschaftliche Diener als Ausgangsanzug?

z : Einen – einen Anzug

Y : Einen einreihigen Anzug aus dunklem Livreestoff!

z (*erleichtert*): Jawohl

Y : Und was gehört zu diesem Anzug?

z : Ein – ein Diener.

Y : Ein schwarzer steifer Hut. – Übrigens darf die Silhouette des Dieners niemals der seines Herren gleichen. Die Ihre tut das.

z : Sie wird es nicht wieder tun.

Y (*zeigt auf ihre Schuhe*): Schuhputzen können Sie ebenfalls nicht

z (*fällt sofort in die Knie, zieht ein Seidentaschentuch und versucht die Schuhe abzuwischen*): Ich bitte devotest um Vergebung

Y (*behält seine Hand, zieht ihn hoch*): Ein seidenes Taschentuch?

z (*schlicht*): Ja, ich trage nur Seidenwäsche – nach dem Urteil aller maßgebenden medizinischen Kapazitäten ist Seidenwäsche die gesündeste Wäsche

Y : Sie sind ja sehr um Ihre Gesundheit besorgt! Was haben Sie denn für ein Gehalt?

z : Oh, ich bin absolut ausreichend versehen

Y : Sie lieben mich – wie Sie vorhin sagten

z : Natürlich nur in den erlaubten Grenzen

Y : Liebe kennt aber keine Grenzen. Was haben Sie für eine schöne schlanke Hand – fast eine aristokratische Hand

z : Frau Gräfin schmeicheln ...

Y : Sie haben nicht die Hand eines Dieners ...

z : Frau Gräfin sind sehr gütig ...

Y : Auch Ihre Manieren verraten Kultur, oder sagen wir: Zivilisation – von wem haben Sie diesen Ring?

z (*schweigt verlegen*)

Y : Von einer Frau?

z (*schweigt*)

Y : Ich bin nicht eifersüchtig. Dazu habe ich in diesem Fall kein Recht. Dieser Ring ist sehr kostbar – der grüne Stein ist ein Smaragd

z : Ich hielt ihn für grünes Glas

Y : Haben Sie denn kein Unterscheidungsvermögen? Können Sie zum Beispiel mich von anderen Frauen unterscheiden?

z : Frau Gräfin sind ein Smaragd, und alle anderen Frauen sind grünes Glas.

Y : Woher wissen Sie das?

z : Ich habe Sie leuchten sehen!

Y : Heben Sie den Smaragd gut auf. Er ist ein kostbares Stück. Wenn Sie ihn verlieren, werden Sie so leicht keinen andern wiederfinden.

z : Das ist mir wohl bewußt, Frau Gräfin.

Y (*zieht ihm das etwas herausstehende Seidentuch aus dem Dienerjackett*): N. v. Z. – – – das ist ja das Monogramm meines Mannes. Hören Sie, mein Lieber, Sie kommen mir höchst verdächtig vor – wenn Sie mir nicht sofort, auf der Stelle beichten, wer Sie sind und was Sie hier wollen – wecke ich meinen Mann – und er holt die Polizei, und Sie spazieren ein Jahr hinter schwedische Gardinen – Sie ... Hochstapler – (*Wartet die Wirkung ihrer Worte ab, als sie gleich Null ist, wiederholt sie*) Sie ... Hochstapler ... Sie Hochstapler ... sind Sie schwerhörig?

z : Ich höre sehr gut

y : Und was haben Sie darauf zu erwidern?

z : Wollen Frau Gräfin wissen, wer ich bin?

y : Das will ich in der Tat

z : Nun – wünschen Sie polizeilichen Ausweis. (*Greift in die Brusttasche*) Bitte! Man ist mit allem Nötigen versehen: Mein Paß. (*Reicht der Gräfin den Paß, die nimmt ihn und prallt zurück*)

y : Graf z – das Bild etwas undeutlich

z : Wie alle Paßbilder

y : Augen blau – Mund gewöhnlich. (*Aufblickend*) Hier stimmt etwas nicht

z : Hier stimmt vieles nicht.

y : Sie haben den Paß meines Mannes gestohlen

z (*langsam*): Verzeihen Frau Gräfin – *er* den meinen

y : Sie sind

z : Ich bin Graf z

y : Unglaublich

z : Aber wahr

y : Unmöglich

z : Bestimmt

y : Und er?

z : Der steckbrieflich gesuchte Siegfried Cohary aus Zopron.

y : Nein

z : Ja.

y : O Gott!

z : Es war meine moralische Pflicht, die Schurkerei ohne Behelligung der Polizei und der Gerichte zu liquidieren. Das schuldete ich dem Namen Ihres, dem Namen meines Hauses. Die Öffentlichkeit durfte nicht orientiert werden. Wir mußten den Skandal unter allen Umständen vermeiden. Deshalb nahm ich diese Dienerstelle hier an. Ich handelte im Einverständnis Ihrer Herren Eltern.

y : Sie wissen davon?

z : Durch mich.

y : Mein Gott

z : Ich habe jetzt alle Beweismittel lückenlos in der Hand. Heute fällt sein Haupt.

(x *tritt langsam von links auf*)

Y : Du – du – Sie– Sie –

x : Ich habe alles gehört – ich laufe nicht davon. Ich wußte
längst, daß Sie (*zu* z)
hinter mir her waren – daß Sie sich hier als Diener einge-
schmuggelt – ich hätte weggehen können, wie ich gekommen
war – aber ich wollte nicht – weil ich liebte

Y : Was weißt du – was wissen Sie von Liebe! Wenn Liebe Lüge
heißt, Betrug, Niedertracht und jede Schandtat – dann haben
Sie herrlich »geliebt«. – Liebe, Leben und du – das war für
mich eins – ich liebte – aber ich werde nie mehr lieben – Sie
haben mir die Liebe mit der Wurzel aus dem Herzen gerissen –
in einer einzigen Sekunde. Ich bin aus höchster Höhe in tiefste
Tiefe gestürzt. Mein Herz zittert. Meine Hand zittert – Sie zu
schlagen, Sie Schurke

x : Ein hartes Wort – von einem harten Menschen.

z: Ein Wort, das an Deutlichkeit nichts zu wünschen übrig läßt.

x : Du sagtest mir eben noch

Y : Ich bitte Sie, mich nicht zu duzen.

z : Die Polizei sucht Sie!

x : Sie wird mich finden, wenn meine Freunde mich verraten

z : Wir – Ihre Freunde?

x : Ich glaubte

z : Sie irrten

x : So irrte ich gern. Vertrauen ehrt den Vertrauenden. Nur
Mißtrauen rechtfertigt Betrug.

Y : Habe ich Ihnen je mißtraut, daß Ihr Betrug gerechtfertigt
wäre?

x : Sie mißtrauen mir jetzt, wo alles auf dem Spiele steht.

Y : Ich spiele nicht – ich hasse Sie

x : Ich liebe Sie

Y : Lassen wir das. Keine Sentimentalität.

x : Nur Gefühl

z : Neue Sachlichkeit!

x : Alte Romantik. Unzeitgemäß. Ich bin kein gewerbsmäßiger
Hochstapler. Ich liebte. Ich warb um dich in seinem Namen –
für meine Person. Rechtlich, namentlich sind Sie also ihm angetraut. Vor dem Gesetze der Ewigkeit mir.

z : Sie haben meine Effekten inklusive Paß, Brautgeschenk usw., nennen wir es beschönigend, an sich gebracht, weil Sie von dem Plan meiner Vermählung mit der Gräfin wußten (x *nickt mit dem Kopf*)
Sie haben meine Papiere und das Vertrauen dieser Dame zu einem Schurkenstreich benutzt, wie er in der Kriminalgeschichte aller Völker und Zeiten einzig dasteht

x : Ich habe mir Ihren Namen nur in Notwehr beigelegt – verstehen Sie denn nicht – weil ich nicht mehr ich selber sein wollte – weil ich mich auslöschen wollte – ein anderer werden – in diesem durch dieses geliebte Geschöpf – wenn man einen andern Namen trägt, wird man schon von selbst ein anderer – spüren Sie nicht, daß ich eigentlich Sie geworden bin?

z : Reden Sie nicht solchen Blödsinn

x : Ich mache Ihnen einen Vorschlag: ich kaufe Ihnen Ihren Namen ab.

z : W-i-e?

x : Ich kaufe Ihnen Ihren Namen ab.

z : Sie wollen mir meinen ehrlichen Namen abkaufen?

x : Wenn er nicht ehrlich wäre, würde ich ihn nicht kaufen.

y : Er ist wahnsinnig.

x : Durchaus nicht. Ich kaufe Ihnen Ihren Namen ab – für mein gesamtes Vermögen.

z : Das Sie zusammenstahlen.

x : Nicht unehrlicher als mancher Industriekapitän. Da jene Frau Ihren Namen trägt, ist er mir um alles feil. Er ist mir mehr wert als mein Leben. – Sie können dafür meinen Namen gratis und umsonst haben. Ich biete Ihnen jede gewünschte Sicherheit.

z : Die Sicherheit, die ich wünsche, können mir nur Handschellen und Fußeisen gewähren.

y : Sie – Sie – Mörder

x : Mörder?

y : Meines Glückes

z : Das Gefängnis wartet. Drei Jahre sind fällig.

x : Mindestens.

z : Sie sind informiert.

x : Ja.

z (*denkt einen Augenblick nach*): Es gibt vielleicht einen Ausweg, um den öffentlichen Skandal zu vermeiden. Wollen Sie in – Freiheit bleiben?

x : Die Freiheit bedeutet die Möglichkeit, mit ihr in einer Luft zu atmen, vielleicht manchmal sie von weitem zu sehn – zu grüßen

y : Auf Ihren Gruß verzichte ich.

x : Für welchen Preis wollen Sie mich der Polizei nicht ausliefern?

z : Eine Bedingung

x : Welche –?

z : Sie haben die Komteß unter meinem Namen, dem Namen des Grafen z geheiratet. Ich liebe die Gräfin. Und die Gräfin liebt mich.

x : Liebt – Sie –?

y (*tritt zu* z): Ja!

z : Es ist mein, der Gräfin, der Familie, unser aller Wunsch, die Angelegenheit diskret zu arrangieren

x : Meiner völligen Diskretion dürfen Sie versichert sein

z : Es sind keine Formalitäten zu erledigen, Protokolle zu ändern, keine Scheidung ist notwendig, wenn ich nunmehr die Gräfin in der Tat eheliche, nachdem die Verbindung auf meinen Namen schon geschlossen ist. Die ehelichen Rechte und Pflichten gehen von Ihnen auf mich über: das ist alles.

x : Das ist alles

z : Noch nicht alles – Sie werden nun die Rolle weiterspielen, die ich hier spielen mußte. Sie werden künftig mich bedienen.

x (*mit einem Blick*): Ich werde Sie bedienen . . .

z : Ein Bruch Ihres Dienstvertrages und die Polizei hat Sie beim Kragen

y : Ihr Bubenstück verlangt exemplarische Bestrafung, verlangt Ihre tiefste menschliche Demütigung.

x : Mit der größten Freude werde ich Ihnen (*zu* y) dienen wie bisher. Denn Ihnen zu dienen war immer meine höchste Freude, mein Glück

z (*zieht seine Livreejacke aus*): Also wechseln wir die Kleider.

x (*zieht sein Jackett aus, sie tauschen,* x *hilft* z *ins Jackett*)

y : Nat

x : Frau Gräfin befehlen?

y : Packen Sie unsere Koffer. Wir reisen noch heute.

x : Sehr wohl. Für länger?

y : Vier Wochen. Wir machen unsere – Hochzeitsreise – nach Italien – (*Zu* z) Komm, Nathanael – (*Zu* x) Vergessen Sie nicht den lila ombrierten Badeanzug für den Lido einzupacken – und den rosa Georgette mit Gold und Silber kombinierten Pyjama!

(z *und* y *ab*)

x (*bleibt allein auf der Bühne, senkt den Kopf*): Sehr wohl, Frau Gräfin

(*Vorhang*)

## DRITTER AUFZUG

*Es ertönt eine zerbrochene Grammophonplatte, die gleiche, die
den zweiten Aufzug einleitete. Der Vorhang geht auf und
zeigt ein hochelegantes Zimmer. z betrachtet mißbilligend die
zerbrochene Platte und hält sich die Ohren zu. Stellt ab.*

z (*im Smoking*): Welcher Lümmel hat denn die ganzen Grammophonplatten zerbrochen?
x (*ist rechts aufgetreten, trägt mit beiden Händen ein elegantes Abendkleid und geht nach links über die Bühne*):
Der Herr Graf selbst – haben sich gestern abend nach Einver-
leibung von zirka zehn Whiskysoda mit der systematischen
Zertrümmerung von Grammophonplatten befaßt. (*Links ab*)
z (*sieht ihm nach*): Frecher Kerl
(*z beginnt den Likör- und Zigarrenschrank zu inspizieren. Er
zieht ein Notizbuch. Er hält Whisky- und Likörflaschen gegen
das Licht und mißt mit einem Zentimeterstab den Stand der
Flüssigkeit. Enttäuscht.*) Verdammt – der Kerl säuft nicht –
(*faßt sich an den Schädel*) – bloß ich – aus Verzweiflung (*tippt
mit dem Zentimeterstab an die Flaschen*) Sie liebt mich – sie
liebt mich nicht – sie liebt mich – sie liebt mich nicht – (*enttäuscht*) sie liebt mich nicht – (*mißt wieder eine Flasche, sieht
in dem Notizbuch nach, in dem er den Likörstand notiert hat*)
Es stimmt
x (*von links auftretend*): bis auf den Millimeter, gnädiger Herr
z (*wütend*): Rauchen Sie?
x : Zuweilen, gnädiger Herr
z : Holen Sie die Kiste mit den Havannas her
x : Die mit den Upmans?
z : Ja
x : Hier bitte
z (*für sich*): Jetzt hab' ich den Burschen. (*Sieht im Notizbuch
nach*) Fünfzehn. (*Zählt*) Eins – zwei – drei – fünfzehn – sechzehn – siebzehn – (*verblüfft, sieht wieder in seinem Notizbuch
nach*) gestern waren doch nur fünfzehn drin – Und heute sind

es siebzehn. Die Havannas vermehren sich doch nicht! Wie kommt das?

x : Ich habe mir erlaubt, zwei aus meinem Bestande hinzuzu-fügen. Der Herr Graf sind so überempfindlich gegen mich, daß ich seinem Mißtrauen gern zuvorkomme.

z : Einen solchen Diener habe ich noch nicht gesehen

x : Und ich noch keinen solchen Herrn

z : Was soll das heißen – wollen Sie mich beleidigen?

x : Aber der Herr Graf sind in letzter Zeit von einer Nervosität – der Herr Graf sollten vielleicht einige Wochen ausspannen

z : Ich bin doch eben erst aus Italien zurückgekommen

x : Vielleicht war das nicht die richtige Erholung

z : Damit Sie hier um so ungestörter – – nein, mein Lieber, daraus wird nichts. Sie hängen mir sowieso schon zum Halse heraus. Ich werde Ihnen kündigen.

x (*erschrickt*): Der Herr Graf wollen mir kündigen? Sind der Herr Graf unzufrieden mit mir?

z : Ich bin absolut unzufrieden mit Ihnen. Ebenso meine Frau. Sie benehmen sich gegen sie – wie ein Irokese

x : Und wie benimmt sich ein Irokese?

z : Das weiß ich nicht. (*Schreiend*) Das weiß ich nicht! (*Wütend ab*)

x (*beginnt verlegen mit einem Wedel allerlei abzustauben, kommt an ein Bild der Gräfin, nimmt es in die Hand, schüttelt wehmütig das Haupt, drückt es in einer plötzlichen Eingebung an die Lippen. In diesem Moment tritt* y *auf: in großer Abend-toilette*)

y : Was machen Sie denn da?

x : Ich staube das Bild der gnädigen Frau ab

y : Mit den Lippen –?

x : Pardon!

y : Bitte schön!

x : Sind gnädige Frau wirklich so unzufrieden mit mir –?

y : Wieso? Ich bin sehr zufrieden mit Ihnen

x : Der Herr Graf war anderer Ansicht

y : Der Herr Graf ist immer anderer Ansicht. (*Wippt in einem Lehnstuhl*) Es war wunderschön in Italien.

x (*traurig*): Wunderschön

Y: Na ja – alles Italienische war wunderschön in Italien. Das andere weniger

X (*seine Miene heitert sich auf*): Das freut mich.

Y: Was freut Sie?

X: Daß das andere weniger schön war

Y: Warum bist du – warum sind Sie so einsilbig, Nat?

X: Schweigsamkeit und Verschwiegenheit sind die Kardinaltugenden des Dieners.

Y: Was haben Sie zu verschweigen?

X: Mein Herz (*Kleine Pause*)

Y: Was stauben Sie denn da ab?

X: Das Reichsstrafgesetzbuch. Ich habe es dem Herrn Grafen mit in die Ehe gebracht.

Y: In welche Ehe?

X: In seine – in unsere – in Ihre

(*Kleine Pause. x manövriert sich diskret, immer irgend etwas abstaubend, in ihre Nähe*)

Y: Nat, sage mal

X: Frau Gräfin wünschen

Y: Sagen Sie mal, Nat – dienen Sie gern?

X: Von Herzen gern

Y: Sie dienen von Herzen gern?

X: Ja

Y: Wem?

X: Ihnen

Y: Mir?

X: Ihnen!

Y: Und dem Grafen?

X: ... weniger gern

Y: Das kann ich verstehen.

X: Womit ich nichts gegen den Herrn Grafen gesagt haben will.

Y: Was für ein Gefühl ist das: dienen zu müssen?

X: Ich muß ja nicht dienen. Ich diene. Freiwillig.

Y: Nun, ganz so freiwillig wohl nicht

X: Es ist ein herrliches Gefühl, einer guten Sache zu dienen.

Y: Glauben Sie, daß ich eine gute Sache bin?

X: Ja, Sie sind eine gute – Sache.

Y: Wenn Sie sich nur nicht täuschen!

x : Dann habe ich mich eben gern getäuscht.

y : Glauben Sie nicht, daß ich nur so eine – Person bin, so oben-
hin – so oberflächlich

x : Sie tun manchmal so – aber ich durchschaue Sie. Denn Sie
sind für mich durchsichtig wie Glas

y : Wie grünes Glas vielleicht –?

x (*neigt sich zu ihr*): Wie Kristall!

(z *tritt auf*, x *fährt zurück*)

y : Du, Nathanael, der Diener meint, ich sei durchsichtig wie
Glas. Findest du das auch?

z : Wieso? Ich finde, du bist heute ausnahmsweise sehr dezent
angezogen

y : Du bist ein unmöglicher Mensch!

(x *während dieses Dialoges ab*, z *treibt ihn zur Tür*)

y : Was meinst du, benimmt er sich nicht tadellos korrekt?

z : Wer?

y : Der Diener.

z : Zu korrekt!

y : Als hätte er sein Leben lang nichts anderes getan, als herr-
schaftlichen Familien aufzuwarten. Er ist auf dem besten Wege, seinen Fehltritt wenigstens einigermaßen zu sühnen. Ich
bin sehr zufrieden mit ihm.

z : Ich weniger.

y : Du! Du hast eben an allem etwas auszusetzen und herum-
zumäkeln.

z : Ich habe ganz im Gegenteil den Eindruck, als ob ich dir
nicht mehr ganz genüge

y : Nein. Nicht ganz – du hast mir nie genügt. Bin ich dir nicht
schon in der Hochzeitsnacht davongelaufen? Bin ich jemals
wirklich deine Frau geworden?

(*Sie geht zum Grammophon und stellt es ein, das sofort einen
amerikanischen Step zu spielen beginnt.* y *stept in der Mitte
des Zimmers wie für sich.* z *sieht ihr betroffen zu. Inzwischen
ist* x *mit dem Teewagen eingetreten. Fährt ihn vor* z, *stößt versehentlich gegen* z, *da er* y *tanzen sieht*)

x : Pardon – Rum?

z : Rum.

x : Cordial Medoc.

x : Milch ohne Haut zum Tee?

y : Sahne ...

x : Plumkek und Toast?

y : Yes.

z : Sie können gehen.

x (*verneigt sich*)

y : Natürlich kann er gehen. Er hat ja zwei Beine ...

z : Sei nicht so kindisch.

y : Greisisch kann ich nicht sein.

z : Stellen Sie die verfluchte Maschine ab.

y (*stampft mit dem Fuß*): Nein – nein – nein

z (*stellt wütend den Apparat ab*): Gehen Sie!

y : Bitte gehen Sie?

x : Frau Gräfin sind sehr gütig (*Mit Verneigung ab*)

(z *und* y *stehen nebeneinander hinter dem Teewagen*)

y : Ein komischer Mensch.

z : Ein trauriger Mensch.

(*Sie trinken,* y *macht* z *alle Bewegungen, Tasse heben, mit dem Löffel rühren, trinken usw. nach*)

y : Wenn man ihn bittet, tut er alles für einen. Neulich hab' ich ihn gebeten, mich zu küssen, und da hat er mich ...

z (*auffahrend, verschluckt sich*): Geküßt?

y (*lacht*): Nein – ich habe ihn gar nicht gebeten. Etsch! Aber wenn ich ihn bitten würde – dann würde er

z : Was würde er?

y (*spricht in die Tasse*): Er würde das tun, worum ich ihn bitte.

z : Sei nicht so albern.

y : Sehr albern.

z : Retourkutschen fahren nur freitags.

y : Aber unsere langweilige Ehekutsche jeden Tag.

z : Du langweilst dich?

y : Unbeschreiblich

z : Ist das der Dank, daß ich deinen unbesonnenen Fehltritt auf so honorige Weise korrigiert habe?

y : Fehltritt – und Dank? Dank? Ist das Pferd dankbar, wenn ihm die Zügel angelegt werden – von irgendeinem

z (*verliert das Monokel*): Irgendeinem?

y : Gib mir eine Zigarette und lies mir etwas aus der Zeitung

vor – vielleicht steht da etwas Interessantes drin. Du hast's ja
nicht geschrieben – vielleicht hat unser Diener etwas rot angestrichen

z (*liest*): Die Preußen griffen mit voller Wucht an. Es entspann
sich ein erbittertes Ringen, bis nach fünfzehn Minuten der
rechte Flügel der Bayern durchbrach und sich mit Vehemenz
auf die überraschten Preußen stürzte

y : O Gott! Wie furchtbar!

z : Die Preußen hatten mit ihren Schüssen Pech. Es waren fast
immer Fehlschläge. Fünf Minuten vor drei kam es zum Handgemenge – ein wüster Knäuel von Leibern wälzte sich am Boden. Blut spritzte

y : Entsetzlich dieser ewige Krieg zwischen Bayern und Preußen

z : Krieg? Krieg? Wer redet denn von Krieg? Hör doch richtig
zu und sperr die Ohren auf. Ich lese dir doch von dem großen
Fußballwettkampf Preußen gegen Bayern

y : Affe

x (*auftretend*): Gräfin haben gerufen –?

y : Nein, ich meinte Sie nicht. Sie können wieder gehen. Ich
meinte den da.

(x *mit Teewagen ab*)

z : Den da? Den da? Ich bin kein den da. Ist das eine Art von
seinem Mann zu sprechen?

y : Es ist meine Art!

z : Art? Du sprichst ja Art wie Aht aus. Du könntest mit deinen
neunzehn Jahren endlich Deutsch gelernt haben

y : Neunzehn Jahre? Achtzehn Jahre bin ich alt und keinen
Tag älter. Wenn du noch einmal neunzehn sagst, kratz' ich dir
die Augen aus.

z : Vor deinem letzten Geburtstag sagtest du, daß du achtzehn
Jahre alt wärst. Also müßtest du heute . . .

y : Ich gehöre nicht zu den Menschen, die heute so und morgen
so reden – ich bin und bleibe achtzehn

z : Wie du auch reden magst, so oder so, du redest ein fürchter-
liches Kauderwelsch.

y : Vielleicht findest du, daß ich mauschle. Vielleicht war mein
Großvater Jude

z : Ein Graf y Jude?

Y : Na, ja, das hat man doch jetzt oft, daß Großväter Juden sind. Hast du nicht den Semigotha gelesen? Sieh mal nach, womöglich stehst du auch drin und hast keine Ahnung davon. Überhaupt geht dich mein Großvater nichts an. Er geht dich einen Schmarren an. Ich kann mit meinem Großvater machen, was ich will. (*Schreiend*) Es ist mein Großvater und nicht dein Großvater. Das hat der alte Herr wirklich nicht verdient.

z : Aber ich habe ja keinen Ton gesagt.

Y : Noch schlimmer. Er ist dir wohl gleichgültig. Er ist dir wohl zu unbedeutend, als daß du eines deiner kostbarsten Worte an ihm verschwenden möchtest.

z : Es ist mit dir heute nicht auszuhalten. (*Sieht in die Zeitung*) Bei Baruch & Coleric gibt es ein wunderbares Lamékleid

Y : Damit fängst du mich heute nicht. Da müßte der Reisende von Baruch & Coleric schon selber kommen

(*Er trommelt nervös mit den Fingern auf den Tisch, sie streichelt, einer plötzlichen Eingebung folgend, mehrmals abrupt seinen Handrücken*)

z : Was bedeutet das?

Y : Streicheln

z : So. Was ist denn los? Du streichelst mich nur, wenn du etwas von mir willst

Y : Geschieht das nicht oft genug?

z : Was hast du denn auf dem Herzen?

Y : Ich möchte dich um etwas bitten.

z : Bitte

Y : Weißt du, um was ich dich bitten möchte?

z : Keine Ahnung.

Y : Bist du mir auch nicht böse?

z : Keine Spur!

Y : Ich meine

z : Nur heraus damit!

Y : Du verstehst mich doch nicht falsch?

z : Gewiß nicht!

Y : Das würde mir nämlich furchtbar leid tun.

z : Aber ich weiß immer noch nicht, worum es sich dreht.

Y : Es dreht sich noch immer nach dem Winde.

z : Was dreht sich nach dem Winde?

Y : Das Wetterfähnchen.

z : Um was handelt es sich eigentlich?

Y : Um uns.

z : Um uns?

Y : Um dich und mich.

z : Da bin ich nun aber neugierig.

Y : Ich möchte zum Theater gehen

z : Wir kommen ja gerade vom Theater.

Y : Ich möchte nicht ins Theater gehen – sondern zum Theater. Zum. Z-u-m.

z : Ich verstehe kein Wort – was willst du denn mitten in der Nacht vorm Theater machen?

Y : Kurz und gut: ich möchte zur Bühne

z : Wohin?

Y : Auftreten möcht' ich

z : Auftreten?

Y (*tritt mehrmals auf den Boden*)

z : Du – eine Gräfin z?

Y : Ich – eine Gräfin z!

z : Du hast Einfälle

Y : Das ist das einzige, was ich noch habe

z : Hast du nicht mich?

Y : Gehabt!

z : Und da willst du – zur Unterhaltung, zum Amüsement – zur Bühne gehen? Einfach so?

Y : Einfach so

z : Ja, weißt du denn überhaupt, ob du Talent hast?

Y : Das Haupttalent, das man zur Bühne braucht, habe ich.

z : Was für ein Talent?

Y : Schwindeln

z : Wie schwindeln?

Y : Gott, bist du schwerfällig, schwindeln muß man können, wenn man Theater spielen will – denn das ganze Theater ist doch nichts als – Theater – und der größte Schauspieler ist der, der am besten lügen kann

z : Dann bist du ein Genie!

Y : Siehst du! – Ich habe auch schon eine Rolle für mich – eine fabelhafte Rolle – fabelhafte Kostüme z : Das ist natürlich die Hauptsache

y : Ich trete auf als – verheiratete Frau

z : Originell

y : Ich habe einen Esel von Mann und einen jungen Gott von Freund

z : Du betrügst mich?

y : Wieso? Aber das ist doch nur in dem Stück! Ein ausgezeichnetes Stück! Ich habe es in den letzten Tagen, wenn du im Klub warst, studiert

z : Wenn man Theater spielt, muß man studieren? Ich denke, da braucht man bloß zu schwindeln

y (*springt auf*): Ich hasse dich – ich hasse dich unsäglich – vielleicht gibt es nur einen Menschen, den ich noch mehr hasse als dich – das bin ich selbst – ich hasse dich, weil ich da bin, weil du da bist – weil diese ganze verfluchte Welt da ist – und wir auf ihr (*Wendet sich nach der andern Seite*) Aber dich, Geliebter, dich liebe ich – wir waren uns schon tausendmal begegnet – in tausend Welten – jetzt wurden wir wieder zusammen auf die Erde geschleudert – alle unsere Liebe, wir müssen sie wieder empfinden, müssen küssen, lachen, lächeln, seufzen, weinen, sein – zum tausendhundertsten Male wie all die tausend Male – tausendundeine Nacht. – (*Wieder zu z*) Gibt es denn keine Möglichkeit, dir zu entrinnen? (*Nach vorn*) Vielleicht gibt es eine Rettung. (*Hebt ein imaginäres Glas*) Liebes Gift! Hier ist ein Glas – zwei Körnchen Zyankali hinein, der Schierlingsbecher ist bereit – Geliebter – dir will ich beichten – und es ist die heiligste Wahrheit – daß ich nur dich geliebt habe – ich gehe ohne dich hinüber – ich will endlich, endlich allein sein. (*Ergreift das imaginäre Glas, stürzt es hinunter*) Lebt beide wohl – du – und du – ich sterbe gern (*Fällt zu Boden*)

z (*entsetzt*): Henriette, um Gottes willen?! Man muß dem Arzt telephonieren.

y (*richtet sich auf*): Wie findest du das Stück?

z (*trocknet sich den Schweiß von der Stirn*): Sehr aufregend.

y : Findest du nicht, daß es mit unserer Situation eine gewisse Ähnlichkeit hat?

z : Wieso? Ja, vielleicht eine entfernte Ähnlichkeit – übrigens nein: ich sehe überhaupt keine Ähnlichkeit. Willst du dich vielleicht vergiften?

Y : Mich – nein!

z : Oder etwa mich?

Y : Schon eher!

z : Du bist gut!

Y : Noch kannst du dich vor dem fälligen Giftmord retten, noch ist es Zeit – zu einer gütlichen Lösung unseres Verhältnisses

z : Wir sind verheiratet

Y : Ebendarum – einmal geheiratet ist noch nicht gestorben. Ich möchte dich bitten,dich scheiden zu lassen.

z : W-a-s?

Y : Scheiden. S-c-h-e-i-d-e-n. Scheiden ist doch sehr modern. In Amerika werden jährlich 37 421 Ehen geschieden – was hast du also dagegen?

z : 37 421 – woher weißt du das so genau?

Y : Ich schwärme für Statisterie.

z : Du meinst Statistik.

Y : Mach' doch nicht so ein Karpfenmaul. Ganz einfach: ich liebe dich nicht mehr – oder vielleicht: ich habe dich nie geliebt . . .

z : Henriette.

Y : Nathanael!

z : Welcher Abgrund!

Y : Es hat mir damals ungeheuer imponiert, wie du diesen x entlarvtest. Der Detektiv, die Idealgestalt aller von mir verschlungenen Kriminalromane stand leibhaftig vor mir. Damals hast du ihn, inzwischen hast du dich selbst entlarvt. Ich muß sagen: mit dem gleichen Geschick!

z : Liebst du einen andern?

Y (*schweigt*)

z : Ob du einen andern liebst?

Y : Ob? Ob? und ob!

z : Du liebst also einen andern?

Y : Ja.

z : Schon lange?

Y : Schon ziemlich lange!

z : Und das hast du mir verheimlicht?

Y : Ich wußte es ja selbst nicht.

Z : Du hast es nicht gewußt?

Y (*macht ihn nach*): Ich hab' es nicht gewußt.

Z : Aber jetzt weißt du's?

Y : Eigentlich bist du ziemlich indiskret. Ja, jetzt weiß ich's!

Z : Und wer ist's?

Y : Du kennst ihn.

Z : Ich kenn' ihn?

Y : Sehr genau.

Z : Sehr genau?

Y : Du wirst lachen – es ist auch wirklich komisch – aber ich meine es ganz ernst.

Z : Jetzt fahre ich aber bald aus der Haut. Wer ist's denn nun? (*Geht auf sie zu, sie weicht vor ihm aus und zieht ihn im Lauf des folgenden Dialoges durch das Zimmer hinter sich her*)

Y : Was denn?

Z : Dein Geliebter!

Y : Ich habe keinen Geliebten.

Z : Aber du liebst?

Y : Ja.

Z : Wen liebst du?

Y : Ich liebe nicht mehr den Detektiv, sondern den Verbrecher.

Z : Einen Verbrecher liebst du?

Y : Einen Verbrecher.

Z : Einen Dieb?

Y : Ja.

Z : Einen Hochstapler?

Y : Ja.

Z : Einen Mörder?

Y : Warum nicht? Ein sympathischer Mörder ist mir lieber als ein unsympathisches Opfer!

Z : Und ich bin dieses unsympathische Opfer?

Y : Geraten!

Z : Deine Frivolität überschreitet alle Grenzen! Wen liebst du denn nun eigentlich?

Y (*kleine Pause*): Nat

Z (*bleibt stehen*): Nat

Y : X.

z : x.

y : Unsern Diener

z : Deinen Diener

y : Ihn

z : Diesen – diesen

y : Diesen – diesen

z : Schämst du dich gar nicht?

y : Nein.

z : Hast du denn ganz die Kontenance verloren?

y : Nein, nur den Geschmack an dir

z : Daß du dich so vergessen konntest

y : Daß ich ihn so vergessen konnte

z : Was soll nun geschehen?

y : Das einzig Mögliche

z : Er muß sofort aus dem Haus.

y : Wer?

z : Der Diener.

y : Aber im Gegenteil. (*Klingelt*) Du mußt aus dem Haus.

z : Ich???

y : Du!!!

z : Das ist doch die Höhe!

x (*erscheint*)

y (*sehr langsam*): Der Herr Graf verreisen. Allein. Packen Sie bitte den Koffer. Ich habe dann später noch mit Ihnen zu sprechen. Unter vier Augen. Verstehen Sie?

x : Sehr wohl, Frau Gräfin.

y : Leb' wohl, Nathanael. Die äußeren Formalitäten, Rechtsanwalt usw. nimmst du wohl auf dich. Ich bin da ein wenig ungewandt. (*Sie gibt ihm einen leichten Wangenschlag*) Sie sind mir auch zu langweilig. Adio!

(*Ab*)

(x *und* z *perplex zurück*)

x : Nehmen Herr Graf auch einen Frack mit? Wieviel weiße Pikeehemden? Vielleicht genügen für die Reise ein Sportanzug mit langer Hose, Ulster, drei farbige Hemden, ein Dutzend weiche Kragen, ein halbes Dutzend bunte Selbstbinder, ferner ein Sakkoanzug, Cut, Smoking, Paletot, ein steifer, ein weicher Hut, eine Reisemütze, ein halbes Dutzend steife weiße Hem-

den, schwarze Schleifen, Pumps, Lackhalbschuhe, braune Halb-
schuhe, schwarze Stiefel . . .

z (*unterbricht*): Zum Teufel, packen Sie, was Sie wollen

x : Für länger?

z : Für noch länger. Für immer.

x : Für immer? Das bedaure ich sehr. Ich werde sobald nicht
mehr eine Stellung finden, die mir so in jeder Weise konven-
tiert, wie die Stellung beim Herrn Grafen.

z : Sie behalten Ihre Stellung.

x : Wie darf ich das verstehen?

z : Die – Gräfin engagiert Sie.

x : Die Gräfin?

z : Mit Aufbesserung.

x : Aufbesserung? Ich bin nicht um Gehaltserhöhung einge-
kommen. Herr Graf waren in diesem Punkt immer von einer
ungewöhnlichen Generosität.

z : Meine Frau behauptete immer, ich sei der geizigste Filz, der
ihr je vorgekommen. So verschieden können die Meinungen
sein.

x : Herr Graf sprechen soeben von der Frau Gräfin nicht im
Präsens, wie es natürlich gewesen wäre, sondern im Perfekt.
Darf ich mir die Frage gestatten, was das bedeutet?

z : Meine Frau ist meine Frau – gewesen.

x : Gewesen?

z : Gewesen – gewesen.

x : Wollen Herr Graf sich von ihr – trennen?

z : Trennen? Trennen? Ein viel zu sanftes Wort. Verstoßen habe
ich sie. Auf immerdar.

x : Dürfte ich, obwohl in dienender Stellung und also zur Inter-
pellation nicht berechtigt, den Grund erfahren?

z : Sie dürfen? Sie hat einen Geliebten.

x (*erbleicht, faßt sich ans Herz*): Einen Geliebten?

z : Ist das nicht furchtbar?

x : Furchtbar. Wir sind betrogen.

z : Wir? Ich!

x : Ja, ich.

z : Sie?

x : Nein, Sie.

z : Sagen Sie, Sie kennen meine Frau ja einigermaßen.

x : Einigermaßen.

z : Was halten Sie von ihr?

x : In welcher Beziehung?

z : In jeder.

x : Sehr viel.

z : Eine offene Frage.

x : Ich bitte darum.

z : Sie wurden ganz bleich, als ich eben von dem Geliebten der Gräfin sprach. Lieben Sie die Gräfin?

x : Sie fragen so ehrlich, daß ich ebenso ehrlich darauf antworten will.

z : Ja oder nein?

x : Ja.

z : Ich danke Ihnen für dieses offene Eingeständnis. Sie sind zwar ein Schurke, aber ein Gentleman.

x : Ich danke Ihnen für die gute Meinung, die Sie von mir haben.

z : Es bleibt noch die Frage offen, ob die Gräfin Sie liebt.

x : Diese Frage stellen, heißt sie verneinen. Die Frau Gräfin hat einen Geliebten.

z : Wer sagt das?

x : Sie selbst haben es mir doch eben verraten.

z : Ich vergaß einen Moment – aber Sie sollten sie trotzdem einmal fragen, ob sie Sie liebt. Man kann doch zwei Menschen lieben. Es gibt doch derartig ausschweifende Naturen. Katharina von Rußland, Theodora von Byzanz, Aspasia, Ninon de Lenclos und noch so einige Damen haben sogar noch mehr als zwei Personen nebeneinander geliebt. Warum sollte die Gräfin nicht außer ihrem Geliebten auch noch Sie lieben? Wir werden sie, wenn sie zurückkommt, gemeinsam fragen

x : Sollte das nicht zu einer für die Gräfin peinlichen Situation führen?

z : Ehrlichkeit führt immer zu peinlichen Situationen.

x : Herr Graf, ich habe Sie sehr schätzen gelernt

z : Ich Sie nicht minder. Sie haben den Pakt, den ich mit Ihnen schloß, auf so honorige Art innegehalten, daß Sie sich bis fast zur Satisfaktionsfähigkeit wieder herausgepaukt haben. Sie haben nicht gekniffen. Sie sind ein tapferer Kerl. Cäsar ließ an gewissen festlichen Tagen seine Lieblingssklaven frei. Nun: Sie waren mein Sklave – Sie sind frei.

x : Ich danke Ihnen.

z : Wissen Sie was? Sie können ja nachher noch packen – holen Sie eine Flasche Sekt – wir wollen gemeinsam zum Abschied eine Flasche Sekt trinken – als Mensch zu Mensch.

x : Ich bin begeistert.

z : Gehen Sie, holen Sie

x (*ab, gleich zurück*)

z : Finden Sie es nicht sehr schwül?

x : In der Tat sehr schwül. Wir werden ein Gewitter bekommen.

z : Wie wäre es, wenn wir unsere Jacken auszögen – wir sind ja unter uns – unter uns Männern – mein Jackett inkommodiert mich – und Ihre Livree irritiert mich

(*Sie haben beide die Jacken ausgezogen und sind nun in Hemdärmeln völlig gleich gekleidet, zwei Gentlemen, die sich einander gegenübersitzen*)

z : So, jetzt ist die Uniformität zwischen uns hergestellt – und die Etikette durchbrochen, welche verlangt, daß die Silhouette des Dieners niemals der seines Herrn gleicht. – Bitte, wollen Sie Platz nehmen.

x : Danke sehr.

z (*hat eingeschenkt*): A votre santé!

x : A la vôtre!

z : Mais monsieur, vous parlez français?

x : Ça va de soi-même.

z : C'est une langue charmante.

x : Très charmante. Surtout l'amour trouve des expressions les plus douces, les plus tendres. Que c'est joli ça: j'aime.

z : J'aime. Moi aussi.

x : Helas. Nous aimons tous les deux.

z : Tous les deux.

x : Vive l'amour.

z : Vive l'amour!

x : Vive Henriette!

z: Vive Henriette! (*Gemeinsam ins Glas*) – (*Hinter der Bühne beginnt Klavierspiel: »Je vous demande un peu d'amour*)

x : Sie spielt!
(*Er singt die erste Strophe mit, z fällt mit der zweiten Stimme ein. Kleine Pause, als das Klavierspiel abbricht*)
x : Sie rauchen? (*Reicht z sein Zigarettenetui*)
z (*liest eingravierte Widmung*): Henriette ihrem lieben Nat. Darf ich Ihnen dafür von meinen Zigaretten anbieten? (*Reicht sein offenes Etui*)
x (*liest*): Henriette ihrem lieben Nathanael
(*Sehen sich beide an*)
z : Prost!
x : Sehr zum Wohl.
(*Klappen gleichzeitig die Etuis zu. Wollen sich ihre Etuis zurückgeben – auf der Mitte des Weges halten sie inne und stekken jeder resigniert das Etui des andern ein*)
z : Sie sind mir so ungeheuer sympathisch – wie heißen Sie eigentlich mit Vornamen?
x : Nat
z : Nat – also, Nat, ich habe eine solche Zuneigung zu Ihnen gefaßt, daß ein unbezähmbares Verlangen mich packt, du zu Ihnen zu sagen – Nathanael – Nat – guter alter Junge! Wir wollen du zueinander sagen – wir wollen Brüderschaft trinken.
(*Trinken Brüderschaft. z umarmt x, der sich dann setzen will. z zieht ihn nochmal an sich heran und küßt ihn schallend auf beide Wangen, dann zurück an den Tisch*)
Ein Schmollis!
x (*weiß nicht, was er sagen soll*)
z : Du mußt Fiduzit sagen
x (*hilflos*): Ich muß Fiduzit sagen? Also gut: Fiduzit!
z : Aufs Spezielle. Ich löffle mich.
x (*verwundert*): Sie löffeln sich?
z : Du mußt sagen: Ich löffle mich
x (*lächelnd*): Also gut. Ich löffle mich
z : Aufs Spezielle eine Löfflung. Warst du aktiv?
x : Ich war immer aktiv.
z : Ich meine, warst du bei einem Korps aktiv? Ich bin Zweibändermann: Bonner Borusse und Marburger Hessen-Nassauer.
x (*verbeugt sich*)

z : Weißt du was? Wir wollen einen Salamander reiben.

x (*erstaunt*): Was ist das, ein Salamander?

z : Einen Salamander auf die deliziöseste, kapriziöseste, amo-
röseste Frau. Ad exercitium salamandris. Sind die Stoffe präpariert?

x (*deutet aufs Glas*): Sind.

z : Sind? Sunt!

x : Also gut: Sunt präpariert

z : Silentium? Ad exercitium salamandris eins – zwei – drei
(*Reiben mit Sektgläsern auf den Tisch*). Du mußt reiben – eins
– zwei – drei – (*trinken*) – du mußt trommeln – eins – zwei –
drei (*trommeln*) – eins – (*hebt das Glas*) – zwei – drei – (*nieder-
setzen*) eins – zwei – drei – (*kurz aufschlagen, x' Glas zerbricht*)
Salamander ex ist.

(*Setzen sich wieder beide*)

x : Ich darf wohl sagen, daß ich noch nie einem Menschen von
solcher innerlichen Herzensgüte, solcher menschlichen Vorur-
teilslosigkeit begegnet bin wie Ihnen

z (*weinselig und ein wenig weinerlich*): Ich werde es der Gräfin
nie verzeihen, daß sie einen solchen Prachtkerl wie dich verlassen hat, um ihn mit mir zu vertauschen – noch ist sie mein
mir ehelich angetrautes Weib – Nat – Bruderherz, ich schenke
sie dir, nimm sie – du kannst mit ihr machen, was du willst –

x : Ich werde der Gräfin nie verzeihen, daß sie neben einem solchen vollendeten Kavalier und Edelmann, wie du einer bist,
noch einen Geliebten haben konnte. (*Steht auf*) Liebst du die
Gräfin trotzdem und noch immer?

z : Trotzdem und noch immer.

x (*liebenswürdig*): So nimm sie wieder zurück

z (*scharmant*): Nimm du sie

x : Du

z : Nein du

x: Nein du.

(*Es hat geklingelt*)

x : Es klingelt.

z : Es hat geklingelt.

x : Es klingelt wieder.

z : Die Gräfin klingelt. Der Diener wird schon gehen – ah so –

x : Nein, ich

z : Nein, ich

x : Ich

z : Ich

(*Sie sind währenddem in die Jacken geschlüpft, aber jeder in die falsche, so daß jetzt* z *die Livree trägt. Jeder ist beflissen, den andern nicht hinausgehen zu lassen, herein tritt* y)

y (*sieht auf die Livree*): Ah – ich habe einen neuen Diener

z (*sieht an sich herunter*): Wie – jawohl – und (*auf* x *zeigend*) einen neuen Mann – nimm ihn – ich schenk ihn dir

y : Ich danke dir – du bist ein Edelmann

x : Henriette – er ist ein Edelmann

z : Darf ich mir als alter Freund des Hauses gestatten, herzlichst zur Verlobung zu gratulieren?

y : Das darfst du – aber zieh doch die unmögliche Livree aus – du hast dich wahrhaft als Herr und Kavalier aus der Affäre gezogen.

(z *zieht die Livree aus und trägt sie überm Arm*)

Zur Hochzeit bist du selbstverständlich geladen – aber vergiß die Scheidung vorher nicht

z : Ich habe noch zu guter Letzt einen Vorschlag zu machen, der mir die beste Lösung unserer verwickelten Beziehungen zu sein scheint.

y : Wie meinst du das?

z : Du willst dich von mir scheiden lassen?

y : Das wird sich nicht umgehen lassen.

z : Und dann Nat heiraten?

y : Was meinst du, Nat?

x : Unbedingt.

y : Unbedingt.

z (*chevaleresk*): Diese lästigen Formalitäten: Scheidung – Wiederverheiratung usw. fallen weg, wenn ich unserm Freund, unserm Nat – meinen Namen gleichsam überweise.

(*Zu* x)

Sie wollten – du wolltest – mir einmal – meinen Namen abkaufen – nun! Ich schenke ihn dir heute. Ich adoptiere dich!!!

y : Aber bist du denn auch alt genug, um überhaupt adoptieren zu können? Das Gesetz verlangt da ein Mindestalter. Ich glau-

be vierzig. Du sagtest mir doch immer, du wärst zweiund-
dreißig.

z : Dann dürfte ich gelogen haben. Ich fürchte, ich bin alt
genug

x : Ich danke dir von ganzem Herzen für deine große Güte
(*Tritt auf z zu und reicht ihm die Hand*)
Papa

Y : Sag', Nat, hast du etwas dagegen, daß ich zur Bühne gehe,
trotzdem ich deine Frau bin, war, werde – ich kenne mich nicht
mehr aus

x : Wieso willst du zur Bühne gehen? (*Blickt umher*) Hast du
es nötig? Du stehst ja schon auf der Bühne und spielst – mit
ihm – und mit mir – das alte Spiel zu dreien

Y : Glaubst du, daß dem Publikum das alte Spiel noch immer
gefällt?
(*Sie treten alle drei eingehakt an die Rampe*)
Sie spielen's ja selbst
(*Zeigt ins Parkett*)
die mit dem und dem

z : Der mit der – und der

Y : Aber wer wird so indiskret sein
(*Hält ihnen den Mund mit den Händen zu, die sie küssen*)
Seid still!


(*Vorhang*)

# Gedichte

Morgenrot!
Klabund!

## DER ARME KASPAR

Ich geh – wohin?
Ich kam – woher?
Bin außen und inn',
Bin voll und leer.
Geboren – wo?
Erkoren – wann?
Ich schlief im Stroh
Bei Weib und Mann.
Ich liebe dich,
Und liebst du mich?
Ich trübe dich,
Betrübst du mich?
Ich steh und fall,
Ich werde sein.
Ich bin ein All
Und bin allein.
Ich war. Ich bin.
Viel leicht. Viel schwer.
Ich geh – wohin?
Ich kam – woher?

# ICH HAB AM LICHTEN TAG GESCHLAFEN

Ich hab am lichten Tag geschlafen.
Es weint das Kind. Es blökt das Rind.
In meinem Weidentraume trafen
Sich Leiseklug und Lockenlind.

Kaum weiß ich noch, warum ich lebe.
Vereist mein Blick. Mein Blut verstürmt.
Wenn ich die Brust im Atmen hebe,
Sind Felsen über sie getürmt.

Die Schwester auch am Nebelhafen,
Sie bietet süße Brust dem Wind.
Vor klingender Taverne trafen
Sie Leiseklug und Lockenlind.

Den Sternen, die am Himmel pochten,
Warf Köcher ich und Becher hin.
Ich bin mit Mohn und Tod verflochten
Und weiß nicht mehr, ob ich noch bin.

##  MAN SOLL IN KEINER STADT

Man soll in keiner Stadt länger bleiben als ein
   halbes Jahr.
Wenn man weiß, wie sie wurde und war,
Wenn man die Männer hat weinen sehen,
Und die Frauen lachen,
Soll man von dannen gehen,
Neue Städte zu bewachen.

Läßt man Freunde und Geliebte zurück,
Wandert die Stadt mit einem als ein ewiges Glück.
Meine Lippen singen zuweilen
Lieder, die ich in ihr gelernt,
Meine Sohlen eilen
Unter einem Himmel, der auch sie besternt.

## AM LUGANER SEE

Durchs Fenster strömt der See zu mir herein,
Der Himmel auch mit seinem Mondenschein.
Die Wogen ziehen über mir dahin,
Ich träume, daß ich längst gestorben bin.
Ich liege auf dem Grunde alles Seins
Und bin mit Kiesel, Hecht und Muschel eins.

## SCHATTEN

Einem dumpfen Geiste
Bin ich untertan,
Oft fällt die verwaiste
Lust er gierig an.

Hellen Auges steh ich
In der lieben Welt,
Bis der fremde Schatten
Wieder in mich fällt.

## DER SPRINGBRUNN

Im Stadtpark wird der Springbrunn angedreht.
Der Strahl schießt auf, tönt, steigt und steht
Für einen Augenblick,
Gehalten von der Sonnenfaust.
Und wie der Strahl dann in die Tiefe saust:
Wasser stieg auf, Glanz fällt zurück.

## DER FRIEDHOF

In graden Reihen efeudichtbedeckt,
Gleich Betten im Spital, stehen die Gräber.
Ein Kreuz aus Stein vernarrte Neugier weckt,

Wer hier verscharrt. Der Tag, der helle Weber,
Webt Lichterfäden um der Treu Geranien,
Ein leiser Widerschein spielt in den Sarg.
Sie ruhen unter blühenden Kastanien,
Ihr Lebenssaft steigt denen tief ins Mark.
Zwischen zwei Gräbern welken rote Blumen,
Das Erdreich ist zerdrückt, das Laub zerfetzt.
Hier wälzten sich die Nacht auf weichen Krumen
Zwei Wildverliebte, von der Brunst gehetzt.
In ihre Schreie sprangen klirrend Knochen
Und Schädel, die nach reifem Heumond rochen.

# FRÜHER MORGEN IN DER FRIEDRICHSTRASSE

Die ersten Wagen mit den Zeitungsballen
Fahren am Bahnhof Friedrichstraße vor.
Alle Häuser hängen in violettem Flor.
O wilde Welt! Laß mich ins Dunkel fallen!

Die Mädchen flattern heimwärts: böse Eulen.
Aus Cafés äugen Lampen, gelb verstört.
Ein holder Walzer wird nicht mehr gehört,
Weil schon die Dampfer und Fabriken heulen.

Da braust der erste Stadtbahnzug ins Loch
Der Bahnhofshalle . . . Hinter Dächertraufen
Schirrt Phaëton den jungen Tag ins Joch
Und läßt die goldnen Rosse laufen.

Die Strahlenpeitsche klatscht um unser Ohr.
Des Gottes Blick erglüht uns im Genicke . . .
Empor zu dir! Empor!
Sonne rollt über die Weidendammer Brücke . . .

## DER KRÜPPEL

Er schleppt das Bein wie einen Eisenstock.
Vornüber wankt er. Aus dem breiten Munde
Fließt Speichel auf den schlechtgeputzten Rock.
Die Augen schielen auswärts: graue Hunde

An einem Pflock zuckt wild nach seiner Seite
Ein jedes. Spitz in Birnenform der Kopf.
Wie eine Bürste steht das Haar am Schopf.
Es kreist der Kopf am Rumpf. Ihm zum Geleite

Die affenmäßig dünnen Arme schlottern.
Hört man ihn sprechen, scheut man die Berührung,
Denn auch sein Geist ist häßliche Verführung –
Er bleibt allein – und muß in sich verlottern.

## DAVOSER BAR

Die rosa Sängerin mit jenem Juden,
Der achtungheischend ein Monokel trägt,
Fühlt sich vom Lärm der laubenbunten Buden
Ersichtlich auf- und ab- und angeregt.

Er dreht mit ihr sich rund im Karusselle,
Er lüftet ihr den gelbpunktierten Sekt,
Indem die oberitalienische Kapelle
Sich selbst und andre mit Musik befleckt.

Ein Herr tanzt exaltiert wie ein Tuberkel,
Des Frackes Schöße zwitschern vogelgleich.
Die rosa Sängerin hält fürstlich Cercle.
Ein Oberleutnant pokert schreckensbleich.

Ein Jüngling träumt von einer fernsten Ferne.
Aus seiner ausgeschnittnen Weste stiert
Die Höhlung einer riesigen Kaverne,
In der die Nacht wie eine Palme friert.

## SANATORIUM

Die Spatzen singen und der Westwind schreit,
Sachtsummend rollt der Regen seine Spule.
Der weiße Himmel blendet wie verbleit,
Verrostet krümmt er sich im Liegestuhle

Auf der Veranda. Neben ihm zwei Huren
Aus der Gesellschaft, syphilitisch eitel.
Sie streicheln zärtlich seinen Schuppenscheitel
Und sprechen von Chinin und Liegekuren.

In ihren grauverhängten Blicken duckt er,
Der Morphiumteufel hinter Irismasche.
Er hüstelt, hustet, und zuweilen spuckt er
Den gelben Auswurf in die blaue Flasche.

Sie schenkten ihm freundschaftlich Angebinde,
Als er zum ersten Male in den Garten stieg,
Je eine Liebesnacht – als drüben in der Linde
Der Kuckuck *einmal* rief (für alle drei) – und
    schwieg.

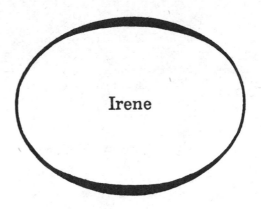

Irene

## O GIB

O gib mir deine Hände,
Der Frühling brennt im Hag,
Verschwende dich, verschwende
Diesen Tag.

Ich liege dir im Schoße
Und suche deinen Blick.
Er wirft gedämpft den Himmel,
Der Himmel dich zurück.

O glutend über Borden
Verrinnt ihr ohne Ruh:
Du bist Himmel geworden,
Der Himmel wurde du.

## WIEGENLIED FÜR MICH

O ich liege weit
Außer Raum und Zeit,
In der Sonne lieg ich still und weiß.
Schnee bekränzt mich licht,

Himmel mein Gedicht,
Und die Wälder läuten laut und leis.

Aus der Tiefe steigt
Blond ein Haupt und neigt
Seiner Locken liebliches Gespenst,
Seele du der See,
Seele du der Schnee,
Seele, Seele, Sonne wie du brennst!

## WANDERUNG ZUR NACHT

Wenn ich in Nächten wandre
Ein Stern wie viele andre,
So folgen meiner Reise
Die goldnen Brüder leise.

Der erste sagts dem zweiten,
Mich zärtlich zu geleiten,
Der zweite sagts den vielen,
Mich strahlend zu umspielen.

So schreit ich im Gewimmel
Der Sterne durch den Himmel.
Ich lächle, leuchte, wandre
Ein Stern wie viele andre.

## AUS: TOTENKLAGE

### XI

Es schaukelt unser Boot zu jenen Inseln,
Die deine großen Blicke stets ersehnten.
Vom Fenster unsres hohen Zimmers dehnten
Sie sich im See, umspült von Goldgerinseln.

Tunesiens Bäume glichen grünen Pinseln.
Die Eukalyptuszweige Düfte tränten.
An dicken Säulen lasteten und lehnten
Steinerne Löwen im versteinten Winseln.

Das Boot legt an. Ein alter Diener schreit.
Die Fürstin steht gebückt auf der Estrade.
Sie hilft dir aus dem Boot. Ich höre Leid

Aus der Begrüßung sanfter Serenade.
Du gehst zum Schloß. Der Saal ist dunkel. Breit
Liegt eine Wachshand auf der Bücherlade.


## XVIII

Ich möchte sterben mittags in der Sonne.
Die Spatzen werden krähn. Die Pferde blinken.
Am Brunnen wird ein armer Ziehhund trinken.
Ein Kind geht tändelnd an der Hand der Bonne.

Ein Käfer schwirrt in Auferstehungswonne.
Zwei Liebende seh ich einander winken.
Es zacken trotzig sich des Domturms Zinken;
Im blauen Äther lächelt die Madonne.

Das Leben lebt. Ich hör es, seh es, fühl es!
Ob ich dabei, was schiert sich's drum? Es lebt.
Im leichten Tanz des ewigen Gewühles

Die Brust der Erde auf und nieder bebt.
Ich fühle an der Stirn ein klares kühles
Gewölk –: Irene, die mich aufwärts hebt.

## AUS: DIE KLEINEN LIEDER FÜR IRENE

Ich seh's an deinem Bilde, auch du leidest,
So himmelweit von mir entfernt zu sein.
Ich fühl, wie du die Engelspiele meidest
Und wie du traurig bist, besternt zu sein.

Ich bin nur deines Schattens schmaler Schatten.
Du bist so hell. Ich bin so dunkel ganz.
O wirf den goldnen Käscher nach dem Gatten
Und zieh hinüber ihn in deinen Glanz!

\*

Wie mancher vor des Fürsten strengem Schein
In knabenhafter Niederkeit erstirbt:
So sterbe ich vor dir. Die Grille zirpt.
Und dieser Tag wird wohl der letzte sein.

Ach, daß ich dennoch übers Grab hinaus
Die Arme ewig nach dir breiten werde!
Ich kehre nie zu meinem Vaterhaus,
Und fremde Erde ist wie keine Erde.

\*

Gott hat uns leicht und schwer gemacht.
Du hast geweint. Ich hab gelacht.
Du hast gelacht. Ich hab geweint.
So Sonn und Mond am Himmel scheint.


## ODE AN ZEESEN

Aus Jupiters Hand geschleudert
Donnerkeil
Im Juligewitter
Mein steinernes Herz
Du glühst nicht mehr –

Aus den Sternen gestürzt
Aus den Wolken geschüttet
Bruch
Wolkenbruch
Blitz
Donner
Aufschlagend am Feldgestein
Regenbogen
Verwirrt im Dorngesträuch
Du siebenfarbener Schleier
Zerfetzt
Ihr kleinen Heckenrosen
Ihr willigen Trösterinnen
Ihr haltet das flatternde Band der Tristitia.

Verwundet
Verwundert
Erblickt
Zwischen zwei ragenden Föhren
Das graue Auge
Den goldenen Tag
Blauer See
Blauer lauer See
Mückensingsong
Linde Ufer
Und der Winde Rufer
Springen durch das Korn
Unter ihren kühlen Sohlen
Beugen die heißen Halme sich zärtlich
Richten sich zärtlich auf
Und winken
Dem so herrlich taumelnden Mittagswinde nach.

Drüben vom Jenseits
Drüben vom Jenseits des Sees
Ruft der Kuckuck
Allen Lebenden ruft der Kuckuck
Tausend lebendige Jahre zu.

Hinein mit einem Hechtsprung
Zu den Hechten und Barschen
Hinaus aus den Binsen
In die schaumige Weite
Aufscheuchend die Frösche
Welche geblähter Kehle
Die Liebe locken die Liebste locken
Voll geiler Gier
Fische selbst und faulendes Holz bespringen
Denn es rast die Liebe in den Geschöpfen
Kitty die Hündin ist läufig
Und Bodo der Hund
Jault die Tage und Nächte nach ihr
Nimmt das Fressen nicht und magert bis auf
    die Rippen
Auf dem Dachfirst schnäbeln die Tauben
Im Wasser
Tanzt der Gründlinge silberner Reigen
Im Schilf
Jagen und jachtern blauschillernde Libellen
Und auf den Wogen des Sees
Sieh die Taucher schlank weißlichen Halses mit
    gelbem Kropf
Immer zu zweit
Segeln die Liebenden
Und auf dem Rücken trägt sorglich die Mutter
Die flaumige Zukunft das krächzende Kind.

Auch wir
Mädchen
Geliebte
Frau
Mensch
Immer zu zweit zu zweit seit zweien Jahren
Schwimmen wir auf den Wassern des Lebens
Auf den Zeesener Gewässern
Dahme Middelwede und großer Peetz.

Aus dem Luch
Erhebt sich ein Wind der wie Fuchs auf der Lauer lag
Zwischen Heidelbeerkraut und Moosen
Er springt dem See in den silbernen Nacken
Daß die Gischt aufspritzt wie weißes Blut
Es wogen die Wellen
Es wogen die Binsen
Es wogen die Felder
Es wogen die Wipfel der Bäume
Wir selber treiben auf den Wellen

Wie Wasser Gras und Buchenkrone
Auf und nieder
Auf und nieder
Auf und nieder.

Zurück an den Strand
Jetzt Sonne recke den feurigen Schild
Über unsre dampfenden Leiber
Zu heiß du flammender Ritter trifft uns dein
    roter Speer
Ihr schattenden Bäume
Vom Borkenkäfer durchwandert
Vom Specht beklopft
Ihr schattet mein müdes
Im Zittergras versinkendes Haupt
Ihr fächelt mit euren grünen Armen
Mit euren blättrigen Händen
Mir Trost und Vergessen zu
Sei bedankt
Geliebtes Geschwister
Akazie
Wie gerne starb ich den Schlaf
In deinen kühlen Armen
Wie gerne will ich den Tod
Einst in deinen Armen verschlafen
Will ich in deinem feuchten Schatten
Ach noch viele Ewigkeiten verschlafen

Wenn die grelle Mittagssommersonne
Die gemähte Stoppelwiese dörrt
Und zu meinen Füßen
Dämmert verdämmert Bodo der Hund.

He Bodo
Hierher Bodo
Wolfssohn
Willst du wohl die Gänse nicht scheuchen
Die heiligen Träger des Daunenschlafes
Die gütigen Behälter des Gänsefettes
Wackelnd mit den feisten dermaleinst gebratenen
    Gänsekeulen.

Ganz von fern wie ferner Krieg
Rollen
Auf der Königswusterhausener Bahn die Güterzüge.

Und ich sitze nackt auf der Veranda
Wie des Sommers Gott
Sitz ich nackt und faul auf der Veranda
Violett umblühen mich Bethulien
Mich umtanzen
Dicke Fliegen Filigran von Mücken
Pfauenauge und Zitronenfalter
Und ich hock und freß wie ein Kaninchen
Frischen mildesten Salat
Kohlrabi
Auch gezuckerte Johannisbeeren
Und danach ein Glas
Erdbeerbowle
Wie ein Mensch
Wie ein Gott
Und ich sitz und schwitz und freß und sauf
Und ich denk und träume
Nichts
Träum und denk das Nichts vom Nichts des
    Nichtses

Bin am Ende meiner Kräfte
Und am Anfang aller Seligkeit.

Hochbeladen mit dem gelben Korn
Schwankt der Wagen in die Scheune
Und das brave Pferd umspringen bellend
Sieben schwarz und weiße Wolleknäuel
Sieben Terrier Bosko Fatty Step
Tipsy Kitty Bill und Fap
Aus dem offenen Stall fegt eine Schwalbe
Drin im Stalle säugt die Kuh das Kälbchen.

Zwischen Bäumen
Wachsen schlanke steile dünne Eisensäulen
In den Horizont
Die Funktürme von Königswusterhausen
Hier Königswusterhausen auf Welle 1300
Achtung Achtung Achtung
Der Dichter Klabund spricht eigene Verse.

Er spricht mit abgehackter blecherner Stimme
Dieweil er im Grase liegt –
Das rechte Ohr an die Erde gepreßt
Horcht er auf den Herzschlag der Erde
Und auf den Wanderschritt des Maulwurfs
Er wirft die Worte in die Luft
Wie nicht entzündete Raketen
Sie brennen nicht
Sie leuchten nicht
Sie fallen zischend ins feuchte Gras
Achtung Achtung Achtung
Hochachtung Hochachtung Hochachtung
Ganz besondre Hochachtung
Ihm lauscht kein Mensch kein Wesen kein Tier
Die Luft spielt mit den Worten wie mit Brenn-
    nesselsamen
Sie weht sie da und dorthin
Einige Participia bleiben in einer Koniphere hängen

Ein strahlendes Adjektiv treibt Bauch nach oben
wie ein toter Fisch im See.


Aber ein liebliches Präpositum
Fiel in einen Baumritz
Einer Dryade in die Augenbrauen
Und kitzelte sie aus dem Schlaf
Zierlich trat sie aus dem dunklen Baumstamm
ins grelle Licht
Und stand geblendet –
Da begannen die Grillen zu zirpen
Die Heuschrecken musikalisch ihre Hinterbeine
zu reiben
Und der Jazz des Sommers rauschte auf
Meckernd fielen die Ziegen ein
Die Kuh blökte die Hunde bellten die Gänse
schnatterten
In der Ferne Gewittergrollen
Die dumpfe Pauke des Donners
Gott sitzt am Schlagzeug
Yes Sir that's my baby
Da stampfte die entfesselte Dryade den Charleston
Die braunen rötlich überkupferten Haare fielen
ihr mähnig über die Stirn
Wie einem Pony.


Tanz stampf tritt den Boden
Tritt die Erde daß sie dir untertan sei
Die Erde dem Weibe
Wie seit Urbeginn
So heute
Zertritt die Butterblumen im Tanz
Was tut's
Zermalme die kleinen roten Käfer im tollsten Takt
Töte die dir aufspielen zum Tanz mit deinen
tanzenden Sohlen
Töte Grille und Heupferd
Tanze tanze

Töte töte
Schon springst du mir in den Nacken
Puma
Und tanzest auf meinen Knabenschultern
Yes Sir yes Sir
Den Jazz des Sommers.

Genug genug wilde Nymphe
Zieh dir den schwarzrotgestreiften Bademantel an
Und komm auf den Tennisplatz
Henry der Trainer wartet schon auf die gnädige
    Frau
Du schlägst die Bälle
Zwei Dutzend Bälle
Zwei Dutzend Menschenköpfe
Haarscharf übers Netz
Keinen Liebesblick
Keinen Ball
Läßt du aus.

Abends nach dem Essen
Yes Sir yes Sir
Steppst du im blauen Pyjama
Blauer Pyjama blauer Himmel blauer See –
Wie ein japanischer Ringer
Mit dem dicken gebräunten Sharakugesicht
Boxt der gewaltige Herr des Gutes
Rittergutes
Raubrittergutes
Zeesen
(Nach der Volkszählung von 1905 besaß der 352
Hektar umfassende Gutsbezirk Zeesen 25 Einwoh-
ner)
Boxt die erhabene märkische Majestät
Den Raum
Boxt mit Träumen mathematischen Reihen Börsen-
    kursen und wilden Ziffern
Oberbedarf

Unterbedarf
Mannesmann
Weibesweib
Die Firmen Frisch Frank Fröhlich Frei haben
    Geschäftsaufsicht angemeldet
Yes Sir that's my baby
Noch ein Glas Bowle
Elektrisches Licht überm Garten
Sommernachtstraum
Ein Gang noch mit den englischen Terriern
Kitty Bill Tipsy Bosko Fatty Step Fap
Licht aus
Happy-end
Week-end.

Nachts
Schlafe ich schlecht
Durch geöffnete Fenster
Wandert die ganze Unterwelt
Weiße Spinner kommen geflattert mit riesigen
    roten Augen
Spanische Fliegen mit fetten grünen Bäuchen
Braune Motten und kleine Perlmutterfalter
Summende Mücken sirrende Gnitzen
Ihnen nach die Königin des Dunkels
Ihre Herrin und Vertilgerin
Die gefräßige
Die Fledermaus
Und am Boden raschelts: schwarze Schwaben
Aus der Mauer kriechen Tausendfüßler
Alles lärmt und knackt und surrt und raschelt
Plötzlich trappt und trippelts auf den Bohlen
Wie ein Pony trappelt und ein weißes
Tier steht wie gebäumt im Rabenschwarzen
Wie ein Schimmel auf den Hinterbeinen
Hebt die Vorderhufe drohend
Schnaubt gar grimmig durch die Nüstern
Schreien will ich mir verschlägts die Sprache

Da – ein Sprung – das Tier hockt auf dem Bettrand
Und umschlingt mich mit den weißen Armen
Drückt die heißen Lippen auf die meinen
Yes Sir that's my baby.

Mein steinernes Herz – – –
Du glühst noch –


## DER URMENSCH

Er ging groß dahin
Unter grünem Himmel
Der Eisige.
Die heißen Winde
Schlugen vergeblich an sein Herz.
Die kleinen Paviane weinten,
Aber sein Ohr war verstopft mit moosigem Werg.

Am See im Zwielicht
Stand er zuweilen zwischen hohen Binsen,
Die ihn verdeckten.
Er sah den Mondschwan im Nebel rudern
Und fröstelte.

Er streichelte am Tag die Sonne: Mutter!
Sie wärmte wortlos ihn an ihrer weißen Brust
Und säugte ihn, das große Kind: mit Licht.

Er schlief, gesättigt. Schmetterlinge spielten
Mit seinen Träumen. Seine Gletscherstirne
Lag auf dem blauen Kissen des Azur.


## NARKISSOS

Als Narkissos sich
Im Teiche spiegelte,
Erschrak er:

Denn also schön schien ihm das Spiegelbild,
Daß er in Liebe zu sich selbst
Entzündet wurde.
Er beugte sich hernieder
Ins Ufergras
Und küßte im Wasser
Seine Lippen
Und griff nach sich mit seinen Händen
Und seufzte.
Die Schönheit,
Sann Narkissos,
Wohnt auf dem Grund der Seen.
Versunkene Städte müssen sein,
In denen die Schönen wohnen
Und mittags nur
Im Sonnenlicht
Werden sie sichtbar,
Wird Schönheit Bild,
Gesang und Lächeln,
Glanz und Kuß.
Noch niemals sah ich nachts im Teich
Den schönen Jüngling.
Er schläft zur Dämmerung wohl
Wie wir.
Und ist ein Mensch
Wie wir
Nur Mensch der unteren Welt.
Du Tiefer steig hinauf!
Und werde Du!
Wenn das Gymnasion du betrittst,
Schweigt rings die Runde.
Der Fechter läßt den Degen sinken,
Der Ringer Blick und Arm,
Und selbst die Greise und die Kinder
Erschrecken süß vor deinem Angesicht.

## AUS: DREIKLANG

### XX

Aus den Wiesen steigt der Nebel.
Im Horizont verströmt der Fluß.
Rote Weinblätter leuchten leise zu meinen Füßen,
Die sind so müde des ewigen Wegs.

Der halbe Mond liegt gekrümmt im Bauch des
    Himmels wie ein ungeborenes goldnes Kind.
Es ist noch blind und weiß von der Erde noch nicht,
Auf der ein Mensch steht und in den Abend starrt:
Die Augen voll Glanz und das Herz voll Dämme-
    rung.

Wenn erst der Wind wie der Kutscher des Brauer-
    fuhrwerks mit der Peitsche knallt,
Wenn erst der weiße Frost an den Fenstern blüht –
Wenn der Buchs auf deinem Grabe verdorrt ist, bringe
    ich einen Strauß künstlicher Papierblumen,
Die schimmern wie geschminkte Frauen, die eine
    flüchtige Minute küßt.

Gib mir die Hand, Mann, wer du immer seist, der
    du mir in der Dunkelheit des Heimwegs begegnest,
Und vergib mir, daß ich dich nicht lieben kann.
Grüße deine Frau, deine Kinder und die alte Groß-
    mutter im Lehnstuhl.
Sag, du wärst dem steinernen Menschen begegnet im
    fallenden Herbstlaub.

### XXII

Es werden Tage kommen
Sonnenlose ohne Gelächter.
Brachfelder.
Kein Korn glänzt.

Leichen rollen in den Flüssen.
Die Eisenbahnen sind voll toter Fahrgäste.
Wer ein Herz hat weint
Hingebückt über das Jaucheloch.

Kahlkopf und Kohlkopf
Wechseln wie Wild.
Der Sieg ist versiegt
Viel Teppiche zerfasert.

Eine Tanne
Steht noch – vielleicht.
Das Gehörn einer Gemse
Hängt am Abgrund.

Der
himmlische
Vagant

EIN LYRISCHES PORTRÄT VON
FRANÇOIS VILLON

I

François Montcorbier, genannt Villon,
Geboren Vierzehnhunderteinunddreißig,
Als Schüler faul, als Buhler strebsam fleißig,
Aus dunkelstem Paris, und darob lichtscheu.
Mit Faltern schwebend, Blüten blühend, pflichtscheu.
Bekannt von Meung sur Loire bis Roussillon,
Der Leibpoet des Herzogs von Bourbon
Und Leibpoet des letzten Straßenweibs,
Bedacht auf sondre Art des Zeitvertreibs,
Landstreicher, Gauner, Dieb, Zechpreller – und
Hündischer oft traktiert als der geringste Hund,
Um eines Haares Breite Mörder gar,
Mitglied der Bruderschaft der coquillards –
Liegt hier begraben: was er lebt' und litt,
Teilt er euch in des Meisters Werken mit.
Lag seine Stirn im Kot, sein armer Leib im Kofen,
Aus seinem Munde klang ein goldner Chor von
    Strophen.

Die Hand, mit Blut befleckt, schrieb heiligstes Ge-
    dicht.
Das erdendunkle Herz entzündet Sternenlicht.
Als er am Himmelstore angelangt,
Hat die Madonna selbst gebetet und gebangt.
Gottvater ließ ihn gnädig in den Himmel ein:
Weil du mich stets gesucht, sollst du willkommen sein.
Gefunden hast du mich. Du bist Poet nicht mehr.
Tritt als ein Engel in das selige Engelheer.
Da lächelt Villon ernst – und schluchzt mit einem-
    mal:
Ich komme aus der allertiefsten Hölle Qual.
Läßt du die Mörder, Diebe, Fälscher, Ehebrecher,
Die Dirnen, Räuber, Säufer, Gauner, Degenstecher,
Die meine Brüder sind, nicht in den Himmel ein,
So soll die Seligkeit mir nicht vorhanden sein.
Nicht eine Stunde blieb ich selig, wenn ich wüßt,
Daß in der Höll ein armer Bruder leiden müßt.
Gottvater, lebe wohl! Ich will kein Heuchlerglück!
Zu meinen Brüdern kehr ich in die Höll zurück.
Und bin erst wieder hier, wenn die Posaune lehrt,
Daß Gott dem Ärmsten auch das himmlisch Reich
    gewährt.
Daß Gott dem Letzten auch ob seiner Tat nicht grollt,
Die ohne Gott nicht wär – denn Gott hat *ihn* gewollt.
Schenk allen Erdenwandrern die ersehnte Ruh! –
Und hob die Hand zu Gott. Und sank der Tiefe zu.


II


Ach, verloren ist verloren –
Unaufhaltsam ziehn die Fluten.
Wer dahier zu spät geboren,
Kommt zu spät zu allem Guten.
Ja, ihn sollt der Teufel holen,
Selbst sein Weib: hat schon ein anderer.
Als ein kümmerlicher Wanderer
Tippelt er auf blanken Sohlen.

Ach, verloren ist verloren –
Laß die schwarzen Würfel fallen.
Einmal bist du doch erkoren,
Wenn die schrillen Flöten schallen.
Setz dein Sein auf eine Karte:
Weib und Kind und Gott daneben –
Nur im Tode darfst du leben,
Mors, entfalte die Standarte!

### III

Und schick noch einmal deine Raben,
Die Raben, die Elias speisten.
Wir haben nichts mehr, was wir haben.
Die Drüsen faulen in den Leisten,
Den Abfall fraßen längst die Schaben.

Die Flöhe springen vom Skelette,
Die Glocken schweigen in den Strängen.
Die Wanzen wandern aus dem Bette.
Nichts bleibt uns als die Schädelstätte
Und als ein Kreuz, uns dran zu hängen.

### IV

#### DER MUTTER

Öfter hast du mich gescholten,
Glaubtest meinen Pfad verwunden,
Hast das Ende nicht gefunden,
Dem mein wilder Lauf gegolten.

Aber hoben deine Hände
Sich in meine, quollen Tränen.
Heiß aus mutterheißem Sehnen
Blühten Rosen ohne Ende.

## V

Was dich immer heiß umfasse:
Mannesleib und Luft:
Sei der Sehnsucht süßer Sasse
Über Gram und Gruft.

Beichter mag sich leichter geben,
Schwerer schwärmt das Muß.
Lache, Seufzer! Klettre, Rebe!
Kühle, kühle ... Kuß!

Dunkel liegt schon die Terrasse,
Und der Mond geigt grau.
Was dich immer heiß umfasse:
Fühle, fühle ... Frau!

## VI

Rausche, Laub, am braunen Hang,
Rausche deine bunten Blätter
Mir hernieder in den Gang.

Erst fiel eines wie ein Tropfen
Ferner Wetter.
Nun sinds viele, die wie Schmetter-
linge tot den Boden klopfen.

Und vom Baum sah ich ein Blatt sich falten.
Ist es eine Blüte? Farbentrunken
Ist sie schon auf mich herabgesunken,
Und die Hände
Halten
Eines Jahres Sonnenbrände.

Rot und glühend zuckte es im Teller
Meiner Hand, auf der die Blicke brannten,

Während meine wehen Sohlen schneller
Durch das tote Laub am Boden rannten.


### VII

Ich lieb ein Mädchen, welches Margot heißt,
Sie hat zwei Brüste wie zwei Mandarinen.
Wenn wir der holden Göttin Venus dienen,
Wie gern mein Mund in diese Früchte beißt.

Ich lieb ein Mädchen, welches Margot heißt.
Doch wer sie liebt, muß sie zuweilen prügeln.
Es läßt sich leicht nicht ihre Wildheit zügeln,
Wenn man sie tändelnd nur als Eva preist.

Ich lieb ein Mädchen, welches Margot heißt,
Bewandert in den Liebesdialekten,
Die schon die alten Phrygier entdeckten.
(Gebenedeit sei ihr antiker Geist!)

Ich lieb ein Mädchen, welches Margot heißt.
Sie wohnt in einem schmutzigen Bordelle,
Man zieht an einer rostigen Klingelschelle,
Worauf Madam den Gast willkommen heißt.

Ich lieb ein Mädchen, welches Margot heißt.
Ich liebe diese ganz allein, nur diese.
Der Louis fand die passende Louise –
Bis man die Scherben auf den Müllplatz schmeißt . . .


### VIII

Nun steigt der Morgen übern Zaun
Graugrün wie ein Askete.
In heller Sonn, wenn Veilchen blaun,
Gilt Rausch nicht und Rakete.

Und was dir heut am Halse hing:
Dies Heut ward schon zum Gestern.
Was ich mir fing: es ging das Ding
Zu seinen toten Schwestern.

Traum stürzt und Träne feuerheiß
Aus meinem blinden Blicke.
Mir winken, was ich will und weiß:
Dolch, Fallbeil, Gift und Stricke.

IX

Sommerabende, ihr lauen,
Bettet mich auf eure Kissen,
Laßt in Fernen, dunkelblauen,
Meiner Träume Wimpel hissen.

Stunden, die am Tag sich placken,
Feiern nächtlich froh verwegen,
Und ich fühl um meinen Nacken
Zärtlich sich zwei Arme legen.

Ist die Seele liebeswund?
Heißren Atem haucht der Flieder,
Und der rote Himmelsmund
Neigt sich üppig zu mir nieder.

X

Ich bin von Feuerringen
Umkreist zu meiner Not.
Ich hör die Vögel singen
Im hellen Abendrot.
Sie schweben und sie schwärmen
Und singen sich zur Ruh.
Sie leben und sie lärmen.
Wozu?

Wir halten uns umfangen
In Nacht und Paradies.
Die Abendglocken klangen
Aus dumpfestem Verließ.
Wir wissen unsrer Hände
Und Herzen einen Pfad.
Wer weiß, wie bald das Ende
Uns naht.


## XI

Ich bin so weit von dir entfernt!
O dieses Elend, das die Brust durchlärmt.
Bin ich es denn, der dunkel im Gesicht
So Stern auf Stern in blaue Zelte flicht?
Wie habe ich den Tag so trüb verbracht
Mit Würfelspiel und künstlicherer Nacht.
Nichts will ich, als dich lieben; nimm mich hin,
Weil ich in deinem Netz gefangen bin.
So schwer schon sinkt aufs Blatt mir Haupt und Kinn,
O aller Strahlen schöne Spinnerin!


## XII

Ich schlage schamlos in die Tasten.
Die Ampel tönt. Es zwitschert das Bordell.
Die schlanken Knaben bleich vom langen Fasten
Erheben kühl sich vom kastalschen Quell.

Sie werfen ab die wolligen Gewänder,
Die Hemden kurz, die Mutter einst genäht.
Sie schweben engverschlungne Negerländer,
In denen palmengleich die Liebe steht.

Es neigen sich mit ihren schmalen Mündern
Die Huren in den unerfahrenen Schoß,

Und sie empfangen von den blassen Kindern
Lächelnd ihr gutes oder schlimmes Los.


### XIII

Es wuchs ein Schatten aus der Nacht,
Hat wie ein Sarg mich überdacht,
Der mich dem Tod versöhnte.
Wie lag ich ewig! lag ich tief!
Über mir Scholle an Scholle schlief,
Und sanft des Lebens Hufschlag dröhnte.

Die Zeit verscholl. Es schwoll der Berg,
Aus meiner Brust sproß Wurzelwerk
Und brach die braune Hülle.
Da schwang der Himmel sein Panier
Zum ersten Male über mir
In meiner Augen Fülle.

Die Welt war neu, die Welt war bunt,
Aus meiner Augenhöhlen Grund
Kornblume sprang mit blauen Blicken.
Und aller Schmerz, den ich geweint,
Er hat in Wolken sich vereint
Und rinnt, die Felder zu erquicken.


### XIV

Weil du von mir ein Kind erhältst,
So willst du dich erhenken
Und mir mit einem Gott vergelts
Dein junges Leben schenken?

Weißt du wohl, was ich damit tu,
Ob ichs zu Staub zerreibe?
Ich spiele es den Sternen zu,

Ich spiele es den Fernen zu,
Damit es leuchten bleibe!

Da nun die Lust in dir verwest:
Laß mir den Sohn am Leben!
Wenn Wolke du in Winden wehst
Und bei den ewigen Träumen stehst,
Wird *er* mir Erde geben . . .

Weil du das Kind in mir erlöst,
So willst du dich erhenken?
Du sollst noch einmal, eh du gehst,
Mir deine Jungfraunschaft schenken.

## XV

Soll man denn den Dichtern trauen?
Ihr Geschäft heißt: Lob der Frauen.
Selbst der blinde Dichtervater
Schnurrt gleich einem Frühlingskater,
Harft er von der Helena,
Die sein Auge niemals sah.
Trumpf ist beides: blond und braun.
Doch die Krone aller Fraun,
Wild und mild und bittersüß
Sind die Mädchen von Paris.

Dunkle Italienerinnen
Mögen Liebesfäden spinnen.
Eine Deutsche, eine Türkin
Mag auf manchen Jüngling wirken.
Mit der schlanken Angelsachsin
Fühlt man seelisch sich verwachsen.
Trumpf ist beides: blond und braun.
Doch die Krone aller Fraun,
Wild und mild und bittersüß
Sind die Mädchen von Paris.

Welche Szene: an der Seine:
Eine Nymphe! Eine Schöne!
Gleicht ihr Leib nicht der Alhambra
Hoch gebaut? Es atmen Ambra
Ihre tulpenroten Lippen,
(Die am liebsten Portwein nippen . . .)
Schopf und Schoß: ein goldnes Braun
Bei der Krone aller Fraun,
Wild und mild und bittersüß
Sind die Mädchen von Paris . . .


XVI


Ich bin von dir so müde,
Die Nacht ist ohne Ruh.
Ich seh mit hellen Augen
Dem Spiel des Dunkels zu.

Du stießest in mein Blut
Brennende Füchse – auf der Philister Fährde,
Und nun verbrennts.
Mein Schrei fällt auf die Erde
Wie Samenkorn im Lenz:
Simson! Simson!


XVII


Die Herzogin Antoinette,
Weiß wie Schnee,
Reißt rauh der Henker vom Bette.
Sie lächelt: Bonjour, monsieur . . .

Sie trippelt die Treppe
Empor zum Schafott – o weh,
Sie tritt auf die Mantelschleppe
Dem Henker: Pardon, monsieur . . .

Ein Seufzer. Ein Hauch. Ein Röcheln.
Rot sprießt der weiße Klee.
Der Herzogin letztes Lächeln
Sagt: Revoir, monsieur . . .

## XVIII

Ich bin gemartert von Gewissensbissen,
Daß ich noch nichts auf dieser Welt getan.
Mit ein paar Flüchen, ein paar Mädchenküssen,
Da hört es auf, da fängt es an.
Ich aber fühle Strom mich unter Flüssen,
Doch flösse ich bergauf und himmelan –
Das Aug, das ich zum guten Werk erhoben,
Es darf nur einer Dirne Brüste loben.

Wie oft, wenn ich mit den Kumpanen zechte,
Klang eine Trommel dumpf, die Buße bot.
Ich warf mich hin, auf daß mich einer brächte
Und stelle einsam mich ins Abendrot.
Der aber klapperte mit Würfeln, und die schlechte
Gesellschaft fürcht ich, wenn Gelächter droht.
Ich bin so müde meiner Spielerein
Und möchte Mensch einst unter Menschen sein.

Doch niemand ist, der meinen Worten traute,
Es wird mein Leichnam erst auf Lorbeer ruhn.
Ich reiße von der Wand die dunkle Laute,
Um doch in Tönen eine Tat zu tun.
Das Lied ist aus. Der grüne Morgen graute.
Im Hofe bellt der Hund, es kräht das Huhn;
Und während alle rings zum Tag erwachen,
Entschlaf ich trunken unter Wein – und Lachen.

## XIX

Dies ist das Lied, das Villon sang,
Als man ihn hängen wollte.
Er fühlte um den Hals den Strang,
Er sang das Lied den Weg entlang,
Der Schinderkarren rollte.

Hängt mich den Schurken zum Alarm
Nur hoch in alle Winde!
Wegweiser schlenkere mein Arm,
Er weist den Weg dem schlimmen Schwarm
Und manchem braunen Kinde.

Einst hat der Teufel mich gekirrt,
Nun hör ich Bäume singen.
Ich fühle Gott. Mein Auge schwirrt.
Mein Leib, mein armer Leib er wird
Als Aveglocke schwingen.

## XX

Ich bin gefüllt mit giftigen Getränken,
Ich speie Eiter, wenn ich wen besah;
Ich fluche jedem heiligen Hallelujah
Und will ein Pestgewand als frohe Fahne schwenken.
Ich stehle Geld wie Sand –
Ich werfe Brand ins Land,
Und dennoch, Wolke, wagst du dich zu schenken?

Ich bin verbittert und mit Gram verschlossen,
Und nur ein Messer öffnete mein Herz.
Faul stinkt mein Atem, meine Faust ist Erz,
Ich schlafe selig in verdreckten Gossen,
Ich reite nackt auf ungezähmten Rossen,
Ich bin bei Spiel und Wein
Allein und ganz allein
Und von den Tränen fremder Fraun umflossen.

O möcht ich einmal nicht als Licht mehr scheinen!
Und nicht mehr Stunde sein und Zeit der Nacht!
Ich habe meinen Sohn zu Tod gebracht;
Ich hüllte seine Gliederchen in Hemdenleinen,
Ich grub ein Grab ihm unter Pflastersteinen –
O Wolke, wer du seist,
Ich grüße deinen Geist,
So wolle, Wolke, wolle für mich weinen!

### XXI

Die Sanduhr rinnt. Das Licht verbrennt.
Man färbt sich den Bart mit Listen.
So richt ich denn mein Testament
Wie alle guten Christen.

Wo ist mein fester Blick? Ich bin
Ein Säufer und taumle und stiere.
Ich vermache mein Doppel- und Stoppelkinn
Meinem Hofbarbiere.

Hier dieses Herz: es zuckte und hing
An allem Erlauchten und Edeln.
Es mag ein fünfzehnjähriges Ding
Die Fliegen sich damit wedeln.

Hier diese Hand: einst Hieb und Stich
Beim Becher und beim Degen –
Sie mag versteint und verknöchert sich
An eines Bischofs Wange legen.

Mein Liebeswerkzeug sei vermacht
Der lieben süßen Margot.
Sie betet es an um Mitternacht
Im fürchterlichsten Argot.

Und meinen Haß: ich schenke ihn
An jedermann und alle.
Sie sollen ihn sich auf Flaschen ziehn
Als Gift und grüne Galle.

Mein Wappen und mein Rittertum
Einem unehlichen Kinde:
Es schrei meine Ehre und meinen Ruhm
In alle Budiken und Winde.

Gegeben Gefängnis Meung sur Loire,
Verlaust, wie ein Tier hinter Stäben,
Von einem, der einst ein Dichter war
In diesem und jenem Leben.


### XXII

Aus der blassen Dämmerung
Fuhren deine Silberblicke
Wie zwei Speere. Im Genicke
Fühlt ich ihren Eisensprung.

Und es warf mich auf das Fließ.
Wie ein Sterbender die Hände
Hob ich in die roten Brände
Deiner Seele, welche mich verstieß.


### XXIII

Einmal aber wird es sein:
Gott Apollo löscht die Sterne,
Ferner wurde jede Ferne,
Und im Sand verrann der Wein.

Einmal wird der Wald verwesen,
Einmal wird das Licht vergehn,

Und die Frauen, die so schön,
Sind gewesen . . . sind gewesen . . .

Küsse finden keinen Gatten.
Sinnlos taumeln die Gebärden;
Leise gute Ziegenherden
Weiden tot auf Schattenmatten.

Das Geläut der Uhr verstummte,
Mondes Antlitz ist verweint.
Und ein leeres Fenster scheint,
Wo die große Fliege brummte.

Im verwaisten Tannenhain
Steht der Engel der Vernichtung,
Tränen blühen auf der Lichtung,
Und ich werde nicht mehr sein.


XXIV

Ohne Heimat in der Fremde
Bin ich ganz auf mich gestellt,
Und mein Herze und mein Hemde
Sind mein alles auf der Welt.

Um ein Lächeln leichten Mundes
Geh ich schwärmend in den Tod.
Mit den Brüdern meines Bundes
Sauf ich bis zum Morgenrot.

Schwäre hat den Leib zerfressen.
Sonne selbst hab ich verspielt –
Über allem unvergessen
Schwebt die Seele, welche fühlt.

## XXV

Nahte ich als Held und Beter
Unter Stürmen und Zypressen,
Ach, vergossen! ach, vergessen!
Regen-schnitter! Leise-treter!

Mir versagts, dich zu begatten,
Da ich kindlich an dir hänge.
Wirf den Bastard der Gesänge
Zu den Molchen und den Ratten.

Welt schien Schein und Ampel weiland,
Deine Brüste goldne Glocken,
Nacht und Blut und weiße Flocken
Sinken elend auf mein Eiland.

Und du lächelst meiner Tränen,
Rufst zum süßesten Alarme.
Laß mich an die Steinwand lehnen,
Daß den Stein ich doch umarme.

## XXVI

Wo ist Flora, gebt Bescheid,
Deren Brüste Rom entbrannten . . .?
Archipiada weilt so weit
Mit der holdesten Verwandten . . .
Echo, Wogenruferin –
Scham und Schönheit schritt zur Bahre –
Alle, alle sind dahin
Wie der Schnee vom vorigen Jahre . . .

Heloise, Amors Sklavin,
Deren Liebster ein Eunuch . . .
Mönch- und Menschenelend traf ihn,
Und der Seufzer schwoll zum Fluch.

Und die Buridan geliebt –
Fische hüpften Totentänze –
Alle, alle sind zerstiebt
Wie der Schnee vom letzten Lenze . . .

Blanche! Sirene! Die den leisen
Leib wie Liliensichel schwang!
Berthe, die wir als männlich preisen
Und Jeanne d'Arc von Orleans,
Die zum feurigen Gebet
England schleift am heiligen Haare –
Alle, alle sind verweht
Wie der Schnee vom vorigen Jahre . . .

Frage nimmer: Schmerz zuviel hing
Traubenschwer im Herzen inn . . .
Alle, alle sind dahin
Wie der Schnee vom letzten Frühling . . .

XXVII

Wenn Zigeuner glitzernd geigen,
Müssen arme Herzen tanzen,
Aus dem Fasse springt der Banzen,
Wenn wir heilig saufend schweigen.

Mit den Teufeln, mit den Engeln
Fahren wir auf gleichen Bahnen.
Hängen an den Brunnenschwengeln,
Rauschen in den freien Fahnen.

Mit der Päpstin Jutta schlafen
Wir im nonnenwarmen Bette,
Wandeln mit den guten Schafen,
Rasseln in der Sträflingskette.

Rom erzittert in den Sümpfen,
Wo die Kardinäle lallen,
Während kopflos steile Stümpfe
Wir in blauen Äther fallen.


### XXVIII


Was du immer hältst in Händen,
Mädchen oder Buch.
Ach, wie bald wird es sich wenden,
Und die weißen Frauenlenden
Deckt ein schwarzes Tuch.

Asche wird die süße Zofe,
Lippe ist versteint.
Stoß das Fenster auf: im Hofe
Schnattern Gänse um die Kofe,
Und ein Bettler weint.

Deine Verse sind Gesaber
Eines hohlen Herrn.
Nichts als wennschon oder aber –
Häng dich an den Kandelaber
Unter Sturm und Stern.

Deine Beine mögen baumeln,
Und dein Haupt benickt
Welche weinwärts singend taumeln,
Plötzlich von dem grellen traumhelln
Eulenschrei zerdrückt.


### XXIX


Die sich meinethalb entblößten,
Wegen mir wie Gänse rösten
In der allertiefsten Hölle,

Denen ich Geläut und Schelle
Um die Narrenhälse hing.
Alle Jungfraun, die ich fing,
(Frug nicht erst um Eh und Freiung)
Villon bittet um Verzeihung.

Jene braven Polizisten,
Die mit plumpen Schergen-Listen
Hinter mir und meiner Bande
Jagten kreuz und quer im Lande,
Meine Mörder, meine Räuber,
Meine Ruh- und Zeitvertreiber,
Die ich brauchte zur Belebung –
Villon bittet um Vergebung.

Meine Wünsche sind wie Algen:
Baut eintausend feste Galgen
Alle meine guten Freunde,
Meine herzliche Gemeinde,
Hängt sie auf in langer Reihe –
Daß ich ihnen gern verzeihe –
Von Paris bis Roussillon,
Villon bittet um Pardon . . .


                    xxx


Herbst entbrennt im letzten Flore,
Und du hast mich heut verlassen.
Frierend erst im Kirchenchore,
Strolch ich einsam durch die Gassen.

Durch die Hosen pfeifen Winde;
Meine hohlen Zähne klappern.
Mit scharmantem Hökerkinde
Hör ich Polizisten plappern.

Klamm sind meine roten Hände,
Sie vermögen kaum zu schreiben:
Daß der Sommer nun zu Ende . . .
Daß selbst Dirnen mir nicht bleiben . . .

In verräucherter Taverne
Sitz ich weinend nun beim Weine.
Fange Fliegen. Träume Sterne.
Und ich bin so ganz alleine . . .

### XXXI

Man liest zu Hause meine Bücher,
Und mancher freut sich meiner Schrift.
Mich decken schon die schwarzen Tücher,
Und meine Lippen speien Gift.

Der Maulwurf nagt an meiner Wange,
Der Wurm betritt des Leibes Pflicht.
Schon zerrt des ewigen Arztes Zange
Den Leidenden in neues Licht.

### XXXII

Laß mich einmal eine Nacht
Ohne böse Träume schlafen,
Der du mich aufs Meer gebracht:
Führ mich in den lichten Hafen!

Wo die großen Schiffe ruhn,
Wo die Lauten silbern klingen,
Wo auf weißen, seidnen Schuhn
Heilige Kellnerinnen springen.

Wo es keine Ausfahrt gibt,
Wo wir alle jene trafen,

Die wir himmlisch einst geliebt –
Laß mich schlafen . . . laß mich schlafen . . .

## XXXIII

Des Dichters Mutter liegt vor dir im Staube,
Maria, hohe Himmelskönigin,
Du bist mein Schild, mein Baldachin, mein Glaube,
Die ich um meinen Sohn voll Schmerzen bin.
Als einst die Welt versank, sandt Noah eine Taube
Mit einem Ölzweig übers Wasser hin.
Ich sende dies Gebet: für meinen Knaben,
Den alle Furien zerrissen haben.

Nichts will ich für mich selbst als seinen Frieden.
Ich lebe nur, weil mich sein Anblick hält.
Wär ihm ein sanftes Eheweib beschieden
In einer kleinen, aber guten Welt!
Doch seine Sehnsucht seh ich zischend sieden.
Er hustet Blut – und seine Stimme gellt.
Er wünscht voll glücklicher Gerechtigkeiten,
Die Menschen zur Vollkommenheit zu leiten.

Doch ist er herrisch. Und im Trotz entweiht er
Altar und Dom mit roher Rede Fluß.
Er steigt in Nächten auf die Himmelsleiter,
Weil er mit seinem Gotte ringen muß.
Er ist kein gegen Sünd und Zorn gefeiter,
Gefeit nicht gegen Würfelspiel und Kuß.
Doch hört ich, daß selbst Theophil gerettet,
Ob er sich gleich dem Teufel angekettet.

Ich bin ein armes Weib und ohne Wissen,
Ich weiß nur, daß auch du einst Mutter warst,
Als du von Krämpfen und von Wehn zerrissen
Herrn Jesum, unsern Heiland, uns gebarst.
Laß deine Füße, Mütterchen, mich küssen,

Und dich erflehn, daß meinen Sohn du scharst
In jenen Reigen englischer Gestalten,
Die deines Kleides goldne Schleppe halten.


### XXXIV


Wenn dies das Ende wäre von allen Dingen,
Ich sänge hell die Süße aller Zonen.
Ich würde gern bei alten Frauen wohnen
Und mich im Tanz der Feuerländer schwingen.

So aber bleibt ein Letztes ungesagt.
Aus allen Totenmündern schreit es: gestern.
Und: morgen! weinen Kinder, unbeklagt.
O meine armen Brüder, meine Schwestern!

Balladen
und
Lieder

## LAOTSE

Er ward von einer armen Magd empfangen
Auf hartem Ackerland.
Der große Wandrer kam gegangen
Und nahm sie bei der Hand.

Vor ihren Augen ward es finster,
In ihrem Herzen ward es licht.
Versinkend spielte sie noch mit dem Ginster,
Ein Junikäfer schlug ihr ins Gesicht.

Und als sie um sich sah, war sie erwacht.
Der Mond berührte blinkend ihren Jammer.
Und weinend ging sie durch die goldne Nacht
In ihre schwarze Mädchenkammer.

Neun Jahre trug durch Fron und Schweiß
Sie an dem Kind, das ihr erkoren.
Die Stunde kam. Sie hatte einen Greis
In silberweißem Haar geboren.

Sein Haupt war spitz, und seine Haut war welk,
Daß sie erschrak, sooft sie ihn umherzte.

Vor seiner Stirne lag es wie Gewölk.
Er sprach, als wenn ein Vater mit ihr scherzte.

Sie saß bei ihm, nicht er bei ihr, und lauschte
Und trug ihr groß und kleines Weh
Ihm an sein Ohr, das muschelähnlich rauschte.
Und lächelnd streichelte sie Laotse.


## HIOB

Und war kein Elend, das ihn nicht befiel,
Und keine Seuchen, die ihn nicht bestürzten.
Es faulte sein Getreide schon am Stiel,
Ein Riff zerspellte seines Schiffes Kiel,
Und Tränen einzig seinen Abend würzten.

Sein Haus verbrannte. Seine Mutter ward
Von den Nomaden vor der Stadt geschändet.
Ein Sohn erhängte sich am ersten Bart.
Sein einziger Bruder hatte sich geschart
Der Räuberbande, die sein Vieh entwendet.

Und die die Bitternis versüßte: sie,
Die Frau aus Ebenholz und aus Granaten:
Ihr zweiter Sohn in Brünsten spießte sie.
Mit ihren letzten Blicken grüßte sie
Den Gatten – welche wild um Rache baten.

Er aber kannte Rache nicht noch Haß,
So sehr der Schmerz sein Ackerland verwildert,
So unerschöpflich tief sein Tränenfaß.
Er sang mit seinem frommen Pilgerbaß
Dem Leben zu, das sich um ihn bebildert.

Und hast du, Herr, wie Marmor mich zerschlagen,
Und gönntest du mir nicht die kleinste Tat:
Wie darf ich gegen deine Einsicht wagen

Auch nur die jämmerlichsten meiner Klagen?
Du bist der Mäher und ich bin die Mahd.

Und sendest du auch Blitze, mich zu blenden,
Und machst du lahm den Leib, die Seele taub,
Und reißt du mir die Finger von den Händen:
Ich preise dennoch meiner Mutter Lenden
Und werde nimmer eines Unmuts Raub.

Daß einen Frühling ich im Licht erlebte,
Daß mir die Mutter süße Kuchen buk,
Daß ich als Jüngling schön in Tänzen schwebte,
Daß ich am Teppich der Gedanken webte,
War dies nicht Glück und goldnes Glück genug?

Daß ich nur einmal durft mein Weib umarmen,
Daß ich nur einmal in die Sonne sah:
Dies ist soviel schon meines Gotts Erbarmen,
Daß ich der Reichste unter allen Armen –
Lob sei und Preis dem Herrn. Hallelujah!

## MONTEZUMA

Er schritt, die Krone mit den Hahnenfedern
Aufs Haupt gesetzt, durch Fliederbuschspalier.
Er trug ein Wams aus vielen Menschenledern,

Und auf der ganzen Erde war kein Tier,
Das nicht zu seiner Kleidung beigetragen.
Es gab für ihn kein da und dort: nur hier.

Er durfte, was er wollte, wägend wagen,
Denn Stern und Mond war goldenes Gespiel.
Am Abend ließ sich viel zu ihnen sagen,

Am Morgen bot die Sonne sich zum Ziel.
Man schoß nach ihr mit kleinen Bambusrohren,
Und wenn der Pfeile einer niederfiel,

In eines Dieners Scheitel sich zu bohren,
Hob er für einen Augenblick die Stirn.
Man sah die Stirne sich im Strahl umfloren,

Man hörte ihn die Lieblingsdogge kirrn.
Er warf zum Fraße ihr den Leichnam vor
Und sprach: Er fand den Pfad, dieweil wir irrn.

Der, der hier liegt, ging ein durchs letzte Tor.
Er starb den schönsten Tod: von Sonnenhand,
Die unsern Pfeil auf ihn zurückgesandt.


Er aber wußte nichts von Gut und Böse,
Denn die Erscheinung war ihm lieb und wert.
Er schluchzte tief in eines Hunds Gekröse,

Er weinte tagelang mit einem Pferd,
Daß ihn sein Wiehern von dem Wort erlöse:
Zu wissen nichts, daß eines Wissens wert.

Er hätte täglich lächelnd sterben können,
Denn Tod war ihm ein Wort wie andre auch.
Ob bei den Kinderopfern Tränen rönnen:

Das war nur Zeremonie und ein Brauch.
Wenn sie zu lachen über sich gewönnen
Im Tode und im Todeskrampf der Bauch

Sich im Gelächter der Vernichtung wände:
Wärs nicht ein Gott gefälligeres Ende?


Und als man ihm das weiße Mädchen brachte,
War er erstaunt wie ein Geburtstagskind.
Er lobte ihre Weiße und er lachte

Und rief zur Schau das schämige Gesind.
Und runzelte die schöne Stirn und dachte
An einen Goldfasan, den als Gebind

Er gern dem wunderlichen Wahn vermachte,
Und wie die Weißen in der Liebe sind,
Dies wars, was ihn zu sachter Glut entfachte.

Er führte sie in ein Gemach, und lind
Erlöst er ihre Haut von hänfner Kette,
Indes ihr Blut vor Angst und Qual gerinnt.

Denn an den Wänden stehen viel Skelette,
Gepflastert ist der Boden mit Gebein.
Die Sockel auch am bunten Liebesbette:

Es müssen toter Menschen Knochen sein.
Sie will mit einem Fall ins Knie sich retten,
Er aber lächelt unerbittlich nein.

Er hebt mit einem Pfiffe wie von Ratten
Sie auf das Bett, sie tödlich zu begatten.


Und als den letzten Kuß von ihrem Munde,
Dem schon erkalteten, er gierig nahm,
Da fühlte er an seinem Leib die Wunde

Die ewig blutende. Und schritt und kam
Zu seines Adels innerlichstem Grunde,
Und fühlte seines Lebens Schuld und Scham.

Darf hoffen, wer so krank, daß er gesunde?
Er hinkte durch die Kammer, lendenlahm,
Und zählte zitternd jede neue Stunde.

Warum bin ich verdammt, ach ohn Erröten
Die Wesen, die ich lieben muß, zu töten?

Indem er sich aus seinen Kissen hob,
Verfiel sein Blick auf einen goldnen Affen,
Um den die Morgensonne Strahlen stob.

Und als er näher trat, ihn zu begaffen
Noch zweifelnd, ob mit Tadel oder Lob
Er ihn bedenke: sah er ihn entraffen

Im Teppich sich, den seine Amme wob.
Er stand im Morgenlicht vor dem Gewebe:
Der Affe glänzt. Ich spüre, daß ich lebe.


Der fremde Ritter in der schwarzen Rüstung
Begegnete dem Gruß des Kaisers streng.
Der lehnte schwach und schwächlich an der Brüstung,

Als risse seiner Adern blau Gesträng,
Als wär er nur ein Schachtelhalm im Winde
Vor jenem, dem er seine Demut säng.

Als trüg er vor den Augen eine Binde
Und sähe nun nach innen. Und darin
War nichts als Eitelkeit und eitle Sünde,

Und war nur Sinnlichkeit und war kein Sinn
Und war kein edles Ziel, kein zarter Zweck.
Und ginge er an diesem Tag dahin,

Es bliebe nichts als eine Handvoll Dreck. —
Der Ritter sprach: Ich bin der Abgesandte
Des großen weißen Herrschers überm Meer.

Ich kam, weil deine Dunkelheit ich kannte,
Mit hunderttausend hellen Helden her.
So unterwirf dich, eh er dich berannte

Mit seinem unbesiegten Engelheer.
Du bist vor seinen Augen ganz geringe,
So neig dich, eh ich dich zur Neigung zwinge.

Du hast die reinste Schwester uns geschändet,
Weil du nur Wunschgewalt, nicht Liebe kennst.
Wie bald hast du dein Pfauensein geendet,

Wenn du dir selbst als Totenfackel brennst.
Das Schicksal hat zur Schickung sich gewendet.
Und ob du in Gebeten flammst und flennst:

Es darf von dir auf Erden nicht ein Hauch sein.
Du wirst verbrannt. Dein Letztes wird dein Rauch sein.

Und jener zitterte und brach ins Knie
Und wußte nichts, als daß er seines Hortes
Hüter nun nicht mehr sei, und wie ein Vieh

Ein ganz vom Hunger und vom Durst verdorrtes
Er bis zur Kuppel des Palastes schrie.
Er sträubte seine Haare wie ein Puma.

Der andre sprach: So huldige, Montezuma,
Des weißen Kaisers Abgesandten: Cortez!

## AKIM AKIMITSCH

    Akim Akimitsch,
    Darfst nicht mehr säen und schaffen,
    Väterchen ruft zu den Waffen,
    Akim Akimitsch.

    Akim Akimitsch,
    Was hat der Krieg für einen Zweck?
    Eure Stiefel sind papierner Dreck,
    Akim Akimitsch.

Akim Akimitsch,
Eure Großfürsten paschen
Alle Kontribution in ihre Taschen,
Akim Akimitsch.

Akim Akimitsch,
Du wirst lesen lernen
In dunklen Büchern und hellen Sternen . . .
Akim Akimitsch . . .

Akim Akimitsch,
In der Revolution
Anno Sechs erwachtest du einmal schon . . .
Akim Akimitsch . . .

Akim Akimitsch,
An deinem Blut saugen die fetten Egel
Der Romanows. Nimm deinen Dreschflegel,
Akim Akimitsch – schlag sie tot!

## DIE DREI WAISEN

»Wohin wandert ihr drei Waisen?«
»In die Weite, in die Knechtschaft.«
»Nimmer wandert ihr drei Waisen,
In die Weite, in die Knechtschaft.
Hier: ich gebe euch drei Ruten,
Peitscht die Gräber, bis sie bluten.«
»Mutter, Mutter sieh uns leiden,
Schon zerrissen Hemd und Kleider.«
»Kinder, Kinder, wie mit Trossen
Bin ich an den Sarg geschlossen.
Heute, morgen, übermorgen
Muß Stiefmutter für euch sorgen.«
»Mutter, wenn sie früh uns kämmt,
Blut aus unsrem Herzen strömt.
Reicht sie Brot uns, sind es Steine,

Reicht sie Wasser, ist es Lauge,
Und es sitzen sieben kleine
Rote Teufel ihr im Auge.«


## DER GALGEN

»Gott zum Gruß, Euer Gestrengen, in Euerem
   Hause!«
»Willkommen, schöne Ilona, in meinem Hause!
Warum weinst du, schöne Ilona, in meinem Hause?«
»Herr Schultheiß, auf die Wiese trieb ich meine
   Gänse.
Kam Euer Sohn, wollt fangen meine Gänse.
Den schönen Gänserich erschlug er mit der Sense!«
»Weine nicht, schöne Ilona, um deinen Gänserich!
Was er auch wert gewesen, das zahle ich.«
»Für jede Feder müßt Ihr ein Goldstück mir ge-
   währen,
Einen goldenen Fächer für seinen Fächerschwanz.
Für die schlanken Füße zwei goldne Ähren,
Für den edlen Hals sechs Ellen Bands.
Für die breiten Flügel zwei goldne Tellerlein.
Für den runden Kopf einen goldnen Apfel drein.
Für die hellen Augen um zwei brennende Kerzen
   ich bäte,
Für die Kehle, die schmetternd der Sonne rief, um
   eine goldne Trompete.
Für das verzehrte Futter ersuch ich um sechs Hohl-
   töpfe
Voll Reis, für Magen und Leber um sechs Kohl-
   köpfe...«
»Unzählig deine Wünsche wie der Sand am Fluß!
Der arme Sohn des Schultheiß drum an den Galgen
   muß!«
»Der Galgen sei gleich hier errichtet, Euer Gestren-
   gen,
Meine Arme breit ich: soll Euer Sohn dran hängen!«

## MARIANKA

Wollt ihr wissen meinen Namen?
  Marianka, Marianka!
Ju und Janos zu mir kamen,
  Marianka, Marianka!
Hej! ich tanzte! Hoj! ich liebte!
  Marianka, Marianka!
Bis mein Herz in Strahlen stiebte,
  Marianka, Marianka!

Ein Zigeunermädchen bin ich,
  Marianka, Marianka!
Wie ein Fluß im Sand verrinn ich,
  Marianka, Marianka!
Als zuerst ich hob den Nacken,
  Marianka, Marianka!
Sah ich bräunliche Slowaken,
  Marianka, Marianka!

Feine Herren sind gekommen,
  Marianka, Marianka!
Mancher hat mich mitgenommen,
  Marianka, Marianka!
Doch bei keinem konnt ich bleiben,
  Marianka, Marianka!
Muß wie Spreu im Winde treiben,
  Marianka, Marianka!

Hej, ich liebe alles Wilde,
  Marianka, Marianka!
Führe Böses gern im Schilde,
  Marianka, Marianka!
Wer mich liebt, muß alles wagen,
  Marianka, Marianka!
Janos hat den Ju erschlagen.
  Marianka, Marianka!

Wenn ich einst ein Kind werd haben,
    Marianka, Marianka,
Sollt ihr lebend mich begraben,
    Marianka, Marianka.
Denn mein Blut wird Früchte tragen,
    Marianka, Marianka!
Und mein Herz wird ewig schlagen,
    Marianka, Marianka!


## DAS NOTABENE

*Nach Bellman*

Holt mir Wein in vollen Krügen!
(Notabene: Wein vom Sundgau)
Und ein Weib soll bei mir liegen!
(Notabene: eine Jungfrau)
Ewig hängt sie mir am Munde.
(Notabene: eine Stunde . . .)

Ach, das Leben lebt sich lyrisch
(Notabene: wenn man jung ist),
Und es duftet so verführisch
(Notabene: wenns kein Dung ist),
Ach, wie leicht wird hier erreicht doch
(Notabene: ein Vielleicht noch . . .)

Laß die Erde heiß sich drehen!
(Notabene: bis sie kalt ist)
Deine Liebste sollst du sehen
(Notabene: wenn sie alt ist . . .)
Lache, saufe, hure, trabe –
(Notabene: bis zum Grabe).

### DIE CARMAGNOLE (1792)
*Nach dem Französischen*

Was will das Proletariat?
Daß keiner zu herrschen hat!
Kein Herr soll befehlen,
Kein Knecht sei zu quälen,
Freiheit! Gleichheit! allen Seelen!
   Vorwärts, Brüder, zur Revolution!
   Kaltes Blut, heißer Mut!
   Vorwärts, es wird gehn,
   Wenn wir getreu zusammenstehn.

Was will das Proletariat?
Sich endlich fressen satt.
Nicht mit knurrendem Magen
Für feiste Wänste sich schlagen,
Für sich selbst was wagen.

Was will das Proletariat?
Daß keiner mehr dien als Soldat.
Ewigen Frieden wollen wir
Und die Kugel dem Offizier.
Will leben. Bin Mensch. Kein Hundetier.

Was will das Proletariat?
Für den Bauern Acker und Saat.
Nicht Gutsherr noch Gendarm,
Die machen ihn ärmer als arm.
Land für alle! Alarm! Alarm!

Was will das Proletariat?
Weder Eigentum noch Staat!
Die Tyrannei zu Falle!
Die Erde für alle!
Den Himmel für alle!
   Vorwärts, Brüder, zur Revolution!
   Kaltes Blut, heißer Mut!
   Vorwärts, es wird gehn,
   Wenn wir getreu zusammenstehn.

## KASPAR HAUSER
*Nach Verlaine*

Ich kam, ein armes Waisenkind,
Zu den Menschen der großen Städte.
Sie sagten, daß ich tiefe Augen hätte,
Doch war ich den Menschen zu blöde gesinnt.

Mit zwanzig Jahren ohne Lug und Trug
Hieß es mich gehen zu schönen Frauen.
Sie nennen es Liebesgrauen.
Doch war ich den Frauen nicht schön genug.

Kein Vaterland, in keines Sold,
Ließ ich mich vom Hauptmann werben.
Ich wollte im Kriege sterben.
Der Tod hat mich nicht gewollt.

Ward ich zu früh geboren, zu spät?
Was tu ich auf der Welt noch hier?
Mein Leid ist ja so brunnentief. O Ihr,
Sprecht für den armen Kaspar ein Gebet!


## DER LETZTE TRUNK
*Nach Baudelaire*

Tod, alter Fährmann! Es ist Zeit! Anker gelichtet!
Weiße Winde flattern wie Möwen. Segel gehißt!
Ob Meer und Himmel sich wie schwarze Tinte
    dichtet,
Du weißt es, daß mein Herz voll goldner Strahlen
    ist.

Gieß ein den letzten Trunk des roten Blutes!
Wie Feuer brennts im Schlund. Mich trägt die Welle
Bis auf des Unbekannten tiefsten Grund. Was tut es,
Ob Himmel mich das Neue lehrt, ob Hölle?

## ZARENLIED
*Nach Adam Mickiewicz*

Wenn ich nach Sibirien trotte,
Muß ich schwer in Ketten karren;
Doch mit der versoffnen Rotte
Will ich schuften . . . für den Zaren.

In den Minen will ich denken:
Dieses Erz, das wir hier fahren,
Dieses Eisen, das wir schwenken,
Wird zum Beil einst . . . für den Zaren.

Wähl ein Weib ich zur Genossin,
Wähl ich sie aus den Tataren,
Daß aus meinem Stamm entsprosse
Einst ein Henker . . . für den Zaren.

Bin ich dann ein freier Siedler,
Säe ich mit grauen Haaren
(Geigt schon nah der graue Fiedler . . .)
Grauen Hanf . . . nur für den Zaren.

Silbergraue Fäden rinnen
Fest durch meine Hand . . . in Jahren
Wird mein Sohn zum Strick sie spinnen . . .
Für den Zaren . . . für den Zaren.


## GRÜN SIND MEINE KLEIDER

Grün sind meine Kleider,
Grün sind meine Schuh;
Denn ich liebe einen Jäger
Und des Jägers Knecht dazu.

Weiß sind meine Kleider,
Weiß sind meine Schuh;

Denn ich liebe einen Müller
Und des Müllers Knecht dazu.

Blau sind meine Kleider,
Blau sind meine Schuh;
Denn ich liebe einen Husaren
Und des Husaren Pferd dazu.

Rot sind meine Kleider,
Rot sind meine Schuh;
Denn ich liebe den Henker
Und des Henkers Knecht dazu.

Der Henker hat mich erstochen,
Rot über die Heide floß mein Blut.
Da kann man wieder sehen,
Wie falsche Liebe tut.


## MATROSENLIED

In Algier sind die Mädchen schwarz,
Was macht denn das, mein Kind?
Wenn sie nur sonst an Kopf und Herz
Und, Schatz, das andre weißt du schon,
Auch zu gebrauchen sind.

Sie sind wie Schokolade schwarz,
Und beißt mal einer an,
So spürt er gleich an Kopf und Herz
Und, Schatz, das andre weißt du schon,
Was so ein Mädchen kann.

In Hamburg sind die Mädchen weiß
Und auch in Kiel, hurra!
Blau ist das Auge, blond das Haar,
Und, Schatz, das andre weißt du schon,
Grad wie in Afrika.

## ES IST KEIN SCHÖNER LEBEN

Es ist kein schöner Leben,
Als Musketier zu sein.
Sein teures Blut hingeben
Ums Vaterland allein
Für zweiundzwanzig Pfennige …

Wir schmeißen unsere Beine
Wohl im Parademarsch.
Der Hauptmann heißt uns Schweine,
Der Leutnant ist weniger barsch
Für zweiundzwanzig Pfennige …

Wenn nicht die Madeln wären
In Küche und in Haus,
Die unsern Rock verehren,
Wie hielten wir es aus?
Für zweiundzwanzig Pfennige …?

Sie aber stehn des Abends
Um acht vor der Kasern,
Und Wurst und Schinken habens,
Die ißt ein Musketier so gern
Für zweiundzwanzig Pfennige …

Doch sind die beiden Jahre
Vergangen und zu End:
Schorschl ade und Kare,
Und Mari, nicht geflennt!
Für zweiundzwanzig Pfennige …

Ich bin gelernter Schuster,
Such mir mein Unterhalt.
Und hab ich ihn gefunden,
Juchhe! dann ist die Hochzeit bald
Für zweiundzwanzig Pfennige …

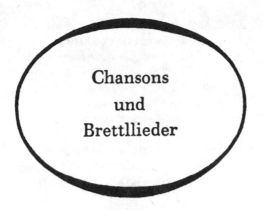

Chansons
und
Brettllieder

## LEBENSLAUF

Geboren ward Klabund,
Da war er achtzehn Jahre
Und hatte blonde Haare
Und war gesund.

Doch als er starb, ein Trott,
War er zwei Jahre älter,
Ein morscher Lustbehälter,
So stieg er aufs Schafott.

Er bracht ein Zwilling um . . .
(Das Mädchen war vom Lande
Und kam dadurch in Schande
Und ins Delirium.)

## BALLADE
*(für Frank Wedekind)*

Mein Vater war ein Seebär,
Meine Mutter kam aus Holland her,
Sie hatte Blondhaar, wie Gold so schwer.

Mein Vater war ein grobes Schwein,
Meine Mutter war zart und klein,
Sie war zu schwach, sie sagte nicht: nein.

Sie haßte ihn, daß er sie zwang,
Und gab ihm elf Monate lang
Zwei Taler wöchentlich zum Dank.

Und als ich dann zu Lichte kam,
Meine Mutter mich an ihre zarten Brüste nahm,
Mein Vater schlug sie krumm und lahm.

Ersäufen wollte er mich im Fleet,
Meiner Mutter Flehen war Gebet.
Er hat sich fluchend umgedreht.

Da lief sie in die Nacht hinaus,
Setzte in dunkler Twiete mich aus,
Ging in die Ulrikusgasse ins Freudenhaus.

Mich fand ein Irgendwer.
Wenn ich wüßte, wo meine Mutter wär,
Wär mir nicht oft das Herz so schwer.

In der Ulrikusgasse Nummer fünf spiel ich Klavier.
Vielleicht tanzt meine Mutter hinter mir,
Vielleicht schläft sie des Nachts bei mir . . .

### RESIGNATION

Ja, so geht es in der Welt,
Alles fühlt man sich entgleiten,
Jahre, Haare, Liebe, Geld
Und die großen Trunkenheiten.

Ach, bald ist man Doktor juris
Und Assessor und verehlicht,

Und was eine rechte Hur is,
Das verlernt man so allmählicht.

Nüchtern wurde man und schlecht.
Herz, du stumpfer, dumpfer Hammer!
Ist man jetzt einmal bezecht,
Hat man gleich den Katzenjammer.


## DIE INFANTRIEKASERNE

Hinter diesem kleinen Feldchen
Steht ein grau verhutzelt Wäldchen,
Über seinen Gipfeln ferne
Blinkt die Infantriekaserne.

Viele schöne rote Dächer
Streckt sie in die Luft wie Fächer. –
Ach, der schönen Wanderin
Ward ein wenig schwül zu Sinn.

Ja sie trippelte und hetzte,
Weil sie was in Glut versetzte,
Und ihr Auge, heiß und gier,
Späht nach einem Musketier.

Dieser hockt im Fenster träge,
Eine Pfeife im Gehege.
Ach, wie wär er doch so gerne
Aus der Infantriekaserne!


## EPITAPH ALS EPILOG
### (für Bry)

Hier ruhen siebenundzwanzig Jungfrauen aus Stral-
    sund,
Denen ward durch einen Interpreten des Dichters
    neueste Dichtung kund.

Die hat die empfindsamen Mädchenherzen so sehr
    begeistert,
Daß auch nicht eine mehr ihr Gefühl gemeistert.
Man hängte sich teils auf, teils ging man in die See.
Nur eine ging zum Dichter selbst. (Und zwar aufs
    Kanapee.)

## DIE HARFENJULE

Emsig dreht sich meine Spule,
Immer zur Musik bereit,
Denn ich bin die Harfenjule
Schon seit meiner Kinderzeit.

Niemand schlägt wie ich die Saiten,
Niemand hat wie ich Gewalt.
Selbst die wilden Tiere schreiten
Sanft wie Lämmer durch den Wald.

Und ich schlage meine Harfe,
Wo und wie es immer sei,
Zum Familienbedarfe,
Kindstauf oder Rauferei.

Reich mir einer eine Halbe
Oder einen Groschen nur,
Als des Sommers letzte Schwalbe
Schwebe ich durch die Natur.

Und so dreht sich meine Spule,
Tief vom Innersten bewegt,
Bis die alte Harfenjule
Einst im Himmel Harfe schlägt.

## IN DER STADTBAHN

Ein feiles Mädchen, schön und aufgetakelt,
Ihr gegenüber, grün und unbemakelt,
Ein Jüngling, dessen Hände sanft behüten
Zwei Veilchensträußchen in den Seidendüten.
Sie sieht ihn an. Er lächelt traurig blöde:
Mein Gott, wie wird das heute wieder öde
Bei Tante Linchen, die Geburtstag feiert. –

Die Dame hat sich nunmehr ganz entschleiert.
Da ist er hingerissen, starrt ein Weilchen,
Und reicht ihr wortlos alle seine Veilchen.
Nun hat er nichts, für Tante kein Präsent . . .
Er wundert sich – das schöne Fräulein flennt:
Und ihre blassen Tränen auf die blauen
Märzveilchen wie Gelübde niedertauen.


## ZU AMSTERDAM

Zu Amsterdam bin ich geboren,
Meine Mutter war ein Mädchen ums Geld.
Mein Vater hat ihr die Ehe geschworen,
War aber weit gefehlt.

In einer dunklen Gasse,
Sah ich zum erstenmal das Sonnenlicht.
Ich wollte es mit meinen Händen fassen,
Und konnt' es aber nicht.

Ein junger Mann kam eines Tages,
Und küßte mich und rief mich seinen Schatz.
Sie legten bald ihn in den Schragen,
Ein anderer nahm seinen Platz.

Wir sind im Frühling durch den Wald gegangen
Und sahen Hirsch und Reh.

Die Bäume blühten und die Vögel sangen,
Vierblättrig stand der Klee.

Ein jeder hat mir Treu in Ewigkeit geschworen,
War aber weit gefehlt.
Zu Amsterdam hab ich mein' Ehr' verloren,
Ich bin ein Mädchen ums Geld.

## IN LICHTERFELDE OST

Ich hab' einmal ein Mädchen gehabt
In Lichterfelde Ost.
Das war wie Frau Venus selber begabt.
Sie hat mich mit Lust und Liebe gelabt
In Lichterfelde Ost.

Sie hatte das schönste schlankeste Bein
In Lichterfelde Ost.
Und wollt ich besonders zärtlich sein,
So schlug ich ihr eins in die Fresse hinein
In Lichterfelde Ost.

Da kam ein feiner Kavalier
In Lichterfelde Ost.
Sie wurde sein Glück, sein Stück, sein Tier,
Sie sank mit ihm und er mit ihr
In Lichterfelde Ost.

Man brachte sie in das Krankenhaus
In Lichterfelde Ost.
Und als sie nach Monaten kam heraus:
Sie sah wie der Tod von Basel aus
In Lichterfelde Ost.

Jetzt bietet Papierblumen sie feil – noch knapp
In Lichterfelde Ost.
Zuweilen kauf ich ihr welche ab.
Die leg ich ihr übers Jahr aufs Grab
In Lichterfelde Ost.

## IM OBDACHLOSENASYL

Ich war'n junges Ding,
Man immer frisch und flink,
Da kam von Borsig einer,
Der hatte Zaster und Grips.
So hübsch wie er war keiner
Mit seinem roten Schlips.
Er kaufte mir 'nen neuen Hut,
Wer weiß, wie Liebe tut.
Berlin, o wie süß,
Ist dein Paradies.
Unsere Vaterstadt
Schneidige Mädchen hat.
Schwamm drüber. Tralala.

Ich immer mit'n mit.
Da ging der Kerl verschütt.
Als ich im achten schwanger,
Des Nachts bei Wind und Sturm,
Schleppt ich mich auf'n Anger,
Vergrub das arme Wurm.
Es schrie mein Herz, es brannte mein Blut,
Wer weiß, wie Liebe tut.
Berlin, o wie süß,
Ist dein Paradies.
Unsere Vaterstadt
Schneidige Mädchen hat.
Schwamm drüber. Tralala.

Jetzt schieb ich auf'n Strich.
Ich hab 'nen Ludewich.
In einem grünen Wagen
Des Nachts um halber zwee,
Da ha'm sie mich gefahren
In die Charité.
Verwest mein Herz, verfault mein Blut,
Wer weiß, wie Liebe tut.

Berlin, o wie süß,
Ist dein Paradies.
Unsere Vaterstadt
Schneidige Mädchen hat.
Schwamm drüber. Tralala.

Krank bin ich allemal.
Es ist mir allens ejal.
Der Weinstock, der trägt Reben,
Und kommt 'n junger Mann,
Ich schenk ihm was fürs Leben,
Daß er an mich denken kann.
Quecksilber und Absud,
Wer weiß, wie Liebe tut.
Berlin, o wie süß,
Ist dein Paradies.
Unsere Vaterstadt
Schneidige Mädchen hat.
Schwamm drüber. Tralala.

##  ER HAT ALS JÖHR

Er hat als Jöhr von fuffzehn Jahren
Mir einst am Wedding uffjetan.
Wir sind nach Köpenick jefahren
Und sahen die Natur uns an.
Ick zog mir aus die rote Jacke.
Er hat für mich det Bier berappt,
Doch nach neun Monaten, au Backe,
Es hat jeschnappt, es hat jeschnappt.

Mein Emil is ne kesse Nummer,
Er hat schon manchen abgekehlt,
Doch fürcht' er sich vor jedem Brummer,
So jut is er, so zart beseelt.
Mir is weiß Gott schon allens piepe,
Ick lag bei ihm im Bett – da trappt

Es uff der Treppe ... der Polype ...
Es hat jeschnappt, es hat jeschnappt ...

Im Hof der ollen Zuchthausschenke
Steht blutbespritzt ein Podium,
Der dove Pastor macht Menkenke,
Man sieht sich noch im Kreise um.
Im Mauereck blüht blauer Flieder,
Die Zunge klebt wie angepappt,
Da saust des Henkers Beil hernieder,
Es hat jeschnappt, es hat jeschnappt ...

 ICH BAUMLE MIT DE BEENE

Meine Mutter liegt im Bette,
Denn sie kriegt das dritte Kind;
Meine Schwester geht zur Mette,
Weil wir so katholisch sind.
Manchmal troppt mir eine Träne
Und im Herzen pupperts schwer;
Und ich baumle mit de Beene,
Mit de Beene vor mich her.

Neulich kommt ein Herr gegangen
Mit 'nem violetten Schal,
Und er hat sich eingehangen,
Und es ging nach Jeschkenthal!
Sonntag war's. Er grinste: »Kleene,
Wa, dein Port'menée is leer?«
Und ich baumle mit de Beene,
Mit de Beene vor mich her.

Vater sitzt zum 'zigsten Male,
Wegen »Hm« in Plötzensee,
Und sein Schatz, der schimpft sich Male,
Und der Mutter tut's so weh!
Ja, so gut wie der hat's keener,

Fressen kriegt er und noch mehr,
Und er baumelt mit de Beene,
Mit de Beene vor sich her.

Manchmal in den Vollmondnächten
Is mir gar so wunderlich:
Ob sie meinen Emil brächten,
Weil er auf dem Striche strich!
Früh um dreie krähten Hähne,
Und ein Galgen ragt, und er . . .
Und er baumelt mit de Beene,
Mit de Beene vor sich her.

## HAMBURGER HURENLIED

Wir Hamburger Mädchen haben's fein,
Wir brauchen nicht auf dem Striche sein.
Wir wohnen in schönen Häusern
Wohl bei der Nacht,
Ahoi!
Weil es uns Freude macht.

Es kommen Kavaliere, Neger und Matros,
Die werden bei uns ihre Pfundstücke los,
Sie liegen uns am Busen
Wohl bei der Nacht,
Ahoi!
Weil es uns Freude macht.

Madam kocht schlechtes Essen, Sami spielt Klavier,
Mit den Kavalieren tanzen wir,
Fließt ein Taler drüber,
Wird er Madam gebracht,
Ahoi!
Weil es uns Freude macht.

Eines Tages holt die Sitte uns hinaus,
Und sie sperrt uns in das graue Krankenhaus.
Dann sind wir tot und sterben
Wohl bei der Nacht,
Ahoi!
Weil es uns Freude macht.


## APACHEN-ABSCHIED

Nacht verrann.
Müssen scheiden.
Lehre es mich, Mann –
Schwöre es mir, Mann:
Leiden will ich, leiden.

Warest doch so gut,
Wurdest immer besser –
Mein entzücktes Blut
Blinkt nach deinem Messer.

Hattest viele lieb,
Immer Himmel blau.
Deinen Mund nun gib
Einer andren Frau –
Ach, warum ich weine?
Vaterhaus im Forst . . .
Eule hoch im Horst . . .
Und ein junger Hirsch, der röhrt . . .
Du: dein Messer, es gehört
Mir alleine . . .


## ALTES STRASSENMÄDCHEN

. . . aber im Frühlingslicht,
Wenn Sonne zu mir spricht,
Steig ich aus meinem Sarg.

Lächle die Straße an.
Ein alter Mann
Schenkt mir drei Mark.

Weil ich ihn herzen darf,
Werde ich wieder scharf –
O! nicht auf ihn!
Nein, auf die Welt,
Die mich in Krallen hält,
Und der ich dien.


## DIE WIRTSCHAFTERIN

Drei Wochen hinter Pfingsten,
Da traf ich einen Mann,
Der nahm mich ohne den geringsten
Einwand als Wirtschafterin an.

Ich hab ihm die Suppe versalzen
Und auch die Sommerzeit,
Er nannte mich süße Puppe
Und strich mir ums Unterkleid.

Ich hab ihm silberne Löffel gestohlen
Und auch Bargeld nebenbei.
Ich heizte ihm statt mit Kohlen
Mit leeren Versprechungen ein.

Ich habe ihn angeschissen
So kurz wie lang, so hoch wie breit.
Er hat mich hinausgeschmissen;
Es war eine wundervolle Zeit . . .

## ✗ MEIER

Ein junger Mann mit Namen Meier
Lief täglich vor ihr auf und ab.
Er gab ihr fünfundzwanzig Dreier,
Daß sie ihm ihre Liebe gab.

Sie zählte sehr besorgt die Pfennige
Und legte sie in einen Schrank.
Allein es schienen ihr zu wenige,
Sie wünschte etwas Silber mang.

Er dachte an die Ladenkasse.
Und eines Tages ward bekannt,
Daß Rosa sich betreffs befasse,
Doch Meier sich in Haft befand.

So geht es in der Welt zuweilen:
Der erste muß die Klinke ziehn –
Der zweite soll sich nur beeilen,
Das Fräulein wartet schon auf ihn.


## LIEBESLIED

Hui über drei Oktaven
Glissando unsre Lust.
Laß mich noch einmal schlafen
An deiner Brust.

Fern schleicht der Morgen sachte,
Kein Hahn, kein Köter kläfft.
Du brauchst doch erst um achte
Ins Geschäft.

Laß die Matratze knarren!
Nach hinten schläft der Wirt.
Wie deine Augen starren!
Dein Atem girrt!

Um deine Stirn der Morgen
Flicht einen bleichen Kranz.
Du ruhst in ihm geborgen
Als eine Heilige und Jungfrau ganz.

## GRABSCHRIFT FÜR EINE JUNGFRAU

Hier ruht die Jungfrau Emma Puck aus Hinter-
    stallupeinen,
Eine Mutter hatte sie eine, einen Vater hatte sie
    keinen.
In Unschuld erwuchs sie auf dem Land wie eine
    Lilie.
Da kam sie in die Stadt zu einer Rechnungsrats-
    familie.
Hier hat sich erst ihr wahres Herz gezeigt,
Indem sie gar nicht mehr zur Jungfrau hingeneigt.
Bald kam das erste Kind. Was half da alles Greinen!
Männer hatte sie viel, aber einen Mann hatte sie
    keinen.

## BÜRGERLICHES WEIHNACHTSIDYLL

Was bringt der Weihnachtsmann Emilien?
Ein Strauß von Rosmarin und Lilien.
Sie geht so fleißig auf den Strich.
O Tochter Zions, freue dich!

Doch sieh, was wird sie bleich wie Flieder?
Vom Himmel hoch, da komm ich nieder.
Die Mutter wandelt wie im Traum.
O Tannenbaum! O Tannenbaum!

O Kind, was hast du da gemacht?
Stille Nacht, heilige Nacht.
Leis hat sie ihr ins Ohr gesungen:

Mama, es ist ein Reis entsprungen!
Papa haut ihr die Fresse breit.
O du selige Weihnachtszeit!

## DER BACKFISCH

### I

Papa ist heute furchtbar aufgeschwemmt.
Er blinzelt müde in die Morgenzeitung.
Mama im Morgenrock und ungekämmt,
Befaßt sich mit des Kaffees Zubereitung.

Dann spricht sie: Anton! Komm! Es wird bald Zeit!
Du darfst mir das Büro nicht noch versäumen! –
Ich sitz am Tisch in meinem Rosakleid
Und will den ganzen Tag in Rosa träumen.

### II

Sie sagen in der ersten Mädchenklasse manchmal
    unanständige Sachen.
Ob Maria sich damit befasse?
Der Primaner Hubert hat doch Rasse.
Und sie lachen.

Und wir heben unsre Kleider, zeigen unsre hübschen
    Beine.
Manche möchten mit nervösen
Fingern sich zum Scherz ihr Mieder lösen . . .
Und ich weine . . .

## TANGO

Tango tönt durch Nacht und Flieder.
Ist's im Kurhaus die Kapelle?

Doch es springt mir in die Glieder,
Und ich dreh mich schnell und schnelle.

Tango – alle Muskeln spannt er.
Urwald und Lianentriebe,
Jagd und Kampf – und wie ein Panther
Schleich ich durch die Nacht nach Liebe.

## EIN BÜRGER SPRICHT

Am Sonntag geh ich gerne ins Café.
Ich treffe viele meinesgleichen,
Die sich verträumt die neuste Anekdote reichen –
Und manche Frau im Négligé.

Sie sitzt zwar meist bei einem eleganten
Betrübten Herrn –
Ich sitz bei meinen Anverwandten
Und streichle sie von fern.

Ich streichle ihre hold entzäumten Glieder
Und fühle ihr ein wenig auf den Zahn.
Der Ober lächelt freundlich auf mich nieder.
Ein junger Künstler pumpt mich an.

Bei dem mir angetrauten Fleisch lieg ich dann nachts
    im Bette
Und denke an mein Portemonnaie.
Wenn ich ihm doch die fünf Mark nicht geliehen
    hätte!
O süße Frau im Négligé!

## PROLETEN

Sieben Kinder in der Stube
Und dazu ein Aftermieter,
Hausen wir in feuchter Grube,

Und der blaue Tag – o sieht er
Uns, verbirgt er sein Gesicht.
Gebt uns Licht, gebt uns Licht!

Büße Weib die Ehe, büße.
Wie wir einst uns selig wähnten –
Sehn wir jetzt nur noch die Füße
Der an uns Vorübergehnden . . .
Keiner, der mal stehen bliebe . . .
Gebt uns Liebe, gebt uns Liebe!

Mancher schläft auf nacktem Brette.
Unsre Älteste, die Katze,
Schnurrt dafür in einem Bette
Mit dem Mieter, ihrem Schatze.
Die Moral ist für den Spatz . . .
Gebt uns Platz, gebt uns Platz!

In dem Sausen der Maschinen,
In dem Fauchen der Fabrik,
Wo sind Berg und Reh und Bienen
Und der Sterne Goldmusik?
Unser Ohr ist längst verstopft . . .
Hämmer klopft, Hämmer klopft!

Und so kriechen unsre Tage
Ekle Würmer durch den Keller,
Und wir hungern, und wir klagen
Nie: schon pfeift die Lunge greller;
Schmeißt die Schwindsucht uns in Scherben . . .
Laßt uns sterben, laßt uns sterben!

 LEIFERDE

Wir leben ganz im Dunkeln,
Uns blühen nicht Ranunkeln
Und Mädchen glühn uns nicht.

Wir sind von Gott verworfen
Und unter Schmutz und Schorfen
Ist unsre Brust mit Schwefel ausgepicht.

Der Rucksack, der ist leer,
Das Hirn von Plänen schwer,
Mit uns wills niemand wagen.
Wir finden Stell und Arbeit nicht,
Der Hunger wie mit Messern sticht
Den Magen.

Wir sind dahingezogen
Durch Not und Kot und Dreck.
Der Wind hat uns verbogen,
Das Leben uns belogen,
Die Menschheit warf uns weg.

Wir wateten im Schlamm,
Wir kamen an den Damm,
Ein Zug flog hell vorüber,
Ach, niemand rief: Hol über!
Hol über!

Es tranken Kavaliere
Im Speisewagen Mumm.
Wir sind nicht einmal Tiere,
Uns wandern Herz und Niere
Ziellos im Leib herum.

Den Klotz nun auf die Schienen,
Der Qualen ist's genug,
Bald kommt der nächste Zug,
Wir wollen was verdienen
– Und sei's auch nur das Hochgericht.
Wenn wir im Äther baumeln
Und zu den Sternen taumeln,
Sehn wir zum erstenmal das Licht –
Das Licht.

## VATER IST AUCH DABEI

Und als sie zogen in den Krieg –
Vater war Maikäfer – Maikäfer flieg –
Da standen am Fenster die zwei,
Vergrämt, verhungert, Mutter und Kind,
Tränen wuschen die Augen blind:
Vater ist auch dabei –

Der Krieg war zu Ende. Er kam nach Haus.
Er zog die zerlumpte Montur sich aus.
Am Fenster standen die zwei:
»Geh nicht auf die Straße!« »Ich muß, ich muß –«
Und Schuß auf Schuß! Hie Spartakus!
Vater ist auch dabei!

Vorbei der Traum der Revolution;
Wenn früh die Kolonnen ziehn zur Fron,
Stehen am Fenster die zwei:
Es zieht ein Zug von Hunger und Leid
In Ewigkeit – in die Ewigkeit –
Vater ist auch dabei.

## BERLINER WEIHNACHT 1918

Am Kurfürstendamm da hocken zusamm
Die Leute von heute mit großem Tamtam.
Brillanten mit Tanten, ein Frack mit was drin,
Ein Nerzpelz, ein Steinherz, ein Doppelkinn.
Perlen perlen, es perlt der Champagner.
Kokotten spotten: Wer will, der kann ja
Fünf Braune für mich auf das Tischtuch zählen . . .
Na, Schieber, mein Lieber? – Nee, uns kanns nich
    fehlen,
Und wenn Millionen vor Hunger krepieren:
Wir wolln uns mal wieder amüsieren.

Am Wedding ists totenstill und dunkel.
Keines Baumes Gefunkel, keines Traumes Gefunkel.
Keine Kohle, kein Licht . . . im Zimmereck
Liegt der Mann besoffen im Dreck.
Kein Geld – keine Welt, kein Held zum lieben . . .
Von sieben Kindern sind zwei geblieben,
Ohne Hemd auf der Streu, rachitisch und böse.
Sie hungern – und fräßen ihr eignes Gekröse.
Zwei magre Nutten im Haustore frieren:
Wir wolln uns mal wieder amüsieren.

Es schneit, es stürmt. Eine Stimme schreit: Halt . . .
Über die Dächer türmt eine dunkle Gestalt . . .
Die Blicke brennen, mit letzter Kraft
Umspannt die Hand einen Fahnenschaft.
Die Fahne vom neunten November, bedreckt,
Er ist der letzte, der sie noch reckt . . .
Zivilisten . . . Soldaten . . . tach tach tach . . .
Salvenfeuer . . . ein Fall vom Dach . . .
Die deutsche Revolution ist tot . . .
Der weiße Schnee färbt sich blutigrot . . .
Die Gaslaternen flackern und stieren . . .
Wir wolln uns mal wieder amüsieren . . .


BALLADE VOM BOLSCHEWIK

Wir kamen in die Städte aus der Steppe
Gleich Wölfen mager, hungrig und verlaust.
Wie seidig rauscht der schönen Damen Schleppe,
Um die der Südwind unsrer Sehnsucht braust.

Wir hatten harte Erde zu beackern,
Der arme Vater und der ärmre Sohn.
Wir hörten früh um fünf die Hühner gackern,
Und bis um zehn Uhr abends nichts als Fron.

Des Mittags gab es eine dünne Suppe,
Am Sonntag schwamm ein Klumpen Fleisch
   darin.
Auf der Waldaï süß bestrahlter Kuppe
Saß thronend unsrer Herzen Herzogin.

Wir dachten ohne Kopf: nur kahle Stümpfe,
Und wenn wir tanzten, tanzte nur das Bein.
Die braune Tiefe der Rokitnosümpfe
Gebar der Kröte leise Litanein.

Zuweilen, von der Sonne überspiegelt,
Sank eine träge Frau mit uns in Gott.
Dann flogen wir für einen Tag beflügelt
Zum Frühlingsfest nach Nischni-Nowgorod.

Wir töteten, doch sanft und nicht gehässig.
Wir soffen literweise Schnaps und Bier.
Man schlug uns lachend. Und wir lasen lässig
Des Popen zart zerlesenes Brevier.

Wir aus den Tiefen sind nun hochgekommen,
Wir armen Armen wurden endlich reich.
In unsrer Dämmrung ist ein Licht erglommen,
Ein Heiligenschein beglänzt die Stirnen bleich.

Wie auf der Kirmes in die Luft geschaukelt
Ist unser Schicksal jetzt. Nun prügeln *wir*,
Von Schmetterling und Nachtigall umgaukelt,
Und Kaiserpferd und -hure zügeln *wir*.

Nun darf er fressen, brüllen, saufen, huren,
Wie Zar und König einst: der Bolschewik.
Die blutend in das Fegefeuer fuhren:
Sie ließen ihm ihr diamantnes Glück.

Es jagt mit seinem Weib in der Karosse
Der Kommissär, um den der Weihrauch dampft.

Entrechtet wälzt sich in der grauen Gosse
Der Bourgeois, geknechtet und zerstampft.

Die Prinzen winselten im Kirchenchore,
Des Hofes Damen schleifte man am Haar.
Der Thron zerborst. Auf der Palastempore
Steht mager, bleich und klein der rote Zar!

Ihr alle Brüder einer dumpfen Rasse,
Ihr Untersten aus Nacht empor zur Macht!
Noch nicht genug vom wilden Klassenhasse
Ist in den dunklen Seelen euch entfacht!

Eh nicht die letzten an dem Galgen hängen,
Die euer Blut in Münze umgeprägt,
Eh nicht der Freiheit Adler in den Fängen
Der alten Knechtschaft Pestkadaver trägt,

Eh wird nicht Friede werden hier auf Erden.
Ein Stern erglänzt. Es spricht der neue Christ! —
Ein Echo wie von Polizistenpferden,
Und jauchzend bricht ins Knie der Rotgardist.

## DIE BALLADE DES VERGESSENS

In den Lüften schreien die Geier schon,
Lüstern nach neuem Aase.
Es hebt so mancher die Leier schon
Beim freibiergefüllten Glase,
Zu schlagen siegreich den alt bösen Feind,
Tät er den Humpen pressen . . .
Habt ihr die Tränen, die ihr geweint,
Vergessen, vergessen, vergessen?

Habt ihr vergessen, was man euch tat,
Des Mordes Dengeln und Mähen?
Es läßt sich bei Gott der Geschichte Rad
Beim Teufel nicht rückwärts drehen.

Der Feldherr, der Krieg und Nerven verlor,
Er trägt noch immer die Tressen.
Seine Niederlage erstrahlt in Glor
Und Glanz: Ihr habt sie vergessen.

Vergaßt ihr die gute alte Zeit,
Die schlechteste je im Lande?
Euer Herrscher hieß Narr, seine Tochter Leid,
Die Hofherren Feigheit und Schande.
Er führte euch in den Untergang
Mit heitern Mienen, mit kessen.
Längst habt ihrs bei Wein, Weib und Gesang
Vergessen, vergessen, vergessen.

Wir haben Gott und Vaterland
Mit geifernden Mäulern geschändet,
Wir haben mit unsrer dreckigen Hand
Hemd und Meinung gewendet.
Es galt kein Wort mehr ehrlich und klar,
Nur Lügen unermessen . . .
Wir hatten die Wahrheit so ganz und gar
Vergessen, vergessen, vergessen.

Millionen krepierten in diesem Krieg,
Den nur ein paar Dutzend gewannen.
Sie schlichen nach ihrem teuflischen Sieg
Mit vollen Säcken von dannen.
Im Hauptquartier bei Wein und Sekt
Tat mancher sein Liebchen pressen.
An der Front lag der Kerl, verlaust und verdreckt
Und vergessen, vergessen, vergessen.

Es blühte noch nach dem Kriege der Mord,
Es war eine Lust, zu knallen.
Es zeigte in diesem traurigen Sport
Sich Deutschland über allen.
Ein jeder Schurke hielt Gericht,
Die Erde mit Blut zu nässen.

Deutschland, du sollst die Ermordeten nicht
Und nicht die Mörder vergessen!

O Mutter, du opferst deinen Sohn
Armeebefehlen und Ordern.
Er wird dich einst an Gottes Thron
Stürmisch zur Rechenschaft fordern.
Dein Sohn, der im Graben, im Grabe schrie
Nach dir, von Würmern zerfressen ...
Mutter, Mutter, du solltest es nie
Vergessen, vergessen, vergessen!

Ihr heult von Kriegs- und Friedensschluß – hei:
Der andern – Ihr wollt euch rächen:
Habt ihr den frechen Mut, euch frei
Von Schuld und Sühne zu sprechen?
Sieh deine Fratze im Spiegel hier
Von Haß und Raffgier besessen:
Du hast, war je eine Seele in dir,
Sie vergessen, vergessen, vergessen.

Einst war der Krieg noch ritterlich,
Als Friedrich die Seinen führte,
In der Faust die Fahne – nach Schweden nicht schlich
Und nicht nach Holland 'chapierte.
Einst galt noch im Kampfe Kopf gegen Kopf
Und Mann gegen Mann – indessen
Heut drückt der Chemiker auf den Knopf,
Und der Held ist vergessen, vergessen.

Der neue Krieg kommt anders daher,
Als ihr ihn euch geträumt noch.
Er kommt nicht mit Säbel und Gewehr,
Zu heldischer Geste gebäumt noch:
Er kommt mit Gift und Gasen geballt,
Gebraut in des Teufels Essen.
Ihr werdet, ihr werdet ihn nicht so bald
Vergessen, vergessen, vergessen.

Ihr Trommler, trommelt, Trompeter, blast:
Keine Parteien gibts mehr, nur noch Leichen!
Berlin, Paris und München vergast,
Darüber die Geier streichen.
Und wer die Lanze zum Himmel streckt,
Sich mit wehenden Winden zu messen –
Der ist in einer Stunde verreckt
Und vergessen, vergessen, vergessen.

Es fiel kein Schuß. Steif sitzen und tot
Kanoniere auf der Lafette.
Es liegen die Weiber im Morgenrot,
Die Kinder krepiert im Bette.
Am Potsdamer Platz Gesang und Applaus:
Freiwillige Bayern und Hessen . . .
Ein gelber Wind – das Lied ist aus
Und auf ewige Zeiten vergessen.

Ihr kämpft mit Dämonen, die keiner sieht,
Vor Bazillen gelten nicht Helden,
Es wird kein Nibelungenlied
Von eurem Untergang melden.
Zu spät ist's dann, von der Erde zu fliehn
Mit etwa himmlischen Pässen.
Gott hat euch aus seinem Munde gespien
Und vergessen, vergessen, vergessen.

Ihr hetzt zum Krieg, zum frischfröhlichen Krieg,
Und treibt die Toren zu Paaren.
Ihr werdet nur einen einzigen Sieg:
Den Sieg des Todes gewahren.
Die euch gerufen zur Vernunft,
Sie schmachten in den Verlässen:
Christ wird sie bei seiner Wiederkunft
Nicht vergessen, vergessen, vergessen.

## NACH DER SCHLACHT AN DER ENGLISCHEN FRONT

Die Totengräber haben schon
Die Schaufeln angesetzt, da naht sich holpernd ein
  Viererzug,
Und ihm entsteigen stolpernd die Reisenden der Fir-
  ma Cook
And Son.


Eifrig und ernst begibt man sich ans Sammeln
Leerer Patronenhülsen oder -taschen.
Indem die steifen Missis Kognakbohnen naschen,
Hört man Verwundete nach Wasser stammeln.


Ein toter Belgier . . . Man hätte beinah was ver-
  paßt . . .
Ein Fußballspieler schätzt den grünen Rasen.
Ein leiser Knall . . . Trompetenblasen . . .
Und ein ergrauter Lord erblaßt.


## DER GEISTIGE ARBEITER IN DER INFLATION

Wer nur den lieben Gott läßt walten –
Ich arbeite an einer Monographie über die römischen
  Laren.
Am Tage liege ich im Bett, um Kohlen zu sparen.
Ich werde ein Honorar von drei Mark erhalten.
Drei Mark! Das schwellt meine Hühnerbrust wie ein
  Segel.
Ein kleines Vermögen. Ich werde es in einem Ta-
  schentuch anlegen.
Wie ich es früher trug und wie die reichen Leute es
  heute noch tragen.
Um vorwärts zu kommen, muß man eben mal leicht-
  sinnig sein und was wagen.

Ein Jahr schon schneuze ich mich in die Hände,
Nun führt der Allerbarmer noch alles zum guten
Ende.
Abends, wenn die Sterne und elektrischen Lichter
erwachen,
Da besteige ich des Glückes goldnen Nachen.

Ich stehe am Anhalter Bahnhof. Ergebenster Diener!
Ich biete Delikateßbockwurst feil und die ff. heißen
Wiener.
Manchmal hab' ich einen Reingewinn von einer hal-
ben Mark.
Ich lege das Geld auf die hohe Kante. Ich spare für
meinen Sarg.

Ein eigener Sarg, das ist mein Stolz
Aus Eschen- oder Eichenholz,
Aus deutscher Eiche. – Das Vaterland
Reichte mir hilfreich stets die Vaterhand.
Begrabt mich in deutschem Holz, in deutscher Erde,
im deutschen Wald.
Aber bald!
Wie schläft sich's sanft, wie ruht sich's gut,
Erlöst von Schwindsucht und Skorbut.
Herrgott im Himmel, erwache ich zu neuem Leben
noch einmal auf Erden:
Laß mich Devisenhändler, Diamantenschleifer oder
Kanalreiniger werden!

## DIE KRIEGSBRAUT

Ich sage immer allen Leuten,
Ich wäre hundert Jahr . . .
Die Hochzeitsglocken läuten . . .
Es – ist – alles – gar – nicht – wahr.

Ich liebte einst einen jungen Mann,
Wie man nur lieben kann.
Ich habe ihm alles geschenkt,
Tirili, tirila –
Er hat sich aufgehängt
An seinem langen blonden Spagathaar ...

Auf den Straßen wimmeln Geschöpfe:
Ohne Arme, ohne Beine, ohne Herzen, ohne Köpfe
An der Weidendammer Brücke dreht einer den
     Leierkasten.
Nicht rosten
Nicht rasten –
Was kann das Leben kosten?
Er hat eine hölzerne Hand,
Aus seiner offenen Brust fließt Sand.
Neben ihm die Schickse
Glotzt starr und stier.
Er hat statt des Kopfes eine Konservenbüchse,
Und sie ist ganz aus Papier.
Eia wieg das Kindelein,
Kindelein
Soll selig sein.

Mein Bräutigam hieß Robert.
Er hat ganz Frankreich allein erobert
Dazu noch Rußland und den Mond,
Wo der liebe Gott in einer goldnen Tonne wohnt.

Als er auf Urlaub kam,
Eia, eia,
Er mich in seine Arme nahm,
Eia, eia.
Die Arme waren aus Holz,
Das Herz war aus Stein,
Die Stirn war aus Eisen,
– Gott wollt's –
Wie sollt es anders sein?

Er liegt in einem feinen Bett . . . trinkt immer
   Sekt . . .
Eia popeia –
Er hat sich mit Erde zugedeckt,
Eia popeia –
Nachts steigt er zu mir empor.
Er schwankt wie im Winde ein Rohr.
Seine Augen sind hohl. Transparent
In der offenen Brust sein Herz rot brennt.
Seine Knochen klingeln wie Schlittengeläut:
Ich bin der Sohn des großen Teut!
Flieg, Vogel, flieg!
Mein Bräutigam ist im Krieg!
Mein Bräutigam ist im ewigen Krieg!
Flieg zum Himmel, flieg!
Fliege bis an Gottes Thron
Und erzähle Gottes Sohn:
– Vielleicht ihn freuts, vielleicht ihn reuts –
Millionen starben, Gott, wie du
Den Heldentod am Kreuz!
Noch ist die Menschheit nicht erlöst,
Weil Gott im Himmel schläft und döst.
Wach auf, wach auf, und zittre nicht,
Wenn der Mensch über dich das Urteil spricht!
Groß, Herr im Himmel, ist deine Schuld,
Doch größer war des Menschen Geduld.
Tritt ab vom Thron,
Du Gottessohn,
Denn du bist nur des Gottes Hohn:
Es flammt die himmlische Revolution.
Du sollst verrecken wie wir!
Tritt ab
Ins Grab,
Mach Platz
Der Ratz,
Dem Lamm oder sonst einem Tier!

## BALLADE VOM TOTEN KIND

Wie ward mein Überfluß so karg!
Ich muß mich mein erbarmen.
Ich halte auf den Armen
Einen kleinen Sarg.

Es reichen sich die Hände
Geschlechter ohne Ende –
Wer endet? Wer begann?
Ich bin nun Sinn und Sitte,
Und meine Hand ist Mittelshand,
Ich bin der Erde Mitte
Und bin der Mittelsmann.

Ich stehe an der Leiter,
Die in die Grube führt.
Und reich der Erde weiter
Das Herz, das ihr gebührt.

Schon stürmt es in den Lüften,
Der Frühling stürzt herein.
Es knien alle Berge,
Es brechen alle Särge,
Und aus den Veilchengrüften
Wie Jesus Christus weiland
Steigt schon der neue Heiland
Und will dein Kindlein sein.


## DER KLEINE MÖRDER

Er wußte nicht, warum er so elend war
Und warum der Himmel an jenem Abend so schwe-
    lend war.
Sein Schädeldeckel war aufgeklappt und Fliegen
    setzten sich auf sein rosiges Hirn

Und leckten daran. Göttliche Gedanken schienen ihn
zu durchirr'n.
Wenn er das Messer nähme und sich die große Zehe
abschnitt?
Oder ginge er lieber auf den Abtritt,
Und spielte mit sich, über den Abfluß geneigt?
— Da hat sich seine kleine Schwester in der Küche
gezeigt.
Er hob ihr den Rock hoch und stieß ihr die große
Kelle
In den Schoß, daß sie schrie. Ihn trug die Welle
Des Abendrotes durch die Wolken hin.
Er sah nichts mehr.
Er fühlte nichts mehr.
Ihn trieb die rote Flut, das rote Meer
Zu einem uferlosen Ziel.
Er fiel
Lächelnd über die kleine Leiche hin.


## BERLINER MITTELSTANDSBEGRÄBNIS

In einer Margarinekiste habe ich sie begraben.
Ein Leihsarg war nicht mehr zu haben.
Die Kosten für einen Begräbnisplatz konnt ich nicht
erschwingen:
Ich mußte die Margarinekiste mit der teuren Ent-
schlafenen auf einem Handwagen in die Lauben-
kolonie am schlesischen Bahnhof bringen.

Dort habe ich sie in stockfinsterer Nacht
Unter Kohlrüben zur ewigen Ruhe gebracht.
Aber im Frühling werden aus der Erde Kohlrüben,
die sie mit ihrem Leibe gedüngt, zum himmlischen
Lichte sprießen,
Und der Hilfsweichensteller Kraschunke wird sie zum
Nachtmahl genießen.

Während sie noch in der Pfanne (in Margarine-Er-
satz) schmoren und braten,
Bemerkt Frau Kraschunke erfreut: »Die Kohlrüben
sind dieses Jahr aber ungewöhnlich groß geraten...«


## BERLINER IN ITALIEN

Die ganze Welt ist voll von Berlinern.
Deutschland, Deutschland überall in der Welt.
Ich sah sie auf der Promenade in Nervi sich gegen-
seitig bedienern,
Und sie waren als Statisten beim Empfang des ita-
lienischen Königs in Mailand aufgestellt.

Da konnten sie einmal wieder aus vollem Herzen
Hurra schreien.
So 'n König, und sei er noch so klein, ist doch janz
was anderes als so 'ne miekrige Republik.
In Bellaggio wandeln sie unter Palmen und Zypressen zu zwein,
Und aus dem Grandhotel tönt (fabelhaft echt italienisch; Pensionspreis täglich 200 Lire) die Jazzmu-
sik.

Wie hübsch in Bologna die Jungens mit den schwar-
zen Mussolinhemden!
Wie malerisch die Bettler am Kirchentor!
Die und die Flöhe finden einen Fremden
Aus hunderttausend Eingebornen hervor.

In Genua am Hafen aus engen mit Wäsche ver-
hangenen Gassen winken
Schwarzäugige Mädchen und sind bereit,
Gegen entsprechendes Honorar sich abzuschminken.
O du fröhliche, o du selige Frühlingszeit.

Dagegen das Kolosseum, die ollen Klamotten, die ver-
staubten Geschichten,
Das haben wir zu Hause auf halb bebautem Gelände
auch, nu jewiß.
Den schiefen Turm von Pisa sollten sie mal jrade
richten.
Mussolini hat dazu den nötigen Schmiß.

Über diesem Lande schweben egal weg die Musen,
Man sehe sich die Brera und die Uffizien an.
Die mageren Weiber von Botticelli kann ich nich ver-
knusen,
Aber Rubens, det is mein Mann.

Wohin man sieht, spuckt einer oder verrichtet sonst
eine Notdurft: es ist ein echt volkstümliches Treiben.
Prächtig dies Monomuent Vittorio Emmanueles in
Rom: goldbronziert und die Säulenhalle aus weißem Gips.
Dafür kann mir das ganze Forum jestohlen bleiben.
Ich bin modern. A proposito: haben Sie für Karlshorst
sichere Tips?


BAUMBLÜTE IN WERDER

Tante Klara ist schon um ein Uhr mittags besinnungs-
los betrunken.
Ihr Satinkleid ist geplatzt. Sie sitzt im märkischen
Sand und schluchzt.
Der Johannisbeerwein hat's in sich. Alles jubelt und
juchzt
Und schwankt wie auf der Havel die weißen Dschun-
ken.

Waldteufel karren, und Mädchenaugen glühn.
Mutta, Mutta, kiek ma die Boomblüte.

Ach du liebe Güte –
Die Blüten sind alle erfroren. Ein einsamer Kirschbaum versucht zu blühn.

Eisige Winde wehn. In den Kuten balgt und sielt
Sich ein Kinderhaufen. Der Lenz ist da: ertönt es von
   Seele zu Seele.
Ein schon melierter Herr berappt für seine Tele,
Die ein Kinderbein für ein Britzer Knoblinchen hielt.

Vater spielt auf der Bismarckhöhe mit sich selber Skat
   und haut
Alle Trümpfe auf den Tisch, unbeirrt um das Wogen
   und Treiben der Menge.
Braut und Bräutigam verlieren sich im Gedränge,
Ach, wie mancher erwacht am nächsten Morgen mit
   einer ihm bis dato unbekannten Braut.

Mutter Natur, wie groß ist deiner Erfindungen
   Pracht!
Vor lauter Staub sieht man die Erde nicht.
Tief geladen, mit Klumpen von Menschen beladen,
   sticht
Ein Haveldampfer in See. Schon dämmert es. Über
   den Föhren erscheint die sternklare, himmlische,
   die schweigsame Nacht.

## MONTREUX

Hier sieht die Landschaft man nicht vor Hotels.
Es riecht nach Beefsteak und nach faulen Eiern.
Schloß Chillon steht betrübt auf einem Fels
Und ist berühmt durch Dichtungen von Byron.

Der Tag beginnt mit einem fetten Lunch,
Dann schiebt zum Liegestuhl man sacht den vollen
Geliebten Bauch. Und Wesen, die sich Mensch
(Mit Unrecht) nennen, hügelabwärts rollen.

Wer unter hundert Franken Rente hat,
(Pro Tag), der ist ein wüster Proletarier.
Man frißt an Hummer sich und Kaviar satt,
Und ist kein Klassenhaß von Jud und Arier.

In tausend Meter Höhe erst ist Luft,
Dort findet man zwei ärmliche Narzissen.
Sie wachsen einer Jungfrau aus der Gruft
Und sind versehentlich nicht ausgerissen.

## OBERAMMERGAU IN AMERIKA

Was unsern Christus Lang betrifft,
So hatte er sich eingeschifft,
Um in atlantischen Bezirken
Fürs heilige Christentum zu wirken.

In Boston war er hinterm Zaun
Wie'n Gnu für'n Dollar anzuschau'n,
Mit ihm im feschen Dirndlkleid
Maria Magdala. All right.

Es wußten Mister, Miß und Missis
Bisher von Christus nichts gewisses,
Bis salbungsvoll und blondbehaart
Er sich leibhaftig offenbart.

Er kommt aus Bayerns Urwaldwildnis,
Verkauft für zwanzig Cents sein Bildnis
Mit Palme, Kreuz und Ölbaumreis.
(In Holz geschnitzt ein höherer Preis.)

Ach, manche Miß entbrannte schon
Für ihn in großer – yes – Passion.
Barnum erblaßt vor Neid und kläfft:
Weiß Gott, sein Sohn versteht's Geschäft . . .

# DER LANDWIRT WÜRSTLEIN VON SEBELSDORF

*Patriotisches Gedicht*

Der Landwirt Würstlein von Sebelsdorf,
Ein Mann von echtem Schrot und Schorf,
Der hat den rechten Fleck auf dem Mund,
Der lockt keinen Ofen vor den Hund.

Es fließt ein Bach durchs Bayernland,
Der Wittelsbach wird er genannt,
In seinem treuen Schoße kann
Sich bergen jedweder Untertan.

Und als das siebente Knäblein kam,
Er König Rupprecht zum Paten nahm,
Das ist ein Brauch von altem Korn,
Daran zerschellt des Feindbunds Zorn.

Trotz Gut und Blut hie schwarzweißrot,
Da hat es selbander keine Not!
Fest steht und treu der Rhein auf der Wacht.
Durch Sieg zum Tod! Durch Licht zur Nacht!

# POGROM

Am Sonntag fällt ein kleines Wort im Dom,
Am Montag rollt es wachsend durch die Gasse,
Am Dienstag spricht man schon vom Rassenhasse,
Am Mittwoch rauscht und raschelt es: Pogrom!

Am Donnerstag weiß man es ganz bestimmt:
Die Juden sind an Rußlands Elend schuldig!
Wir waren nur bis dato zu geduldig.
(Worauf man einige Schlucke Wodka nimmt . . .)

Der Freitag bringt die rituelle Leiche,
Man stößt den Juden Flüche in die Rippen
Mit festen Messern, daß sie rückwärts kippen.
Die Frauen wirft man in diverse Teiche.

Am Samstag liest man in der »guten« Presse:
Die kleine Rauferei sei schon behoben,
Man müsse Gott und die Regierung loben ...
(Denn andernfalls kriegt man eins in die Fresse.)

## SOMMERELEGIE

Sommer. Ich bin so müde.
Alles noch braun und leer.
Förster mit Büchse und Rüde.
Jagd über Moore und Meer.

Möwen in silbernen Binsen.
Alpen gezahnt und gezackt.
Sterbende Hasen linsen
In den Mondkatarakt.

Schöner Falter im Himmel,
Sieh, mir versagt der Blick,
Deiner Flüge Gewimmel
Fällt in sich selber zurück.

Kühe, die niemand melkte,
Mit dem Euter so fahl,
Und das verwölkte, verwelkte,
Göttliche Bacchanal –

Deutschland ist untergegangen
In einem Bad von Stahl.
Heraldische Drachen und Schlangen
Beten zum biblischen Baal.

Ein blühender Weidenstengel
Erschlägt diese ganze Welt.
Schlafe, mein Stahlbadeengel,
Schlaf, Nie-gelungen-Held.


## DIE BALLADE VON DEN HOFSÄNGERN

Wir ziehen dahin von Hof zu Hof.
Arbeiten? Mensch, wir sind doch nicht doof.
Wir singen nicht schön, aber wir singen laut,
Daß das Eis in den Dienstmädchenherzen taut.
   Jawoll.

Wir haben  nur lausige Fetzen an,
Damit unser Elend man sehen kann.
Der hat keine Jacke und der kein Hemd,
Und dem sind Stiefel und Strümpfe fremd.
   Jawoll.

Wir kriegen Kleider und Stullen viel,
Die verkaufen wir abends im Asyl.
Ein Schneider lud mitleidig uns zu sich ein,
Da schlugen wir ihm den Schädel ein.
   Jawoll.

Wir singen das Lied vom guten Mond
Und sind katholisch, wenn es sich lohnt,
Auch singen wir völkisch voll und ganz
Für'n Sechser Heil dir im Siegerkranz.
   Jawoll.

Unger, Boeger, Ransick, so heißen wir.
Auf die Gerechtigkeit scheißen wir.
Mal muß ja ein jeder in die Gruft
Und wir, wir baumeln mal in der Luft.
   Jawoll.

## DER SEILTÄNZER

Er geht. Die schräge Stange trägt ihn linde.
Der Himmel schlägt um ihn ein Feuerrad.
Ein Lächeln fällt von einem mageren Kinde,
Und an dem Lächeln wird die Mutter satt.

Ein jeder fühlt sich über sich erhaben
Und tänzelt glücklich auf gespanntem Seil.
Die Menschen wimmeln braun wie Küchenschaben,
Und sind dem Blick der Höhe wehrlos feil.

Dort unten hockt in schmutzigen Galoschen
Das Niedere und Gemeine, und es hebt
Die Stirn zur Höhe für zwei povre Groschen,
An denen feucht der Schweiß des Werktags klebt.

## THEATER

Wir heben unsre Beine wie an Schnüren,
Und unsre Herzen sind Papiermaché.
Woran wir auch mit unsren Worten rühren:
Sei's Lust, sei's Weh:
Gott wird uns schon das richtige Wort soufflieren.
Paß nur auf deinen Stich –
Denn im Parkett, da sitzt der Teufel,
Und ohne Zweifel,
Er amüsiert sich königlich . . .

## DER ROMANSCHRIFTSTELLER

Graugelb ist sein Gesicht. Die Nase
Steigt klippenspitz empor. Die Augen liegen fleckig
Mißtrauisch von den Wimpern tief beschattet,
Geduckt zum Sprung wie Panther in der Höhlung.
Der rechte Arm mit der Zigarre steht

Steif wie ein Schwert, als wolle er damit
Sich von den andern sondern, die ihm widerwärtig
Und dennoch so sympathisch sind.
Schlägt er die Asche ab,
So fällt wie Hohn sie aufs Gespräch.
Ein kurzes »Ja«, ein scharfes »Nein«
Wirft er zuweilen in die Unterhaltung.
Mit diesem spitzen »Ja« und »Nein«
Spießt er die Leute wie auf Nadeln auf
Und nimmt sie mit nach Hause
Für seine Käfersammlung.
– – – Schlägt man das nächste Buch des Dichters auf.
O Gott! Schon ist man selber drin verzeichnet
Und wer sich in gerechter Selbsterkenntnis
Für ein libellenähnlich Wesen hielt,
Der findet sich erstaunt als Mistbock wieder.


## MELANCHOLIE

Schau, den Finger in der Nase,
Oder an der Stirn,
Zeitigt manche fette Phrase
Das geölte Hirn.

Warum liebt der die Erotik?
Jener die Zigarrn?
Der die Aeropilotik?
Der den Kaiserschmarrn?

Warum geht's uns meistens dreckig?
Weshalb schreib ich dies Gedicht?
Warum ist das Zebra fleckig
Und Mariechen nicht?

Dennoch ahnt man irgendwie
Gottes Qualverwandtschaft,
Trifft man unerwartet sie
Draußen in der Landschaft.

## DER VERZWEIFELTE

### I

Noch nie hat mir der Herbst so weh getan,
Daß ich mich ohne Freundin blaß begnüge.
Am Bahnhof steh ich oft und seh die Züge
Einlaufen nach des Kursbuchs rotem Plan.

Hier kommt ein Zug um fünf und dort um sechs.
Der aus Polzin. Und der aus Samarkand.
So oft ich mich an eine Frau gewandt,
Entfloh sie mit dem Zeichen höchsten Schrecks.

Man wundert sich, daß ich so kopflos bin
Und daß ich ohne Beine gehen kann,
Und daß ich ohne Männlichkeit ein Mann,
Und daß ich ohne Sinnlichkeit ein Sinn.

### II

Mich liebt kein Mensch. Ich sitze hier beim Tee.
Es schmerzt das Herz, die Niere tut mir weh.
Die Mädchen, welche mich geschminkt begrüßen,
Sie sind mit großer Vorsicht zu genießen.

Sie stellen mit des Abenteuers Buntheit
Anforderung an unsre Gesundheit.
Die ist mir heilig. Etwas andres nicht.
Kein Mensch, kein Tier, kein Stern und kein Gedicht.

Wenn ich hier Verse reimend niederschreibe,
Geschieht es nur zu meinem Zeitvertreibe.
Man glaube nicht an Absicht oder Zweck.
Ich bin ein hirnlich infizierter Dreck.

Der fiel von einem Pferd, das fern enttrabt.
Ich werde weder gern noch sonst gehabt.
Man sieht durch mich hindurch. Man geht an mir
    vorbei.
Und niemand hört des Stummen Klageschrei.

## HINTER DEM GROSSEN SPIEGELFENSTER

Hinter dem großen Spiegelfenster des Cafés
Sitz ich und sehe heiß auf das Straßenpflaster,
Suche im Treiben der Farben und Körper Heilung
    meines sentimentalen Wehs,
Sehe viele Frauen, Fremde, bunte Offiziere, Gauner,
    Japaner, sogar einen Negermaster.
Alle blicken sie zu mir und haben Sehnsucht nach der
    Musik im Innern,
Wollen träumerisch- und sanfter Töne sich erinnern.
Aber ich, an meinen Stuhl gebannt und gebrannt,
Starre, staune nach draußen unverwandt,
Daß jemand komme, freiwillig, nicht gedrängt,
Ein blondes Mädchen . . . eine braune Dirne . . .
In rosa, gelber, violetter Taille . . .
. . . Oder meinetwegen eine dicke Rentierkanaille
Mit schmalzigem, verfetteten Hirne –
Nur daß er mir für fünf Minuten seine Gegenwart
    schenkt!
Ich bin so einsam! Einsamer noch macht mich die
    süße Operette . . .
O läg ich irgendwo in dunkler Nacht
Ein Kind in einem Kinderbette,
Von einer Mutter zart zur Ruh gebracht . . .

## DIE VERLORENE WELT

Ich bin ohne Glück und unrasiert,
Meine Hosen drehn sich in Spiralen.

Meinen Hut hat mir ein Herr entführt,
Ohne ihn entsprechend zu bezahlen.

Meine Gummischuhe weilen wo?
Ebendort zweihundert Manuskripte,
Die der Straßenreiniger rauh und roh
In den Exkrementenkasten schippte.

Goldne Nadel, die den Schlips bestach!
O ihr braunpunktierten Oberhemden!
Eines zieht das zweite andre nach;
Meine Heimat wandelt unter Fremden.

Wäscherin stahl mir das letzte Glück.
Die Vermieterin möblierter Höhlen
Legt mir auf den Nachttisch Beil und Strick,
Um mir zart das Jenseits zu empfehlen.

Haß sprüht wie ein fahles Feuerwerk
Mir aus allen aufgerißnen Poren,
Und ich renne schreiend wie ein Zwerg
Nach der Riesenwelt, die ich verloren.


## WINTERSCHLAF

Indem man sich zum Winter wendet,
Hat es der Dichter schwer,
Der Sommer ist geendet,
Und eine Blume wächst nicht mehr.
Was soll man da besingen?
Die meisten Requisiten sind vereist.
Man muß schon in die eigene Seele dringen
– Jedoch, da haperts meist.

Man sitzt besorgt auf seinen Hintern,
Man sinnt und sitzt sich seine Hosen durch,

– Da hilft das eben nichts, da muß man eben überwintern
Wie Frosch und Lurch.


## IRONISCHE LANDSCHAFT

Gleich einem Zuge  grau zerlumpter Strolche
Bedrohlich schwankend wie betrunkne Särge
Gehn Abendwolken über jene Berge,
In ihren Lumpen blitzen rote Sonnendolche.

Da wächst, ein schwarzer Bauch, aus dem Gelände
Der Landgendarm, daß er der Ordnung sich beflisse,
Und scheucht mit einem bösen Schütteln seiner
   Hände
Die Abendwolkenstrolche fort ins Ungewisse.


## TRINKLIED

Ich sitze mit steifer Geste
Wie ein Assessor beim Feste.
Mein Herz schlägt hinter der Weste,
Was weiß ich.
Hielte der Kragen nicht meinen Schädel,
Er rollte in deinen Schoß, Mädel,
Und tränke Tokaier dort edel,
Was weiß ich.

In mir wogt Näh und Ferne.
Prost, goldne Brüder, ihr Sterne!
Die Schenkin aus der Taverne,
Was weiß ich,
Bringt einen vollen Humpen.
Nun sauft, ihr gottvollen Lumpen,
Und qualmt mit euren Stumpen,
Was weiß ich.

Ich streichle mit weinfeuchter Tatze
Dein zartes Fellchen, Katze,
Schon springt ein Knopf am Latze,
Was weiß ich.
Wir wollen das Fest verlassen
Und im Mondenschein der alten Gassen
Uns pressen und Liebe prassen,
Was weiß ich.

Es sind so viele gegangen,
Die einst an mir gehangen,
Sie soffen mit mir und sangen,
Was weiß ich.
Und komm ich einst zu sterben,
Soll eins mir nicht verderben,
Du sollst das eine mir erben,
Das weiß ich.

## SONETTE DES SPIELERS

### DAS ERSTE SPIEL

Wir liegen in der Welt. Das erste Spiel
Treibt wohl die Mutter mit den Brüsten leis.
Dann tritt die Amme in den krausen Kreis,
Sie weiß sehr wenig und sie lehrt uns viel.

Der Bleisoldat schießt nun nach seinem Ziel.
Beim Murmelschieben winkt manch schöner Preis.
Mit Reifen rennen freut den Buben. Sei's
Für sich, sei's mit dem zärtlichen Gespiel.

Dem Mädchen, dem die erste Andacht gilt.
Bald spielt sie mit dem Knaben ganz allein.
Sie streichelt ihn. Sie schmollt. Sie lacht. Sie schilt.

Er flieht zu Würfel, Dirnenscherz und Wein.
Sie wendet schaudernd sich von seinem Bild
Und stößt unwissend ihn in Nacht hinein.


### DIE CARO-DAME

Ich bin kein Mensch, aus dem man Staaten macht,
Und keiner machte jemals Staat mit mir.
Ich bin von jedem Hökerweib verlacht,
Und man rangiert mich unter Stein und Tier.

Ich bin mit keinem Elternpaar bedacht.
Ich saufe als Assessor nicht mein Bier;
Ich ruf der Soldateska nicht: Habt acht!
Und schlafe klein im dunkelsten Revier.

Oft aber schieß ich strahlend wie die Blüte
Der Sonnenblume über Nacht ins Blau,
Und Sonne steht mir himmlisch im Gemüte.

Ich schlag die Volte wie sein Rad der Pfau
Und schwebe übersinnlich in die Mythe
Am Arm der engelgleichen Carofrau.


### POKER (Damenvierling)

Wem je die Muse sich vervierfacht bot,
Der wandelt trunken über diese Auen.
Was dünken ihn die Haus- und Straßenfrauen,
Und was Narzissenwind im Abendrot.

Er schlägt drei Könige bedeutsam tot.
Selbst eine volle Hand darf er beschauen.
Er schüttet in den Abgrund jenen lauen
Kübel voll Jammertum und Menschennot.

Melpomene, du mit der Maske Pik,
Thalia, Sterngelächter hell im Herzen,
Du Klio, trefflich, mit dem Zeichen Sieg –

Oft stand ich sumpfversunken tief in Schmerzen,
Da winkte, daß die Seele mondwärts stieg,
Kalliope mit goldnen Hochzeitskerzen.


### BAKKARAT

Mir träumte einst von einer zarten Neun.
Ich hielt sie sicher gegen fünf und sieben.
Millionen waren in der Bank geblieben,
Nun durft ich sie in alle Winde streu'n.

Ich schenkte einem Mädchen sie beim Heu'n.
Ich ließ das Gold in goldnen Sieben sieben.
Ich wagte tausend Frau'n zugleich zu lieben,
Und brauchte keinen schlimmen Schutzmann
　　scheu'n.

Ich kaufte mir die blanken Feldherrntressen,
Die Horizonte, die mein Auge sah,
Ließ meine Verse nur in Silber pressen.

Ich badete mich in Lavendel – ah –
Und kaufte für den Rest mir das Vergessen –
Doch dich vergaß ich nimmer, Bakkarat!


### DAS GLÜCK IM SPIEL

Wenn Gold wie reifes Korn das Schicksal mäht:
O selig durch die späte Nacht zu streichen
Und einen Hunderter der ersten reichen,
Die mir verhärmt und grau entgegenweht.

Ihr Dankesseufzer gilt mehr als Gebet.
Vor meinem Glücke muß ein jeder weichen.
Vor meinem Angesicht sind Menschen Leichen
Um die, noch lebend, Hauch des Aases steht.

Ich stolpre funkelnd weiter auf der Wacht
Zum liebsten Mädchen, das am Fenster lauscht.
Ich hör sie huschen. Eine Lippe lacht.

Ich seh sie hinterm Vorhang, der sich bauscht,
Ich steig durchs Fenster, schüttle ihr die Pracht
Des Reichtums in den Schoß, der golden rauscht.


### SKAT

Sie hocken, ihre Socken schweißgetränkt,
Den Leib bedeckt mit braven Jägerhemden.
Sie dulden keinen zugereisten Fremden,
Und jeder Groschen wird verschämt gesenkt.

Der Blick am Blatt steil wie am Galgen hängt.
Man teilt. Ein scheuer Jude flüstert: »Wemm denn?«
Ein Turnvereinler preist den Kreuzer Emden,
Indem er feurig seine Röllchen schwenkt.

Zwei Herrn erbleichen, weil sie stark verlieren
(So zwei Mark achtzig, wenn ich richtig sah.
Mir geht das Spiel beträchtlich an die Nieren,

Beziehungsweise die es spielen . . .) »Tja«,
Strahlt der Herr Apotheker »Grand mit Vieren«
Und fühlt als Sohn sich der Germania.

## DER TOD IM BRIDGE

Es spielen dreie mit verdeckten Karten.
Ein dummer Vierter findet sich zumeist,
Der ihre Heuchelei als Tugend preist
Und den sie mit erhab'nen Reden narrten.

Dieweil er sinnend in den Höhen reist,
Und seine Sinne der Erfüllung harrten,
Lächeln die andern höhnisch, und sie karrten
Schutt auf sein Veilchenbeet, das Wehmut heißt.

Er nennt die Wahrheit Spiegel, Spiel und Pflicht.
Und offen will er seine Pfeile senden.
Sein Gegenspieler ist auf Mord erpicht.

Umsonst: er kann das Schicksal nicht mehr wenden.
Den andren demaskiert das Morgenlicht
Und dreizehn Trümpfe hält er schwarz in Händen.

## DIE FARBEN

Ich habe, Jahr, dein Sinnbild bald erbeutet:
Du Cœur bist Frühlingsblut – und Blütenfarbe.
Du Caro bindest Sonnenschein zur Garbe,
Du Pik bist Glocke, die zum Herbste läutet.

Wenn Hund und Mensch sich dann im Winter häutet,
Und man begreift, daß man um alles darbe:
Fühlt man in seiner Brust die alte Narbe
Und sieht das schwarze Kreuz, das Treff bedeutet.

Ein kurzer Weg vom Herz voll Lenz und Blut
Zum schwarzen Kreuze, das man ächzend schleppt.
Einst war man Kind und spielte Kindheit gut.

Nun steht auf leichter Bühne man und stept
In gelbem Frack und violettem Hut.
Man glaubt zu neppen – und man wird geneppt.


DER KIEBITZ

Es geht wohl immer einer neben dir,
Er sieht dir in das aufgeschlagne Blatt,
Er läuft am Wagen als das fünfte Rad,
Und trinkt mit dir aus einem Glase Bier.

Er ist dein Schatten, und du bist sein Tier.
Was du auch schlingst, er sagt sich niemals satt.
Dein ganzes Dasein scheint ihm schal und matt
Und er verlangt *sein* Leben, ach, von dir.

Wohin du auch die müden Schritte lenkst,
Wie eine Bremse schwirrt er stets um dich.
Und was du tust und was du auch bedenkst:

Er zehrt von deinem Ansehn brüderlich.
Wenn du dich in des Todes Masse mengst:
Er bleibt am Leben: geil und lüderlich.


EWIGE OSTERN

Als sie warfen Gott in Banden,
Als sie ihn ans Kreuz geschlagen,
Ist der Herr nach dreien Tagen
Auferstanden.

Felder dorren. Nebel feuchten.
Wie auch hart der Winter wüte:
Einst wird wieder Blüt' bei Blüte
Leuchten.

Ganz Europa brach in Trümmer,
Und an Deutschland frißt der Geier, –
Doch der Frigga heiliger Schleier
Weht noch immer.

Leben, Liebe, Lenz und Lieder:
Mit der Erde mags vergehen.
Auf dem nächsten Sterne sehen
Wir uns wieder.

## DIE HEILIGEN DREI KÖNIGE

*Bettelsingen*

Wir sind die drei Weisen aus dem Morgenland,
Die Sonne, die hat uns schwarz gebrannt.
Unsere Haut ist schwarz, unsere Seel ist klar,
Doch unser Hemd ist besch . . . ganz und gar.
Kyrieeleis.

Der erste, der trägt eine lederne Hos,
Der zweite ist gar am A . . . bloß,
Der dritte hat einen spitzigen Hut,
Auf dem ein Stern sich drehen tut.
Kyrieeleis.

Der erste, der hat den Kopf voll Grind,
Der zweite ist ein unehelich Kind.
Der dritte nicht Vater, nicht Mutter preist,
Ihn zeugte höchstselbst der Heilige Geist.
Kyrieeleis.

Der erste hat einen Pfennig gespart,
Der zweite hat Läuse in seinem Bart,
Der dritte hat noch weniger als nichts,
Er steht im Strahl des göttlichen Lichts.
Kyrieeleis.

Wir sind die Heiligen Drei Könige.
Wir haben Wünsche nicht wenige.
Den ersten hungert, den zweiten dürst',
Der dritte wünscht sich gebratene Würst'.
Kyrieeleis.

Ach, scheint den armen drei Königen was.
Ein Schöpflöffel aus dem Heringsfaß –
Verschimmelt Brot, verfaulter Fisch,
Da setzen sie sich noch fröhlich zu Tisch.
Kyrieeleis.

Wir singen einen süßen Gesang
Den Weibern auf der Ofenbank.
Wir lassen an einem jeglichen Ort
Einen kleinen heiligen König zum Andenken dort.
Kyrieeleis.

Wir geben euch unseren Segen drein,
Gemischt aus Kuhdreck und Rosmarein.
Wir danken für Schnaps, wir danken für Bier.
Anders Jahr um die Zeit sind wir wieder hier.
Kyrieeleis.

## AN DIE NATUR

### Gedicht des Lehrers

Natur! Natur! Du Götterwelt!
Wie bist du prächtig aufgestellt
Mit Bergen groß und Tälern klein,
Es hat wohl müssen also sein.

Und mittendrin in der Natur
Dehnt sich die grüne Wiesenflur,
Im Winter ist sie weiß beschneit,
So hat ein jedes seine Zeit.

Auch du, auch du, o Menschenkind,
Bedenke, wie die Zeit verrinnt.
Heut rauscht sie mächtig noch daher,
Und morgen sieht man sie nicht mehr.

Frisch auf, frisch auf, mit Hörnerklang
Durch das verschneite Tal entlang,
Die Glöckchen klingen am Geläut:
Gestern war gestern, morgen wird morgen sein,
 heute ist heut.


## GUT HOLZ!

*Zum 37. Stiftungsfest des Verbandes
deutscher Kegelsportvereine*

Wer hat dich so hoch da droben –
Das Kegelspiel ist schon seit ewigen Zeiten eine kul-
 turelle Macht.
Ursprünglich haben die Götter mit dem Mond nach
 den Sternen geschoben,
Und erst später haben sie die Erfindung der Holz-
 kugel gemacht.

Nämlich das kam so: Mit dem Holzkopf der Gott –
Wie hieß er doch gleich? jedenfalls war's kein christ-
 licher –
Der Heilige Geist trieb wieder einmal mit den heilig-
 sten Dingen seinen unwürdigen Spott,
Bezweifelte sich selbst, die Unbefleckte Empfängnis –
 kurz und gut,
Der betreffende Gott war sprachlos und verlor seinen
 Kopf.
Aus Versehen schob Zeus mit ihm, und der Holzkopf
 erwies sich als unverwüstlicher

Denn (bzw. als) der Mond. Vom Holz zum Eisen, von
    der Holzkugel zur Kanonenkugel ist nur ein
    Schritt.
Und dann kam man auch von den Sternen ab und
    fand es netter,
Von nun an auf lebende Menschen zu schieben
(da, wie bekannt, die Götter den Menschen über
    alles lieben)
– Und so war der ganze Weltkrieg nur ein Preis-
    kegeln der Götter.

Politische
Gesänge

### FRÜHJAHR 1913

Wenn auf frühlingsfroher Straßenzeile
Man die neusten Extrablätter überfliegt,
Sieht man mit gehobner Langeweile,
Daß sich wieder mal wer in den Haaren liegt.

Österreich, Montenegro, Rußland, China,
England, Frankreich, Deutschland und Türkei:
Jedermann trat jedem Manne irgendwie nah,
Und es ist ein toll verkochter Brei.

Und es ist ein arg verhedderter Staatenknäuel,
Keiner findet mehr sein Bein,
Und man hackt in wildem Greuel
Einfach auf den nächsten ein.

Bist mein Gegner Du? Bist Du mein Bruder?
– In des Zweifels Not
Schießt man eben auf das Luder,
Und man schießt es tot.

Hier sind nun die Diplomaten sehr zu loben,
Denn sie haben einen Pfingstkongreß

Einberufen (der Gedanke kam von oben),
Friedensengel ... Fliederblüte ... und full dress.

Eine Preisaufgabe ward verkündet
(Angeregt von Bernard Shaw):
Wer ist eigentlich mit Wem verbündet?
Wer bekriegt Wen? Und Wieso?


### HÖRT, HÖRT!

*Genio loci*

Die Erde brennt. Die Erde brennt.
In Weimar tagt das Parlament.

In Deutschland geht es drüber, drunter.
In Weimar ist man leidlich munter.

Es lächelt freundlich Scheidemann
Zu allgemeiner Freude. Dann

Erhebt sich eine Exzellenze:
Die Welt sei böse, sagt se, fänd se.

Derweilen stärkt im Vestibül
Sich das monarchische Gefühl.

Die höchste Weisheit hier auf Erden:
Nur immer sachte! wird schon werden!

Jedoch von wegen neuem Geiste,
Da hapert es, vastehste, weißte.

Den ältsten Wein in ältste Schläuche:
Sind Nationalversammlungsbräuche.

Der alte Reichstag ist erwacht.
Prost Mahlzeit! Michel, gute Nacht!

Es steigt die Flut, es brennt die Flamm.
In Weimar hocken sie zusamm.

Hier steht der Mensch auf Quasseln an.
Nicht drängeln! Es kommt jeder ran!

Weiß man, wohin der Haase läuft?
Der Strom der Rede trieft und träuft.

Noch immer fühlt sich Vater Naumann
Als mitteleuropä'scher Baumann.

Die teutschen Männerherzen kollern:
Zum Teufel jagten wir die Zollern

Und setzten dann an unsre Spitze
Den dicken Papa Ebert (Fritze).

Derselbe sitzt nun auf dem Thron.
Es folgt ihm bald der Ebert-Sohn.

Der Ebert-Sohn, der Davidsohn,
Es wird schon werden, hat ihm schon.

Nur, bitte, immer reinspaziert:
Das alte Stück wird vorgeführt!

Tja, auch verschiedne schwere Jungen
Der Industrie sind eingesprungen.

Es tät uns wirklich sehr verschnuppen,
Gäb's keinen Hintermann für Kruppen.

Wo blieb die Glorie des Gewinnes,
Gäb's keinen Vordermann für Stinnes?

Auch mancher edle Junkerbowke
Erschien aufs neue: Posadowke.

(Der Oldenburger Janusschaute
Bewies in Rixdorf seine Traute;

Denn er empfahl beim Bund der Landwirt
Sich als der neue Hofer, Sandwirt.

Auch hat er dem von Amerongen
Ein zartes Tirili gesongen . . .)

So manche hold bebrillte Schöne
Riskiert, vastehste, starke Töne.

Sie streicht sich über ihre Flechte:
Die Frauen haben gleiche Rechte.

Doch haben sie, spricht sie mit schlichten
Gebärden, teils auch andre Pflichten.

Der Beifall braust. Die Fenster zittern.
Und man genehmigt einen Bittern.

Sind sie gewillt, das Licht zu suchen
Der neuen Morgenröte? Kuchen!

Sind sie befähigt, unsre Qualzeit
Zu mindern und zu lindern? Mahlzeit!

Sie üben sich im Zeitvertreibe.
Begriffen sie die Zeit? Ja, Scheibe!

Ob Strese, Scheide, Nau begann:
Nicht einer zeigte sich als Mann.

Ja, selbst der Unabhänge Henke
Beschwert sich über die Menkenke.

Man stimmt die Flöte, schlägt die Pauke
Zum allerältesten Klamauke.

Wo aber bäumt sich zum Exempel
Ein Revolutionär im Tempel?

Wo sind die Foerster, Eisner, Schlieben,
Landauer und Mühlon geblieben?

Ach, wenn es jene drei nicht gäbe:
Das Wissel, Noske und den Loebe!

Für die Eroberung von Mossen
Hat Noske Ruhm und Ehr genossen.

Und auch am Alexanderplatze
Erwies sich seine Feldherrntatze

Als Held von echtem Schrot und Korn
Ist ihm das Eisern Kreuz geworn. –

Bedient sich Spartakus der Presse,
Kriegt er sofort eins in die Fresse.

Doch ist man freudig hochgestimmt,
Wenn Noske sich die »Freiheit« nimmt.

Er lenkt in eigener Person
Aktionen gegen die »Aktion«.

Und trampelt mit den Stiebeln bieder
Die »Republik« zu Boden nieder.

Aus mancher Zeitung zwitschert jetzt
Ein stetes liebliches: besetzt!

Schon ziehn die roten Rotten durch
Schönweide und Charlottenburch.

Man munkelt, daß die Spartakisten
Sich von gesottnen Frauenbrüsten,

Von Kinderblut und -eisbein nähren.
(In Weimar lebt man von Chimären.)

Auch wird, wer einen Kragen trägt,
So sacht beiseite umgelegt.

Er hat noch einen Schuh? Auf Ehr,
Das ist ein Multimillionär.

Es sagt sich jeder Straßenwandrer:
Wenn ich's nicht klau, so klaut's ein andrer.

Man schaudert als Expropriater
Zurück nicht vor dem eignen Vater.

Was Onkel, Tante oder Bruder!
Wie spät? Zeig her die Uhr, du Luder!

Damit du weißt, wieviel's geschlagen,
Sei dir der Schädel eingeschlagen.

Denn es beschäftigt sich der Mob
Nicht mit Vielleicht und mit Als ob,

Man ist bei ihm, wie einst bei Blücher,
Ganz sicher aufgehoben, ja: *tot*sicher. –

(Für den Bericht kriegt die Journaille
Die hohenzollernsche Medaille. –)

Solln wieder von den alten Pferden
Wir in den Dreck gezogen werden?

Wir haben's satt, das graue Kleid,
Das man aus unsern Häuten schneid't.

Nicht eher wird es Frieden geben,
Als bis sie sich von dannen heben:

Die Zahlenkünstler und Banditen. –
*Empor, du neue Welt der Mythen!!*

(Ob Weimar oder ob Versailles:
Es ist die gleiche grande canaille. –)

Kommt man dereinst im Himmel nieder,
Reibt man erstaunt sich seine Glieder.

Schon hat, was kindlich hier gestammelt,
Auch dort sich nationalversammelt.

Schon schreitet man zur großen Tat.
Die Kugel rollt. Es dröhnt der Skat.

Und Arm in Arm mit Leichenmüllern
Hört Heydebrand man heiter trillern.

Ein sanfter Engel hebt die Schwingen:
Tja. So was ist nicht umzubringen . . . . .


### DEUTSCHES VOLKSLIED

Es braust ein Ruf wie Donnerhall,
Daß ich so traurig bin.
Und Friede, Friede überall,
Das kommt mir nicht aus dem Sinn.

Kaiser Rotbart im Kyffhäuser saß
An der Wand entlang, an der Wand.
Wer nie sein Brot mit Tränen aß,
Bist du, mein Bayerland!

Wer reitet so spät durch Nacht und Wind?
Ich rate dir gut, mein Sohn!
Urahne, Großmutter, Mutter und Kind
Vom Roßbachbataillon.

O selig, o selig, ein Kind noch zu sein,
Von der Wiege bis zur Bahr!
Mariechen saß auf einem Stein,
Sie kämmte ihr goldenes Haar.

Sie kämmt's mit goldnem Kamme,
Wie Zieten aus dem Busch.
Sonne, du klagende Flamme:
Husch! Husch!

Der liebe Gott geht durch den Wald,
Von der Etsch bis an den Belt,
Daß lustig es zum Himmel schallt:
Fahr wohl, du schöne Welt!

Der schnellste Reiter ist der Tod,
Mit Juppheidi und Juppheida.
Stolz weht die Flagge Schwarzweißrot.
Hurra, Germania!

## LIED DER ZEITFREIWILLIGEN

Ich bin ein Zeitfreiwilliger
Und stehle dem lieben Gott die Zeit.
Es lebt sich billiger, wenn man:
Nieder mit den Spartakisten schreit.
Fuffzehn Märker den Tag.
Daneben allens frei.
Es ist ein herrliches Leben.
Juchhei.

Ich verdiente mir meine Sporen
Bei Kapp.
Als dessen Sache verloren,
Zog ich ab.
Ich gehöre wieder zu den Regierungstreun
Und habe den Schutz der Verfassung erkoren.

Ich breche alle Eide von acht bis neun,
Die ich von sieben bis acht geschworen.


Neulich bei Mechterstädt: Pst . . .
Zeigten wir's den Arbeiterlaffen.
Falls es irgendwo ruhig ist,
Muß man eben künstlich Unruhe schaffen.
Laßt die Maschinengewehre streichen! Ins Kabuff.
Immer feste druff.
Unsere Anatomie braucht Leichen.


## VORFRÜHLING 1923

Heute fing ich – Krieg ist Krieg – eine Maus in der
   Schlinge.
Frühlingswolken flattern rosig im Winde.
Emma schrieb mir von unserm gemeinsamen Kinde,
Daß es schon in die Schule ginge,
Daß – wie erhebend! – ein Einser Fritzchens Zensur
   im Rechnen ziere,
Weil er patriotisch (nebenbei gesagt: als einziger der
   Klasse,
Der Idiot . . .) à la hausse der Mark spekuliere . . .


Heute begegnete ich den ersten Staren.
Zum ersten Mal bin ich auch mit der Nord-Süd-Bahn
   gefahren.
Ich bildete mir ein, vom Nord- zum Südpol zu rasen.
Am Wedding sah ich Eskimos mit Tran handeln,
Pinguine durch die Chaussee-Straße wandeln,
Und am Halleschen Tor hörte ich die Kaurineger im
   Jandorfkral zum Kampfe blasen.


Nur immer Mut! Die Front an der Ruhr steht fest.
Die Kohlen werden von Tag zu Tag billiger.
Die Nächte kürzer. Die Gesichter länger. Die Frauen
   williger.

Und wenn nicht alles täuscht (es rüsten Russen und
    Polen,
Rumänen, Ungarn, Jugoslawen und Mongolen):
So wird uns spätestens mit den ersten Schoten
Der unwiderruflich letzte Krieg geboten.
Immer ran! Das darf keiner versäumen! Rassen-
    kampf! Klassenkampf! Wer geht mit? (Ich passe
Und offeriere für Kriegsberichterstatter fünftausend
    ungedruckte Stimmungsbilder aus dem vorletzten
    Weltkrieg, sofort greifbar gegen Kasse.)

# Nachdichtungen

# DER KREIDEKREIS
SPIEL IN FÜNF AKTEN NACH DEM CHINESISCHEN

## FIGUREN

TSCHANG-HAITANG
FRAU TSCHANG, ihre Mutter
TSCHANG-LING, ihr Bruder
TONG, ein Kuppler
PAO, ein Prinz
MA, ein Mandarin
YÜ-PEI, seine Gattin ersten Ranges
TSCHAO, Sekretär beim Gericht
TSCHU-TSCHU, Oberrichter
Eine Hebamme / Zwei Kulis / Gerichtspersonen / Polizisten /
    Soldaten / Ein Wirt / Blumenmädchen / Ein Dichter / Zere-
    monienmeister / Ein Kind

## ORTE DER HANDLUNG

1. Akt: Teehaus
2. Akt: Garten und Veranda bei Ma
3. Akt: Gerichtssaal
4. Akt: Schneesturmlandschaft
5. Akt: Kaiserpalast

Der Kreidekreis

## ERSTER AKT

*Das Innere eines Teehauses. Hintergrund Mitte: schwarzer Papierparavent, hinter dem die handelnden Personen hervortreten. Links und rechts schwarze, mit weißen Emblemen, Blumen, Vögeln bestickte Vorhänge. Wenn der große Vorhang sich hebt, ertönt schwermütige Musik von Gong, Flöte und Kin (einer Art Geige). Tong, der Besitzer des Teehauses, ein fetter Eunuch, watschelt hinter dem Paravent hervor.*

TONG: Ich bitte untertänigst, mich vorstellen zu dürfen. Mein Name, der Name eines niedrigen und verachteten Geschlechtes, lautet Tong. Das klingt, wie wenn man leise ein mißgestimmtes Gong anschlägt. Ich bin der Besitzer dieses
*(runde Geste)*
zwar bescheiden anmutenden, aber erstklassigen Etablissements. Geschmack und feinere Lebensart, den adligsten Geschlechtern abgelauscht, verbieten mir aufdringliche Anpreisung oder robustere Reklame. Das Zeichen meines Hauses ist ein weißer Reiher auf schwarzem Grunde – sonst nichts. Ich habe keine Schlepper an den Hauptplätzen der Stadt stehen, ich verteile keine Handzettel mit diskreten Hinweisen, und mit der Polizei bin ich im besten Einvernehmen. Der Herr Polizeipräsident läßt sich zuweilen herab, mich zu beehren. Wer von

mir weiß, der weiß mich zu finden. Übrigens gewähre ich nur Damen von bestem Leumund und feinsten Manieren Unterkunft unter meinem Dach. Meiner erlauchten Kundschaft darf ich nur das Beste vom Besten bieten. Hören Sie die Musik? Ich hoffe nicht, daß sie Ihre Ohren beleidigt. Ich habe mein möglichstes getan, die Damen in der kunstvollen Handhabung der Instrumente zu unterweisen. Meine drei Damen spielen die Serenade des Frühlings. Yo bläst die Flöte, Yu streicht die Geige, Yau schlägt das Gong.

*(Er zieht die Vorhänge im Hintergrund zurück. In drei Käfigen sitzen drei schöne Mädchen und spielen die Instrumente. Ein vierter Käfig ist leer. Die eine singt:)*

> Allen Männern zu gefallen
> Bin in Taumel ich und Tand.
> Wenn sie ihre Wünsche lallen,
> Sitz ich in mich abgewandt.
> Geben Gold und geben Speise,
> Keiner gab ein gutes Wort.
> Und so wein ich wild und leise
> Meine süße Sehnsucht fort.
> Gestern trieb nun das Gelüste
> Einen Jüngling zu mir her,
> Der mich auf die Stirne küßte –
> Ach, ich sehe ihn nicht mehr.

TONG *(zieht die Vorhänge wieder zu)*:
Es ist eine eigne Kunst, seiner Schwermut den entsprechenden künstlerischen Ausdruck zu geben. Vor den großen Dichtern der Nation kann eine junge Dame mit ihren bescheidenen Reimübungen natürlich nicht bestehen. Aber sie muß gelernt haben, sich wenigstens einigermaßen zierlich in Versen auszudrücken. Denn Verse machen und Liebe machen: geht es nicht auf dasselbe seelische Grundgefühl zurück? – Wissen Sie, woran das Gong mich immer erinnert? An eine Hinrichtung. Ich war in meinem früheren Beruf, Sie werden es mir kaum glauben, und dennoch ist es lautere Wahrheit, ich war früher Henker. Damals habe ich den Männern den Kopf abgeschlagen, jetzt verdrehe ich ihnen nur den Kopf mit Hilfe meiner

Blumenmädchen. Um nicht selber in Versuchung zu fallen und
mein Geschäft durch unschickliche Handlungen zu stören und
zu beeinträchtigen, beispielsweise etwa die Eifersucht meiner
Herren Klienten zu erregen, habe ich in meiner Selbstbeschei-
dung freiwillig auf die Attribute der Männlichkeit verzichtet.
Ich habe mich seinerzeit einer kleinen Operation unterzogen;
so stehe ich zwischen Mann und Weib, keines von beiden, und
also zur Mittlertätigkeit berufen und auserwählt. – Meine
Schwester naht, die Dämmerung, die gewiegte Kupplerin von
alters her. Ich höre Schritte die Gasse herauf.
*(Hinter dem Paravent hervor treten Frau Tschang und Hai-
tang, ihre Tochter; beide in Trauer. Die Musik verstummt.)*
HAITANG : Mein Name ist Haitang. Ich bin die Tochter dieser
ehrwürdigen Dame, Frau Tschang geheißen. Ich bin sechzehn
Jahre alt. Sechzehn Jahre jung. Ich habe viel erlitten. Ich werde noch mehr erleiden. Viel Schmerz. Ein wenig Glück. Rote
Abendwolken nach einem düsteren Gewittertag. Es ist das
Leben.
TONG : Ich bin der demütige Diener der hochachtbaren Damen. Darf ich, ohne vorlaut zu erscheinen, meine Verwunderung und zugleich auch mein tiefes Bedauern bezeugen, die
Damen in Trauerkleidung dies Haus der Freude betreten zu
sehen? Ist kürzlich ein Todesfall in Ihrer nächsten Verwandtschaft vorgefallen, so bitte ich, mein innigstes Beileid nach-
sichtig entgegennehmen zu wollen. Das nicht geheuchelte, sondern ehrlich empfundene und ehrlich mitgeteilte Mitgefühl
eines Mitmenschen träufelt Balsam auf Qual und Verzweiflung.
HAITANG : Es ist kaum eine Stunde her, daß wir den ehrwürdigen Herrn Tschang, Seidenraupenzüchter und Gemüsegärtner seines Zeichens, den Gatten dieser Dame und meinen Vater, in die Erde senkten. Ich habe mit meinen eigenen Händen
die Erde für den Grabhügel aufgerissen und über dem Sarge
wieder zugeworfen. Denn wir hatten kein Geld, den Totengräber zu bezahlen.
*(Frau Tschang schluchzt.)*
Ich habe ihn geliebt. Und liebe ihn nur um so inniger, da er
nun bei den Ahnen weilt und seinem teuren Gedächtnis ich

morgens und abends Räucherkerzen entzünden werde. Auf Blumenblättern brachte er mir die Früchte des Gartens. Er träumte den stolzen Traum meiner Erhebung aus niederer Kaste in hohen Stand. Der Traum ist ausgeträumt. Der Hochzeitskuchen bröckelt. Der Baum steht entlaubt. Durch Todesherbstlaub am Boden raschelt mein Fuß. Im Frühling war ich eine Eidechse, die lustig zwischen den Gräsern hin und her schoß.

TONG : Ist das Segelboot auch auf eine Sandbank geraten, die Winde des Schicksals werden sich erheben und es wieder auf die offene See treiben, wer weiß, wie bald. Gestatten Sie mir aber die etwas dreiste Frage: wie ist der Tod Ihres geehrten Herrn Vaters so plötzlich eingetreten? Ich erinnere mich seiner sehr wohl. Ich sah ihn vorgestern früh noch mit Melonen zum Markt eilen.

*(Haitang senkt das Haupt.)*

FRAU TSCHANG : Das Rad des Unglücks ist über uns dahingerollt. Mein treuergebener Gatte, ein ehrlicher, nüchterner, in seinem Berufe geschickter Mann, hat seinem armseligen Leben, das nur wie ein altes Kleid noch an ihm hing, selbstherrlich ein Ende gemacht.

*(Haitang verbirgt ihr Haupt in den Falten ihres Ärmels.)*

TONG : Die Dämonen der Unterwelt mögen ihm gewogen sein und der Herr der ewigen Nacht ihm ein mildes Urteil sprechen. – Darf man sich nach dem Grund seiner plötzlichen Abreise in die unteren Bezirke erkundigen?

HAITANG : Der Mandarin und Steuerpächter Ma hat uns um Hof, Haus, Geld und Gut gebracht. Es gab eine Mißernte. Viele Menschen hungerten. Herr Tschang, mein Vater, konnte seine Abgaben nicht bezahlen. Vorgestern war die Steuer fällig. Wir hatten an Wert nichts zu eigen als einen Sarg, der schon seit Jahren dem ersten Mitgliede unserer Familie, das sterben würde, bestimmt war. Herr Ma schämte sich nicht, diesen Sarg durch den Gerichtsvollzieher beschlagnahmen zu lassen. Da ging mein Vater vor das Haus des Mandarinen und erhängte sich an dem Türpfosten.

TONG : Der Mandarin Ma, ein mir wohlbekannter und in Liebesangelegenheiten freigebiger Herr, wird von der Anklage, die Ihr sehr zu schätzender Vater durch seinen Tod und noch im Tod gegen ihn erhob, nicht sehr erbaut gewesen sein.

FRAU TSCHANG : Das Volk hat ihm mit Steinen die Fenster eingeworfen. Die Rache der Geister wird ihn treffen. Durch alle seine Träume wird der Erhängte wandeln, bleich, die blaue Zunge wird ihm aus dem Munde hängen. Füchse und Füchsinnen werden über seinen Weg laufen, ein Wolf wird sein Blut trinken. In seinem Hirn werden tausend Fliegen schwirren. Tausend Wespen werden seine Augen stechen, daß er erblindet.

TONG : Die Dämonen des Südens mögen mich vor den Anschlägen der Dämonen des Nordens bewahren.

*(Leise Musik ertönt wieder.)*

HAITANG : Wer ist die Ursache dieser schönen Musik? Es klingt, als spiele die Göttin des Morgenrotes Harfe, und als gäbe ein Hirte mit seiner Flöte ihr Antwort: Meine Trauer beginnt in diesen Tönen zu schweben wie ein Schmetterling in der Luft.

TONG : Es sind die Bewohnerinnen dieses Hauses, die Töchter der Freude, die diese einfachen, aber edlen Melodien auf ihren Instrumenten hervorlocken wie Grillen aus ihren Löchern.

FRAU TSCHANG : Darum kam ich her, hochwohlgeborener Herr Tong, Sie zu bitten, meine Tochter Haitang als Tochter der Freude in Ihr achtbares und geachtetes Haus aufzunehmen.

TONG : Ich bin auf das höchste überrascht und bitte Sie, mich fassen zu dürfen, ehe ich zu einem Entschluß komme.

HAITANG : Ich habe mancherlei Fähigkeiten, ich weiß, sie sind noch gering; aber sie werden unter Ihrer Leitung wachsen, reifen und Früchte tragen.

FRAU TSCHANG : Herr Tong, wir sind völlig ruiniert. Wovon sollen wir leben? Wir müßten verhungern. Ich bin gezwungen, meine Tochter zu verkaufen. Auf ihre Schönheit brauche ich Sie nicht besonders hinzuweisen. Sie sind ein Frauenkenner, Herr Tong.

TONG : Sie schmeicheln und übertreiben, Frau Tschang.

FRAU TSCHANG : Ich muß meine kluge, schöne und sittsame Tochter verkaufen, Herr Tong. Und wem sollte ich sie wohl lieber anvertrauen als Ihnen, der ungeachtet seines oft angezweifelten Berufes in der Stadt im besten Leumund steht?

TONG: Ich fühle mich geehrt, daß Sie zuerst an mich denken, Frau Tschang. In der Tat ist mir die außerordentliche Schönheit Ihrer Fräulein Tochter nicht entgangen. Bei der Frühlingsfeier oder beim Laternenfest pflegen sich alle jungen Männer nach ihr umzudrehen, und niemand ist, dem ihr Anblick nicht einen wollüstig-schmerzhaften Pfeil ins Herz jage.

HAITANG: Ich spiele die Laute, die Flöte und das Instrument Kin. Das Schachspiel ist mir nicht fremd, und ich habe die Kalligraphie studiert. Ich vermag die zierlichsten Glückwunschkarten zum Neujahr und zum Geburtstag zu malen. Ich tanze und singe. Soll ich Ihnen vortanzen?

FRAU TSCHANG: Tanze, mein Kind, damit Herr Tong deine Talente schätzen lernt.

*(Haitang tanzt nach der Musik, die wieder auftönt, ein paar Takte und bricht zusammen. Sie bleibt am Boden liegen.)*

TONG: Vortrefflich, ausgezeichnet, eine seltene Begabung, ein fast dramatisches Talent. Was ist der Preis, den Sie für das Fräulein fordern?

FRAU TSCHANG: Hundert Taels in Gold.

TONG: Hm, hm, das ist eine immerhin bedeutende Summe, auch für ein so wohlsituiertes Unternehmen wie das meinige, verehrte Frau Tschang. Das Fräulein ist schön, daran ist kein Zweifel, aber wenn meine alten Augen mich nicht täuschen, so hat sie im Nacken einen kleinen, störenden Leberfleck. Junge, verliebte Herren pflegen auf einen untadeligen Nacken viel Wert zu legen.

FRAU TSCHANG: Neunzig Taels.

TONG: Sie ist zwar klug und wohlgebildet, versteht zu tanzen, aber ihr Tanz war mir zu melancholisch – es fehlt die leicht schwebende Lustigkeit, die die Männer fortreißt.

FRAU TSCHANG: Sie ist noch unberührt, Herr Tong.

TONG: Noch unberührt? Nun, sagen wir achtzig Taels. Soll der Handel gelten?

FRAU TSCHANG: Er gilt.

TONG *(abgehend)*: Ich werde mir gestatten, Ihnen sofort die Summe auszuzahlen.

TSCHANG-LING *(stürzt herein)*: Ich habe dich, Schwester, gesucht von Straße zu Straße. Abgefallene Blütenblätter einer weißen Chrysantheme haben mir den Weg gewiesen. Hier muß ich die Blüte völlig entblättert finden.

TSCHANG: Die Blüte, die ich im Gürtel trage, hat noch kein Blütenblatt verloren.

TSCHANG-LING: Ehe die Nacht um ist, wird sie welk sein.

HAITANG: Meine Pflicht als Tochter gebietet mir, für meine Mutter zu sorgen.

TSCHANG-LING: Unsere Ahnen zurück bis ins siebente Glied sind durch literarische Erfolge bis zu den höchsten Ämtern emporgestiegen.

HAITANG: Ach, bis zu dem Amt eines Gemüsegärtners und Seidenraupenzüchters. Aber dieser Gemüsegärtner war gebildeter und ein besserer Mensch als alle Gelehrten und Literaten und Mandarine erster Klasse.

TSCHANG-LING: Wie kann dein mütterliches Herz, Mutter, damit einverstanden sein, daß deine Tochter den entwürdigenden Beruf eines Teehausmädchens ergreift? Ist sie nicht auch meine Schwester, der ich doch gedenke, den Doktorgrad zu erwerben?

FRAU TSCHANG: Warum sorgst du, ein Mann, so wenig für deine Mutter und deine Schwester und trägst nicht einen Kesch zu unserm Lebensunterhalt bei?

HAITANG: Hast du das Buch der Sitten und Gebräuche, das Liki, vergessen? Hast du nicht in der Schule auswendig gelernt: Die Pflicht des Sohnes ist es, dafür Sorge zu tragen, daß winters und sommers die Eltern sich jeder Bequemlichkeit des Lebens erfreuen? Jeden Abend soll der Sohn selbst das Lager betten, auf dem sie ruhen, jeden Morgen beim ersten Hahnenschrei sich auf das liebevollste nach ihrem Befinden erkundigen. Er soll sie oftmals im Laufe des Tages fragen, ob sie Kälte leiden, ob die Hitze sie quäle ...

FRAU TSCHANG: Es ist die Pflicht des Sohnes, die Mutter zu stützen und ihr Schirm und Schutz zu sein. Es ist seine Pflicht, die zu lieben, die von ihr geliebt, die zu ehren, die von ihr geehrt werden.

HAITANG: Sohn und Tochter sollen selbst die Hunde, Vögel und Pferde lieben, die ihre Eltern lieben.

FRAU TSCHANG: Solange die Mutter lebt, soll ohne ihre Einwilligung der Sohn sich nicht aus dem Hause entfernen.

TSCHANG-LING: Ich lächle – und lache eurer Predigt. Ihr kennt die kleinen Pflichten des Sohnes und habt sie auswendig gelernt, wie Papageien die Stimme ihres Herrn. Aber es gibt noch größere Pflichten, die ein Sohn zu erfüllen hat. Sagt nicht das Buch Haiking: Der höchste Grad der kindlichen Liebe besteht darin, nach hohen Würden zu trachten und mit dem Ruhm seines Namens die kommenden Jahrhunderte zu erschüttern, wie der Sturm die Bäume erschüttert?

FRAU TSCHANG: Strebst du vielleicht in den Schenken und Garküchen, in denen du herumlungerst, nach hohen Würden? Verluderst du nicht die paar Kesch, die du dir durch Abschreiben verdienst? Bringst du sie nicht in niedern Teehäusern unter die Mädchen? Du verkehrst mit Teehausmädchen und wagst, wenn deine Schwester den gleichen Beruf ergreift, Schmutz auf sie zu werfen?

HAITANG: Bruder, ich will versuchen, auch für deinen Lebensunterhalt mitzusorgen. Das Haus des Herrn Tong ist ein angesehenes Haus. Es beherbergt stets wohlhabende und wohlmeinende Gäste.

TSCHANG-LING: Verworfenes Geschöpf! Willst du mich zu deinem Mitschuldigen machen?

*(Er schlägt sie ins Gesicht.)*

FRAU TSCHANG: Hättest du mich geschlagen! Da ich euch gebar, bin ich an allem Unheil schuld. Hätte ich euch nie geboren, und wären doch meine Ahnen nie auf die Erde herniedergestiegen!

TSCHANG-LING: Macht den schimpflichen Handel rückgängig!

HAITANG: Der Handel ist ehrlich abgeschlossen – und ein ehrlich gegebenes Wort muß ehrlich gehalten werden. Die Wahrheit hat kein doppeltes Gesicht.

FRAU TSCHANG: Dort kommt Herr Tong mit dem Geld.

TSCHANG-LING: Ich hasse euch. Mein Name wird durch alle Gassen der Stadt gezogen werden. Ich werde durchs Examen fallen und nie ein staatliches Amt bekleiden können.

HAITANG: Ein Vogel bleibt ein Vogel, auch wenn man ihm die Flügel beschneidet.

TONG: Hier ist das Geld, gnädige Frau.

*(Zählt es auf; Frau Tschang will das Geld einstecken, da fährt Tschang-ling dazwischen.)*

TSCHANG-LING: Achtzig Taels? Zehn für mich. – Ihr seid mich los! Ich will in diesem Fall versuchen, auch meine moralischen Anschauungen zu revidieren.

HAITANG: Armer Bruder! – Gib ihm fünfzehn Taels, Mutter. Der heilige Geist meines Vaters wird mich nicht verlassen.

*(Tschang-ling streicht zwanzig Taels katzenhaft ein und verschwindet.)*

TONG: Ein etwas sonderbarer Herr, Ihr Herr Bruder! Er war so unhöflich, sich mir nicht einmal vorzustellen. – Aber erlauben Sie mir, Ihnen den goldenen Käfig zu zeigen, in dem Sie singen und Ihr schönes Gefieder spreizen sollen. Bitte, hier.

*(Er zieht den Vorhang zu dem vierten leeren Käfig. Umarmung von Mutter und Tochter. Tong geleitet die Mutter hinaus. Haitang im Käfig singt.)*

HAITANG:

          Am Ufer hinter Weiden steht das Haus,
          Ein zartes Mädchen sieht zur Tür hinaus.
          An der Voliere steht der Mandarin,
          Ein zarter Vogel singt und hüpft darin.
          Verschließ den Käfig! Hüte gut das Haus!
          Sonst fliegt der Vogel in den Wald hinaus!

*(Pao, ein junger Prinz, betritt den Raum. Tong vor ihm her in vielen rückwärtigen Bücklingen verschwindet in der Kulisse.)*

PAO:

          Ich bin ein Abenteurer,
          Ein Trunkener dieser Welt,
          Ein müder Tat Befeurer,
          Ein träumerischer Held.
          Ich schwinge tausend Schwerter,
          Die ich dem Feinde bot,
          Wie dennoch unbewehrter
          Mein Herz der Liebe loht.
          Ob ich den Kampf ersehne,
          Die Schwerter senk ich schwer,

Bricht eine Kantilene
Singend über mich her.

Ich bin der kaiserliche Prinz Pao. Einer von den vielen kaiserlichen Prinzen. Es gibt deren so viele wie Regentropfen an
einem Apriltage. Die Kaiserwahl ist eine Art Staatslotterie.
Das Los entscheidet unter den Prinzen, wer als Sohn des Himmels den Drachenthron besteigen soll. Ich bin dem Ruf einer
Nachtigall gefolgt. Sie sang so lockend, wie eine Nachtigall in
Freiheit nicht singt. Nur gefangene und geblendete Nachti-
gallen singen so bezaubernd. Wo ist der Vogel, daß ich ihn
fange und sein kleines Vogelherz ängstlich in meinen Händen
pochen fühle?
*(Entdeckt Haitang.)*
Ich hörte eine Nachtigall, folgte ihrem Ruf und finde statt
eines Vogels eine Blume. Ihr Duft verwirrt mich, sie trägt das
weiße Gewand der Trauer und hält den Kelch geschlossen.
Darf ich versuchen, Sie ein wenig zu erheitern und die Blüte zu
öffnen?
HAITANG: Sind Sie die Sonne? Nur der Sonne neigen die
Blumen sich zu.
PAO: O – weit gefehlt, daß ich eine Sonne wäre. Ich bin nicht
einmal ein Stern, aber vielleicht das Kind eines Sternes und,
als die Sternenmutter mich säugte, aus der Milchstraße gefallen.
HAITANG: Vielleicht sind Sie nur eine Sternschnuppe. Sie
glänzen auf, ziehen Ihre schmale goldene Bahn, ein, zwei, drei
Sekunden, und erlöschen im Dunkel wie ein Lampion, der
beim Frühlingsfest ins Wasser fällt.
PAO: Ein Erlöschen mit Ihnen im Dunkel, im Tode, würde ich
einem einsamen Leben in Glanz und Helligkeit vorziehen.
HAITANG: Diese bilderreichen Komplimente pflegen die jungen Herren in den Anstandsstunden von ihrem Hofmeister und
Literaten zu lernen. Sie kommen von den Lippen und berühren nur leise das Ohr.
PAO: Nun, machen Sie dieses wahr. Lassen Sie meine Lippen
Ihr Ohr berühren. Ich will Ihnen etwas zuhauchen, was man
mit Worten nicht sagen kann.

HAITANG: Aus einem Hauch wird leicht ein Wind, und aus einem Wind ein Sturm. Denken Sie einmal nach, ob Sie nicht aussprechen können, was Sie dachten.

PAO: Ich dachte nichts. Ich fühlte alles.

HAITANG: Ein Gefühl ist ein Nachtschmetterling. Wie wollen Sie ihn bei Tage fangen?

PAO: Schwingen Sie den Käscher, schöne Freundin!

HAITANG: Ich bin kein Gelehrter, kein Zoologe und fange keine Schmetterlinge, sie aufzuspießen. Ich lasse sie in Licht und Luft leben und schweben, wie es ihnen paßt.

PAO: Sie führen die Sprache einer Dame von erlesener Erziehung.

HAITANG: Ich habe sehr wenig gelesen.

PAO: In Büchern, aber mein Inneres liegt aufgeschlagen vor Ihnen, wie vor dem Philosophen das Taoteking. Wie lange weilen Sie schon in diesem Hause? War der feiste Bruder, der mir die Tür öffnete, Ihr Erzieher?

HAITANG: Mein Vater erzog mich. Er trug einen einfachen, braunen Kittel, aber jedermann verneigte sich vor ihm.

PAO: Darf ich ihm meine Aufwartung machen?

HAITANG: Er ist tot.

PAO: Gestatten Sie, daß ich sein Andenken ehre, indem ich die Erde dreimal mit der Stirn berühre.

HAITANG: Wer sind Sie, daß Sie einem Mann niederen Standes Achtung bezeigen?

PAO: Ich bin ein junger Mann, sonst nichts. Vielleicht nur dazu nütze, gut zu essen, lange zu schlafen, meinen Schneider zu besuchen und Schach zu spielen.

HAITANG: Wollen Sie eine Partie Schach spielen? Hier steht ein Schachbrett schon aufgebaut.

(Sie setzen sich nieder und machen einige Züge.)

HAITANG: Weiß zieht an, Schwarz zieht nach.

PAO: Schach der Dame.

HAITANG: Ich bin keine Dame. – Schach dem König.

PAO: Ich bin kein König. Zug, Gegenzug. These, Antithese. Sie gehen scharf vor, wie ein Feldherr vieler Grade. Ich gebe das Spiel auf, aber nur, um ein besseres Spiel zu beginnen.

HAITANG: Und welches Spiel?

PAO : Das Spiel der Liebe.

HAITANG : Das Spiel der Liebe? Ich wußte nicht, daß die Liebe ein Spiel sei. Als mein Vater sagte: Ich liebe dich, da war seine Stirn gefurcht, sein Auge glänzte, da spielte er nicht mit mir.

PAO : Die Liebe des Vaters, die Liebe des Mannes: es ist ein Unterschied wie zwischen Blumenliebe und Tierliebe. Blumen lieben einander vielleicht wie Vater und Tochter. Löwen lieben einander wie Mann und Frau.

HAITANG : Ich bin noch keine Frau, bin nur ein Mädchen. Soll ein Löwe eine Blume lieben? Seien Sie nur eine Vase, in die man eine Blume stellt für einige Stunden. Soll ich Ihnen das Blumenschiff unseres großen lyrischen Meisters Su-Tung-Po rezitieren?

> Im Meere hinter Brandungsschaum und Riff
> Schwimmt wie ein Kormoran das Blumenschiff.
> Ich bin nicht gegen seinen Duft gefeit.
> Ich heb den Arm. Das Schiff ist allzu weit.
> Mimosen hängen traubengleich am Bug.
> Ein Fächer schlägt den Takt zum Ruderzug.
> Ich werfe eine Blume in das Meer,
> Die treibt nun auf den Wellen hin und her.
> Vielleicht, daß, wenn der Wind sich abends dreht,
> Er meine Blume bis zur Barke weht . . .

*(Einen Augenblick Schweigen.)*
Können Sie mir dies Gedicht kommentieren?

PAO : Ich wandle am Strand des Meeres. Die Wogen schäumen: Vergänglichkeit . . . Vergänglichkeit . . . Ich denke des blauen Meeres von Ku-Ku-Noor, des toten Meeres, wo die Gebeine der Unbestatteten am Strande verwesen. Welches Kind, welcher Enkel soll mir die Ahnengebräuche erweisen, soll mich bestatten, da mir die Mutter meiner künftigen Kinder ihr jungfräuliches Herz verweigert? Wie die Wellen sich am Riff brechen, so bricht mein strömendes Herz am starren Herzen der Geliebten. Wie fern weilt sie mir! Auf den Wogen des Meeres, unerreichbar weit wie der Kormoran, gleitet, in der Silhouette einem

Kormoran nicht unähnlich, dort nicht ein Schiff der Freude, des Gesanges und des Tanzes auf Bastschuhen, der leichten Lust und der schweren Liebe, ein Blumenschiff? Der Gesang klingt zu mir einsam Wandelnden hinüber; herüber weht ein Duft von Blumen und Parfümen. Ein Mädchen winkt mit dem Fächer, mit dem sie den Takt der Ruderschläge begleitet, nach dem Lande. Langsam gleitet das Blumenschiff. Mir ist es, als trüge es meine Freundin dahin... dahin... Wohl wäre es möglich, das Schiff zu halten mit einem Ruf, daß es auf mich den Kurs nähme, aber was gewönne ich? Ich vermöchte wohl mit Gold das Blumenmädchen zur Hingabe, doch niemals zur Liebe der geliebten und liebenden Seele zu zwingen.

HAITANG: Liebe muß herzlich und sinnvoll mit der reinsten Leidenschaft, dem herrlichsten Herzen errungen, sie kann nicht erzwungen werden.

PAO: Nichts anderes vermag ich, als dem Blumenschiff eine Blume zuzuwerfen (*er wirft Haitang eine Blume zu, die sie aufnimmt*) als Symbol meines Herzens. Vielleicht, daß die Winde des Schicksals es an den Ort seiner Bestimmung führen. –

HAITANG: Sie sind so nachdenklich! Soll ich Sie erheitern? Soll ich tanzen? Ich kann den Tanz der vier Jahreszeiten, den Tanz des Südwindes, den komischen Tanz des Herdgottes. Soll ich spielen? Die ewige Frühlingsmusik? Soll ich singen? Das Lied vom weißen Haupt?

> Wie der Schnee so weiß,
> Wie der Mond so weiß
> Werden unsre Häupter einmal sein.

Soll ich etwas malen oder zeichnen? Hier ist ein Stück Kreide, mit dem Herr Tong am Türpfosten wohl säumige Schuldner aufzuschreiben pflegt. Ich werde hier auf die schwarze Tapete mit der weißen Kreide einen Kreis zeichnen.
(*Tut es.*)

PAO: Der Kreis ist das Symbol des Himmelsgewölbes, der Kreis ist das Symbol des Ringes, der Gatten aneinanderschmiedet, Herzring an Herzring reiht.

HAITANG: Was außerhalb dieses Kreises ist, ist das Nichts. Was innerhalb dieses Kreises ist, ist das All. Wie verbinden sich

Nichts und All? Im Kreise, der sich drehend fortbewegt (*zeich-net Speichen in den Kreis*), im Rad, das rollt. Ich bin an das Rad geschmiedet, das Rad des Schicksalswagens, den die Son-nenrosse durch die Äonen mit sich reißen. Ein junger Gott steht mit feuriger Peitsche im Wagen und treibt die Rosse. Er achtet meines Jammers und meiner Tränen nicht.

PAO: Ich knie vor dir, Kwanyin, Göttin der Reinheit.

HAITANG: Stehen Sie auf, was tun Sie?

*(Wischt die Speichen aus dem Kreise.)*

Sehen Sie den Kreis, er ist schon wieder leer. Jetzt umrundet er das Symbol des Spiegels, in dem ich mich eitel drehe und wende.

*(Dreht sich vor dem Kreis wie vor einem Spiegel.)*

Wie kleidet mich dies Gewand der Trauer? Gibt es der Lust nicht einen besonderen Reiz? Auf dem Gesicht zerreibe ich einige Puderkugeln, aus der Schminkbüchse betupfe ich meine Lippen (*wirft das weiße Übergewand ab*), bauschig sind meine Hosen aus grüner Seide, ihre Bänder golddurchwirkt. Meine Füße sind wie Lilien. Die Schuhe aus rotem Atlas sind über und über mit Blumen bestreut. Auf den Schuhspitzen schwe-ben gestickte Libellen. Sähe mich heute der Buddha, ich glau-be, er würde seinem frommen Wandel auf ewig abschwören. Wie finden Sie meine Frisur? Soll ich diesen Kamm ein wenig höher stecken? Was ist mit diesem grünen Gürtel?

PAO: Lösen Sie ihn, Schwester vom grünen Gürtel.

HAITANG: In dieser Hand, die noch keinen Mann geliebkost hat, steht mein Schicksal geschrieben. Wie verläuft die Linie meines Lebens? Ich sehe es im Spiegel verkehrt.

PAO: Ich werde diesen Spiegel zerschlagen.

*(Ballt die Faust.)*

HAITANG: Dann schlagen Sie auch das Bild im Spiegel – und schlagen mich. Wollen Sie mich schlagen? Ich bin schon einmal heute geschlagen worden.

PAO: Wer schlug Sie? Ich werde ihn stäupen lassen.

HAITANG: Ich habe seinen Namen vergessen; es war kein bö-ser, es war nur ein schwacher Mensch. Aber sehen Sie, ich will dem Spiegel einen anderen Charakter geben, ich schreibe ein paar Zauberzeichen in den Kreidekreis,

*(macht mit der Kreide ein paar Striche)*
und schon blickt aus dem Spiegel Ihr Gesicht. Finden Sie sich
ähnlich?
*(Lachend.)*
Habe ich Sie gut getroffen?
PAO : Sie haben mich getroffen, Sie haben mich gut getroffen,
Sie haben mich ins Herz getroffen.
HAITANG *(zu dem Bild)*: Ich wollte, dieser wäre mein
Freund ...
Zwei schwarze Vögel seine Blicke sich wiegen,
Die mit den Adlern um die Wette fliegen.
Lange Wimpern schatten ihre Glut,
Wie Weidengesträuch, das vor einem Waldsee ruht.
Seine Hände leuchten schlank;
Blasser Erinnerungen sind sie krank.
Aber die Lippen hat er schmalrot zusammengebissen,
Als wollten sie nichts von Küssen
Und nichts von Lächeln mehr wissen.
Weh, sie sind wie des großen Räubers gedoppeltes Schwert,
Das rotsingend durch meine schlaflosen Nächte fährt. –
Immer, wenn ich morgens in den Spiegel sehe, werde ich an
Sie denken.
PAO : Ich lasse mir jeden Spiegel gefallen, den Sie mir vorhal-
ten. Wie aber, wenn ein anderer mein Bild innerhalb des Krei-
dekreises auswischt oder auslöscht und sich an seine Stelle
setzt?
*(Ein dicker Kopf hat die Papierwand innerhalb des Kreide-
kreises durchstoßen. Es ist der Kopf des Mandarinen Ma. Haitang und Pao weichen seitwärts zurück.)*
MA : Mein Name ist Ma. Ganz einfach Ma. Wenn ich den Namen Ma nenne, so sollte das eigentlich genügen, daß jedermann sich ehrfurchtsvoll vor mir verneige. Denn ich besitze
Geld, Geld, viel Geld, sehr viel Geld, so daß ich mir alles kaufen kann, was ich will, und wonach ich Gelüst und Sehnsucht
trage. Wie der Habicht nach Raub ausgeht, so verlasse ich meinen Palast und ziehe auf Abenteuer aus. Sehe ich ein schönes
Pferd, besteig ich's. Sehe ich ein schönes Weib, entführ ich's.
Wenn es mir paßt, gehe ich durch die Wand, wie im vorliegen-

den Falle. Was kann die zerrissene Tapete kosten? Ich bezahle
alles, und was ich bezahle, zahle ich bar. Ich habe mir den Dok-
tortitel gekauft und bin Ehrendoktor der Universität Peking,
obwohl ich das Schriftzeichen für Liebe nicht von dem Schriftzeichen für Geld unterscheiden kann. Ich habe einen Sitz im
Gericht gekauft und spreche Recht, obwohl ich nicht einmal
recht sprechen kann und mir in meinen eigenen Geschäften der
Unterschied zwischen Diebstahl und reellem Kommerz ziemlich schwerfällt. Ich bin Steuerpächter und treibe die mir zu-
stehenden Steuern rücksichtslos ein. Ich bin streng, aber gerecht. Zum Lohn für meine Nachsicht, daß ich ihm die ge-
schuldete Steuer schon einmal stundete, erhängte sich vorgestern ein gewisser Gärtner Tschang vor meinem Hause, zu dem
ausgesprochenen Zweck, mir Ungelegenheiten zu bereiten, was
dem Lumpen auch gelang. Der Pöbel hat mir die Fenster eingeworfen und mich Blutsauger und Volksverderber geschimpft.
Um mich von den Aufregungen der letzten Tage zu erholen
und mich zu zerstreuen, betrat ich dies mir wohlbekannte Haus
des Herrn Tong. Denn ich liebe, um mich gebildet auszudrük-
ken, die Blumen und Weiden. Ich habe mir von meinem Pri-
vatzauberer das Horoskop stellen lassen für heute. Der heutige
Tag ist meinen Liebesunternehmungen zweifellos günstig.
*(Sieht Haitang.)*
Eine neue Blume im Garten des Herrn Tong! Seien Sie mir
gegrüßt, zartes Fräulein! Sie sind so zart, daß ich Sie nicht an-
zufassen wage; ich könnte Sie ja zerbrechen. Sie sind so leicht,
daß ich kaum zu reden wage; mein Atem könnte Sie verwehen
bis in die Wolken hinauf und über die Wolken hinaus bis in
den Taumel der Sterne. – Und was hätte ich dann? Ich bliebe
allein mit meinem Liebesschmerz untröstlich auf der trostlosen
Erde zurück.
*(Er klatscht dreimal in die Hände. Herr Tong erscheint.)*
TONG: Euer Hochgeboren wünschen?
MA: Tong, diese junge Dame, die ich erst einige Minuten gesehen habe, gefällt mir ausgezeichnet. Ein junges Mädchen
rührt mein Herz.
TONG: Es ist noch unberührt.
MA: Eine Jungfrau also?

TONG: Eine Jungfrau. Jungfrauen sind selten wie ein Fuchs in der Falle.

*(Tong lacht devot.)*

MA: Sie haben mir schon manche falsche Jungfrau angedreht, Tong; widersprechen Sie nicht! Diese Jungfrau aber ist echt. Ich habe das im Gefühl, Tong. Diese Jungfrau ist echt, so echt wie das Gold, das ich für sie aufwenden werde. Ich kaufe Ihnen das Fräulein ab. Völlig, mit Leib und Seele. Keine Widerrede, Tong! Kein Widerspruch des Fräuleins! Sie gehören Herrn Tong, er kann mit Ihnen tun, was er will. Später werden Sie mir gehören, und ich werde mit Ihnen tun, was ich will. Ich biete hundert Taels in Gold.

TONG: Euer Hochgeboren, sie hat mich selbst zweihundert gekostet.

*(Der Prinz tritt aus dem Hintergrund.)*

PAO: Ich biete dreihundert.

MA: Vierhundert.

PAO: Fünfhundert.

*(Tong reibt sich die Hände. Er hat Haitang, die die Versteigerung entsetzt verfolgt, wie einen Gegenstand auf einen Tisch gehoben.)*

MA: Sechshundert.

PAO: Siebenhundert.

MA: Tausend.

PAO *(erbleichend):*

Ich muß zurücktreten. Tausend Taels in Gold kann ich nicht überbieten. Die Dame *(er verneigt sich vor Ma und vor Haitang)* gehört Ihnen.

*(Will Haitang etwas zuflüstern.)*

MA: Kehren Sie den Schnee vor Ihrer Tür und kümmern Sie sich nicht um den Reif auf anderer Leute Dächer.

*(Pao ab.)*

HAITANG: Er hat meinen Vater in den Tod getrieben. Das Schicksal wirft mich in seine Arme. Ich bin nur ein Mensch. Was soll ich tun? Es wird, was nötig ist, was mir vergönnt ist, von den Göttern getan werden. Sie haben meine Hand geführt, als ich meines Vaters Grab aufriß und seinen Sarg mit Erde bewarf. Sie haben meine Hand geführt, als ich den Krei-

dekreis zog. Sie werden sie nicht sinken lassen, und neue Kreise
werde ich ziehen auf der schwarzen Tafel des Verhängnisses,
wie der Gott der Nacht das Himmelsgewölbe mit Sternen be-
schreibt. Herr Tong, schicken Sie bitte zu meiner Mutter und
lassen Sie ihr sagen, ich würde mich noch heute mit Herrn Ma
vermählen.

TONG : Zu Diensten, ich muß wohl sagen: gnädigste Frau.
Nicht umsonst hängt hier das Bild des Glücksgottes an der
Wand. Bei Vater Tong macht man sein Glück.

MA : Haitang, du weißt, was das Weib dem Manne schuldet?

HAITANG : Ich weiß, was im Buch Siao steht: Das Weib hat zu
schweigen, wenn der Mann spricht; es hat zu lächeln, wenn er
tadelt; zu bitten, wenn er grollt; zu danken, wenn er züchtigt;
zu lieben, wenn er verachtet und haßt.

MA (*nimmt Haitang auf seine Arme und trägt sie hinaus*):
Komm, mein Haus wartet.


*Vorhang*

## ZWEITER AKT

*Garten und Veranda vor dem Hause Mas. Im Hintergrund
zieht die Straße vorbei.*

FRAU MA: Mein Name ist Yü-pei, das bedeutet Kleinod. Ich
bin die erste Gattin, die Gemahlin erster Klasse des Herrn Ma.
Es ist jetzt ein Jahr her, daß Herr Ma eine zweite Gattin ins
Haus genommen hat, eine unausstehliche Person namens Haitang, über deren sittliche Qualitäten ich mich nicht äußern
will. Aber es sagt wohl schon genug, daß Herr Ma sie von der
Straße aufgelesen, wo sie in einem Teehause die zweifelhafte
Rolle einer Sängerin, Tänzerin und Kurtisane – ich gebrauche
dieses beschönigende Wort – spielte. Ich bin in tiefster Seele
verletzt, daß Herr Ma mir, seiner Gattin ersten Ranges, eine
solche Persönlichkeit vorzieht. Zu allem Überfluß hat sie ihm
einen Knaben geboren, einen Erben, während mein Schoß unfruchtbar geblieben ist. Die Götter wägen das Schicksal der
Menschen wohl auf der Goldwaage. Weh mir, was habe ich zu
erwarten, wenn ich nicht selbst mein Geschick entschlossen in
diese kleinen Hände nehme? Zum Glück wird mir jemand
beistehen, der mir ergeben ist auf Leben und Tod.
TSCHAO (*auftretend*): Und das ist niemand anderer als Ihr
dienstwilliger Knecht Tschao, Gerichtsbeamter am hiesigen
Amtsgericht.
FRAU MA: Ich freue mich, Sie zu sehen, Tschao. Wo kommen
Sie zu dieser Stunde her?
TSCHAO: Herr Ma hatte die Freundlichkeit, mich in einer ge-
schäftlichen Angelegenheit zu sich zu bitten.
FRAU MA: Was ist das für eine geschäftliche Angelegenheit?
TSCHAO: Ich bin leider noch nicht unterrichtet, gnädige Frau.
FRAU MA: Ich hatte diese Nacht einen Traum. Ich träumte,
wir beide gingen eine steinige Straße, viele, viele Stunden
lang. Die Sonne brannte unerträglich. Kein Baum, kein Strauch,
nicht der Schatten eines Schattens. Mich dürstete, daß ich zu
sterben meinte; kein Quell weit und breit. Da nahmen Sie ein
Messer, Tschao, stießen es sich ins Herz, Ihr Blut rann nieder,
und Sie sprachen, schon vergehend:

Yü-pei, trinken Sie mein Blut, das ich gern für Sie verströme.

TSCHAO: Und Sie?

FRAU MA: Ich trank und war gerettet. Ich bereitete Ihnen ein prunkvolles Begräbnis und verbrachte meine Tage damit, Ihren heroischen Tod zu bejammern und zu beweinen. Und fast schien es mir im Traum, als liebte ich Sie, da Sie tot waren, noch inniger, als da Sie noch lebten.

TSCHAO: Wann werden wir einander völlig angehören dürfen, frei vor aller Welt, und nicht heimlich wie jetzt im Garten, wenn Herr Ma einmal ausgegangen ist?

FRAU MA: Bald, vielleicht eher, als Sie meinen.

TSCHAO: Seit ich Sie sah, Yü-pei, ist das Sternbild der Weberin von seinem Platz am Himmelsgewölbe verschwunden und leuchtet nun auf Erden. Wie ein Glühkäfer schwirrt es vor mir her, und manchmal darf ich es fangen, und erstaunt halte ich es in meiner Hand; es leuchtet, aber es verbrennt mich nicht. Es bleibt aber nicht bei mir. Immer wieder fliegt es davon, und immer wieder muß ich durch Gebüsch und Gesträuche ihm nach. – Yü-pei, zuweilen bin ich ganz verzweifelt, und zuweilen will es mich würdiger dünken, ich machte diesem qualvollen Leben ein Ende, als daß ich noch weiter dahinsieche und meine Tage dahinschleppe wie ein Kahntrecker seinen elenden Kahn den Yang-tse-kiang hinauf. In den Falten meines Mantels trage ich ihn immer bei mir, den Tröster, der ewigen Trost brächte.

FRAU MA: Süßer Tschao, was haben Sie für schreckliche Gedanken! Zeigen Sie, was Sie in den Falten Ihres Mantels tragen.

TSCHAO (*holt ein kleines Büchschen hervor*): Ich kaufte es einem Mönch ab im Tempel des Wuwang.

FRAU MA: Gift!

TSCHAO: Ich habe mich in den Schutz des Gottes der Krähen gestellt. Niemand wird mich begraben; ich habe keine Anverwandten. Auf das freie Feld wird man meinen Leichnam werfen. Die Krähen werden kommen und ihre Mahlzeit halten.

FRAU MA: Süßer Tschao, gib mir das Gift, gib es mir, du darfst es nicht bei dir tragen in einem Zustand, da dein Gemüt verdunkelt ist.

(*Sie entwindet ihm die Büchse.*)

Ich hebe es auf! Wer weiß, ob nicht die Stunde einmal kommt,
da wir gemeinsam die Reise in die unteren Bezirke antreten.

TSCHAO: Mit dir zu sterben, wäre mir höchste Seligkeit.

FRAU MA: Jetzt sollst du noch mit mir leben, und diese Seligkeit wird süßer sein.

*(Zieht ihn hinter einen Baum. Umarmung.)*

Ich bat dich bei unserer letzten Zusammenkunft, die Gesetzes-
bücher auf einen strittigen Punkt durchzusehen und mir Auskunft zu geben über die Frage: wer ist Erbe von Geld und Gut,
Haus und Hof, wenn der Mann stirbt?

TSCHAO: Erbe, und zwar Alleinerbe, ist die erste Frau, die
Gattin erster Klasse.

FRAU MA *(freudig)*: Tschao!

TSCHAO: Doch tritt in der Erbfolge eine Änderung ein, falls
sie kinderlos bleiben sollte.

*(Frau Ma stampft mit dem Fuß auf.)*

TSCHAO: Hat eine Nebenfrau einen Knaben geboren, dann
tritt sie und das Kind in die Rechte der Alleinerben, und die
Hauptfrau wird auf ein Pflichtteil gesetzt.

FRAU MA: Das ist also mein Schicksal, wenn Ma stirbt. Habe
ich ihm nicht schon treu gedient, als diese Hure von Haitang
noch gar nicht auf der Welt war? Jetzt soll ich mein Alter in
Armut und Elend wie einen Leinensack tragen, während sie mit
ihrem Bankert in goldener Sänfte an mir vorbeigetragen wird,
und ich hocke am Straßenrand und bettle um ein paar Kesch.

TSCHAO: Das wird nie geschehen, solange ich lebe.

FRAU MA: Großes Kind – bist du nicht arm wie eine Kirchen-
maus? Dein dürftiges Gehalt, um das dich Herr Tschu, der
Oberrichter, obendrein noch meist betrügt, reicht kaum zum
Tabakkauen für dich. Muß ich dir nicht immer von mir aus noch
einige Taels zustecken und dir Reis und Kuchen schicken? Du
wärst wohl längst verhungert ohne mich.

TSCHAO: So siehst du keinen Weg aus dem Elend?

FRAU MA *(langsam)*:

Ich sehe – einen. Wirst du mir versprechen, mir auf diesem
Wege zu folgen, auch wenn dieser Weg ein krummer Weg sein
sollte? Wirst du die Augen schließen und dich ganz meiner
Führung anvertrauen? Mir zuliebe?

TSCHAO: Ich will es versprechen, weil ich keinen Weg sehe.

FRAU MA: Die Stunde des Gerichts hat eben zu schlagen begonnen. Ich werde gehen, dich Herrn Ma zu melden.

*(Ab.)*

TSCHAO: Tschao-hai nennt man mich auf dem Gericht: Tschao, den sich durch Tugenden Auszeichnenden. Werde ich diesen Ehrentitel noch lange tragen dürfen? Ich werde heute abend Räucherwerk entzünden, um die bösen Geister, die sich in meinem Hause und meinem Herzen schon festgenistet haben, zu vertreiben.

*(Ma erscheint auf der Veranda, hinter ihm Frau Ma, Haitang, die sich alle drei verneigen. Tschao ebenfalls.)*

MA:
>Wie tief im Tal der schwarze Fluß, daran
>die Stadt gelagert wie ein Haufen
>von den Söldnern nach der Schlacht!
>Es warf ein jeder
>sich in das Feld, grad wo er stand, so sehr
>ermüdeten ihn Blutrausch, Mord und Tod.
>Also die Häuser, da und dort verstreut,
>gehalten nur
>von einem Turm, der herrisch in der Mitte
>den Strahlenhelm nach allen Seiten dreht.
>Der Yang-tse-kiang, so sagt man, berge Perlen
>in seinen schwarzen Wassern. Wer um Mittnacht,
>mit reinem Sinn und Zauberspruch begabt,
>sich an das Perlenfischen macht, dem ist
>zuweilen wohl ein seltner Fund gegönnt.
>Ich ging die Nacht an seinen dunklen Ufern
>und fand ganz ohne Zauber – auch das Herz
>war nicht so rein, wie die Beschwörung fordert –
>ich fand ein Perlchen doch und hob es auf.
>Und strahlender als des Mikado Perlen
>hat's mir die Nacht erleuchtet, süßer mich
>als alle Perlen Indiens beglückt.

TSCHAO: Ihr Knecht Tschao ist auf das höchste geehrt, mit seinen geringen seelischen und geistigen Kräften Euer Hoch-

geboren vielleicht einen bescheidenen Dienst leisten zu dürfen.
*(Frau Ma und Haitang bringen je eine Strohmatte, die sie aus-*
*breiten.)*
MA: Ich bitte Platz zu nehmen.
*(Ma und Tschao setzen sich auf die Strohmatten. Zu den*
*Frauen.)*
Laßt uns allein.
*(Haitang und Frau Ma ab.)*
TSCHAO: Ein herrlicher Frühlingstag!
MA: Lau und milde wie ein Sommertag. Er tut meinen altern-
den Gliedern wohl. So ist Haitang.
*(Tschao schweigt.)*
MA: Man nennt Sie auf dem Gericht Tschao-hai: der sich durch
Tugend, Gerechtigkeit und Unbestechlichkeit auf das höchste
auszeichnet.
TSCHAO: Meine Verdienste sind unbeträchtlich, meine Cha-
raktereigenschaften einer Hervorhebung nicht würdig – man
übertreibt.
MA: Ich möchte Sie daher ersuchen, meine Interessen in einer
juristischen Angelegenheit zu vertreten, die mir schon lange
im Kopfe herumgeht.
TSCHAO: Ich werde nicht verfehlen, Ihnen nach Möglichkeit
zu dienen.
MA: Über das Honorar werden wir uns leicht einigen. Ich höre,
daß Sie nicht in den besten Verhältnissen leben.
TSCHAO: Ich kann leider nicht widersprechen.
MA: Ich bitte Sie, im Rahmen des Möglichen natürlich, jede
beliebige Summe als Vorschuß entnehmen zu wollen.
TSCHAO: Und worum handelt es sich, wenn ich mir die Frage
gestatten darf?
MA: Ich habe beschlossen, mich von meiner Gattin ersten Ran-
ges, Yü-pei, scheiden zu lassen und Haitang in ihren Rang zu
erheben. Ich liebe Haitang, sie hat mir einen Erben geboren.
Ich beauftrage Sie mit der Erledigung der juristischen Forma-
litäten.
*(Tschao ist aufgesprungen.)*
MA: Warum bleiben Sie nicht sitzen?
TSCHAO: Ich leide in letzter Zeit an Rheumatismus; die Stroh-

matte hält die Feuchtigkeit des Erdbodens, zumal im Frühling, nicht genügend zurück. Ich bitte für meine Formlosigkeit um Entschuldigung.

MA: Nun? Wollen Sie meine Angelegenheit führen?

TSCHAO: Ich bin selbstverständlich entzückt, Ihnen behilflich sein zu können.

MA: Es würde die Lösung erleichtern, wenn man Frau Ma eine Untreue nachweisen könnte, irgendein Verhältnis mit einem Mann, das die Sittenlehre nicht billigt.

TSCHAO: Ein solches Verhältnis läßt sich zur Not auch künstlich herbeiführen. Man konstruiert einen Ehebruch.

MA: Ich sehe, wir verstehen uns.

*(Klatscht dreimal in die Hände, Frau Ma und Haitang erscheinen.)*

Yü-pei, geleite den Herrn bis an das Tor. Haitang, du hast mir heute den Knaben noch nicht gezeigt? Komm, zeige ihn mir!

*(Beide ab ins Haus.)*

FRAU MA: Was wollte er?

TSCHAO: Er will sich scheiden lassen.

FRAU MA: Von – mir?

TSCHAO: Von dir. Er beauftragt mich, die Scheidung einzuleiten.

FRAU MA: Wir müssen handeln, jeder Aufschub wäre Torheit und Verrat am eigenen Geschick.

TSCHAO: Was willst du tun?

FRAU MA: Schließe die Augen! Der Gott des Dunkels sei mit dir!

*(Frau Ma ab ins Haus. Am Gartenzaun erscheint, völlig zerlumpt, Tschang-ling.)*


TSCHANG-LING:
Nun bin ich gegangen
Von Haus zu Haus, von Stadt zu Stadt,
Blieb niemand an mir hangen.
Es rollt des Schicksals Rad,
Und Stunde rollt und Tag und Jahr,
Stein ward mein Herz, staubweiß mein Haar;

Wie doch die Landstraß staubig war.
Trugglanz ist alles, und nichts ist wahr.
Ich hab keine Heimat, wenn nicht das Feld.
Ich habe kein Haus, wenn nicht die Welt.
Kein Geld, kein liebes Lächeln, das mich hält.
Ihr Herren und Damen, in aller Heiligen Namen,
Wollet mir etwas schenken!
Und wenn ich's versaufe, wer kann mir's verdenken?
Ich laufe durch die Welt, wie elend,
wie schwelend mein Herz! Flamme unter der Asche! Rauch
und Ruß überall. Tags saß ich in hohlen Baumstämmen und
schlief. Nachts machte ich mich auf den Weg und lief da- und
dorthin. Schwirrte wie eine Fledermaus; die Dunkelheit tat mir
wohl. Das Licht schmerzte mich. Wohin sind meine eleganten
Kleider? Die trunkenen Abende in den Schenken? In Fetzen
hängen mir einige Lumpen am Leibe. Mein Magen ist eine
gedörrte Pflaume. Vor den Tempeltüren knie ich und flüstere
heiser: einen Kesch, schöne Dame, im Vorüberwandeln, im Namen der Göttin Kwanyin, die Ihr selbst eine Göttin seid, geschnitzt aus Bergkristall. Einen Kesch, hoher Herr, im Namen
des Gottes Fo, den zu besuchen Ihr Euch anschickt, um sein
brüchiges Standbild neu vergolden zu lassen. Vergolde mir
Eure Güte eine Stunde meines schwarzen Tages. – Ich traf
einen alten Zauberer. Ich bat ihn um Aufklärung über das
Wesen Himmels und der Erde. Er sagte mir: Bruder, tritt der
Gesellschaft Himmels und der Erde bei, so wirst du es erfahren.
Die drei großen Mächte sind: Himmel, Erde, Mensch. Warum
willst du, der Mensch, dich deiner Macht begeben? Einsicht
und Nachdenken wird dich zu den Gestirnen erheben. Du
wirst neben der Weberin im goldenen Kreise ziehen. Ich schwieg
und dachte, und nachdem ich nachgedacht, trat ich der Gesellschaft bei, die das Los der armen Menschen bessern will. –
Das höchste Wesen will nicht, daß Millionen Sklaven sind von
einigen wenigen, denen der Zufall Gold und Edelsteine in
Fülle in den Schoß warf. Der furchtbare Unterschied von arm
und reich muß aufgehoben werden. Weh uns, daß Männer ihre
Seele, Mütter ihre Töchter verkaufen müssen, um des nackten,
dürftigen Lebens willen. Vater Himmel und Mutter Erde ha-

ben nie und nimmer Tausenden ein Recht gegeben, das Eigentum ihrer Millionen Brüder zur Befriedigung ihrer Üppigkeit
zu verschlingen. Sie prassen von dem Schweiß und der Arbeit
ihrer unterdrückten Brüder. Die Sonne mit ihrem strahlenden
Antlitz, die Erde mit ihren reichen Schätzen, die Welt mit ihren
Freuden ist gemeinschaftliches Gut, das zur Bestreitung der
dringendsten Bedürfnisse Millionen nackter Brüder aus den
Händen der paar Tausend zurückgenommen werden muß. Die
Menschheit muß endlich einmal von ihrem Jammer erlöst
werden. Der edle Same des Menschentums darf nicht unter
dem Unkraut der Unmenschlichkeit erstickt werden. Ein solch
verruchtes Unkraut, das den Blumen und nützlichen Pflanzen
die Erde wegnimmt, ist Herr Ma, der Besitzer dieses Hauses.
Er hat meinen Vater in den Tod, mich in das Elend getrieben
und meine Schwester gezwungen, sich ihm zu verkaufen. Sein
Name ist in der Liste der Brüderschaft längst mit einem Kreide-
kreis umgeben. Das bedeutet seine Trennung von dieser Welt.
Sein Urteil ist gesprochen. Und ich bin erkoren, es zu vollstrecken.
*(Haitang erscheint.)*
HAITANG: Was will der fremde Mann am Zaun?
TSCHANG-LING: Er bittet demütigst um eine Schale Reis.
Ihn hungert.
HAITANG: Warte, fremder Mann.
*(Geht und kommt im Augenblick mit einer Schale Reis wieder,
die sie ihm bietet.)*
Wer bist du, fremder Mann?
TSCHANG-LING: Der Sohn eines Vaters, der sich erhängte,
der Sohn einer Mutter, die in Kummer starb. Der Bruder einer
Schwester, die sich verkaufte.
HAITANG: Bruder! – Laß mich vor dir niederknien und den
Staub von deinen Füßen küssen. Wie weit bist du gewandert
durch Schmutz und Kot?
TSCHANG-LING: Kannst du mir verzeihen, daß ich dich einst
schlug wie man ein Maultier schlägt? Wie darf Mensch den
Menschen schlagen, Bruder die Schwester?
HAITANG: Unsere Mutter starb, als du in der Fremde warst.
Herr Ma, mein Gebieter, hat ihr ein sieben Stock hohes Denk-
mal errichtet.

TSCHANG-LING: Hätte Herr Ma unserm Vater ein einstöckiges Haus errichtet, da er lebte, und ihm die geringen Schulden erlassen, Herr Ma hätte besser gehandelt.

HAITANG: Er handelte, wie seine Natur ihm gebot.

TSCHANG-LING: Gebot sie ihm, dich zu kaufen und als seine Sklavin zu halten, seinen bösartigen Trieben dienstbar?

HAITANG: Herr Ma kaufte mich als seine Sklavin, er hat mich als seine Gattin ehren und achten gelernt.

TSCHANG-LING: Und worin besteht diese Achtung?

HAITANG: Er hat mir ein Kind geschenkt.

TSCHANG-LING: Wie, du hast dich dazu hergegeben und erniedrigt, diese verfluchte Rasse der Ma fortzupflanzen?

HAITANG: Es ist auch mein Kind, und auch ich werde in ihm auf Erden wandeln, wenn mein Leib längst im Sarge fault. Ich flehe dich an, Ma nicht zu hassen. Dein Elend macht dich ungerecht gegen ihn. Ich werde Ma bitten, dir eine Stellung zu verschaffen. Er hat ausgedehnte Geschäfte, es wird sich gewiß etwas für dich finden.

TSCHANG-LING: Ich will von seinen verbrecherischen Händen Güter nicht empfangen.

HAITANG: Er ist kein Verbrecher. Er ist weder gut noch schlecht. Dies ist sein Charakter. Er kennt weder das eine noch das andere. Er lebt wie der Panther im Busch.

TSCHANG-LING: Das Raubtier, das sich vom Blute lebender Menschen nährt, muß zur Strecke gebracht werden.

HAITANG: Was willst du tun?

TSCHANG-LING (zieht ein Messer): Sieh dieses Messer –

HAITANG: Ich beschwöre dich –

TSCHANG-LING: Siehst du das Zeichen hier am Knauf?

HAITANG: Es ist das Zeichen der weißen Lotosblume.

TSCHANG-LING: Ich bin Mitglied der Bruderschaft vom weißen Lotos. Die Bruderschaft hat sein Todesurteil gesprochen. Sein Haus soll angezündet und in der Verwirrung geplündert werden. Der Verband der Feuerwehr ist von der Bruderschaft benachrichtigt. Er wird zum Löschen zu spät kommen.

HAITANG: Das Rad des Schicksalswagens rollt, und ich bin mit Stricken daran gebunden. Gewähre Aufschub, ihm und mir. Ich will mit ihm reden. Er wird der Bruderschaft eine

Stiftung von tausend Taels in Gold machen; gewiß, das wird er.

TSCHANG-LING: Er wird sich nicht vom Gericht loskaufen. Das Gericht der Bruderschaft ist unbestechlich.

HAITANG: Das Orakel – laß mich das Orakel des Kreidekreises befragen.

*(Sie zieht einen Kreis.)*

Gib mir das Messer. Ich werfe mit dem Messer nach dem Kreis. Der Kreis umschließt sein Leben. Trifft das Messer den Raum innerhalb des Kreises, so haben die Götter gerichtet, so soll die Lotosblüte sich entfalten, so muß er sterben.

*(Sie schleudert das Messer; das Messer trifft genau die Kreislinie.)*

Das Messer hat nicht innen, nicht außen, es hat genau die Linie des Kreises getroffen. Bruder, nimm das Messer, und berichte der Bruderschaft von dem wunderlichen Orakel. Laß es die Weisesten der Bruderschaft deuten. Dies eine versprich mir, das Urteil nicht eher zu vollziehen, als bis der Sinn des Orakels geklärt.

TSCHANG-LING: Ich werde es den Brüdern berichten. Ich werde wiederkommen.

HAITANG: Bruder, lieber Bruder, wie siehst du so armselig drein. Komm, nimm dieses Pelzgewand

*(sie zieht es aus)*

über deine Lumpen, und nun geh! Fo sei mit dir! Er gebe dem Pfeil deines edlen Willens das rechte Ziel.

TSCHANG-LING: Kwanyin segne dich!

*(Ab. Haitang sieht ihm am Gartenzaun nach, Frau Ma erscheint.)*

FRAU MA: Sie sprachen am Gartenzaun mit einem fremden Mann. Wer war es?

*(Haitang schweigt.)*

FRAU MA: Ich kann mir wohl denken, wer es war. Es gehört keine üppige Phantasie dazu. Schämen Sie sich nicht, an der Straße mit Männern anzubändeln? Sie haben wohl Ihre Teehausmanieren noch nicht verlernt? Haben Sie vergessen, daß Sie die, wenn auch zweite, Gattin eines hochgeachteten Mannes geworden sind? Sie treten die Ehre des Herrn Ma, meines hohen Gebieters und Herrn, mit Füßen. Wissen Sie, was Ihnen gebührt? Dreißig Stockschläge auf die Sohlen! Und was sehe ich soeben? Wo ist der kleine Mantel geblieben, den Sie heut früh noch über dem Kleid trugen?

HAITANG: Ich habe ihn verschenkt.

FRAU MA: Ein Geschenk des Herrn Ma zu Ihrem Geburtstag haben Sie verschenkt?

HAITANG: Ich habe ihn jenem armen Mann am Zaun geschenkt. Er ist so arm, und wir sind so reich. Es war ein Bettler.

FRAU MA: Bettler hin, Bettler her. Sind Sie schon soweit heruntergekommen, daß Sie sich unter den Bettlern einen Liebhaber suchen?

HAITANG: Das Sittengesetz gebietet, den Armen wohlzutun.

FRAU MA: Das, was Sie »wohltun« nennen, wird das Sittengesetz nicht gemeint haben.

HAITANG: Wie viel Elend ist in der Welt, wollen wir nicht versuchen, nach unsern schwachen Kräften dazu beizutragen, es zu lindern?

FRAU MA: Herr Ma zahlt pünktlich seine Kirchensteuern, das genügt. Aber jetzt genug der überflüssigen Kontroversen. Herr Ma will hier im Garten bei dem schönen Wetter seinen Tee nehmen. Richten wir den Teetisch.

*(Tun es, Ma kommt aus dem Hause. Frau Ma und Haitang verneigen sich.)*

MA: Wo bleibt der Tee?

HAITANG: Sofort, lieber Herr.

*(Geht ins Haus.)*

FRAU MA: Darf ich eine Frage an meinen Herrn richten?

MA: Ich bitte darum.

FRAU MA: Haitang scheint Ihrem Herzen seit einiger Zeit besonders nahe zu stehn?

MA: Sie schenkte mir einen Erben.

FRAU MA: Sie haben mir seit Monaten nicht mehr die Ehre eines nächtlichen Besuches erwiesen.

MA: Ich bin Ihnen Rechenschaft nicht schuldig.

FRAU MA: Haitang betrügt Sie! Ich sah sie mit einem fremden Menschen am Gartenzaun stehen. Vielleicht hat sie gar dunkle Pläne, wer weiß? Sie hat dem Fremden ihren mit Pelz besetzten Überwurf geschenkt, den Sie ihr zum Geburtstag verehrten.

MA: Ich werde Haitang sofort zur Rede stellen.

*(Haitang kommt mit einer Tasse Tee.)*

MA: Haitang, man hat mir eben schlimme Dinge berichtet.

HAITANG: Nicht alle Zungen reden wahr.

FRAU MA: Ich pflege nicht zu lügen.

MA: Du hast mit einem fremden Mann hier am Gartenzaun geredet?

HAITANG: Ich habe mit einem Bettler gesprochen.

MA: Du hast ihm den kleinen, mit Pelz besetzten Mantel geschenkt, ein Geschenk von mir? Achtest du so die Geschenke deines Mannes, der dich liebt?

HAITANG: Ich diene in Demut meinem Herrn und weiß seine Güte gebührend zu schätzen. Aber der Bettler hatte nur Lumpen auf seinem Leib. Er fror. Er dauerte mich.

MA: Sahst du den Bettler heut zum ersten Male?

HAITANG: Nein.

FRAU MA: Erkennen Sie nun ihre Treulosigkeit?

MA: Wer war der Bettler?

HAITANG: Mein Bruder.

FRAU MA: Glauben Sie der lügnerischen Person?

MA: Ich glaube, denn ich liebe. Seit ich dich kenne, Haitang, hast du mein Herz verwandelt. Du hast nichts dazu getan, mich zu überzeugen, dein einfaches Dasein wirkte. Hättest du mich, der ich deinen Vater in den Tod, deine Familie in Jammer und Elend gestürzt, nicht hassen müssen? Hättest du mir den Tod gewünscht, es wäre nur allzu natürlich gewesen. Ich habe dich aus dem Teehaus geraubt wie ein wilder Affe im Urwald ein Menschenweib. Du warst immer gleich, immer du, sanft wie eine Göttin. Daß es Göttinnen gibt, habe ich durch dich erfahren. Durch dich habe ich erst an das höchste Wesen glauben gelernt. Haitang, fühlst du, daß ich zu lieben vermag, und daß ich dich liebe?

HAITANG: Tränen der Freude steigen mir ins Auge. Am Himmel die Sonne lächelt wieder. Es wird alles wieder gut werden, da du, Ma, wieder gut wurdest.

MA: Zum erstenmal sagst du »du« zu mir, Haitang. Wie bin

ich froh darüber, daß die Wand zwischen uns fiel, daß ich wie im Hause des Herrn Tong nicht mehr durch die Wand zu kommen brauche. Himmel, Erde, Mensch sind die drei großen Mächte. Du, ich, das Kind – wir werden die drei kleinen Mächte sein. Eins und drei in der einen, seligen Dreieinigkeit.

FRAU MA: Sie wollten Tee trinken, gnädiger Herr.

HAITANG: Ich vergaß den Zucker. Wie nachlässig ich bin.

FRAU MA: Geben Sie die Tasse! Ich werde den Zucker hineintun.

*(Sie nimmt die Tasse, geht bis zur Veranda, zieht die Büchse, die ihr Tschao gegeben, heraus; leise:)*

Ich werde den Zucker hineintun, den mir Tschao gegeben.

*(Schüttet das Gift in den Tee.)*

HAITANG: Die Liebe zu dir hat sich heut wie eine Lotosblume in mir entfaltet.

MA: Ich danke dir für deine Liebe.

HAITANG: Warum sprach ich soeben von einer Lotosblüte? Erinnere mich, wenn du den Tee getrunken hast, daß ich dir von einer Lotosblüte erzählen muß.

FRAU MA *(gibt Haitang die Tasse mit Tee)*: Kredenzen Sie ihm den Tee. Aus Ihren Händen mundet er ihm doppelt gut.

MA: Erzähle mir, während ich trinke, das Märchen von der Lotosblüte . . .

*(Er trinkt, läßt die Tasse fallen, die in Scherben klirrt. Faßt Haitang am Handgelenk.)*

Haitang – ich – sterbe –

*(fällt tot zusammen.)*

HAITANG: Mein lieber Mann – mein lieber Mann – ich wollte dir noch das Märchen von der Lotosblume erzählen – hörst du mich nicht? Siehst du mich nicht? Bist du nicht mehr bei mir?

*(Sie kniet hin vor Ma, legt seinen Kopf in ihren Schoß.)*

FRAU MA: Hilfe! Hier ist jemand ermordet. Herr Ma ist vergiftet.

*(Hin- und Herlaufen von Dienern und Dienerinnen. An der Straße tauchen Tschao und Tschang-ling auf. Eine Polizeipatrouille erscheint.)*

FRAU MA: Ma ist tot. Wir sind frei!

TSCHAO *(entsetzt zurückweichend)*: Wer hat ihn getötet?

*(Polizei.)*

EIN POLIZIST: Was gibt es?

FRAU MA: Diese Person da, Herrn Mas zweite Gattin, ehemals ein Teehausmädchen niedersten Ranges, hat meinen erlauchten Gatten, Herrn Ma, vergiftet.

POLIZIST: Bindet sie!

HAITANG: In der ersten Stunde, da ich dich kennen lernte, muß ich dich verlieren, Ma. – Gebt mir mein Kind! Reißt mich nicht von meinem Kinde!

FRAU MA: Von *ihrem* Kinde? Ihr Geist ist verwirrt oder voll böser Anschläge. Sie hat kein Kind. Das Kind im Hause ist *mein* Kind, das ich von Herrn Ma empfangen, und das sie nur gewartet hat.

POLIZIST: Führt die Verbrecherin ab!

TSCHANG-LING: Ein Gott hat gerichtet!

HAITANG *(vor Mas Leiche):* Er wird abwischen alle Tränen von meinen Augen.

*Vorhang*

## DRITTER AKT

*Im Hintergrund Mitte Sessel des Hauptrichters mit Tisch.*
*Links und rechts Sessel für Beisitzer. In der Mitte über dem*
*Sessel Gobelin mit dem Bildnis des fünfklauigen Drachen.*
*Rechts und links daneben lange schmale Fahnen mit chinesi-*
*schen Schriftzeichen. Vor dem Sessel des Richters ist ein Kreide-*
*kreis gezogen, in den die Angeklagte zu knien hat. Links und*
*rechts im Vordergrund der Raum für Zeugen und Publikum,*
*vom Mittelraum durch Barrieren getrennt. Tschu-tschu, der*
*Richter, sitzt auf dem Richterstuhl und frühstückt.*

TSCHU: Mein Name ist Tschu-tschu, ich bin der von Seiner
Kaiserlichen Himmlischen Majestät
*(erhebt sich, setzt sich wieder)*
eingesetzte oberste Richter von Tscheu-kong. Das Publikum
erwartet deshalb nicht, von mir mit der üblichen Devotion be-
grüßt zu werden. Ich neige weder meine Knie noch meine Stirn
vor einer derartigen Gesellschaft miserabler Kreaturen, wie ich
sie hier zu meinem Abscheu versammelt sehe. Es dürfte nicht
einer im Publikum sein, der es mir an Rang, Ansehen und
Bildung gleichtut, und deshalb dürfte es weit eher am Platze
sein, wenn sich das Publikum zu meiner Ehre von seinen
schmutzigen Bänken erhöbe und dem Prinzip des Staats, der
Rangordnung, des Rechtes und der Sittlichkeit denjenigen Re-
spekt bezeigte, der diesen erhabenen Prinzipien der Menschheit zukommen dürfte. Um neun Uhr sollen die Gerichtsver-
handlungen beginnen, jetzt will ich erst einmal in Ruhe frühstücken.
*(Er knabbert an Früchten, beißt in ein Brot.)*
Das Frühstück gehört zu den angenehmsten Dingen des Lebens. Mit vollem Magen kann man einen Angeklagten, einen
Dieb etwa, der aus Hunger gestohlen, nochmal so leicht und
mit doppelt gutem Gewissen zum Galgen verurteilen. Heute
bin ich leider ein wenig verkatert. Ich habe Kopfweh. Ich habe
die Nacht im Hause des Herrn Tong verbracht in Gemeinschaft
mit den drei reizenden Mädchen Yü, Yei, Yau. Sie haben
mich mit Gong, Flöte und Geige in den Schlaf musiziert, nach-

dem wir Reiswein in erheblichen Portionen zu uns genommen und die reizende Yau mir mit Seele und Leib, besonders Leib, hihi, angehört hatte. Ich habe hier eine kleine, farbige Tuschzeichnung, welche die drei Mädchen völlig unbekleidet in allerlei verfänglichen Stellungen zeigt. Die will ich mir jetzt in Muße betrachten, indem ich mich würdig auf den heutigen Abend vorbereite. Der Nacken von Yü, alle Achtung! Aber die Schenkel von Yau, auch nicht zu verachten! Aber erst die kleinen Brüste von Yei, ihnen muß ich doch den Preis zuerkennen!

*(Tschao tritt ein.)*

TSCHAO: Ich bitte um Vergebung, wenn ich Sie in Ihren Meditationen störe, Exzellenz. Frau Ma, die Klägerin in dem ersten der heute angesagten Prozesse, beauftragt mich, Ihnen als Zeichen ihrer devotesten Unterwürfigkeit unter Euer Exzellenz richterliche Einsicht diesen kleinen Beutel übersenden zu dürfen.

*(Überreicht ihm einen Beutel mit Gold und zieht sich zurück.)*

TSCHU *(läßt das Gold über den Tisch rollen):*

Gold – Gold – keine schönere Musik, als wenn Gold über den harten Tisch rollt. Es klingelt wie Pagoden-Glocken. Beim Geläut des Goldes werde ich förmlich fromm. Frau Ma ist eine überaus freigebige Dame. Sie dürfte ihr Recht finden. Man nennt mich im Volksmund nicht umsonst den Herrn Doppelkopf mit der gespaltenen Zunge. Ich werde schon alles so drehen und deuteln, daß der Schein des Rechtes hell leuchtet und man mir auf keinen Fall an den Wagen fahren kann. Jetzt will ich mich aber noch ein wenig in das Strafgesetzbuch vertiefen

*(packt das Gold und sein Frühstückszeug zusammen)*

und mich in das Beratungszimmer zurückziehen. Die Paragraphen über Beamtenbestechung werden mir keine Kopfschmerzen machen. Ich entferne sie einfach, ritsch, ratsch,

*(reißt Blätter heraus)*

aus meinem Buch. Da ich jedesmal dieses Buch, Gesetze und Verordnungen des Herrscherhauses der Mantschu, beschwöre, danach Recht zu sprechen, so werde ich keinen Meineid leisten, und mein Herz ist rein wie die Wolle eines jungen Lämmchens.

*(Ab durch eine Tapetentür im Hintergrunde. Der Raum hinter der Barriere füllt sich. Frau Ma erscheint. Frau Ma winkt einer dicken Frau, der Hebamme; zieht sie in die Mitte des Raumes.)*

FRAU MA: Vorsicht, treten Sie nicht in den Kreidekreis, sonst werden Sie selbst angeklagt, oder der Zauberkreis bannt Sie.

HEBAMME: O je, o je, wie habe ich's nur verdient, aufs Gericht zu kommen. Die Schande, die Schande! O je, o je, mein Herz schlägt, als sollte es mir die Brust zerschlagen. Was wird mein Mann sagen? Ich habe solche Angst, Frau Ma. Was wird mit mir geschehen? Wird man mich foltern?

FRAU MA: Reden Sie keinen Unsinn, Frau Lien. Sie sind nur hier als Zeugin geladen. Sie sollen zeugen –

HEBAMME: O je, o je, ich glaubte immer, daß nur die Männer zeugen können, wovon ich ja in meinem Berufe mich hinlänglich überzeugen konnte, und nun soll ich selbst zeugen?

FRAU MA: Sie sollen Zeugnis ablegen, Frau Lien, daß der Knabe Li *mein* Kind ist und nicht das der Haitang.

HEBAMME: Aber wie soll ich dieses Zeugnis ablegen, da es doch nicht wahr ist?

FRAU MA: Pst!

HEBAMME: War ich doch selbst es, die die Nabelschnur zwischen dem Kinde und der Frau Haitang trennte.

FRAU MA: Frau Lien, Sie irren sich! Hier haben Sie zwanzig Goldtaels, um Ihrem Gedächtnis auf die richtige Spur zu helfen.

HEBAMME: Frau Ma sind zu gütig, zu gnädig zu einer armen, alten Frau. Ja, ja, ja, ja, jetzt dämmert es mir, mir ist da in der Dämmerung eine Verwechslung unterlaufen – ich habe Sie und Haitang verwechselt! Diese Haitang ist eine stolze und hochmütige Person, und obwohl aus dem gleichen niedrigen Stande wie ich, hat sie nie ein freundliches Wort für mich gehabt. Immer von oben herab!

FRAU MA: Da ist es ja wohl kein Wunder, daß sie Herrn Ma, *(schluchzend)* meinen geliebten Mann, vergiftet hat.

HEBAMME: Was Sie nicht sagen! Vergiftet? Ja, ja, ja, ja, es gibt böse Menschen auf der Welt. Da kann ja auch wohl das Kind nicht von ihr sein.

FRAU MA: Kommen Sie nach Schluß des Prozesses zu mir nach Haus, ich habe noch einige abgelegte Kleider, glänzend erhalten, es wird sich gewiß noch ein Staatskleid für Sie darunter finden.

HEBAMME: Meinen innigsten Dank, Frau Ma.

*(Küßt ihr die Hand.)*

Frau Ma sind zu gütig zu mir, zu herablassend.

*(Frau Ma läßt sie gehen und zieht zwei Kulis nach vorn.)*

FRAU MA: Ihr seid doch Männer, die wissen, was sich schickt?

ZWEI KULIS: Das wollen mir meinen!

*(Spucken in den Saal und sprechen immer gleichzeitig.)*

FRAU MA: Die der Gerechtigkeit zum Siege verhelfen wollen?

ZWEI KULIS: Gerechtigkeit, was ist das?

FRAU MA: Gerechtigkeit ist, wenn ich Euch hier ein paar Taels gebe und ein Päckchen Kautabak, und Ihr sagt hier als Zeugen vor Gericht das aus, was ich Euch vorsagen werde.

ZWEI KULIS: Wir haben in der Schule immer gut auswendig gelernt. Also schießen Sie nur los. Wir werden es genau behalten, denn wir sind helle Köpfe, daran ist kein Zweifel. Wir haben in der Schule gelernt, uns in unserem moralischen Lebenswandel nach Sprichwörtern zu richten. Wir kennen einige treffliche Sprichwörter, nach denen wir uns richten werden: Geld kommt vor allen Tugenden der Welt. Oder dieses: Hast du von jemand Geld bekommen, so handle ihm zu Nutz und Frommen.

FRAU MA: Ich sehe, ich kann mir weitere Belehrungen ersparen. Ihr seid in der Tat aufgeweckte Burschen. Ihr werdet also bezeugen, daß Ihr Nachbarn von Herrn Ma seid, der, als ich seinerzeit den Knaben Li gebar, ein Fest für das ganze Stadtviertel und jedem der armen Leute eine Unze Silber als Festgabe gab. Ihr werdet bezeugen, daß Ihr mich, Herrn Ma und den Knaben oft genug zum Tempel Fo habt pilgern sehn, wo wir zu Ehren des Fo, und daß er den Knaben in seine Hut nehme, Weihgeschenke niederlegten und Weihrauch entzündeten. Ihr müßt beschwören, daß der Knabe mein Kind, und nicht das Kind Haitangs ist.

ZWEI KULIS: *(heben grinsend die Finger zum Schwur):*

Haben wir den Schwur erst mal auf der Gabel hier, dann wird er auch heruntergeschluckt. Der Eid wird geschworen, darauf können Sie das Gift nehmen, das, wie wir hören, Haitang Herrn Ma in den Tee gerührt hat.

FRAU MA: Sie ist eine Mörderin, vergeßt das nicht! Sie verdient das Schlimmste.

*(Kulis zurück in den Haufen.)*

*(Die Gerichtsglocke ertönt. Die Tapetentür öffnet sich, und es erscheinen in gemessenem Zug: Tschu-tschu, Tschao und noch drei Richter. Sie nehmen ihre Plätze ein, bleiben stehen. Zwei Gerichtsdiener halten Zeugen und Publikum, darunter Tschangling, im Schach.)*

TSCHU: Im Namen Seiner Kaiserlichen Himmlischen Majestät

*(brabbelt unverständliches Zeug)*

eröffne ich die heutige Sitzung.

*(Die Richter setzen sich.)*

739. Sitzung, 850. Verfahren, Abteilung Ma contra Ma. Gerichtsdiener, führen Sie die Angeklagte herein.

*(Gerichtsdiener führt aus einer zweiten Tür im Hintergrund Haitang herein.)*

TSCHU: Angeklagte, nehmen Sie Ihren Platz dort innerhalb des Kreidekreises.

*(Haitang macht einen dreimaligen Kotau und steht dann wieder aufrecht da.)*

TSCHU: Herr Tschao, Sie protokollieren?

TSCHAO: Sehr wohl, Exzellenz.

TSCHU: Angeklagte, Sie heißen?

HAITANG: Tschang-Haitang, Tochter des Tschang, Frau des hochgeborenen Herrn Ma.

FRAU MA *(unterbrechend):*

*Nebenfrau* des hochgeborenen Herrn Ma, seine bloße Beischläferin, Konkubine sozusagen, aus einem Freudenhause aufgelesen, die Gattin ersten Ranges bin ich.

HAITANG: Ich war Herrn Ma rechtlich angetraut. Da ich ihm einen Knaben geboren hatte, der Schoß seiner ersten Gattin unfruchtbar geblieben war, gedachte er, mich in den Rang der Hauptfrau zu erheben und sich von Frau Ma zu scheiden.

FRAU MA : Sie lügt wie eine Elster. Seht nur die freche Person. Sie hat ihm ein Kind geboren? Ei, wann denn?

TSCHU : Beruhigen Sie sich, Frau Ma. Im Laufe der Verhandlung wird sich ja alles der Wahrheit gemäß herausstellen. Wer erhebt die Anklage?

FRAU MA : Ich, Yü-pei, rechtmäßige Hauptgattin des verewigten Herrn Ma, klage Haitang, Tochter des Gärtners Tschang und Nebenfrau des hochgebornen Herrn Ma, des versuchten Kindesraubes und des vollendeten Giftmordes an Herrn Ma an.

*(Bewegung im Zuschauerraum.)*

TSCHU : Angeklagte, was haben Sie zu dieser außerordentlich präzisen Anklage zu bemerken?

HAITANG *(leise):* Ich bedaure, dieser Frau Unangenehmes sagen und sie Lügen strafen zu müssen.

TSCHU : Welches ist die erste der fünf Haupttugenden?

HAITANG : Liebe.

TSCHU : Haben Sie Ihren Gatten geliebt, wie es das Gesetz fordert?

HAITANG : Ich bin ihm stets mit Achtung begegnet und habe ihn lieben gelernt am letzten Tage seines Lebens. Da hat er mir die Kammer seines Herzens geöffnet und ein Licht darein gestellt, und ich konnte sehen, in diesem Herzen war ein Sessel für mich errichtet; der Sessel aber, auf dem einst jene Frau gesessen, war leer. Ein welker Pfirsichblütenzweig lag auf dem Polster.

FRAU MA : Sie rezitiert Gedichte, wie sie es in ihrem schimpflichen Beruf gelernt. Denn Liebe machen und Verse machen gilt gleich viel.

TSCHU : Welches ist die zweite der fünf Haupttugenden?

HAITANG : Gerechtigkeit.

TSCHU : Nach Recht und Gerechtigkeit wird hier geurteilt. Um nichts anderes geht es.

HAITANG : Gerechtigkeit – ich bitte, daß sie mir zuteil werde, obwohl ich ihrer vielleicht nicht wert bin. Denn habe ich selbst immer recht gehandelt und geurteilt? Habe ich nicht über meinen Gatten ein Jahr lang eine ungerechte Anschauung gehabt in meinem Innern? Ich bitte die Götter, daß sie alle

Schleier von meinen Augen nehmen und ich klar sehe und nicht ungerecht urteile über jene Frau, die mir so bitter feind gesinnt ist und der ich als erster Gattin zu dienen stets bestrebt war; der ich nie ein böses Wort gesagt habe, über die ich nie einen bösen Gedanken gehegt, der ich nie eine böse Tat getan habe. Diese Frau, ich habe es bemerkt, wenn ich sie morgens schminkte, hat viel Gesichter, wie ein Schauspieler viele Masken trägt und bald diese, bald jene Rolle spielt. Welches ihrer Gesichter ist echt? Welches wahre Gesicht liegt hinter all den Masken? Kann eine Maus die Rolle einer Libelle spielen? Kann eine Hyäne ein Lamm oder einen Hasen vortäuschen?

FRAU MA : Den Tiernamen der Frau, der ich immer nur Gutes getan und die mich so schamlos verleumdet, ich nenne ihn: sie ist eine zischende Schlange.

TSCHU : Welches ist die dritte der Haupttugenden, Angeklagte?

HAITANG : Schicklichkeit.

TSCHU : Sie ließen sie in Ihren Äußerungen eben vermissen.

HAITANG : So bitte ich um Vergebung. Aber es geht um mein Leben, Herr Richter, es geht um mein Kind. Soll ich aus Gründen der Schicklichkeit und des Wohlanstandes mir mein Kind stehlen lassen? Herr Richter, man hat mir im Gefängnis mein Kind verweigert! Man hat mich ohne Nachricht von ihm gelassen! War das wohl anständig, war das schicklich gehandelt, einer Mutter dieses Folterspiel zu bereiten? Li, mein Knabe, erkennst du mich?

FRAU MA : Sie heuchelt. Nie sah man das Laster sich so frech mit Tugenden wie falschen Papierblumen schmücken. Wie kann sie Muttergefühle vortäuschen, da ihr Schoß verdorrt ist wie ein Baum in der Wüste Gobi ohne Wasser?

HAITANG : Mein Schoß verdorrt? Ich unbegnadet? Das heiligste Recht des Weibes mir nicht verliehen? Trug ich doch in diesem meinem Leibe unter diesem meinem Herzen neun Monate lang meinen Knaben Li, die Erfüllung meiner Sehnsucht, die Hoffnung meines Alters. Ich blühte nur, damit ich eine Frucht trüge. Die Blüte fiel ab, die Frucht reifte, reifte in Sonne und Sturmgewitter, in Wollust und Schmerzen. Ich, die ich keine Wollust empfunden, da ich ihn empfing, ich verging vor Wolllust, da ich ihn gebar. Fo hat mich begnadet, gesegnet. Ich habe ihm Weihrauch entzündet jeden Tag meines Lebens.

FRAU MA: Seht doch die ausgezeichnete Schauspielerin, wie sie fremde Charaktere spielt, sich gebärdet wie auf dem Holzgerüst einer Schmiere, wie auf dem Jahrmarkt! Warum ist sie nicht Naive geworden bei einer Wandertruppe? Den dummen Bauern auf den Dörfern hätte sie diese Mätzchen vormachen können, aber nicht einem hohen Gerichtshof von Tscheu-kong.

TSCHU: Welches ist die vierte der fünf Haupttugenden, Angeklagte?

HAITANG: Wahrheit.

TSCHU: Halten Sie sich streng an diese Tugend?

HAITANG: Meine Augen sollen erblinden, mein Mund verstummen, mein Ohr taub werden, wenn ich nicht die lautere Wahrheit sagte. Dies Kind ist mein. Mein Schoß hat es geboren.

TSCHU: Wir wollen zu diesem Punkt die Hebamme vernehmen, die der Mutter bei der Geburt des Knaben Li in ihren Wehen behilflich war. Treten Sie vor, Frau Lien!

HEBAMME: O je, o je, womit habe ich das verdient, vor dem hohen Gerichtshof erscheinen zu müssen.

TSCHAO: Fürchten Sie sich nicht, gute Frau! Sie haben nur der bereits soeben erwähnten vierten Kardinaltugend, der Wahrheit, die Ehre zu geben.

HEBAMME: Ich werde mir die Ehre geben, der Ehre die Ehre zu geben.

TSCHU: Also wie war der Hergang?

HEBAMME: Der Hergang war damals ein großer Hin- und Hergang, als der Knabe Li geboren wurde.

TSCHAO (zu Tschu):
Die gute Frau steht dem gebildeten Idiom, das Eure Exzellenz zu sprechen belieben, unverständlich gegenüber.

HEBAMME: Alles, was recht ist, oder alles, was unrecht ist: beleidigen lassen brauch ich mich auch von dem hohen Gerichtshof nicht. Wenn ich auch eine einfache Frau aus dem Hefeteig des Volkes bin, ein Idiom bin ich darum noch längst nicht.

HAITANG: Frau Lien, Sie waren es doch, die mir bei der Geburt des Knaben die Schnur gelöst hat! Frau Lien, erkennen Sie mich denn nicht wieder?

HEBAMME *(dicht herantretend):* Ich bin ein wenig kurzsichtig und muß Sie mir deshalb aus der Nähe betrachten.

TSCHU: Frau Lien, erkennen Sie die Angeklagte?

HEBAMME: Ich kenne die Angeklagte schon. Es ist die Haitang, die Nebenfrau des verstorbenen hochgeborenen Herrn Ma, Fo hab ihn selig!

TSCHU: Und ist sie die Mutter des Knaben Li?

HEBAMME: Sie hat den Knaben wohl oft auf den Armen getragen, gewartet und in den Schlaf gewiegt, wie es die Pflicht der Nebenfrauen ist; aber die Mutter des Knaben ist jene! *(Zeigt auf Frau Ma.)* Obwohl das Zimmer der Wöchnerin wie üblich verhängt war und man in der Dunkelheit kaum die Mutter vom Kinde unterscheiden konnte, so ist doch kein Zweifel, daß Frau Ma den Knaben geboren hat.

HAITANG:
Frau Lien, als ich in Wehen lag,
Da waren Sie um mich Nacht und Tag.
Wie waren Sie zärtlich, waren gut,
Stillten mein fast verrinnendes Blut.
Haben meinem Kind und dem Leben
Mich, die dahin schon, zurückgegeben.
Betteten mich mit freundlichem Sinn
Auf das Lager von Matten hin.
Sie lösten die Nabelschnur, riefen meinen Mann,
Zündeten vor dem Hausaltar die Kerzen an.
Sie weinten mit mir um mein Mutterglück.
O rufen Sie die Tränen zurück!
Die Wahrheit, die Wahrheit: dies Kind ist mein
Und darf mir nicht genommen sein.

FRAU MA: Das listige Weib macht sich der Beeinflussung der Zeugin schuldig.

TSCHU: Man schlage die Angeklagte wegen ungebührlichen Benehmens vor Gericht. Im Wiederholungsfalle werden ihr Heißwasserschlangen angedroht. Sie wird auf Glassplittern knien, und man wird ihr die Knöchel zerquetschen.
*(Zwei Soldaten springen vor und schlagen sie zwei-, dreimal mit eckigen Bewegungen.)*

HAITANG:
Wie Feuer brennt mein Rücken,
Wie Sturm weht mein Atem.
Verflöge doch meines Lebens Hauch
Der Nachtschmetterling.
*(Das Kind beginnt zu weinen.)*
TSCHU: Still! Ich rufe das Kind zur Ordnung!
TSCHAO *(zu Frau Lien):* Können Sie Ihre Aussagen beschwören?
HEBAMME: Das will ich meinen!
TSCHU: Die Zeugin wird vereidigt. Sprechen Sie die Worte nach: Ich schwöre bei den Gebeinen meiner Ahnen –
HEBAMME: Beinen meiner Ahnen –
TSCHU: Daß ich die reine Wahrheit gesagt –
HEBAMME: Keine Wahrheit gesagt –
TSCHU: Nichts verschwiegen und nichts hinzugesetzt habe – So wahr mir Fo helfe!
HEBAMME: So wahr mir Fo helfe!
TSCHU: Die Zeugin ist abzuführen.
TSCHAO: Die Zeugen Gebrüder Sang!
ZWEI KULIS *(die immer gleichzeitig sprechen, treten vor und leiern sofort herunter):*
Hoher Gerichtshof, Herr Ma war ein sehr vermöglicher, womöglicher und viel vermögender Mann. Wir konnten uns natürlich nicht schmeicheln, zu seinem näheren Umgang zu gehören. Aber als seine erste hochgeborene Gattin einen Knaben gebar, gab er seinem Stadtviertel, in dem auch wir die Ehre haben zu wohnen, ein Fest, eine Festivität, wo es so lustig herging, daß wir beide noch heute betrunken sind, wenn wir daran denken. Jeder von uns erhielt auch eine Unze Silber als Festgeschenk. Später haben wir noch oft Gelegenheit gehabt, Herrn und Frau Ma, letztere den Knaben auf dem Arm, zum Tempel des Fo, des Beschützers des Kleinen, wandeln zu sehen.
HAITANG: Ihr lügt, bestochen von Frau Ma. Saht Ihr nicht täglich mich, mein Kind auf Händen, zum Tempel Fos, des Gottes, eilen, es seiner Obhut zu vertraun?
ZWEI KULIS: Die Wahrheit, die wir bekunden, wird wahrscheinlich so ziemlich beinahe fast immer wahr sein. Daran ist

nicht zu tüfteln. Sollte eine Lüge über unsere wahrheitlieben-
den Lippen gekommen sein, so möge uns daran ein Geschwür
wachsen, so groß wie eine Teetasse.

TSCHU: Können die Zeugen die Wahrheit ihrer Aussagen beschwören?

ZWEI KULIS: Und ob!

TSCHU: So sprechen Sie den Schwur nach.

*(Zeremonie wie oben.)*

Die Zeugenvernehmung über den geplanten Kindesraub wird
geschlossen. Es bleibt die Frage des Giftmordes. Wer hat gesehen, daß die Angeklagte ihrem verewigten Gatten statt Zuk-
ker Gift in den Tee schüttete, um sich unrechtmäßig Knabe und
Erbteil anzueignen?

FRAU MA: Ich!

HAITANG:

Himmlisches Licht, du hast dich ganz vermummt.

Wo leuchtest du?

Himmlische Glocke, du bist verstummt.

Wann läutest du?

Kommt es nie an den Tag, bleibt es in Nacht,

Wer Herrn Ma zu Tod gebracht?

Ich bin wehrlos, ehrlos ganz,

Trag auf meinem armen Kopf einen Brennesselkranz.

TSCHAO: Frau Haitang hatte wohl noch ein anderes Motiv,
sich Herrn Mas zu entledigen.

TSCHU: Das wäre?

TSCHAO: Darf ich an die Angeklagte eine Frage stellen?

TSCHU: Ich bitte darum.

TSCHAO: Angeklagte, wer war die Ursache des selbstgewählten Todes Ihres Herrn Vaters?

*(Haitang schweigt.)*

So will ich selbst die Antwort übernehmen. Herr Ma war die
Ursache seines Todes. Man schuldete ihm Abgaben, die man
nicht aufbringen konnte. Seit jenen Tagen trug die Angeklagte
ein Gefühl der Rache im Busen gegen ihren Gatten, der ihren
Vater in den Tod getrieben. Zu dem Motiv der Erbschleicherei
gesellt sich das Motiv der Rache.

TSCHU: Ihre Beweisführung leuchtet mir vollkommen ein,

Herr Kollega. Die Angeklagte erscheint auf das schwerste belastet.

HAITANG : Das Schicksal lastet auf mir wie ein Grabstein.

TSCHU : Können Sie Ihre Wahrnehmung beschwören?

FRAU MA : Ich beschwöre bei den Gebeinen meiner Ahnen, daß die, die nicht die Mutter des Kindes ist, ihren Gatten mit Gift aus dem Wege geräumt hat, um sich unrechtmäßig Knabe und Erbteil anzueignen.

HAITANG *(entsetzt):* Sie schwört die Wahrheit.

TSCHU : Die Inkulpatin hat gestanden! Die Zeugenaussagen werden geschlossen. Das Gericht zieht sich zum Urteilsspruch zurück.

*(Tschu, Tschao usw. ab.)*

FRAU MA : Ihr habt das Spiel verloren.

HAITANG : Ich spielte nicht.

FRAU MA : Ihr werdet bald um ein Viertel kleiner sein als jetzt.

HAITANG : Man kann mir den Kopf abschlagen, man kann mir das Herz aus dem Leibe reißen, aus meinem zerrissenen, aufs Rad geflochtenen Leib wird noch die Flamme der Wahrheit emporspringen.

FRAU MA : Ich sprach die Wahrheit.

HAITANG : Ihr sagtet sie. Seht mich vor Euch knien. Nehmt das Vermögen des Herrn Ma, nehmt alles, was Ihr wollt. Seht, diese kleine Kette gefällt Euch vielleicht, es sind indische Perlen; diese Schuhe sind bestickt, nehmt alles, alles, nur laßt mir mein Kind.

FRAU MA : Das Kind bleibt mein.

*(Gericht zurück.)*

TSCHU : Im Namen Seiner Himmlischen Majestät

*(brabbelt)*

erkennt der hohe Gerichtshof als zu Recht folgendes Urteil: Die Angeklagte Tschang Haitang wird wegen versuchten Kindesraubes und vollzogenen Giftmordes an ihrem Gatten Ma zum Tod durch des Henkers Schwert verurteilt. Gerichtsdiener, legt ihr den neunpfündigen Block um den Hals.

DIENER : Zu Befehl, Exzellenz.

*(Er legt Haitang den Block um.)*

Hinein mit dem Hals in den Block, du Weibsstück.

HAITANG: Mein Recht! Mein Kind!

TSCHU: Unverschämtes Geschöpf! Ich sollte dich mit dem Pantoffel ins Gesicht schlagen. Merke dir eines: wenn ich ein Urteil spreche, so ist es gerecht, die Verhandlung führe ich streng unparteiisch und alles geht objektiv und absolut gesetzmäßig her.

*(Ein Kurier tritt auf, Haitang wird abgeführt.)*

KURIER: Stafette aus Peking.

TSCHU *(erbricht sie):*

Ich bin erschüttert. Ich ersuche alle Anwesenden, mit der Stirn die Erde zu berühren. Seine Himmlische Majestät ist im hohen Alter von fünfundsiebzig Jahren an Altersschwäche verschieden. Zum Nachfolger wurde durch das Los Prinz Pao erkürt, der den kaiserlichen Thron bestiegen hat. Er entbietet seinen Untertanen seinen kaiserlichen Gruß. Alle Todesurteile werden suspendiert und kraft seiner Machtvollkommenheit Richter und Gerichtete nach Peking berufen. Denn seine erste Amtshandlung soll im Zeichen der Gerechtigkeit stehen. Großer Fo, im Zeichen der Gerechtigkeit!

*(Wischt sich den Angstschweiß von der Stirne.)*

TSCHANG-LING *(im Zuschauerraum des Gerichtes):*

Was fürchtest du alter Mann, alter Narr? Kaiser und Richter, Ihr steckt ja doch unter einer Decke. Der neue Kaiser wird nicht besser sein als der alte. Wir Armen werden auch unter seinem Drachenbanner rechtlos am Straßenrand verrecken. Haitang ist unschuldig wie eine Sonnenblume oder der Abendstern. Sie soll nicht sterben. Die Unschuld ist unsterblich. Mit meinen Fäusten will ich dem Henker das Beil aus der Hand reißen und der Ungerechtigkeit in den erhobenen Arm fallen.

TSCHU: Wer ist der Kerl, der die Majestät lästert? Gerichtsdiener, auch mit ihm in den Block. Er hat des Kaisers Majestät gelästert. Seine Majestät wird sich mir erkenntlich zeigen, wenn ich ihr einen solchen Übeltäter bringe, der das Fundament des Staates unterwühlt wie ein Maulwurf. Es soll nicht heißen, daß ich es an Strenge revolutionären Elementen gegenüber fehlen lasse. Auf nach Peking!

*Vorhang*

## VIERTER AKT

*Schneesturmlandschaft. Man hört die Soldaten hinter der Szene singen.*

Soldat, du bist mein Kamerad,
Marschierest mir zur Seite.
Der Kaiser, der befehligt uns,
Kein Mädchen mehr beseligt uns,
Soldat, du bist mein Kamerad,
Marschierest mir zur Seite.
Soldat, du bist mein Kamerad,
Wenn du das Schwert verloren,
So deck' ich dich mit meinem Schild
Und bin als Bruder dir gewillt.
Soldat, du bist mein Kamerad,
Wenn du das Schwert verloren.
Soldat, du bist mein Kamerad,
Wenn unsre Knochen bleichen,
Mond fällt auf uns wie gelber Rauch,
Der Affe schreit im Bambusstrauch.
Soldat, du bist mein Kamerad,
Wenn unsre Knochen bleichen.

*(Haitang, gefesselt und im Holzblock, von zwei Soldaten eskortiert, die sie prügeln.)*

ERSTER SOLDAT: He, vorwärts, Tochter einer Schildkröte! Ich werde deine Mutter schänden, wenn du deine Beine nicht flinker bewegst. Meinst du, es ist ein Vergnügen, dich durch den Schneesturm zu eskortieren?

HAITANG: Erbarmen, lieber Herr!

ERSTER SOLDAT: Hopla, Grashüpfer! Spring ein wenig!

HAITANG: Das Gewicht des Blockes ist zu schwer für mich. Es zieht mich nieder. Ich bin am Ende meiner Kräfte.

ERSTER SOLDAT: Und wir am Ende unserer Geduld.

HAITANG: Ich leide.

ZWEITER SOLDAT: Die Leiden sind dem Weibe nötig, damit sein Charakter sich entwickelt – steht in einem pädagogischen Buch. Vorwärts!

HAITANG: Ich sterbe.

ERSTER SOLDAT: Ein guter Tod ist das halbe Leben. Vorwärts!

HAITANG: Kennt Ihr nicht das Gebot des heiligen Katechismus, Mitleid mit jeder Kreatur zu haben?

ZWEITER SOLDAT: Ja, Mitleid mit jeder Kreatur. Jeder kann sich die Kreatur aussuchen, mit der er Mitleid haben will. Ich habe in diesem scheußlichen Schneesturm zum Beispiel Mitleid mit mir.

HAITANG: Ich falle. Der Weg ist vereist. Ich kann keinen festen Boden unter den Füßen finden.

ERSTER SOLDAT: Du hast den Boden unter den Füßen längst verloren. Vorwärts!

*(Haitang fällt.)*

ERSTER SOLDAT: Wart, ich will dich lehren zu fallen. Verdammtes Weibsstück, du hast

*(fällt selbst)*

mich behext.

HAITANG: Die Knie brechen mir.

ERSTER SOLDAT: Wer ein Verbrechen begangen hat, muß es auch büßen. Warum hast du deinen dicken Mann umgebracht und der ersten Frau das Kind rauben wollen?

HAITANG: Ich habe keinen rechtschaffenen Richter gefunden. Der Herr der sieben Hügel, der über den Wolken thront, der Herr des südlichen Polarsterns, der Herr der hundert Zeichen mag es bezeugen. Er wird gnädiger sein als die Menschen.

ERSTER SOLDAT: Wie, beschuldigst du den Herrn Oberrichter, Exzellenz Tschu-tschu, eines Falschspruches? Danke dem Himmel, daß wir über diese freche Anschuldigung hinweghören. Gemäß unserem Reglement müßten wir's zur Anklage bringen, und bevor man dir den Kopf abschlägt, würdest du wegen Beamtenbeleidigung noch ein wenig gestäupt werden.

ZWEITER SOLDAT: Warum gibst du uns nichts von dem deinen? Kesch ... Kesch ... Dann brauchst du dich den Teufel um die Redlichkeit oder Unredlichkeit der Richter scheren. Wir ließen dich sofort laufen und machten uns selbst aus dem Staube.

HAITANG: Wie gern würde ich Euch beschenken, ob Ihr mich

freiließt oder nicht. Ja, ich würde es nicht zulassen, daß Ihr mich freigebt und meinetwegen Unannehmlichkeiten hättet, aber ich habe nichts als mein armseliges Herz.

ERSTER SOLDAT: Selbstlose Liebe ist ein allzu billiges Vergnügen.

HAITANG: Hätte ein Wolf mich angeklagt, eine Hyäne über mir zu Gericht gesessen, sie hätten Mitleid mit mir gehabt. Wäre eine Dohle, die als besonders lügnerisch gilt, als Zeugin gegen mich aufgetreten, sie hätte nicht solche Lügen erfinden können wie diese meineidigen Zeugen.

ZWEITER SOLDAT: Du wirfst den Zeugen Meineid vor? Wo hast du denn Beweise dafür?

HAITANG: Mein Herz.

ERSTER SOLDAT: Dein Herz? In dein Herz vermögen wir nicht zu sehen. Es wird wohl auch finster genug sein.

HAITANG: Noch leuchtet ein schwaches Licht darin, die Hoffnung –

ZWEITER SOLDAT: Die Hoffnung, worauf?

HAITANG: Sind alle Menschen denn schlecht, ist einer die Bestie des andern?

ERSTER SOLDAT: Du darfst nicht von dir auf andere schließen. Ich zum Beispiel habe noch nie etwas Böses getan. Sieh mich an! Ich habe alle Gebote der Zeremonienbücher immer strikt gehalten, ich habe Vater und Mutter geehrt und ihnen kostbare Särge gekauft, ich diene meinen Vorgesetzten in Ergebenheit, ich habe ein gutes Gewissen.

HAITANG: Wie kannst du ein gutes Gewissen haben, wenn du gezwungen bist, einen armen Menschen wie mich zu schlagen?

ERSTER SOLDAT: Woher weiß ich, daß du unschuldig bist?

HAITANG: Ich dachte immer, daß unschuldige Menschen einen Glanz um die Stirne haben. Es stand in dem ersten Schulbuch zu lesen, das ich las.

ZWEITER SOLDAT: Laß sehen! Ich sehe keinen Glanz um deine Stirne als den Glanz der Schneeflocken.

HAITANG: Mein Kind – wo ist mein Kind?

ERSTER SOLDAT: Bei seiner Mutter, verstocktes Weib, das selbst der Holzblock nicht zur Buße und Einkehr zwingt.

HAITANG: Da kein Mensch mehr hört, will ich meine Klage

in den Schneesturm schreien. Höre mich, Sturm! Ich klage es dir, Schnee! Ihr Sterne hinter den Wolken, lauscht! Und unter der Erde, ihr, die ihr den Winterschlaf schlaft: Maulwurf und Hamster und Kröte, ihr träumenden Dämonen auch, wacht auf! Es darf kein Schlaf und kein Traum sein, wenn einem Menschen Unrecht und Untat geschieht. Ihr Toten in den Särgen, angetan mit den Gewändern aus Brokat oder Sackleinewand, schüttelt eure schlotternden Glieder wie Pagodenglokken, daß sie klingen, daß sie zum Aufruhr läuten! Erhebt euch! Kommt über die weißen Felder gewandert wie weiße Ratten über den Schnee! Helft mir, die eure Schwester schon, und halb nur noch im Leben wandelt! Ich rufe euch, ihr Toten, zum Gericht über mich. In euch, die ihr allen Flitter der Welt abgeworfen, selbst euer Fleisch, ist kein Falsch. Ihr toten Mörder, kommt und sagt, ob ich gemordet! Ihr toten Lügner, kommt und sagt, ob ich log! Ihr toten Mütter, alle Mütter der Welt, schreit, ob ich mein Kind nicht mit Recht von den Räubern fordere! Seht doch, die Erde selbst trauert, sie hat ein weißes Gewand angelegt mir zu Ehren – es schneit – es schneit – weiß – immer weißer – die Erde trägt eine Robe aus dem Fell weißer Schafe, und sie hat sich eine weiße Fuchspelzkappe über das Haupt gezogen. Wie der Schnee so weiß, wie der Mond so weiß, werden unsere Häupter einmal sein. Was ist das für ein weißer Kreis am Himmel, wie mit Kreide gezogen? Zwischen den Wolken, du mildes Angesicht des Mondes, blinke mir Hoffnung zu! Der Schnee fällt, Flocke um Flocke. Die Götter scheren ihre kleinen Lämmer. Meine Tränen fallen wie die Flocken. Wo meine Tränen in den Schnee fallen, färbt sich der Schnee rot. Ich weine Blut. Ich höre die Schreie der Raben in den Lüften. Ich sehe ihre Fußspuren im Schnee. Man sagt, die Schrift sei den Fußspuren der Vögel nachgebildet. Ich lese mein jämmerliches Schicksal im Schnee. Ach, selbst die Aasgeier bejammern mein Los. Unter der Eisdecke des Flusses ein Stöhnen. Es ist die Flußgöttin, sie seufzt über das Elend der Menschen. Ich bitte Euch, liebe Herren, nehmt Eure Schwerter und schlagt ein Loch in das Eis, und laßt mich in die nassen, kalten Fluten sinken, versinken! So eisig die Umarmung der Flußgöttin – sie wird wie Feuer brennen gegen die kalten Herzen der Menschen ...

ERSTER SOLDAT: Zu lang schon haben wir dein Quäken mit-
angehört, Wasserfrosch. Vorwärts jetzt! Der Weg nach Peking,
wo der neue Kaiser in eigner himmlischer Person den ersten
Hinrichtungen seiner Ägide beizuwohnen geruhen wird, ist
noch weit.

ZWEITER SOLDAT: Es ist eine Ehre für dich, unter den Augen
des Kaisers zu sterben. Sieh zu, daß du anmutig den Kopf auf
den Richtblock legst, damit der Kaiser ein Wohlgefallen an dir
habe.

ERSTER SOLDAT: Vorwärts!

*(Wie ein Echo von der andern Seite: Vorwärts mit dir, du
Lump!)*

Hörtest du nicht Stimmen im Dunkel?

ZWEITER SOLDAT: Mir war so, als riefe uns jemand zu.

*(Von rechts kommt Tschang-ling, ebenfalls von zwei Soldaten
eskortiert, die hölzerne Krause um den Hals.)*

DRITTER SOLDAT: Vorwärts, du Schwerverbrecher, du Revolutionär, dir wird man es eintränken.

VIERTER SOLDAT: Begehrt gegen die Staatsgewalt auf, die
sich in uns verkörpert.

DRITTER SOLDAT: Hat ein Attentat auf die geheiligte Person
der Majestät an geweihter Stelle mitten im Gerichtssaal begangen.

VIERTER SOLDAT: Wollte ihm das Messer mit dem Zeichen
der Lotosblüte in die Brust stoßen.

TSCHANG-LING:

So einsam wir durch unsre Tage gehen,
Daß wir kein Weib, keinen Hund uns zur Seite sehen.
Sie stehen links und rechts und reichen sich die Hände
Und stehen da wie schwere, graue Wände,
Mich zu zerschmettern. Gepeitscht von ihren Gedanken,
Muß ich durch ihre dumpfe Gasse schwanken.
Sie schließt sich hinter mir zum eisernen Wall.
Grell durch die Einsamkeit dröhnt meiner
    Taumelschritte Widerhall.

O Leid! O Zeit! Was kam ich in einem Land zur Welt, wo Gerechtigkeit nur ist für die Reichen, und die Armen ein Spiel-
ball sind ihrer herrischen Lüste! In diesem Land gilt gut als

böse, und böse als gut. Der Ochsenfrosch bläst sich auf und will singen. Der Schmetterling fällt in den Teich und ertrinkt. Wer vor Hunger zu Boden stürzt, erhält noch einen Tritt in den Leib. Der Reiche, der sich von der Arbeit der Armen mästet wie eine feiste Ente, lächelt ihrer Tränen. Hier spricht jeder eine andere Sprache. Der Vater versteht den Sohn nicht, und der Sohn nicht den Vater. Liebe – Liebe – was ist das für ein sinn- und gewinnloses Wort! Krähenspuren im Schnee, wie bald sind sie verweht. Der Mann prügelt grinsend die Frau. Lächelnd betrügt die Frau den Mann. Die Kinder werfen mit Steinen nach dem Greis. Der blinde Bettler an der Tempelpforte ist ihnen ein Hohngelächter. Wenn Krieg ist, winseln sie um Waffenstillstand, aber wenn Friede ist, gehen sie mit Messern aufeinander los. Einer ist die Bestie des andern. Sie hassen den eigenen Volksgenossen heißer als den Feind außerhalb der Landesgrenze. Da der Feind mächtig ist, und ihre Waffen wie Weidenruten sind gegen einen Wald von Speeren, so erproben sie ihren Kampfesmut an ihren schwächeren Volksgenossen und schlagen todesmutig und todeswütig den eigenen Bruder tot, wenn er keine Waffe hat, sich zu wehren; oder sie schießen aus dem Hinterhalt mit vergifteten Pfeilen nach ihm. Auf den Kathedern der gelehrten Schulen sitzen Esel als Professoren – dutzendweise. Sie haben sich Löwenfelle übergezogen und predigen den Krieg. Die Esel gegen die Löwen, der Hase gegen die Füchse. Neulich begegnete ich aber einem wahrhaft weisen Manne. Er war als Zugtier vor einen Karren gespannt, die Geißel flog über seinen entblößten Rücken, und er wieherte wie ein Pferd. Laßt ihn nur, schrie der Kutscher blökend, er ist im Monat des Pferdes geboren. Laßt ihn nur Pferd sein. Der Kaiser aber sitzt in Peking auf seinem Thron aus Lapislazuli. Er hält die Augen geschlossen wie Gott Fo. Er sieht nur nach innen und meditiert. Ach, daß ich Gott selbst das Messer mit der Lotosblüte in den Bauch rennen könnte!

DRITTER SOLDAT: Er lästert Gott und die Heiligkeit der Majestät! Na warte, Bürschchen! Tausend Bambushiebe sind dir vor der Exekution noch so sicher wie das Amen beim Gebet.

HAITANG *(aufschreiend)*: Bruder!

TSCHANG-LING: Schwesterseele!

ERSTER SOLDAT: Kamerad, wenn es dir recht ist, so wollen wir, da unsere Transporte ja doch den gleichen Weg nach Peking haben, die Verbrecher mit den Zöpfen zusammenbinden. Nun werden sie leichter vorwärts zu treiben sein.

DRITTER SOLDAT: Das wollen wir also tun.

*(Morgenstimmung, es hat aufgehört zu schneien.)*

Hier muß eine Schenke in der Nähe am Wege liegen. Da wollen wir uns Glühwein geben lassen und unsere erstarrten Glieder etwas wärmen. Es war eine bitterkalte Nacht.

*(Klopfen an die Schenke, die aus dem Morgenrot taucht.)*

Heda! Aufgemacht!

WIRT *(von innen):* Sofort, meine Herren, sofort! *(Schlüsselrasseln. Von fern Trompetenstöße.)*

ERSTER SOLDAT: Das ist das Zeichen Seiner Exzellenz, des Oberrichters Tschu-tschu. Er ist ebenfalls auf dem Weg nach Peking.

*(Läufer. In einer Sänfte wird Tschu-tschu vorübergetragen. Kotau der Soldaten und des Wirts. Tschang-ling und Haitang bleiben aufrecht stehen. In einer zweiten Sänfte Tschao. In einer dritten Yü-pei, jetzt Frau Tschao, mit dem Kinde. Als Haitang das Kind sieht, stürzt sie auf die Sänfte zu, reißt Tschang-ling mit sich.)*

ZWEITER SOLDAT: Zurück mit dir, Weibsstück! Wirst du wohl die hohen Herrschaften nicht belästigen?

HAITANG: Mein Knabe Li! Erkennst du mich? Erkennst du deine Mutter?

*(Der Zug der Sänften wie ein Schattenzug ab.)*

ERSTER SOLDAT: Wirt, schnell für jeden von uns einen Glühwein. Und dann ihnen nach. Um Mittag müssen wir in Peking sein.

WIRT: Sofort! Heißes Wasser ist schon angesetzt. Sollen die Herren Verbrecher ebenfalls einen Schluck –?

DRITTER SOLDAT: Wenn sie das Geld haben zu zahlen, habe ich nichts dagegen.

TSCHANG-LING *(ist zusammengesunken):* Ich habe kein Geld; aber ich sterbe, ich erfriere, ich verdurste.

HAITANG: Herr Wirt, ich habe kein Geld; aber ziehen Sie mir den kleinen Übermantel aus, ich flehe Sie an, nehmen Sie ihn als Bezahlung für ein Glas Wein. Trink, Bruder, trink, das wird dich wieder zum Leben erwecken.

TSCHANG-LING: Die Sage geht, daß vom Silberstern zuweilen Engel auf die Erde herniedersteigen. Haitang, bist du ein Mensch?

SOLDATEN: Vorwärts nun, zum Kaiser!

HAITANG: Sonne, ich habe meinen Schatten verloren. Sonne, rote Blüte im Schnee, wenn du am Abend verblaßt, wirst du deine welken Blütenblätter auf das Doppelgrab eines Bruders und einer Schwester streuen.

*(Alle ab. Gleich darauf erscheint mit einer Papierlaterne der Wirt und ruft ihnen nach.)*

WIRT: Herr Unteroffizier, Herr Unteroffizier, Sie haben das Bezahlen vergessen!

SOLDATEN *(aus der Kulisse)*: Komm her, wenn du bezahlt sein willst – fünfundzwanzig Stockhiebe für jeden Glühwein!

WIRT:
Da steh ich nun, ich armer Mann,
Und nimmt kein Gott sich meiner an.
Wer eine Waffe trägt in der Hand,
Der hat die Macht im ganzen Land.
Darf ungestraft stehlen, rauben, morden
Und ist am Ende gar Kaiser geworden.
Der Heilige ein Dummkopf, der Mörder ein Held –
Wo ist Gerechtigkeit auf der Welt?
*(Er bläst seine Laterne aus. Die Sonne steht als roter Ball über der Schneelandschaft.)*

*Vorhang*

## FÜNFTER AKT

*Die ersten Szenen spielen vor einem Vorhang, der später sich*
*öffnet und den Thronsaal des kaiserlichen Palastes in Peking*
*zeigt.*

KAISER *(der ehemalige Prinz Pao):*
Diktiere, Bruder Dichter, deine Verse, die Verse, die dir heute
nacht zwischen Traum und Wachen eingefallen sind; ich will
sie niederschreiben mit silberner Tusche auf Schwarz.
DICHTER : Improvisation des Kaisers für eine ferne Geliebte –
schreib, Bruder Kaiser –
Blume
Frau,
Dem Kaiser ist ein Lächeln eingegraben,
Ewiges Lächeln, unvergänglich, seit er dich sah.
Die Jahreszeiten fliehen an dir vorüber
Auf jagenden Rossen –
Du bleibst dir gleich
Dir treu
Auf der Nordseite der Terrasse
Beugst du die jungfräulichen Brüste über das Blumengeländer
Eine Blume zwischen den Lippen.
KAISER *(schweigt, dann):* Du sprichst aus meinem Herzen, Li.
Kennst du die Frau, an die ich oft denke?
DICHTER : Ich kenne sie nicht, doch wird sie deiner würdig
sein.
KAISER : Sie war Teehausmädchen in Nanking. Es ist ein Jahr
her. Damals lebte der alte Kaiser noch, damals war ich noch
der simple Prinz Pao, und mich hatte nicht das Los unter fünf-
zehn kaiserlichen Prinzen zum neuen Kaiser erwählt. Ich wollte einen Abend totschlagen, wie ich so viele meiner leeren
Abende und Nächte totschlagen mit einem Mädchen, Reiswein, Gesang und Tanz in einem Teehaus. Ich ging in das erste
beste am Weg. Ein weißer Vogel auf schwarzem Grund war
sein Schild. Was für einen schönen, weißen Vogel traf ich im
Käfig drinnen!
DICHTER : Ihr zwitschertet zu zweit im Wechselgesang –

KAISER: Bis ein Habicht aus den Wolken stieß und mir den kleinen, weißen Vogel raubte.

DICHTER: Du verfolgtest den Räuber deines Glückes?

KAISER: Ich hatte kein Recht dazu.

DICHTER: Und fragt ein Liebender nach Recht und Macht?

KAISER: Vielleicht, daß ich zu wenig liebte?

DICHTER: Wer liebt, der stiehlt und mordet um sein Glück.

KAISER: Gerechtigkeit – so heißt des Kaisers oberstes Gesetz und aller Tugenden Tugend. Ich habe darum für heute alle Verbrecher, die in meinem Reich seit meiner Thronbesteigung zum Tode verurteilt wurden, samt ihren Richtern hierher in meinen Palast entboten, um Gerichtstag zu halten. Ich habe Frieden geschlossen mit den Feinden des Landes, den Tataren; mich dauerte das unnütz vergossene Blut. Vergossen um den Besitz einer dürren, unfruchtbaren, gleichgültigen Provinz an der Wüste Gobi. Ich trat sie leichten Herzens dem Feinde ab. Nun will ich gegen die inneren Feinde zu Felde ziehen. Der innere Feind aber ist vor allem – ein bestechliches Beamtentum. Ungetreue Richter, deren Seele vergeizt und verfilzt und deren Urteil käuflich ist wie Fische am Markt. Ich will den Unterdrückten meines Volkes helfen, ich will ihr Bruder, nicht ihr Richter sein. Mein Schatten aber genüge schon, den Bösewichtern Schrecken einzujagen. Die Lilie meines Wappens für die Guten, das Schwert darin für die Schurken. Auf den steinernen Tisch, in den die Gesetze eingegraben sind, habe ich das Zeichen »Im Namen des Gottes« eingraben lassen. Wer dieses Zeichen sieht, der sei von heiliger Scheu durchdrungen. Denn der Gott richtet durch meinen Mund.

*(Ein Zeremonienmeister tritt auf.)*

ZEREMONIENMEISTER: Untertänigst zu vermelden, Euer Majestät, es ist Zeit, sich zu der Sitzung umzukleiden.

KAISER: Ich komme. Begleite mich, Li. Setz mir die Krone auf. Aus wessen Händen nähme ich sie lieber, als aus den deinen. Ich will, daß unsere Freundschaft immer bestehe und du immer um mich seist. Ich werde dich zum Mitglied der Kaiserlichen Akademie der Wissenschaften und Künste und zum Oberaufseher der Annalen und Staatsarchive ernennen. Du mußt die sonderbaren und hervorragenden Ereignisse meiner

Regierungszeit, der Nachwelt zum Denkmal, in Worte und
Schriftzeichen fassen. Möge die Zeit meiner Regierung dir
nur Anlaß zu guten Zeichen geben!

DICHTER: Ich danke dir: dem Menschen, dem Freund, dem
Kaiser.

*(Alle drei ab. Es erscheinen Tschu-tschu, Tschao, Frau Ma, jetzt*
*Frau Tschao, das Kind auf dem Arm.)*

TSCHAO: Warum bist du überhaupt mitgekommen? Deine
Anwesenheit ist hier völlig deplaciert, um nicht zu sagen über-
flüssig.

FRAU MA: Kaum sind wir verheiratet, so hast du deine Maske
der Ergebenheit und dienenden Liebe schon abgeworfen. Du
gönnst mir auch keine Freude. Daß ich den Kaiser von Angesicht zu Angesicht sehen soll, das achtest du gering? Ich brenne
danach, den Sohn des Himmels zu sehen.

TSCHAO: Er wird weniger nach dir brennen.

FRAU MA: Ist es wahr, daß die Krone ihm nach und nach auf
dem Kopf festwächst? Daß seine Haare pures Silber werden
und seine Fingernägel Perlmutter? Ist es wahr, daß der Blick
seiner Augen töten kann, wen er will? Daß seine Augen blaue
Saphire sind, und daß ihm die menschlichen bei der Thronbesteigung ausgestochen werden?

TSCHAO: Red keinen Unsinn, ungebildete, abergläubische
Gans, und verhalte dich nur recht ruhig im Hintergrunde.

TSCHU: Ich muß ja sagen, daß mir nicht ganz wohl zumute
ist, wenn ich daran denke, daß der Kaiser mit seinen Augen
mich anblitzen wird. Er ist ein junger, tatkräftiger Herr. Er
wird wie alle jungen Menschen reformsüchtig sein. Unter dem
alten hatte unsereiner nichts zu befürchten. Er war so alt, daß
er seine Augen selbständig gar nicht mehr aufhalten konnte.
Bei Audienzen mußte man kleine Elfenbeinstäbchen zwischen
die Lider stecken. Vor diesen Augen konnte man anstellen, was
man wollte, sie entdeckten nichts. Aber der neue Herr – ich
fühle einen leichten Schwindel im Kopf.

TSCHAO: Wenn Ihr Euch nicht zu beherrschen wißt, so könnt
Ihr ihn leicht verlieren.

TSCHU: Den Schwindel? Das will ich hoffen!

TSCHAO: **Den Kopf!**

TSCHU: Nun, so fest wie der Eure sitzt er mir auch noch auf der Schulter.
*(Sie treten seitwärts. Der Vorhang hebt sich, und die Bühne stellt den Thronsaal dar. Im Hintergrund der Thronsessel des Kaisers. Trompetenstoß des Zeremonienmeisters. Alles fällt im Kotau nieder. Der Kaiser im Ornat schreitet langsam bis zum Thronsessel, auf dem er sich niederläßt.)*

KAISER:
Durch Gottes Gnade auf den Thron berufen,
Sandt ich in die Provinzen meines Reichs Stafetten,
Daß ich als erste Handlung meines Amts
Des Rechtes Banner hier errichten wollt –
Die goldene Fahne mit dem Drachen drin.
Es sollten Richter und Gerichtete
Vor meinem Thron erscheinen, Rechenschaft
Von sich und ihren Taten abzulegen.
Ich bin den Schmeicheleien unzugänglich,
Die Ohrenbläser blasen in die Luft.
Ich richte auch die Richter. Wer Beschwerde
Gegen sie hat, erhebe sie. Der gelbe Saal
Hat tausend Augen, alles zu durchschaun,
Und tausend Hände, die das Richtschwert schwingen.
Hier auf den Stufen meines Tribunales steht
Ti-sching gemalt: Sprich leise, handle leise, denke leise!
Ein jeder gehe mit sich selbst zu Rat,
Der hier das Wort ergreift. Im Park die Bäume
Sind kahl und ohne Blätter. Doch sie werden
Verbrecher, falsche Zeugen, falsche Richter
Als sonderbare Blüten tragen.

*(Zu Tschang-ling.)*
Du da,
Mit deinem Zopf an jenes Weib gebunden –
Soldaten, löst die Zöpfe – sage mir,
Warum bist du im Block, und was ist dein Verbrechen?
Was bleibst du stehn und fällst nicht in die Knie?
TSCHANG-LING:

Gäb es Gerechtigkeit in diesem Land,
Ich stünde nicht im Block vor dir.
Wer so viel litt, wie ich, der kniet
Vor keinem Menschen mehr.
KAISER: Du wagst es, mich zu duzen?
TSCHANG-LING:
Ich stehe vor dem Tod – vor dir –
Und soll ich mir den Kopf da noch beschweren
Mit all den Riten, Du und Sie und Euch
Und Majestät?
Doch wenn's dich schmeichelt, daß
Ein Mann aus niederer Kaste,
Niederer Gesinnung,
Dich »Majestät« nennt, gut, es sei.
Ich beuge mich der Majestät des Todes.
KAISER: Der Richter.
(Tschu: Kotau.)
Was verbrach der Mann?
TSCHU: Er lästerte des Himmels Sohn, die geheiligte Maje-
stät. Keine Strafe ist zu hoch für ihn. Er muß in hundertzwan-
zig Stücke zerschnitten werden und sein Kopf auf der Mauer
aufgespießt werden, den Raben zum Fraß, den Untertanen
zur Warnung, ihre Zunge besser im Zaum zu halten.
TSCHANG-LING: Das vollgefressene Schwein stinkt aus dem
Maul. Die Lippe trieft vor Fett und Lügen.
KAISER: Er lästerte die Majestät – mit welchen Worten?
TSCHU: Er beschmutzte mit dem Unflat seiner Flüche den
hohen Gerichtssaal von Tscheu-kong.
KAISER: Die Worte –
TSCHU: Untertänigst zu vermelden: – kaum wag ich, sie zu
äußern; die Zähne weigern sich, sie freizulassen – der neue
Kaiser wird auch nicht besser sein als der alte.
KAISER: Dies sagte er?
TSCHANG-LING: Und dieses noch dazu:
Wir Armen werden unter seinem Banner
Rechtlos am Straßenrand verrecken wie bisher.
Denn Recht hat nur, wer Macht hat, Geld, ein Amt.
Die Möglichkeit, den Richter zu bestechen

Mit Talerchen, mit einer schönen Frau,
Der eigenen vielleicht, was tut's?
Der Kaiser sitzt in Peking auf dem Thron –
Peking ist weit – des Kaisers Sinn so tief
Mit hoher Politik beschäftigt. Recht?
In China gäb es Recht! Daß ich nicht lache!
*(Er weint.)*

TSCHU: Er ist ein Revolutionär. Ein Mitglied des Bundes vom weißen Lotos.

KAISER: Du weinst; weinst du um dein Geschick?

TSCHANG-LING: Ich wein um China.

KAISER:
Nehmt ihm den Halsblock ab! Er sei befreit!
Wer solche Tränen weint, ist kein Verbrecher.
Sie netzen
Die Blume seines Herzens
Wie Tau.
Daß er mich lästerte, verzeih ich ihm.
Er lästerte aus einem edlen Willen,
Die schlechte Welt zu bessern.
Uns eint das gleiche hohe Ziel. Komm, sei mein Freund,
Und hilf mir, meinen Dornenweg zu schreiten!

TSCHANG-LING:
Du bist in Wahrheit aller Himmel Sohn.
Ich küsse deines Sternenmantels Saum.

KAISER: Ich lese hier einen mir vom
*(in Akten blätternd)*
Richter zu Tscheu-kong
*(Tschu: Kotau)*
eingereichten Bericht. Es handelt sich darin um eine Frau zweiten Grades namens Tschang-Haitang.
*(Tschang-Haitang hebt den Blick, den sie bisher gesenkt gehalten. Kaiser und Haitang erkennen sich.)*
Diese Dame soll ihren Mann ermordet und sich aus Erbschaftsgründen des Kindes der ersten Frau haben bemächtigen wollen?

TSCHU: So ist es.

KAISER: Verbrecher dieser Art gehören in die zehn Kategorien, die mit dem Tode bestraft werden.

*(Haitang in die Knie sinkend.)*

KAISER : Tschang-Haitang, ist es wahr, daß du deinen Mann
vergiftet und der ersten Frau das ihr gehörige Kind geraubt
hast, um die reiche Erbschaft antreten zu können?

*(Haitang schweigt.)*

TSCHAO : Eure Majestät ist ein Spiegel, der sie blendet . . .

TSCHU : Eure Majestät ist die Sonne, die uns alle blendet.

KAISER : Tschang-Haitang, welchem Beruf gingest du nach,
ehe du Herrn Ma heiratetest?

HAITANG :

Am Ufer hinter Weiden steht ein Haus,
Ein kleines Mädchen sieht zur Tür hinaus.
An der Voliere steht der Mandarin,
Ein kleiner Vogel singt und hüpft darin.
Verschließ den Käfig, hüte gut das Haus,
Sonst fliegt der Vogel in den Wald hinaus.

KAISER : Du warst ein Blumenmädchen?

*(Haitang nickt.)*

Wer waren die Besucher des Hauses hinter den Weiden?

HAITANG : Herr Ma holte mich aus dem Haus, den ersten Tag
schon, den ich darin verbrachte.

KAISER : Hat niemand sonst dich dort besucht?

HAITANG : Ein junger Herr besuchte mich.

KAISER : Wer war der junge Herr?

HAITANG : Würd ich seinen jetzigen Namen nennen, er würde
glauben, ich wollte, mein Schicksal zu erleichtern, ihm schmeicheln, um Linderung meiner Qualen betteln, Gnade vor Recht
erflehen. Ich nenne seinen Namen nicht. Ich fordere Gerechtigkeit, sonst nichts.

KAISER : Und Liebe, würdest du nicht Liebe fordern, wenn du
selber liebtest?

HAITANG : Ich liebe mein Kind.

KAISER : Die beschworenen Zeugenaussagen hier in den Akten besagen, daß das Kind, das du für dich in Anspruch nimmst,
nicht dein Kind ist.

*(Haitang schweigt.)*

TSCHANG-LING : Die Zeugen sagten falsch aus. Sie sind bestochen von der ersten Frau.

FRAU MA: Er lügt.

KAISER: Der Richter ist dazu bestellt, wahres und falsches Zeugnis zu scheiden.

TSCHANG-LING: Der Richter war bestochen wie die Zeugen –

TSCHU: Er lügt.

KAISER: Die erste Frau des Mandarinen Ma ist im Saal, wo ist sie?

*(Frau Ma tritt vor. Kotau.)*

Weib, sprich, wer ist die Mutter des Kindes, das du auf dem Arme trägst?

FRAU MA: Ich bin es, Majestät –

KAISER: Gut. – Zeremonienmeister!

ZEREMONIENMEISTER: Majestät –

KAISER: Nehmt ein Stück Kreide, zieht einen Kreis hier auf dem Boden vor meinem Thron, legt den Knaben in den Kreis.

ZEREMONIENMEISTER: Es ist geschehen.

KAISER:

Und nun, Ihr beiden Frauen

Versucht, den Knaben aus dem Kreis zu ziehen

Zu gleicher Zeit. Die eine packe ihn am linken,

Die andere am rechten Arm. Es ist gewiß,

Die rechte Mutter wird die rechte Kraft besitzen,

Den Knaben aus dem Kreis zu ziehn.

*(Die Frauen tun wie geheißen. Haitang faßt den Knaben nur sanft an, Frau Ma zieht ihn brutal zu sich hinüber.)*

Es ist augenscheinlich, daß diese

*(zu Haitang)*

nicht die Mutter sein kann. Sonst wäre es ihr wohl gelungen, den Knaben aus dem Kreis zu ziehen. Die Frauen sollen den Versuch wiederholen!

*(Wieder zieht Frau Ma den Knaben an sich.)*

Haitang, ich sehe, daß du nicht die mindeste Anstrengung machst, das Kind aus dem Kreis zu dir herüberzuziehen. Was bedeutet das?

HAITANG: Ich fürchte den Groll der Majestät. Sie sieht finster zu mir herab wie ein Wolf oder Tiger und wird mich verschlingen, wenn ich nicht gehorche. Allein ich vermag es nicht. Ich habe dieses Kind unter meinem Herzen getragen neun Mona-

te. Neun Monate hab ich mit ihm gelebt, neun Monate länger
als andere Menschen. Ich habe alles Süße mit ihm genossen,
alles Bittere mit ihm gelitten. Wenn er fror, wärmte ich seine
Gliederchen. Seine Gelenke sind so zart und zerbrechlich, ich
würde sie ihm ausdrehen, wenn ich meinerseits daran zerren
wollte wie jene Frau. Die Arme des Kindes sind ja so zart und
zerbrechlich wie Strohhalme, wie Hanfhalme. Wenn ich mein
Kind nur dadurch bekommen kann, daß ich ihm die Arme aus-
reiße, so soll nur jene, die nie die Schmerzen einer Mutter um
ihr Kind gespürt hat, es aus dem Kreis ziehen.

KAISER *(ist aufgestanden):* Erkennt die ungeheure Macht, die
in dem Kreidekreis beschlossen liegt! Jene Frau
*(zu Frau Ma)*
trachtete sich des gesamten Vermögens des Herrn Ma zu bemächtigen und raubte darum das Kind. Da nun die wahre
Mutter erkannt ist, wird auch die wahre Mörderin zu finden
sein. Ich lese in den Akten den Wortlaut des Schwures, den
Frau Ma gesprochen. Frau Ma, wiederholen Sie den Schwur!

FRAU MA: Ich – schwöre – bei – den – Gebeinen –
*(gebrochen)*
meiner – Ahnen, daß die, die nicht die Mutter des Kindes ist –
Herrn Ma vergiftet hat.

KAISER: Ihr schwurt den entsetzlichen Schwur, daß Ihr selbst
die Mörderin des Herrn Ma seid –

FRAU MA: So – ist – es –

KAISER: So bekennt Ihr Euch des Mordes an Eurem Gatten
schuldig?

FRAU MA: Ich – bekenne – mich – schuldig.

KAISER: Die Delinquentin in den Stock. Werft ihr die hölzerne
Krause über.

FRAU MA: Doch hat mich jener angestiftet, der mich liebt.
*(Auf Tschao weisend.)*

TSCHAO *(winselnd):*
Ich angestiftet? Ich dich lieben? Herr der Himmel, hört dieses
lügnerische Schandmaul! Ist ihr Gesicht nicht ein einziger
Schminktopf, und laufen unter der Schminke nicht die Runzeln wie in einem herbstlichen Acker die Furchen?

FRAU MA: Und dennoch wolltest du dir einmal meinethalben

dein schmutziges Leben nehmen und sagtest mir einst, ich sei bezaubernd schön wie Kwanyin.

TSCHAO: Wie Kwanyin! Das ist wohl lange her! Und ich dich angestiftet? Wer hat die falschen Zeugen bestochen – die Hebamme, die zwei Kulis? Wer war gierig wie eine Elster nach Herrn Mas Vermögen? Ich bin nur ein kleiner, bescheidener Beamter. Wie hätte ich das Geld aufgebracht, den Nimmersatt Exzellenz Tschu, Oberrichter von Tscheu-kong, mit hundert Taels zu bestechen?

TSCHU: Ich hätte mich bestechen lassen, ich, der unbestechlichste Richter weit und breit?

KAISER: Ich vernehme von Ihrem sagenhaften Reichtum; ein unbestechlicher Beamter kann seinen Söhnen nicht Gold und Edelsteine hinterlassen.

TSCHAO: Drückt ich selbst Eurer Exzellenz dem goldgreifenden Tiger nicht den Beutel mit Gold in die Hand, den jene mir für Euch eingehändigt?

KAISER: Genug des unwürdigen Gekeifes und Gezänkes! Wie ein Rattenkönig seid Ihr miteinander verfilzt in Eurer Schuld. Bindet sie mit den Zöpfen aneinander.
Und du, Haitang, der man so bitter Unrecht tat,
Das reinste Geschöpf, das diese Erde trug, verdächtigte,
Die man gerichtet ohne Grund und Recht –
Ich trete ab vom Richterstuhl und lege
Den Stab des Rechts in deine rechte Hand.
Sprich du das Urteil über diese drei
Aus deinem klaren Herzen, das
Klar wie ein Quell allein den Himmel spiegelt.
Ich hüte dir das Kind auf deinem Arm.

HAITANG (vom Thron):
Ich halte über Euch den Stab des Rechts –
Und breche ihn, weil ich nicht richten will.
Dem Menschen steht das Richteramt nicht zu,
Der selber Unrecht denkt und Unrecht tut!
Ich muß mich dessen wahrhaft schuldig sprechen.
Der da ließ sich bestechen –
Ließ ich mich nicht bestechen einst durch eines Jünglings Wesen?

Der fällte falsches Urteil –
Fällte ich nicht falsches Urteil über Ma?
Der zweite liebte. Seine Schuld war Liebe –
Hab ich und Ihr, hat jeder nicht
Aus Liebe schon gefehlt?
Die Dritte – daß sie mir mein Kind gestohlen.
Verzeih ich gerne ihr – stähl ich es selber doch,
Das reizende, das liebliche,
Säh ich's bei einer andern.
Daß sie den Gatten tötete,
Dies freilich ist entsetzlich,
Und ein Gefühl der Rache steigt in meine unbewehrte Brust.
KAISER: Was diese drei dir angetan,
Du achtest es für nichts?
HAITANG: Wie darf der Richter Recht von sich aus sprechen?
Das höchste Wesen sprech aus seinem Mund!
So sprech ich Tschu und Tschao des Richteramts verlustig –
Sonst sind sie frei und mögen gehen, wohin es ihnen gefällt.
Frau Ma, auch Ihr seid frei – doch freigesprochen nicht.
Gewiß besitzt Ihr noch von jenem Zucker,
Den Ihr Herrn Ma einst in den Tee geschüttet,
Geht – kocht Euch Tee – und sprecht Euch Euer Urteil selbst!
(Tschao, Tschu und Frau Ma ab.)
Tschang-ling, mein Bruder!
KAISER: Ich verleihe ihm den durch das Ausscheiden des
Herrn Tschu erledigten Richterstuhl von Tscheu-kong.
TSCHANG-LING: Leb wohl! Des Lotos weiße Blüte wird im-
mer über dir leuchten!
(Ab. Die Seitenvorhänge fallen, die letzte Szene spielt wie die
erste des fünften Aktes vor ihnen.)
HAITANG: Mein Kind! Mein Kind! Mein Pantherköpfchen,
mein Luchsäuglein, mein Hasenöhrchen, mein Aprikosenwän-
gelein, mein Pfirsicharschlein! Trugst ein kleines Mützchen,
hab ich selbst gestrickt, hab ich dringestickt die acht Genien
und den Gott des langen Lebens. Kleine Schellen klingeln an
der Mütze, hör dich, kleiner Narr; dunkelrot ist dein Rock,
grün dein Jäckchen, buntes Höschen wie ein Hahn, wie ein
Pfau. Deine Schuhchen vorn sperren sich wie ein Tigerrachen –

ha! wie er nach mir schnappt, der böse Tigerschuh! Wie süß du
duftest, wenn man dich küßt! Du hast auch einen schönen Namen bekommen: Li heißt du; das bedeutet Licht, Licht meines
Lebens! Leuchte meiner Nacht! Drachensproß, Phönixsohn!
Der Herr des südlichen und nördlichen Polarsternes verleihe
dir ein langes Leben von neunundneunzig Jahren! Du wirst
einst im hellen Glanz erstrahlen! Die Sonne wird sich beschämt
verkriechen, und der Mond sich mit seinem goldenen Krumm-
schnabel den Bauch aufschlitzen. Du aber wirst leuchtend auf
dem Turm der azurnen Wolken stehen. Ich bin so froh und be-
glückt um dich. Ich danke dem höchsten Wesen, daß es mich
erschaffen, den Eltern, daß sie mich erzogen, der Erde, daß sie
mich ernährt hat.
Verborgenes ward durch Liebe offenbar.
Die Dunkelheit ward durch die Liebe klar.
Die Liebe macht die Lügner stumm.
Die Liebe bringt die Hoffart um.
Die Liebe brennt wie Sonn' so sehr,
Die Liebe rast wie Sturm im Meer,
Die Liebe bringt den Tod zu Fall.
Und Liebe, Liebe überall!

KAISER: Haitang –

HAITANG: Mein kaiserlicher Freund –

KAISER: Noch auf ein Wort, bevor ich dich entlasse.

HAITANG: Entlaßt Ihr mich? Verlaßt Ihr mich so bald?

KAISER: In jener Nacht, da Ma im Hause Tongs dich kaufte,
du erinnerst dich?

HAITANG: Wie könnt' ich jene Nacht vergessen, da ich zum
erstenmal Euch sah –

KAISER: Sag, was geschah in jener Nacht im Hause Mas?

HAITANG: Man brachte mich in ein Zimmer zu ebener Erde,
dessen Schiebetüren nach dem Garten hinausgingen. Ich weinte, bat um Ruhe. Herr Ma ließ mich allein. Ich trat auf die
Terrasse. Der Mond schien. Die Blumen dufteten. Im Park
sprang ein Springbrunnen. Es war so drückend heiß, daß ich
die Tür zum Garten offen ließ. Als ich mich niederlegte, da
hatte ich einen wunderlichen Traum –

KAISER: Was träumtest du?

HAITANG: Ich träumte, ich läge im Zimmer bei Ma, wo ich in der Tat auch lag, und es käme ein junger Herr durch den Park geschlichen, leise, wie der Panther schleicht. Er trat in mein Zimmer, setzte sich auf das Kang, auf dem ich lag, legte sich zu mir, liebte mich, umarmte mich wie ein Ehemann sein Eheweib.

KAISER: Wie kommt es, daß du diesen Traum so treu bewahrtest im Gedächtnis?

HAITANG: Ei, lieber Herr, ich träumte von Euch, daß Ihr zu mir gekommen. Und wenn ich recht bedenke, war im Traum ich herzlich froh, daß Ihr die Blume meines Parkes pflücktet.

KAISER: Dies alles träumtest du?

HAITANG: Ich träumt' es nur.

KAISER: Haitang, was du geträumt, es hat in Wahrheit sich begeben. Ich folgte dir in jener Nacht, stieg übern Bambuszaun, schlich in dein Schlafgemach, und derart schön erschienst du mir, daß ich entzündet wurde und meiner Sehnsucht und Begier nicht widerstand. Ich liebte dich, die Schlafende, die einmal nur im Schlafe leise seufzte. Kannst du verzeihen, was ich aus allzu großer Liebe gewagt?

HAITANG:
Verzeihen will ich dir, wenn du dies Kind
Als deins erkennst, denn also muß es sein.
Gezeugt hat es der Sturm, geboren hat's der Wind.
Sein Pate war der gelbe Mondenschein.

KAISER: Noch heut verkünd ich dich dem Volk als meine Gattin.

HAITANG *(hebt das Kind hoch):*
Mein Mondkind! Mein Sonnenkind!
Mein Schmerzenskind! Mein Herzenskind!
Ich habe alles Leid auf mich genommen
Das je dich könnte überkommen.
Dir werden alle Glocken Freude läuten.
Dir werden alle Tage Glück bedeuten.
*Gerechtigkeit,* sie sei dein höchstes Ziel,
Denn also lehrt's des Kreidekreises Spiel.

*Vorhang*

Chinesische
Lyrik

### DIE SITTSAME

Steige nicht mehr von der Weide
Übern Zaun in die Rapunzeln.
Willst du, daß ich Arges leide?
Nachbarn möchten boshaft schmunzeln.

Schwing dich nicht vom Maulbeerzweige
Übern Zaun in unsre Gründe.
Glaubst du, daß mein Bruder schweige?
Und ich weiß, es ist doch Sünde.

Ach, zerbrich des Zaunes Latten
Nicht und laß die Sandel leben!
Dem nur, den ich meinen Gatten
Nennen darf, bin ich ergeben.

*Schi-king*

### KLAGE DER GARDE

General!
Wir sind des Kaisers Leiter und Sprossen!
Wir sind wie Wasser im Fluß verflossen . . .
Nutzlos hast du unser rotes Blut vergossen . . .
General!

General!
Wir sind des Kaisers Adler und Eulen!
Unsre Kinder hungern . . . Unsre Weiber heulen . . .
Unsre Knochen in fremder Erde fäulen . . .
General!

General!
Deine Augen sprühen Furcht und Hohn!
Unsre Mütter im Fron haben kargen Lohn . . .
Welche Mutter hat noch einen Sohn?
General!

*Schi-king*


## CHINESISCHES SOLDATENLIED

Soldat, du bist mein Kamerad,
Marschierest mir zur Seite.
Der Kaiser, der befehligt uns.
Kein Mädchen mehr beseligt uns.
Soldat, du bist mein Kamerad,
Marschierest mir zur Seite.

Soldat, du bist mein Kamerad,
Wenn du das Schwert verloren,
So deck ich dich mit meinem Schild
Und bin als Bruder dir gewillt.
Soldat, du bist mein Kamerad,
Wenn du das Schwert verloren.

Soldat, du bist mein Kamerad,
Wenn unsre Knochen bleichen.
Mond fällt auf uns wie gelber Rauch,
Der Affe schreit im Bambusstrauch.
Soldat, du bist mein Kamerad,
Wenn unsre Knochen bleichen.

*Schi-king*

## DER MÜDE SOLDAT

Ein kahles Mädchen. Heckenblaßentlaubt.
Sie steht am Weg. Ich gehe weit vorbei.
So stehen alle: Reih in Reih,
Und Haupt an Haupt.

Was weiß ich noch von heiligen Gewässern
Und von des Dorfes Abendrot?
Ich bin gespickt mit tausend Messern
Und müde von dem vielen Tod.

Der Kinder Augen sind wie goldner Regen,
In ihren Händen glüht die Schale Wein.
Ich will mich unter Bäumen schlafen legen
Und kein Soldat mehr sein.

*Schi-king*

## EPITAPH AUF EINEN KRIEGER

Es blühen aus dem Schnee die Anemonen.
Mit seinem Herzen spielt das Kind. Und es ver-
    weint's.
Uns, die am Brunnenrand der Erde wohnen,
Ist Sonnenauf- und -niedergang nur eins.

Doch immer wieder quillt der Fluß vom Felsen,
Und immer wieder Mond um Frauen wirbt;
Der Herbst wird ewig seinen goldnen Kürbis wälzen,
Und ewig Grillenruf im Grase zirpt.

Es führten viele fest ihr Pferd am Zügel.
Der Ruhm der tausend Schlachten ist verweht.
Was bleibt vom Heldentum? Ein morscher Hügel,
Auf dem das Unkraut rot wie Feuer steht.

*Kong-fu-tse*

## TOD DER JÜNGLINGE
## AUF DEM SCHLACHTFELD

Sie schwingen über den bestirnten Häupten
Der Lanzen tausend Sonnen jugendlich.
Die Sichelwagen rollen in bestäubten
Glanzwolken. Pfeil und Auge kreuzen sich.

Sie stoßen kurze Schwerter in die Pferde.
Am Abgrund steigen Leichen hügelan.
Der Viergespanne regellose Herde
Verbeißt sich Tier in Tier und Mann in Mann.

Und Knaben, von der Tiefe angezogen,
Fallen von Stein zu Stein. Im Bergstrom zart
Treiben die Leiber auf den weißen Wogen
Von guter Mütter schlanker Hand bewahrt.

Die betten sie im Meer an ihre Herzen,
Wenn der Gesang der Geister himmlisch braust.
Noch halten sie die Schwerter grau und erzen
In der zum letzten Kampf verkrampften Faust.

*Kiü-yüan*

## RUDERLIED

Und der Herbst hat sich erhoben,
Und die wilden Gänse toben.
Führ das Ruder, lieber Bruder,
Eh in Asche du zerstoben.

Laß, o laß die Chrysanthemen,
Laß, o laß die blassen Schemen!
Führ das Ruder, lieber Bruder,
Und die Wogen laß uns zähmen.

Nimm ein Weib nach deiner Weise
Auf die wilde Wogenreise.
Führ das Ruder, lieber Bruder,
Eh der Kiel zerbarst im Eise.

*Kaiser Wu-ti*

## LIED VOM WEISSEN HAUPT

Wie der Schnee so weiß,
Wie der Mond so weiß
Werden unsre Häupter einmal sein . . .
Heute in der Nacht
Bin ich aufgewacht,
Und ich fühlte, daß du nicht mehr mein.

Noch ein letztes Mal
Füll ich den Pokal,
Werf ihn dann zu Scherben in den Kot.
Dunkel weint der Fluß,
Weil ich scheiden muß,
Tränenlos besteige ich das Boot.

West und Ost getrennt,
Meine Wange brennt –
Mädchen, sprich, wenn es zur Hochzeit geht:
Liebster, schwöre mir:
Ich gehöre dir,
Bis dein Haupt in weißer Blüte steht . . .

*Weng-kiun*

## DIE VERLASSENE

Ich bin so voll von Liebe und bewegt
Von Winden wie ein Baum, der Blüten trägt.

Die Pfirsichblüten schneien vom Geäst,
Es blüht mein Baum zum heiligen Frühlingsfest.

Nun steigt der kühle Herbstwind aus der Bucht.
Ich stehe kahl und trage keine Frucht.

Es regnet Asche. Meine Wange glüht.
Der Pfirsichbaum hat allzusehr geblüht.
*Ein Mädchen aus Mo-ling*


## DER FÄCHER

Wie fiel im Sommer Reif auf meines Dorfes Dächer?
So weiß wie Reif und Schnee ist dieser Seidenfächer.
Ihn schickt ein Mädchen aus der Landschaft U,
Er fächle dir Erinnerungen zu . . .

Wenn einst der Reif in *deinen* Gärten liegt
Und Winterwind die dürren Äste biegt –
Bedarfst des Frühlingsfächers du nicht mehr . . .
  O sprich:
Wirfst du ihn dann so achtlos weg – wie mich?
*Pang-tschi-yü*


## DER ZARTE VOGEL

Am Ufer, hinter Weiden, blüht ein Haus.
Ein zartes Mädchen sieht zur Tür hinaus.

An der Voliere steht der Mandarin.
Ein zarter Vogel singt und hüpft darin.

Verschließ den Käfig! Hüte gut das Haus!
Sonst fliegt der Vogel in den Wald hinaus!
*Mei-scheng*

## DIE BRANDSTIFTERIN

Ich grüße Euch vom Pferde, so scharmante,
Bezaubernde Prinzessin im Gesträuch!
Ich trug mein Herz, das allzu licht entbrannte,
Behutsam wie ein Windlicht nun zu Euch.

In Eurer Hand hat sich der Mond gefangen,
Euch fliegt die Blume zu, wenn Ihr sie pflückt.
Um Eure Stirn die Himmelswinde sangen,
Die Gräser, die Ihr streift, sind zart beglückt.

Die Wolke des Unsterblichen ist Euer
Wie eine Glocke schwingendes Gewand.
Die Residenz setzt Euer Blick in Feuer.
Seht, auch der Hie-koh ist schon ganz verbrannt ...

*Ein Hie-koh-Lied*

## SIE GEDENKT DES FERNEN GATTEN

Mir tat die Helligkeit der Lampe weh ...
Ich löschte sie. Nun blinkt der Mond im See.

Mit ist ein bittrer Tränentrunk kredenzt,
Auf dessen Grund dein goldnes Antlitz glänzt.

*Wang-seng-yu*

## LOTOS UND MÄDCHEN AUF DEM TEICH

Lotosblatt und Frauenkleid,
Lotosblüte, Mädchenblüte,
Weit im Teiche schwimmt dein Boot,
Und ich kann nicht unterscheiden
Mensch und Blume von euch beiden,
Weil ihr ineinander loht:
Lotosblatt und Frauenkleid,
Lotosblüte, Mädchenblüte ...

*Wang-tschang-li*

## DIE DREI FRAUEN DES MANDARINEN

Die rechtmäßige Frau spricht:
Der Krug ist gut gefüllt. Das Mahl bereit.
Reicht mir den Arm mein Gatte zum Geleit?

Die Nebenfrau spricht:
Der Becher winkt. Die Gans lockt zum Verbleib.
Wer kinderlos, nimmt sich ein zweites Weib.

Die Dienerin spricht:
Der Wein schmeckt süß. Noch süßer das Konfekt.
Wohl weiß ich, was mein Herr am liebsten
    schleckt...

Der Mandarin spricht:
Kein Wein im Glase, keine Gans im Schacht –
Ist's recht, daß ihr mich alten Mann verlacht?

*Tschau-hong*


## DER KAISER

Das goldne Licht des sonnenhaften Thrones
Fällt auf der Majestät gefurchte Mienen.
Um die Gestalt des hohen Himmelssohnes
Stehn in Ergebenheit die Mandarinen.
Er blickt, dieweil er leitet Licht und Land,
Durchs offne Fenster in den Blütenreigen.
Ein Blumenantlitz ist ihm zugewandt.
Ein Fächer winkt. Der Kaiser hebt die Hand
Und schreitet zwischen Köpfen, die sich neigen.


## DU BIST DER TIEFSTE BRUNNEN...

Du bist der tiefste Brunnen, draus zu schöpfen
Jahrtausende nicht müde werden können.

Und wenn sie jeden Morgen neu begönnen,
Nur immer reicher strömt es ihren Töpfen.

Um deinetwillen lassen sie sich köpfen,
O Sohn des Himmels, daß ihr Herzblut rönne
Und eine Träne deines Aug's gewönne.
Wer stürb' nicht selig unter deinen Zöpfen!

Am höchsten Turm von Peking aufgehängt?
Er legt die Haarschnur um den Hals sich stumm,
In der er zart nun wie ein Tänzer schwenkt.

Er greift, als spiele er Harmonium.
Kaum hat der Tod den kahlen Kopf gesenkt,
Legt schon ein andrer sich die Haarschnur um.


## EINBRUCH DER HUNNEN

Der Yu-tschan-Ritter trägt eine Ziegenfellmütze und
    reitet ein Präriepferd.
Aus seinem grünen Aug ein Blitzstrahl fährt.
Er ist nicht geschaffen zum Ackern und Kärrnen.
Er spannt den Halbmond wie einen Bogen und
    schießt mit Sternen.

Die Hunnen kamen gezogen vom Baikalsee,
Von des Yang-tschi-tschang-Gebirges ewigem
    Schnee,
Mit Troß und Roß, mit Weib und Kind,
Mit Ochs und Rind, mit Sturm und Wind.

Sie fressen das rohe Fleisch in sich hinein.
Sie schwanken trunken im Sattel vom geraubten Wein.

Die Raben zu ihren Häuptern krächzen. Die Frauen
    singen.
Der Sirius blinkt in ihren roten Klingen.

## ABSCHIED

Unruhig scharrt das Pferd des Generals.
Unter den Säulen steht die junge Frau.
Sie reicht ihm das Gewebe eines Schals:
Purpur auf Grau.

Wie viele Zärtlichkeiten hab ich drein verwoben!
Lies sie im Zelt . . .
Betrachtest du den vollen Mond am Himmel
    droben –
O denk an mich und meine kleine Welt!

O kehre nicht zu spät
An meine Brust zurück! Noch ist der Scheit entfacht.
Bedenke, wie von Nacht zu Nacht
Der volle Mond vergeht –
Und wie er endlich, einer Greisin blasse Stirn,
    am Himmel steht . . .

## WAFFENSPRUCH

Wie ihr den Bogen spannt – so spannt auch eure
    Seele!
Besorgt, daß nicht der Pfeil zu kurz geschnitten
    werde . . .
Zielt bei Attacken auf die Pferde!
Seht, daß ihr eure Feinde lebend fangt – und lebend
    ihre Generäle . . .

Tut alles recht im Zweck, so muß es euch gelingen.
Was nützt es, tagelang im Blute waten?
Es ziele euer Ruhm: den Feind zu *zwingen*.
Ihr seid keine Mörder. Ihr seid Soldaten.

*Tsüi-tao*

## VOM WESTLICHEN FENSTER

An der Spitze funkelnder Soldaten zog mein Gatte in
den Krieg nach Ruhm.
Fröhlich war ich wie ein junges Mädchen, weil ich
wieder ganz mein Eigentum.

Aber wenn ich jetzt vor meinem Fenster sich die Weiden gelber färben seh
(Grünten sie nicht, als er mich verließ?)
und ahnend Himmel sich in mir bewölkt mit Winter-
schnee –

Wird es ihn betrüben, fern von mir, einen Kranz von
freudelosen Nächten sich zu winden –
Statt der sanften grünen Knospen bei der Heimkehr
den entlaubten Strauch zu finden?

*Wang-tschang-li*

## DER WEISSE STORCH

O unerhörte Qual des Bürgerkrieges,
In seiner Brüder Blut den Dolch zu tauchen,
Wenn ihre Städte als Ruinen rauchen.
Es droht die Nacht der Sonne selbst des Sieges.

O wann erscheint des Himmels *wahrer* Sohn,
Der eignen Knechtschaft Bande zu entwirren –
Daß wieder statt der Schwerter Verse klirren
Und ach der Frauen leichte Rebellion.

Dem Krater eines schwarzen Wolkenkreises
Entschwebt ein weißer Storch. Er schwebt. Er lenkt
Den Flug zu unsren Häusern. Niemand weiß es,
Auf wessen Dach er seine Flügel senkt.

*Tschang-tü-tsi*

## RITT

Der Schimmel raucht. Wie Hunde springen braun
Wälder an mir empor. Der Tempel. Fromm
Geläut des Morgens. Schräge Sonne hängt
Wie Blendlaterne in getrübter Luft.

O welches Glück, auf einem Tier zu sein
Und Flügel haben an dem Ackergold!
Ein Pfeil. Ich falle hell. Zweibeinig steigt
Das Pferd ins Licht. In seinen leeren Augen
Steht das Entsetzen wie ein schwarzer Turm.

## DER WILDE JÄGER

Das ist der kühne Jäger,
Den Falken auf der Faust jagt er durchs Feld.
Wir sind der Weisheit bedächtige Heger,
Er ist die wilde Welt,
Die wahre Welt.

Er galoppiert über die Steppe,
Sein Schatten folgt ihm fast zu spät.
Er tritt dem Fürsten auf die Mantelschleppe.
Was tut's. Er ist die Majestät,
Die wahre Majestät.

Zwei Kraniche erlegt er mit einem Schuß.
Der Gelehrte hockt hinter verschlossenem Fenster,
    vergreist und grau.

Aber seine Gattin sendet dem wilden Jäger einen
    Kuß.
Ihn liebt die schöne junge Frau,
Die wahre Frau.

## EIN JUNGES LIEBESPAAR
## SIEHT SICH ÜBERRASCHT

Wie kam es, daß ich heut betroffen
Im Mondlicht stehen blieb?
Die Pforte eines Parkes sah ich offen,
Ein Jüngling hatte seine Freundin lieb.

Im Buchsbaum schwirrte eines Vogels Fittich.
Die Schnäbelnden erschraken, und es stob
Ins grelle Mondlicht hell der eine Sittich,
Indes der andre sich ins Dunkel hob.


## GEMEINSAME LEKTÜRE

Die zarte Inbrunst mag sich so entfalten:
Du blätterst Blatt um Blatt in einem Buche.
Und plötzlich mußt du leise innehalten:
Du bist betäubt von einem süßen Ruche,
Der aus den Seiten dir entgegenschlägt.
Du bist von einem holden Hauch bewegt –
Als nun die Freundin, deren Herz sich regt,
Die Wange sacht an deine Wange legt.


## FEST DER JUGEND

Zum Tanz! Zum Tanz! Schon stürzt herbei
Der Mond, der goldne Tänzer.
Und unsere Brust zerreißt im Schrei
Der Lust: Noch sind wir Lenzer!

Der Mond hat unser Haar gebleicht
Und nicht das graue Alter . . .
Ein Liebespaar sich seitwärts schleicht,
Und um die rote Lampe streicht
Verliebt ein schwarzer Falter.

## EINSAMER TRINKER AM MEER

Die Sonne ruht auf Baum und Bucht.
Gefallne Blätter betten sich im Winde.
Ein Vogel sucht sein Nest. Ein Fräulein ihr Gesinde.

Und eine Wolke schläft in dunkler Schlucht.
Mein Herz ist einsam, weil es keinen Reim hat.
Ich sitz am Meer. Im Schaum erblühn Gedanken,
Die sich zur Oleanderlaube ranken.
Ich sitz und trink. Weit draußen liegt die Heimat.

## AN DEN MOND

Ich sitz beim Becher hier im Hag
Und warte, daß der Mond erscheinen mag.

Ein Strahl erglänzt. Geheim beginnt ein Chor.
Es hält der Mond mir seinen Spiegel vor.

Wer bin ich, Mond, und wer bist du?
Ich bin der Taumel. Und du bist die Ruh.

Der goldne Hase braut das Elixier
Des ewigen Lebens – braut er's mir?

Jahrtausende schon sahen auf den Mond,
Wo Göttin Tschang-ngu unvergänglich thront.

O wandle, Göttin, daß dein Schleier walle,
Ein Strahl aus deinem Aug in meinen Becher
    falle . . .

## TEMPEL IN DER EINSAMKEIT

Heilige Stille, die mich hier umfängt
Wie die Mutter ihren Sohn.
Nur der Glocke und des Stromes Ton
Schwanken sanft, ein Zweig, mit Tau behängt.

Dicht am Wasser die Pagode
Überragt den Mond,
Der im Strome thront,
Welcher singt wie Pe-ya's Ode.

Schweigen will ich künftig,
Denn die Worte sind wie billige Perlen.
Heilige Fichten! Heilige Erlen!
Schweigen will ich mit euch künftig!


## BEKENNTNIS

Über alle Stränge will ich schlagen,
Alles Enge in die Weite tragen.
Tiger brachen liebend in die Knie,
Wenn ich zu dem Himmelsvater schrie.
Kröten kamen sanft zu mir gekrochen,
Und der Koch mag nicht mehr Hühnchen kochen.
Berge stürzen stumm in sich zusammen,
Tausend Sonnen werden nächtlich flammen,
Wenn mir meine größte Tat gelang:
Daß ich meine Hoffart niederzwang
Und dem letzten Mörder mich vereinte,
Den der Pöbel vor den Toren steinte,
Ach, nicht wissend, daß ein Bruder falle.
Mörder, Mörder, Mörder sind wir alle.

## DEM KÖNIG VON WU
## DROHT DER UNTERGANG

Ein Rabe schreitet dunkel auf dem First
Des Schlosses von Ku-su. Im Saale drinnen
Knien vor dem Könige die Tänzerinnen.
»Si-schy«, er lächelt, »wie du mich verwirrst!«
Die Sonne sinkt. Die Wasseruhr jagt jach.
Der Mond steigt auf, im Strome zu versinken.
Die Sonne kehrt zurück. Die Gräser blinken.
Der Rabe steht noch immer auf dem Dach.


## KLAGE EINER CHINESISCHEN PRINZESSIN,
## DIE EINEM TARTARENFÜRSTEN
## ANVERLOBT WURDE

Der wilde Gänserich der Mongolei
Läßt wild ertönen seinen Hochzeitsschrei.

Des Südens Rebhuhn, das er sich erkor,
Schreckt scheu und schüchtern aus dem Rohr empor.

Im Norden fällt der Schnee, der Gletscherwind
Betäubt des Südens heißes Sonnenkind.

Not droht und Tod. Das Feuer bald verschwält,
Wenn Süden sich dem Norden anvermählt.

Ach, stürbe ich, ehe mich, von Frost bereift,
Der Schneegemahl zum eisigen Brautbett schleift.


## ZU SCHIFF

Die jungen Flötenspielerinnen schreiben
Die goldnen Noten in die blaue Nacht.

Die Dschunken schwanken trunken in der Gracht.
Die Bise wird uns an die Wiese treiben.

Der Gott, der auf dem gelben Storche reitet,
Lädt mich zum Ritt auf weißer Möwe ein.
Und ich erhebe mich im heiligen Schein,
Der weiß vom Mond zum Meer herniedergleitet.

Die Flöte tönt. Mit meinem Lied erschütter
Die heiligen fünf Hügel ich. Es muß
Der hohe Baum zersplittern im Gewitter. –
Stromaufwärts donnert der bestürzte Fluß.

## IMPROVISATION

Pfirsichblüte,
Wie süß du duftest,
Bunte Trösterin,
Wenn die Regenfee
Sich über dich beugt
Und ihre Tränen
Dich benetzen.

## AN DIE GÖTTIN MA-KU

Jenseits des grünen Meeres
Wohnt die Göttin Ma-ku.
Sie schöpft es in ein leeres
Gefäß immerzu.

Die See umstürmt das Eiland.
Der Walfisch schnaubt. Kein Schiff
Trägt mich zu meinem Heiland
Durch Woge, Blitz und Riff.

Ein Vogel mit blauem Gefieder
Schwebt über das Meer. Kiwitt.
Ich gebe ihm meine Lieder
Und meine Sehnsucht mit.

## IMPROVISATION FÜR TAI-TSUN, DIE GELIEBTE DES KAISERS MING-HOANG-TI

Blume
Frau
Dem Kaiser ist ein Lächeln eingegraben
Eisernes Lächeln
Unvergänglich
Seit er dich sah.
Die Jahreszeiten fliehen an dir vorüber
Auf jagenden Rossen;
Du bleibst dir gleich
Dir treu.
Auf der Nordseite der Terrasse
Beugst du die jungfräulichen Brüste über
    das Blumengeländer
Eine Blume zwischen den Lippen.

## GELEIT

Ich geb dir bis zum Ostertor
Das schmerzliche Geleite.
Du reitest in den Frühlingsflor.
Ich schreite, schreite, schreite.

Dort windet sich der Weg am Berg.
Du singst, indes ich schweige.
Du bist nur du, ich bin mein Werk.
Ich steige, steige, steige.

Dein Sinn ist leicht, wie Wolken sind,
Du fliegst durch tausend Reiche.
Dein Pferd ist schneller als der Wind.
Ich schleiche, schleiche, schleiche.

Leb wohl! Auf Wiedersehn – vielleicht:
Beim ewigen Lautenstimmer.
Du hast die Herberg bald erreicht,
Ich – nimmer, nimmer, nimmer.


## AN DER FLUSSMÜNDUNG

Die Wellen im Mondlicht glänzen wie tausend Fische
Auf dem Wege zum Meer.
Ich treibe im Kahn, und mit dem Ruder wische
Ich zärtlich einige Lotosblüten zu mir her.
Mich schmerzt ein jeder Atemzug – das Heute wie
das Gestern.
Ich fluche meinem Ruhm, dem Wein, dem Fraß, den
goldnen Tressen.
Da haben die Lotosblumen im Winde zu flüstern sich
vermessen:
Vergiß die Traurigkeit! Wir sind dir gut wie Schwe-
stern!


## BEIM VOLLEN BECHER

Song-tschang ging auf dem Berg King-hau in Strah-
len auf.
Was blieb von dem Unsterblichen? Ein Haufen
Asche.
Ngan-ki stieg schon als Mensch zu heiligen Malen
auf.
Er ließ das Netz zurück. Der Fisch ging durch die
Masche.

Ein Blitz bei Nacht: die Dauer unsres Lebens.
Die Zeit läuft über unser Steingesicht
Wie Licht und Schatten. Und die Sonne sticht,
Der Schatten läßt gefrieren uns. Vergebens

Erwartest du Genossen dir zum Weine.
Denn niemand kommt. Der Becher glänzt.
  Du bist alleine.

Li-tai-pe

## IM FRÜHLING

Wenn Leben innerer Träume Widerschein –
Wozu sich an die blasse Stirne schlagen?
Berauschen will ich mich an allen Tagen
Und schlafe trunken vor den Säulen ein.

Die Wimpern heb ich auf – und bin erwacht.
Ein Vogel singt in blühenden Geweben.
Ich frage ihn, in welcher Zeit wir leben.
Er sagt: da Frühling Vögel singen macht.

Erschüttert bin ich: wenn ich weinen geh.
Ich gieß den Becher voll. Die Lippe trinkt.
Ich singe laut, bis Mond im Blauen blinkt,
Vergesse Mond und Lied und Li-tai-pe.

Li-tai-pe

## MOND DER KINDHEIT

Als ich ein Kind war, schien der Mond mir rundes
  Gold,
Das wie ein Spiegel leicht am Rand der Wolken rollt.

Drin zogen Geister groß mit Seidenfahnen,
Zimtbäume ließen Süßigkeiten ahnen,

Der gelbe Hase braute treffliche Getränke,
Der Mann im Mond saß bei ihm in der Schenke. –

Bis einst der Drache Mond und Mann verschlang,
Und Nacht wie dunkle Trauer niedersank.

Neun schlimme Vögel sind dabei, die Sterne
    aufzupicken.
Die Götter lagern traurig auf den Wolken, nicken

Und wiegen sich in sturmgepeitschten Böten.
Wer wird die schlimmen Vögel töten? –

Doch wenn der Mond von Nacht zu Nacht ent-
    schwand
Und endlich nur als schmaler Strich am
    Himmel stand,

War er ein Dolch, den ich mir in die Seite stieß,
Weil mich die Angst um dieses Leben nicht verließ.

*Li-tai-pe*

## IM BOOT

Frühe schwang den Pinsel,
Malte Wolkenrot.
Ich ließ die Stadt. Zu einer fernen Insel
Befahl mich eines Freundes Boot.
Wie eine Kette klirrte an den Ufern
Metallgeschweißt der Affen Schrei um Schrei.
An welchen Bergen, welchen Klageufern
Trieb nicht mein Segel *fühllos* schon vorbei ...

*Li-tai-pe*

## DAS LIED VOM KUMMER

Der Wirt hat Wein. Aber er soll noch nicht die Becher
   bringen.
Ich will erst noch das Lied vom Kummer singen.
Wenn der Kummer kommt, Lied und Lachen stirbt,
Niemand weiß, wie tote Grille zirpt.
    O – he ... O – he ...

Herr, du kelterst Wein in bauchige Fässer.
Ich besitze eine schlanke Laute und ein kurzes Mes-
   ser.
Wein trinken und Laute schlagen vertragen sich gut,
Wenn Gold im Sack und Messer in Scheide ruht.
    O – he!

Himmel ist ewig. Er mag der Erde halbe Ewigkeit
   gönnen.
Wie lange werden wir uns des Goldes und des Weines
   erfreuen können?
Hundert Jahre sind wenig. Hundert Jahre sind viel.
Leben und Sterben ist einzig des Menschen Ziel.
    O – he ... O – he ...

Seht dort unten, wo der Mond sich gelb zu schaffen
Macht, seht zwischen Gräbern einsam dort den Affen!
Wie er friert und hockt! Wie er heult und schreit!
Brüder, schenkt ein! Herunter den Becher in einem
   Zug!
    Zum Trinken ward's Zeit ...
    O – he!

                        *Li-tai-pe*

## SELBSTVERGESSENHEIT

Der Strom – floß,
Der Mond vergoß,
Der Mond vergaß sein Licht – und ich vergaß

Mich selbst, als ich so saß
Beim Weine.
Die Vögel waren weit,
Das Leid war weit,
Und Menschen gab es keine.

*Li-tai-pe*


## SI-SCHY

Lotosblüten wehen an die Balustrade.
Der König ruht auf weichem Diwan, fett und satt.
Si-schy schwebt tanzend vor ihm wie ein Wind,
Die Anmut selbst und ein laszives Kind.
Nun hält sie inne, lächelt, fühlt sich matt
Und schmiegt sich seufzend an den Diwanrand
   von Jade.

*Li-tai-pe*


## DAS LANDHAUS

Es hat der Abend seine Netze ausgespannt,
Und von den blauen Bergen steig ich nieder.
Wie Kähne schwimmen sie im Nebel. Mondeshand

Geleitet still den Wandrer hin und wider,
Des Blick wie Blei in tiefe Täler taucht,
Wo Dämmrung auf den niedren Häusern raucht.
Wir kommen Hand in Hand zum Pavillon.

Ein Diener klinkt an zweiggeflochtner Pforte.
Gras streift des Kleides Saum wie leiser Gong.
Ich bin entzückt, mein Prinz, an solchem Orte
Zu Plauderei mit Euch vereint zu sein!
Ihr seid ein junger Aprikosenbaum ... Der Wein,

Der Wein ist heute nicht mehr Wein, nur Duft.
Ich sing vom Wind, der in den Fichten surrt.
Erst auf des Himmels Straße trägt man mich zur
    Gruft,
Wenn Morgen fern wie eine Taube gurrt . . .
Ihr seid berauscht, mein Prinz, an meines Rausches
    Wonne!
In wechselseitigem Rausch rollt Erd und Sonne.

*Li-tai-pe*


## DIE DREI GENOSSEN

In der Laube von Jasmin sitz ich beim Weine.
Gute Genossen heischt die gute Stunde.
Da steigt der Mond übern First, verneigt sich mit
    goldenem Scheine.
Höflich verneige auch ich mich, und mein Schatten
    verneigt sich als Dritter im Bunde.
Mond will trinken. Muß es bleiben lassen.

Schatten hebt den Becher. Aber der Tropf bekommt
    keinen Tropfen . . .
Ich will beider Durst in mir zusammenfassen
Und für dreie trinken und lachen, solange die dürren
    Äste noch nicht den Boden klopfen.

Seht den Mond: er lacht zu meinen Gesängen!
Seht den Schatten: er tanzt und springt und tut, als
    sei er allein!
Wenn sich die Nebel des Rausches um meine Stirne
    drängen,
Seid ihr berauscht mit mir, schlaft mit mir ein.

Morgen abend, ihr drei, auf Wiedersehn in der Blü-
    tenlaube beim Wein!

*Li-tai-pe*

## EINSAMKEIT ZUR NACHT

Ich hocke müßig in der Nacht. Der Mond erglänzt.
Einsiedler spielt im Wind die weiße Laute.
Der Wind stöhnt wie ein Kind, für das man Medizi-
nen braute
Und das bestraft wird, wenn es heut die Schule
schwänzt.
Der Mond beschwatzt leichtfertig Allerleigewölk. So
schlanke Hände
Von Frauen streicheln Teich und Andacht und Ge-
lände.

*Li-tai-pe*

## SINGENDE GESPENSTER

Herunter mit dem Jadekrug
In einem Zug!
Licht blüht an allen Wegen.
Ich habe nimmermehr genug.
Ich bin ein Pflug. Ein Wolkenflug;
Und Blumen springen mir entgegen.

Die Lippe lallt. Die Wimper wacht.
Es öffnet sacht
Sich über mir ein Fenster.
Ein Vogelschwarm schwebt durch die Nacht,
Durch unsrer Herzen dunkle Nacht,
Wie singende Gespenster.

*Li-tai-pe*

## DER PAVILLON VON PORZELLAN

In dem künstlich angelegten Teiche
Auf der Insel steht der Pavillon von grün und weißem Porzellan.

Man gelangt in seine gläsernen Bereiche
Über eines weißen Tigers Rücken, der sich hier als
    Brücke aufgetan.

Dort sitzen Freunde froh beim Weine. Licht
Ist der Gewänder Farbe, die sich nicht im Staub der
    Wochentage placken.

Die Freunde plaudern oder schweigen heiter. Einer
    schreibt ein Gedicht,
Streift die Ärmel zurück und wirft das Haupt in den
    Nacken.

Sieh: in dem Teich, in dem die Jadebrücke, in den
    Wellen leise wehend,
Sich wie ein Halbmond wölbt, der Freunde trunknen
    Wahn!
Die Kleider zitternd! Auf dem Kopfe stehend
In einem Pavillon von Porzellan!

*Li-tai-pe*

## TRUNKENES LIED

Ich will meinen Pelz versaufen,
Herr Wirt.
Ich will mir einen Knaben kaufen,
Der mein lieblicher Diener wird.

Der Pelz hält außen warm;
Der Wein heizt innen.
Hängt, eine Kette, Euch in meinen Arm!
Das Leben ward noch nie begonnen. Wir wollen's
    beginnen.

Tschau-tschi war ein guter Dichter und konnte
    prächtig saufen.
Könnt ich's ihm gleichtun!

Ich will mein Pferd verkaufen,
Und will es gleich tun.

Die Philosophie ist eine Gottesgabe.
Es gab Philosophen, die nie einen Tropfen
   getrunken haben.
Glaubt Ihr, daß sie im Grabe
Weniger gestunken haben?

Ich will meine Schuhe in Zahlung geben;
Ich muß noch manchen Becher durch die Kehle
   seiben,
Ich kann ja auf allen vieren nach Hause streben,
Meinetwegen will ich auch ewig hier liegen bleiben.

*Li-tai-pe*


## DER EWIGE RAUSCH

Herr, vom Himmel nieder in das Meer
Rast der große gelbe Strom in betäubendem
   Schwung.
Keine Welle weiß von einer Wiederkehr.
Herr, den Spiegel her: dein Schädel ist alt – nur deine
   Seufzer sind jung . . .

Noch am Morgen glänzten deine Haare wie schwarze
   Seide,
Abend hat schon Schnee auf sie getan.
Wer nicht will, daß er lebendigen Leibes sterbend
   leide,
Schwinge den Becher und fordre den Mond als Kum-
   pan.

Schmeiß die Taler zum Fenster hinaus, es wird sie
   schon wer zusammenschippen.
Im Schlafe fällt kein Vogel aus dem Nest.

Heute will ich auf einen Hieb dreihundert Becher
    kippen!
Schlachtet den Hammel und sauft und freßt!

Glockenton am Morgen, Trommel im Krieg, Reis im
    Haus sind entbehrlich –
Ach, Brüder, laßt uns auf einen Rausch, der kein
    Ende nimmt, hoffen!
Vergangenheit ist tot. Die Zukunft ungefährlich.
Unsterblich nur ist Li-tai-pe – wenn er besoffen.

*Li-tai-pe*


## IMPROVISATION

Wolke Kleid
Und Blume ihr Gesicht.
Wohlgerüche wehn,
Verliebter Frühling!
Wird sie auf dem Berge stehn,
Wage ich den Aufstieg nicht.
Wenn sie sich dem Monde weiht,
Bin ich weit,
Verliebter Frühling ...

*Li-tai-pe*


## DER TSCHAO-YANG-PALAST IM FRÜHLING

Nun drückt der Schnee nicht mehr die Birnenzweige,
Der Frühlingswind erwacht im Weidenstrauch.
Der Vogel Yng stimmt seine helle Geige,
Die Schwalbe fliegt vom Dach wie grauer Rauch.
In Nacht selbst ist die Sonne noch vergossen,
Wie Wein verschüttet aus dem Überfluß.
Die Frauen sind gleich Blumen neu erschlossen,
Daß selbst der Mandarin erbeben muß.

Im Abenddunst verglüht des Wächters Panzer.
Der Morgen ist ja noch so meilenfern.
Und seiner fernsten Wolke Wiederglanz – er
Erhöht die Freuden unserer jungen Herrn.
Die Blumen öffnen ihre Kelche lüstern,
Die Frauen senken die gefärbten Braun.
Im Morgenrot, im blauen Saale knistern
Die Seidentänze kaiserlicher Fraun.

Die schönsten Mädchen gehn am kaiserlichen
    Wagen,
Sie treten singend aus geheimem Tor.
Wer ist die Schönste, daß wir sie zur Sänfte tragen?
Es ist Fey-yen im silbergrünen Flor.
Ich neige meine Stirne tief zur Erde,
Daß sie durch ihres Kleides Saum beseligt werde ...
Im Garten taumeln in den frischgefallnen Blüten-
    schnee
Einsam entrückt zwei junge Liebende.

*Li-tai-pe*


## DER HUMMER

Trinke dreihundert Becher guten Wein,
Und du wirst der Gattin Sorge ledig wie ein Jung-
    geselle sein.
Groß ist die Zahl der Schmerzen, und die Zahl der
    Becher klein:
Es bleibt nichts übrig, als ewig betrunken sein!
Weshalb sich seinen Ruhm wie Dao-schu und Kuan-ji
    erhungern?
Wir wollen faul auf der Terrasse lungern.
Man spalte einen rotgesottenen Hummer!
Man spalte das Leid, man spalte die Qual und den
    Kummer!

Wir saugen sie aus bis auf die harten Schalen und
    häufen sie mit den Hummerscheren zu heiligen
    Hügeln –
Laßt trunken uns die Nacht mit ewigen Flügeln
    überflügeln!

Li-tai-pe


## BLICK IN DEN SPIEGEL

Mein Spiegel ist von Herbstnebeln blind.
Ich kann nicht mehr in den Mai zurück.
Ich flechte aus meinen weißen Haaren mir einen
    langen Strick.
Ich schlinge ihn um das Horn des Mondes am Him-
    mel fest,
Daß er nicht reißt, wenn mich der Frühwind tanzen
    läßt.
Meine Zunge wird mir aus den Zähnen jappen.
Reißt sie heraus, gönnt einem Hunde den Happen.
(Er wird fortan nur noch nach schönen Versen
    schnappen.)

Li-tai-pe


## AM UFER DES YO-YEH

Zwischen hohem Schilf in zierlichen Böten
Pflücken Mädchen Lotosblumen ihren Eltern zum
    Gebinde;
Bespritzen sich und zwitschern in tausend Nöten;
Ihre duftenden Ärmel wehen im Winde.

Oberhalb des Ufers durch die Weiden reiten mit ga-
    lantem Rufe
Schöne Jünglinge zu dritt und viert.
Plötzlich bäumt ein Pferd, geht durch und galoppiert,
Und die gefallenen Blüten zerknirschen rasende Hufe.

Das eine Fräulein äugt entsetzt dem Pferde nach,
    und zart
Schlägt plötzlich dunkle Angst ihr Blut ins Ange-
    sicht –
Sie scheint ein roter Edelstein, der sich in schillernden
    Facetten bricht
Und den die goldne Fassung *künstlich* nur bewahrt.

*Li-tai-pe*


## WANDERER ERWACHT IN DER HERBERGE

Ich erwache leicht geblendet, ungewohnt
Eines fremden Lagers. Ist es Reif, der über Nacht den
    Boden weiß befiel?
Hebe das Haupt – blick in den strahlenden Mond,
Neige das Haupt – denk an mein Wanderziel . . .

*Li-tai-pe*


## DIE KAISERIN

Die Jadetreppe glitzert weiß von Tau.
Es streift das schleppende Gewand der hohen Frau
Die Tropfen leise ab. Sie schattet mit der Linken ihr
    Gesicht,
Weil durch den Pavillon der Mondstrahl bricht.

Sie schlägt den Perlenteppich hinter sich zusammen.
Er rauscht, ein Wasserfall, im Mondlicht nieder.
Verrieselt. Über ihre schlanken Glieder
Zuckt grell des ersten Frostes Kälteschauer. –
Gefüllt mit einer unklagbaren Trauer
Betrachtet sie des Herbstmonds milde Flammen.

*Li-tai-pe*

## SCHENKE IM FRÜHLING

Sieben Schimmel
Traben
Über Berg und Himmel.
Blütenwind muß Sporen haben.
Vor der Schenke wacht
Eine alte Vettel.
Sieben Herren beugen sich auf ihre silberweißen
    Sättel.
Sieben sind bedacht:
Frühling, junge Mädchen, guter Wein –
Sieben treten ein.

                              *Li-tai-pe*


## DIE FERNE FLÖTE

Abend atmete aus Blumenblüten,
Als im fernen Winde wer die Flöte blies.
Laßt mich eine Gerte von den Zweigen brechen,
Flöte schnitzen und wie jene Flöte tun.

Wenn die Nächte nun
Ihren Schlaf behüten,
Hören Vögel, wie zwei Flöten süß
Ihre Sprache sprechen.

                              *Li-tai-pe*


## AUF DER WIESE

Wir liegen im blühenden Schoße des Wiesenrains
Und trinken eins und eins und immer noch eins.
Wenn ich betrunken wie ein offenes Gatter im Winde
    schnarre:
Geh nach Hause, hol mir die Gitarre!

Und laß mich dann allein in meines Rausches
  Nachen:
Ich will mit einem jungen Lied im Arm erwachen.

*Li-tai-pe*


## DIE BESTÄNDIGEN

Alle Wolken gingen
Über See.
Und die Vögel schwingen
Wie Gelächter über fernem Land.
Nur King-
Ting,
Der spitze Berg,
Und der Zwerg
Li-tai-pe
Sind beständig, stehen, ragen unverwandt. –

*Li-tai-pe*


## DER FISCHER IM FRÜHLING

Die Erde trank den Schnee. Wie erste Pflaumenblüte
  durch die Lüfte rudert!
Die Trauerweiden prunken golden.
Falter, die Flügel violett gepudert,
Tauchen samtene Köpfe in Blütendolden.

Wie eine Insel steht der Kahn im Teich. Der Fischer
  läßt
Sein Netz behutsam in den dünnen Silberspiegel
  springen.
Der klirrt, zerbrochen. Er gedenkt der Schwalbe fern
  im Nest;
Bald wird er ihr das Futter bringen.

*Li-tai-pe*

## DER TANZ AUF DER WOLKE

Als ich zu meiner Jadeflöte sang,
War es den Menschen wie ein dunkles Haus.
Sie höhnten furchtsam meine Lieder aus.
Da hob die Flöte ich zu den Unsterblichen.

Die Götter tanzten hell auf sanft erglühter Wolke.
Die Menschen, die die Tänzer sahen, wichen beglückt.
Und Jubel wuchs wie Sterngesträuch im Volke,
Als ich zu meiner Jadeflöte sang.

*Li-tai-pe*


## DAS ROTE ZIMMER

Es stampft mein Pferd. Der Blütenregen rauscht;
Und Blütenzweige streifen wolkig meine Wange.
Es kriecht der Fluß wie eine braune Schlange,
Auf der ein Segel sich wie eine Wespe bauscht.

Ein Mädchen lächelt. Bambusvorhang hebt
Sich unter ihrer Finger Mondenschimmer.
Und aus der Tiefe stürzt und lockt und schwebt
Ein dunkelrotes, ein ersehntes Zimmer –

Winkt mir, errötend, meines Mädchens Zimmer.

*Li-tai-pe*


## KRIEG IN DER WÜSTE GOBI

Am Himmel die Plejaden tropfen Blut.
Blut sickert in der Wüste Gobi Sand.
Mit seiner Freundin nicht der Feldherr mehr auf
    weicher Matte ruht.
Sein Sichelwagen ist mit Schimmeln hell bespannt.

Von Feuer flammen alle Länder.
Eilboten jagen durch die Nacht.
In Fahnen hüllt der Mordrausch sich wie in
    Gewänder.
Der gelbe Sandsturm wirbelt in die Schlacht.

Fürst Lu-lans Haupt rollt unterm Schwerte.
Der Khane viele traf der Pfeil in Aug und Stirn.
Der Herbstreif fällt in der Soldaten Bärte.
Schakale beißen sich um eines Menschen Hirn.

Gleich einem Silberschwarm von Vögeln schwingend
Erreicht der Sieg den Kaiser in Stafetten.
Soldaten ziehen in die Heimat singend,
Und Frauen knien am Weg wie Statuetten.

*Li-tai-pe*


## DIE WEISSE UND DIE ROTE ROSE

Während ich mich über meine Stickerei am Fenster
    bückte,
Stach mich meine Nadel in den Daumen. Weiße Rose,
Die ich stickte,
Wurde rote Rose.

In der kriegerischen Weite bei des Vaterlandes Söh-
    nen
Weilt mein Freund, vergießt vielleicht sein Blut.
Rossehufe hör ich dröhnen.
Ist's *sein* Pferd? Es ist mein Herz, das wie ein Fohlen
    tut.

Tränen fallen mir aus meinen Blicken
Übern Rahmen in die Stickerein.
Und ich will die Tränen in die Seide sticken,
Und sie sollen weiße Perlen sein.

*Li-tai-pe*

## NACH DER SCHLACHT

Ich dehne mich im edelsteinbestickten Sattel meines
    Feindes.
Mein braunes Pferd, jetzt sei der Heimat zugewandt!
Die Luft ruht aus in Stille vom Gekrächz der Lanzen.
Vereinzelt Pfeile noch wie Mücken summen.
Der Mond geht kalt und ruhig auf dem blassen Sand.
Von der erstürmten Festung brummen
Die dumpfe Trommel, das berauschte Gong.
In gelber Seide
Seh ich Mädchen tanzen.
Es gab ein großes Fischesterben heut im See.
Das goldne Schwert in meiner Scheide
Ist dunkelrot und klebrig wie Gelee.

*Li-tai-pe*


## DIE VIER JAHRESZEITEN

Die holde Lo-foh im Lande Thsin
Pflückt Maulbeerblüten vor einem Wasserspiegel.
Ihre weißen Hände irren durch die grünen Zweige
    hin,
Auf ihrem Antlitz glüht der Sonne braunes Siegel.
Sie spricht: Die Seidenraupen haben Hunger. Ich
    muß eilen.
Des braucht es nicht, o Herr, daß Eure Pferde meinet-
    halben noch länger hier verweilen.

Am Silbersee (o wär er ein Tablett, die Tafel uns zu
    schmücken!),
Wenn Lotosblüte ihre Hülle sprengt,
Im fünften Monat trippeln Mädchen, sie zu pflücken.
Das Ufer ist von Menge dicht gedrängt.
Mädchen und Blume scheuen leicht den Mond.
    Man treibt die Barken seiner Sehnsucht zu.
Am hellen Tage noch beginnt das Fest von You.

Das Mondkaninchen blinzelt müde.
Die Erde ist ein schmutziggraues Linnen.
Der Herbstwind stöhnt. Es bellt die Rüde.
In tausend Echos klingt der Klatsch der Wäscherin-
nen.
Wann endlich werden die Barbaren Frieden geben?
Der Gatte, ferne kämpfend, seine Sohlen wieder nach
der Heimat heben?

Ein Bote reitet vier Uhr früh zur Grenze.
Frauliche Finger fädeln eine kalte Nadel ein.
Die Nacht trabt wie ein Pferd. Des Frühlings Tänze!
Die kalte Schere! Und das kalte Herz! Es muß wohl
Winter sein ...
Der letzte Nadelstich am Kleid. Es wird dem Boten
auf sein Pferd geschnürt.
Im Lande Lin-to liegt einer tot und friert.

*Li-tai-pe*


## SCHREIE DER RABEN

Vor der Stadt, die sommerlich im gelben Staube wirbelt,
Rasten Raben abends auf den Bäumen, krächzen,
schaukeln.
Junge Frau des Kriegers, die an seidnen Fäden
zwirbelt,
Hört die Raben schrein und sieht, wie auf den Fenstervorhang müde sich die abendroten Strahlen legen.
Ihre Nadel sinkt; sie denkt an ihn, den ihre Wünsche
wild umgaukeln.
Schweigend sucht und einsam sie ihr Bett, und ihre
Tränen fallen heiß wie Sommerregen.

*Li-tai-pe*

## DER GROSSE RÄUBER

Der große Räuber bindet seinen Helm mit einem
dicken Stricke fest.
Sein Säbel ist glatt wie Eis und leuchtet wie Firn.
Wenn er die harten Schenkel an den Schimmel preßt,
Stürmt übern Horizont ein schweifendes Gestirn.

Wer sich ihm stellt, muß es in zehn Sekunden büßen.
Was sind ihm hundert Meilen, die er doch in einer
Nacht durchfuhr?
Er schüttelt nach dem Kampf den Staub von seinen
Füßen.
Niemand weiß seinen Namen. Niemand weiß seine
Spur.

Zuweilen besucht er den Prinzen Si-ling.
Er schnallt den Säbel ab und legt ihn über die Knie.
Der Prinz verehrt ihm einen geheimnisvollen Ring,
Und wie zwei beste Freunde fressen und saufen sie.

Drei Becher Wein sind wie ein Händedruck beliebt.
Viel leichter würdest du von einem Gott als ihm be-
trogen.
Wenn er schwitzt und der Wein seine Blicke trübt,
Fängt er Sterne wie Fliegen, umarmt einen Regen-
bogen.

Ein Hammer in seiner Hand genügt, ein Königreich
zu retten.
Wie Donnerhall ist seines Namens Schrei.
Nach ewigen Herbsten noch fahren Kinder entsetzt
aus den Betten,
Träumen sie von Si-ling und Tschü-hai.

Um ihre Knochen schwebt des Opfers Duft.
Der Dichter ist beschämt. Die bleiche Stirn errötet.
Ruhmloser steigt er in die Gruft
Als der, der tausend Menschen tötet.

*Li-tai-pe*

## AN DER GRENZE

Auf den himmlischen Bergen schmolz noch nicht der
    Schnee.
Keine Blume sprießt aus dürrem Ried.
Hört! Der Frühling bläst das Weidenlied!
Aber keine warmen Wolken wehn.

Wenn des Morgens Gong und Trommel schallten,
Schläft man nachts im Sattel, auf des Pferdes Hals
    gebückt.
Schon in der Scheide ist das Schwert gezückt,
Um dem Barbarenhund mit einem Schlag den Schä-
    del zu zerspalten.

*Li-tai-pe*

## DIE JUNGE FRAU
### STEHT AUF DEM WARTETURM

Die junge Frau steht auf dem Warteturm.
Von Jentschis Hügeln fliegt das Laub im Sturm
Wie braune Vögel. Wolken drohen dicht.
In Herbst und Regen, Blitz und Donner bricht
Bald der Barbar aus seiner Wüste vor.
Der Han-Gesandte zieht durchs rote Tor.
In tausend Schädeln kriecht der Totenwurm.
Die junge Frau steht auf dem Warteturm.

*Li-tai-pe*

## WINTERKRIEG

Ich träume von dem Regenbogen
Und den Gärten meiner Heimat Thsin.
Mimosen blühen gelb. Gazellen hüpfen.
Wohl ist Krieg. Aber Krieg von Sonne warm.
Wir frieren mit den Pferden am Wege fest.

Manchem werden eiserne Beine abgeschnitten.
In den Stiefeln. Augen erfrieren wie Glas.
Wohl dem, der unterm Schneeweiß schläft, zu Tod
    gebräunt.

Wir Bettler. Unsre Kleider sind zerfetzt.
Fels starrt wie Eis, und Eis starrt wie Gestein.
In Spiralen dreht sich zuckend der Paß.
Hündisch klettern wir den Mond hinauf.

Wie Maulbeerborke platzt die Haut.
Unser eignes Blut rinnt aufs Schwert.
Hörner klingen in dumpfer Qual.
Süßer sang ich zur Flöte einst.

Keiner Heimkehr bin ich mir bewußt.
Ein Tiger, aufgescheucht, schlägt mit dem Schweif,
Fletscht seine Zähne, weiß wie Reif, und dunkel
Rollt sein brüllender Ruf ins Tal.

Zeige jemand sein Herz! Vogel fällt vom Baum.
Trete hervor und zeige sein Herz. Wo ist rot ein Herz?
Tannen stehn beschneit, und auf den Zweigen
Hocken wir steif und krähn im Nebel des Bluts.

O Himmel! Heiliger! Hilf, verbrenne mich!
Laß Wintergewitter grau erdonnern – und wirf
Den Blitz in die erstarrt erhobene Stirne,
Daß ich aufsteige, Feuersäule, in Nacht.

*Li-tai-pe*

## FLUCH DES KRIEGES

Im Schnee des Tien-schan grast das dürre Roß.
Drei Heere sanken vor dem wilden Troß.

Die gelbe Wüste liegt von weißen Knochen voll.
Der Pferde Schrei wie schrille Flöte scholl.

Es schlingen Eingeweide sich von Baum zu Baum in
  Schnüren,
Die Raben krächzend auf die Zweige führen.

Soldaten liegen tot auf des Palastes Stufen.
Es mag der tote General die Toten rufen.

So sei verflucht der Krieg! Verflucht das Werk der
  Waffen!
Es hat der Weise nichts mit ihrem Wahn zu schaffen.

Er wird die Waffe nur als letzte Rettung schwingen,
Um durch den Tod der Welt das Leben zu bezwingen.

*Li-tai-pe*

## ODE AUF NANKING

Du warst im Ringe von sechs Reichen einbezogen.
Drei Becher leere ich, um diese Verse dir zu widmen.
Im Lande Thsin klingen die Gärten in leichteren
  Rhythmen.
Aber die Hügel spannen sich wie Regenbogen
Bunter als die Gipfel von Lo-yang.

Hier, wo das müde Gras auf den Ruinen wuchert und
  Libellen
Wie Schleier schwirren, türmte sich das Kaiserschloß.
Die Freundin winkte hoch vom Turm. Im Marstall
  wieherte das Roß.
Wo sind Burg und Kaiser, Pferd und kleine Freun-
  din? . . . ach, dahin wie Wellen
In dem großen Strom des Jang-tse-kiang . . .

*Li-tai-pe*

## DAS FRIEDENSFEST

Die Türme des Schlosses durchstoßen den Himmel,
Um blinkende Säulen ringeln sich Drachen.
Florhänge wallen empor, und schöner Frauen Ge-
    wimmel
Singt zur Sonne, und tönende Steine lachen.

Der Kaiser hört im Frühlingswind die zarten Noten.
Es ist das Lied: Ach irgendwann muß ja geschieden
    sein.
Wir fahren nach den ergrünenden Inseln auf zelt-
    überdachten Booten,
Kleine Wellen springen wie fliegende Fische herein.

Dreitausend Mädchen huldigen dem Herrn mit hei-
    tern Tänzen,
Mit Glockenschlag, der wie ein Schwarm von Vögeln
    durch die Lüfte zieht.
Palast und Erde zittern in den Grenzen.
Menschen jubeln tanzend das Friedenslied.

Die sechsunddreißig unsterblichen Kaiser lenken ihre
    Wolkenwagen zur Erde,
Sie locken den Gefährten, doch fester hält er nur die
    goldenen Zügel.
Er bleibt und will, daß China durch ihn glücklich
    werde.
Und als der Friedenskaiser ragt fortan sein Name
    steil und ewig wie ein heiliger Hügel.

                                              *Li-tai-pe*


## ABSCHIED

Das Gestern, das mich flieht, kann ich nicht halten,
Das Heute drückt mich wie ein Frauenschuh.
Die kleinen Wandervögel schon entfalten

Die Flügel herbstlich ihrer Heimat zu.
Ich steige auf den Turm, die Arme weit zu dehnen,
Und fülle meinen Becher nur mit Tränen.

Ob ich, ihr großen Dichter, euer werde?
Ich bin gekrönt, wenn mich ein Vers von euch um-
    flicht.
Und meine Füße stampfen wohl die Erde,
Doch ach zum Himmel tragen sie mich nicht.

Wer kann den Springbrunn mit dem Degen spalten?
Wie Öl schwimmt oben auf dem Wein die Not.
Das Gestern, das mich flieht, kann ich nicht halten.
Ich werf mich in ein steuerloses Boot,
Das Haar dem Winde flatternd preisgegeben,
Wird mich die Woge auf und nieder heben.

*Li-tai-pe*


## DER SILBERREIHER

Im Herbst kreist einsam überm grauen Weiher
Von Schnee bereift ein alter Silberreiher.

Ich stehe einsam an des Weihers Strand,
Die Hand am Blick, und äuge stumm ins Land.

*Li-tai-pe*


## DAS EWIGE GEDICHT

Ich male Lettern, von der Einsamkeit betreut.
Der Bambus wellt wie Meer. Aus Sträuchern fällt der
    Tau wie Perlenschnüre.
Ich werfe Verse auf die leuchtenden Papiere,
Als seien Pflaumenblüten in den Schnee gestreut.

Wie lange währt der Duft der Mandarinenfrucht bei
  einem Weibe,
Die sie in ihrer Achselhöhle trägt? Wie lange blüht
  im Sonnenschein der Schnee?
Nur dies Gedicht, das ich hier niederschreibe,
O daß es ewig, ewig, ewig steh!

*Li-tai-pe*


## THU-FU AN LI-TAI-PE

Man nennt dich unversiegbaren Tropfenfall
Himmelgleich –
Vor deiner Verse Hall
Zerspellt des Kriegers Speer, zerfällt des Kaisers
  Reich.

Du bist die Sonne, der wir im Zenit begegnen.
Du bist Gewitter, wenn die Wolke kracht.
Als Tränen läßt du deine Verse niederregnen –
Es liest sie der Unsterbliche im Mondschein bei der
  Nacht,
Lächelt und weint und meint, *Er* habe sie erdacht.


## AUF DEM FLUSSE TSCHU

Blick ich aus dem blassen Kahne
Nieder in die Wasserwildnis:
Zwischen Schilf und Wolkenfahne
Schwimmt des Mondes goldnes Bildnis.
So in meiner Seele funkelt
Die Geliebte groß und prächtig.
Sonne tags den Mond verdunkelt:
Riesig strahlt er mitternächtig.

*Thu-fu*

## DAS HAUS IM HERZEN

Ein wildes Feuer hat mein Haus verschlungen,
Ich hab mich an den großen Fluß gerettet
Und eine schwarze Barke losgekettet,
Im Strome treibend meinen Schmerz gesungen.

Der Mond zog vor sein Antlitz eine Wolke,
Die Berge sind vor mir ins Knie gebrochen.
Aus meinem Leide stieg ein Lied zum Volke:
Die Bonzen haben meinen Spruch gesprochen.

Schon wollt den Schmerz ich mit dem Dolche merzen,
Da durft ich eine goldne Barke schauen
Und eine Frau darin ... in *ihrem* Herzen
Will ich ein neues Haus mir auferbauen ...

*Thu-fu*

## AUSMARSCH

Die Pferde schnauben, die Karren schrein,
Soldaten marschieren mit Pfeil und Bogen.
Väter, Mütter, Frauen, Kinder laufen zwischen ihren
    Reihn.
In einer dichten Staubwolke sind sie über die Brücke
    gezogen.
Sie zerren zitternd an den Kleidern der Soldaten,
    streicheln einzeln alle ihre Glieder.
Der Frauen Jammer steigt wie Nebel auf und regnet
    nieder.

Leute begegnen ihnen: Woher? Wohin? Wozu? Was
    ist aus euch geworden?
Die Soldaten knirschen: Immer marsch ... auf den
    Marsch ...
Als wir fünfzehn Jahr alt waren, zogen wir nach
    Norden.

Aber jetzt heißt's: Marsch nach Westen ... immer
    marsch ...
Als man uns (einst) einberief, die schwarze Gaze un-
    ser junges Haupt umwand.
Ach, mit weißem Haupte kehrten wir zurück – und
    werden nun von neuem in die Schlacht gesandt.


Unersättlich ist des Kaisers Hunger nach der Macht
    der Welt.
Vor seiner Stirn verdampft des Volkes Odem.
Vergebens pflügen unsre Frauen das Feld.
Dornsträuche wuchern auf dem dürren Boden.
Wie fressend Feuer glüht der Krieg. Es blutet Tag
    und Stunde.
Der Menschen Leben gilt nicht mehr als das der Tau-
    ben oder Hunde.
Wer neigt sich noch in Ehrfurcht einem Greise zu?
Soll ich des Leides immer mehr mit meinem Pinsel
    malen?
Nicht mal der Winter bringt den Waffen Ruh,
Und unsre Eltern müssen Steuern zahlen ...


Wenn unsre Frauen Kinder einst gebären:
O daß es keine Knaben wären!
Denn eine Tochter gibt man seinem Nachbar als ein
    leeres
Gefäß zur Eh'. Ein Sohn verwest im Kriege, unbe-
    graben ...
Kaiser, sahst du im Traum den Strand des Ku-ku-
    noor-Meeres,
Wo die verstreuten Gebeine keine Ruhe haben?
Wo die jungen Toten die alten Toten mit ihren
    Schreien stören?
Himmel hängt düster, Regen sprüht kalt, Jammer
    rinnt vom Gestein ins Meer aus tausend Röhren.

*Thu-fu*

## DIE JUNGE SOLDATENFRAU

Vieler Blumen Wesen ist nur Schein,
Brauchen Bäume, um sich rankend zu erheben.
Seine Tochter einem Krieger geben –
Besser wär's ihr nie geboren sein.

Von Orangenblüten regnete das Firmament ...
Unser Lager hatte Zeit nicht, zu erwarmen.
Als die Sonne sank, lag ich in deinen Armen.
Frührot sah uns schon getrennt.

Nun marschierst du durch die fremde Landschaft,
Und die gelbe Seide liegt zerknüllt.
Unsre Hochzeitsbräuche sind noch nicht erfüllt,
Und errötend tret ich unter die Verwandtschaft.

Als ich mich noch meinen Eltern weihte,
War ich Tag und Nacht der Welt verwehrt.
Stand im Dunkel, stumm in mich gekehrt,
Eine grau und goldne Trauerweide.

Ach wie gerne folgt ich deinen Schritten!
Weinen würdest du, wenn du mich sähst –
Wenn du zwischen Tod und Leben stehst:
Tausendfachen Tod hab ich erlitten.

Sollst nicht in Erinnerung versinken,
Sei als tapferer Soldat fürs Vaterland bereit!
Einsam webe ich an einem Linnenkleid,
Und ich will mir nicht mehr meine Brauen schmin-
    ken.

Meine Blicke lasse ich im Winde wehen.
Vögel fliegen groß und klein:
Immer, immer fliegen sie zu zwein.
Werde ich dich wiedersehen?

                                        *Thu-fu*

## SIEGER MIT HUND UND
## SCHWARZER FAHNE

Sieg, Sieg darf ich in meine Haare flechten.
O fieberte nicht in der Brust die offne Wunde!
Die schwarze Fahne in der Rechten,
Gehe übers abendliche Schlachtfeld ich mit meinem
    Hunde.

Er bellte, wenn er einen Feind gepaßt.
Ich zeige ihm die tote Brust:
Friß ihre Leichen, wenn du Hunger hast,
Und sauf ihr Blut . . .

Er springt an mir empor, sein Blick sagt: Du.
Er leckt . . . und stillt die klaffendere Wunde.
Die schwarze Fahne in der Hand, schreit ich mit
    meinem Hunde
Dem kommenden, dem neuen Tage zu.

*Thu-fu*

## RÜCKKEHR IN DAS DORF KI-ANG

Die Hühner gackern. Und die Pforte klirrt.
Es naht Besuch. Ein Zug von grauen Greisen.
Sie bringen Wein. Ihr Auge ist verwirrt.
Man will dem Fremdling Gastlichkeit erweisen.

Ihr Schopf ist über eine Nacht beschneit.
Und sie jonglieren nur mit ihren Köpfen.
Seht: wie sie Unrat statt Erinnrung schöpfen!
Im Blitzstrahl zitterte die Ewigkeit.

Ich komme weit vom Tod. Die Dörfer glühten.
Am Rebstock weht des toten Winzers Wisch.
Des Krieges ungeheure Vögel brüten
Gedanken grauenvoll und mörderisch.

Uns klingt kein Ruf von den besonnten Türmern,
Die Gott auf seine vielen Hügel stellt.
Wir ringeln uns im Schlamm mit Regenwürmern,
Bis uns der Gießbach rauschend überfällt.

Ihr Guten: Dank für euren schlechten Wein!
Ich singe, weil ich eine Schwalbe sah . . .
Sie lauschen. Fallen leise singend ein;
Und singend sind sie der Verzweiflung nah.

*Thu-fu*

## DIE MASKE

Du steckst die lange Nadel in die rote Seide,
So wie mein Speer die Brust des Feinds durchsticht.
Binde die Schwerter beide
An meinen Lenden fest, so wie's Soldatenpflicht.

Ich stütze mich auf meine Lanze.
Du kniest vor mir, ordnest am Gurt des Bogens künst-
　　liches Gerät.
Nun aber zittre! flieh! sieh hier die Maske, unter der
　　ich kämpfend tanze,
Die grausige, vor der der Feind vergeht.

*Thu-fu*

## DER WERBER

Sonne sank. Ich ging zur Ruh –
Als ein Werber schlich durchs Dorf auf feiger Lauer.
Äffisch kletterte ein altes Männchen über eines Hau-
　　ses Mauer.
Eine alte Frau trat welker Stirne auf den Werber zu.

Und der Werber schrie ob der entflohenen Beute.
Und das Weib stand wie ein Stein und wüster Schrei,

Steil: Hört mich, ob Euch nicht Euer Handwerk
    reute!
Ich gebar drei Söhne ... und der Kaiser nahm sie alle
    drei.

Ehe gestern hat der Älteste geschrieben.
Ach, er lebt! Wie lange lebt er noch?
Seine beiden Brüder sind im Feld zur Erntezeit ...
    geblieben,
Zogen, dumpfe Stiere, stampfend unters dunkle Joch.

Sucht, ob Ihr noch einen Mann im Hause findet!
Nur ein Enkel schleppt sich an der müden Mutter
    Hand.
Sie ist müde. Er hat Hunger. Und sie windet
Sich aus Ackerblumen ihrer Blöße ein Gewand.

Ich bin alt. Es klappern meine Knochen.
Doch ich will mich opfern, wenn Ihr wollt.
Reis will ich für die Soldaten kochen,
Und dem Feldherrn bin ich gerne hold. –

Eine Eule unterm Firste angte.
Schrei und Klage rauschten durch die Nacht wie
    Wellenschaum.
Als im Frührot ich zum Wanderstabe langte,
Saß ein altes Männchen wie ein Affe krähend auf
    dem Aprikosenbaum ...

*Thu-fu*


## NACHTS IM ZELT

Tschang-jo-hu, der edle Feldherr,
Sitzt in seinem leichten Zelte,
Biegt das Schwert mit beiden Händen
Übers Knie und sinnt und seufzt.

Und der Wind bewegt die Wand des
Zeltes, so wie Blätter rascheln
Oder wie das holde Schleifen
Eines seidenen Gewands.

Und er lauscht dem seidnen Rauschen:
»Kleine Blume, kleine Freundin –
Sieh, mein Herz schmilzt wie der Frühlings-
Schnee des Bergs und quillt dir zu . . .«

Und der Wind bewegt die Wand des
Zeltes, so wie Blätter rascheln
Oder wie das holde Schleifen
Eines seidenen Gewands:

»Als am abendlichen Fenster
Sonne sich in meinen Tränen
Spiegelte – da schoß am Giebel
Eine schnelle Schwalbe auf.

Und sie lieh mir ihre Flügel,
Flinker flog ich als dein Wunsch flog . . .
Kleiner Schwalbe, kleiner Freundin –
Gönn ihr Rast in deinem Zelt!«

*Thu-fu*


## O MEIN HEIMATLAND

Tschangan, o mein Heimatland,
Spielt man noch in dir das Spiel der Spiele?
Ach, der Kinder wurden wenig, und der Toten
    viele . . .
Im Palaste herrscht der Günstling Leid.
Eine spitze grüne Kappe trägt er –
    Tschangan, o mein Heimatland! –
Und ein silbergrünes Kleid.

Tschangan, o mein Heimatland,
Hoch im Norden klingen alle Felsen von Trompeten,
Und die Straßen stehn voll Kriegsgeräten.
Selbst der Bote mit der kaiserlichen Feder weilt –
    Tschangan, o mein Heimatland! –
Und die Stunde des Befehls enteilt.


Tschangan, o mein Heimatland,
Tiefer tauchen schon die Fische unter.
Bunter Herbst färbt mein Gewand nicht bunter . . .
Junger Schmetterling – auf meinen Flügeln trug –
    Tschangan, o mein Heimatland! –
Ich des goldnen Staubes einst genug . . .


Tschangan, o mein Heimatland –
Sah Soldaten durch das Osttor reiten,
Sah ein Blumenschiff im Nebel gleiten,
Und beseligt neigte ich mich einem Fächer zu –
    Tschangan, o mein Heimatland! –
Hinter allen Wolken leuchtest du!

*Thu-fu*


## RÜCKKEHR IN DAS DORF KI-ANG


Am Neujahrstag erbat ich Audienz.
Der Kaiser war wie immer mir gewogen.
Er gab mir Urlaub. Urlaub bis zum Lenz.
Zu Weib und Kindern bin ich heimgezogen.


Im Westen geht die rote Sonne unter.
Die Spatzen lärmen irgendwo am Tor.
Ich bin am Ziel. Aus Sträuchern lächelt bunter
Bewimpelt wie ein Schiff mein Haus hervor.


Mein Weib! Mein Kind! Da bin ich endlich wieder!
Ihr findet Worte nicht und Tränen nur.
Der Bürgerkrieg zerreißt des Landes Glieder,
Und Galgen stehn statt Bäume auf der Flur.

Ich mußte blutend tausend Meilen rennen,
An tausend Galgen sah ich mich verwehn.
Es wird schon Nacht. Komm, laß die Lampe brennen
Und laß uns schweigend in die Augen sehn ...


## DAS NÄCHTLICHE LIED UND
## DIE FREMDE FRAU

Ich hörte eine Stimme durch die Nacht,
Die hat mein Reisigherz zur Glut entfacht.

Sie sang im Strom. Sie sang auf einem Boot.
Der Mond ging hoch und apfelsinenrot.

Da schwieg das Lied, das Boot trieb wie versteint.
Und eine leise Stimme hat geweint.

Ich sah das Schiff. An seinem Mastbaum stand
Ein junges Weib, dem Monde zugewandt.

Sie stand am Mast und sah hinauf zum Licht.
Ich rief sie an, doch hörte sie mich nicht.

Sie stand am Mast, mit Mondenlicht bestaubt,
Und sprach kein Wort und schüttelte das Haupt.

*Pe-kiü-y*


## AUFLÖSUNG

Die Stadt Hsien-yang erblüht im Mai.
Gelag und Tanz. Ich bin dabei!

Es komme, wie es kommen mag.
Ich bin dabei: Tanz und Gelag.

Die Freundin flicht sich einen Kranz.
Ich bin dabei: Gelag und Tanz.

Ich liege auf den Kissen und
Bin gut und glücklich ohne Grund.

Ja, ohne Grund – so wie das Meer.
Ich bin von Wein und Weisheit schwer.

Doch immer leichter wird mein Sinn,
Ich ahne, daß ich nicht mehr bin.

Ich bin durch Liebe, Sang und Wein
Ins Paradies gegangen ein.

Ich bin nicht mehr. Ich bin nicht mehr.
O Glück! O Tanz! O Glanz! O Meer!


## AUF DEM FLUSS

Ein Boot aus Ebenholz und eine Jadeflöte.
Ein Lied. Der Frühling. Eine schöne Frau.
Mein Herz blüht rot. Der Himmel blau
Und blau das Meer.

Ich zaubre auf der Freundin Wangen
Mit meinem Liede eine leise Röte:
Ich zaubere die Morgenröte
Her.

Es ist die Nacht mit uns . . . vergangen.
Ich weiß es nicht, wohin ich steure.
O ihr Unsterblichen, ich bin der Eure.

## IMPROVISATIONEN

### 1.

Die Libelle schwebt zitternd und schillernd über dem
    Teich.
Der liegt glatt und regungslos. –
So bebt mein Herz
An deinem Herzen.

### 2.

Das Pfauenauge tanzt von Blume zu Blume.
Die Weinbergschnecke braucht eine Woche von der
    Rose bis zur Narzisse.
Deine Liebe ist die Liebe des Pfauenauges,
Meine Liebe ist die Liebe der Weinbergschnecke.

### 3.

Ich sah einen Raubvogel über dem Garten kreisen.
Der Hund bellte. Die Hühner wurden unruhig.
Da sah ich dich am Fliederzaun winken.
Meine Augen verschleierten sich. Mein Blut rauschte.

### 4.

Der Himmel blüht wie eine dunkle Dolde.
Der Fluß fließt durch die Nacht. Das Herz tickt.
Jenseits des Stromes wandert ein Licht über die Hei-
    de:
Ein Arzt, der zum Kranken eilt, oder ein Jäger oder
    mein Mädchen, das zum Nebenbuhler schleicht.

## SCHMETTERLINGE

Schmetterlinge in den Lenzen:
Ist der Schmelz auf euren Schwingen
Das, wovon die Dichter singen?
Süßer Seele leises Glänzen?

*Anonymus der Sammlung*
*Thang-schi-yie-tsai*


## REISE DURCH DIE SOMMERNACHT

Schöne Dämmrung, deine Kühle
Breit ich ihr und mir zum Pfühle;
Diese laue Sommernacht
Ist zum Reisen wie gemacht.

Und ich hab das Dach vom Wagen
Sachte, sacht zurückgeschlagen,
Daß der volle Mond den Schlaf
Meines holden Mädchens traf.

Brust und Erde atmen wohlig.
Sinnend lausch dem Goldpirol ich.
Hoch vom Bambus tropft der Tau
Auf die Stirne meiner Frau.


## IM MORGENGRAUEN

Mich fröstelt kalt. Der Docht verglüht.
Ich wurde alt. Ich wurde müd.

Durchs Fenster in mein Zimmer bricht
Die Morgenröte und sieht mich nicht.

Sie tanzt, ein eitles Weib, vorbei
Und spiegelt im Spiegel ihr Konterfei.

## DIE HOFDAMEN

Des Mittags Schweigen liegt auf der Terrasse.
Es ist so still. Die Blumen duften leise.
Und schattenhaft bewegen sich zwei blasse
Gestalten unterm Oleanderkreise.

Die eine hebt den Kopf, versucht zu sprechen,
Daß nicht ein unterdrückter Schrei sie sprenge.
Da stutzt sie, schweigt – um einen Zweig zu brechen.
Ein Papagei hüpft schillernd vom Gestänge.

*Thu-hing-yu*

## HERBSTLICHE ELEGIE

Der Unsterbliche meißelte am Marmorbild des
    Himmels, daß Splitter stiebten
Und auf die Erde fielen. Die liegen nun auf den
    Gräsern als Reif.
Wir wollten schlafen gehen, aber der Vogel Greif
Erschreckt uns mit dem Ruf nach der Geliebten.

Die Lampe lischt. Die bleichen Sterne scheinen.
Von meinem Herzen sind so viele Splitter abge-
    sprungen,
Ich hab so viele Lieder in die Welt gesungen,
Nicht eines fand ein Echo bei der Einen . . .

## DIE UNBESTECHLICHE

Ihr wißt es wohl, ich habe einen Mann,
Und dennoch bietet Ihr mir Perlen an.
Ich ließ die Perlen schimmern auf der Haut
Des Halses, und ich träumte mich als Braut . . .

Es ist mir untertan viel Traum und Troß.
Mein Schloß steht mauerdicht am Kaiserschloß.
Mein Gatte führt die Lanze und das Schwert
Und hat in manchen Schlachten sich bewährt.

Verzeiht, Durchlaucht, gewiß . . . ich zweifle nicht,
Daß Eure Neigung rein wie Sonnenlicht.
Doch schwur ich Treue dem gewählten Mann,
Die ich nicht brechen will noch brechen kann.

Ich gebe Euch die Perlen hier zurück,
Und Tränen perlen weiß in meinem Blick.
Warum hat Gott, den jedes Schicksal rührt,
Euch, als ich frei, nicht an mein Herz geführt?

*Tschang-tsi*

## DIE SCHAUKEL

Frühlingsnacht.
An der Mauer steh ich stumm gelehnt.
Echo lacht
Einem Lachen, das mich ferne wähnt . . .

Flöte klingt.
Mir zu Füßen blinkt ein Tränensee.
Eine Schaukel schwingt
Bis zur Mauer fast, an der ich steh . . .

## DIE UNENDLICHE WOGE

Wie des Meeres Wellen
Auf und nieder wellen:
Also wogt unendlich mein Verlangen,
Dich zu fangen, zu umfangen.
Wie entflieh ich meinem Wahne?

Neige ich mich aus dem Kahne:
Immer seh den einzigen Gedanken
Ich im Meere auf und nieder schwanken.


## DAS BLUMENSCHIFF

Im Meere hinter Brandungsschaum und Riff
Schwimmt wie ein Kormoran das Blumenschiff.

Ich bin nicht gegen seinen Duft gefeit.
Ich heb den Arm. Das Schiff ist allzu weit.

Mimosen hängen traubengleich am Bug.
Ein Fächer schlägt den Takt zum Ruderzug.

Ich werfe eine Blume in das Meer,
Die treibt nun auf den Wellen hin und her.

Vielleicht, daß, wenn der Wind sich abends dreht,
Er meine Blume bis zur Barke weht . . .

*Su-tung-po*


## DER ZAHME VOGEL

Ich habe einen zahmen Vogel. Streichelst du ihn mit
    zarten Händen,
Glaubt er aus Furcht vor deiner Liebe zu verenden.
Du läßt ihn frei ins freie Waldrevier.
Er springt
Zurück in deinen Käfig, singt
Und singt –
Von dir.

*Su-tung-po*

## DER BAUER UND DIE ERDE

Wie eine Wolke weißer Schmetterlinge
Befällt der Schnee den Acker und die Schwinge.

Der Bauer legt den heiligen Spaten nieder,
Sonnt am Kamine die erstarrten Glieder.

Er schnallt sich enger um die Brust den Riem,
Die Erde schläft den Winterschlaf gleich ihm.

Doch wenn des Frühlings laue Tage blaun:
Wird er ihr neue Saaten anvertraun.

Die Saat wird sprossen, sein Gedanke blühn, ·
Die Erde himmlisch ihm entgegenglühn.

Und nieder stürzt er auf die braunen Schollen.
Die ihm wie Frauenbrüste brustwärts rollen.
                                                *Su-tung-po*

## DAS ERFRORENE HERZ

Der Sperling pickt die letzten Vogelmieren.
Schon läßt ein kalter Wind die Bäche frieren.

Ach, käme doch der Frühling bald! die Quellen,
Wie würden hurtig sie zu Tale schnellen!

Die du mich doch nicht frieren sehen willst:
Komm, meine Sonne, daß mein Schneeherz
    schmilzt . . .

## DAS WEIDENBLATT

Die junge Frau des goldnen Fensterrahmens,
Ich liebe sie nicht wegen ihres Namens,

In dem die Mandarinenpauken schallen ...
Sie ließ ein Weidenblatt ins Wasser fallen ...

Der Ostwind, der von Veilchendüften schwanger,
Ich lieb ihn nicht, weil er am Blumenanger
Stieß in des Frühlings strahlende Trompete,
Ich lieb ihn, weil das Blatt er zu mir wehte.

Das kleine Weidenblatt, ich lieb es nicht,
Weil es von Sprossen, Blühen, Treiben spricht,
Nicht, weil es mit Parfümen zart bespritzt ist ...
Ich lieb es, weil ein Name drein geritzt ist ... :

*Tschan-tiu-lin*

## DER ORANGENZWEIG

Zum Mädchen, das in ihrer Kammer näht,
Ist plötzlich süß ein Flötenton geweht.

Durchs Fenster fällt ein Schatten auf ihr Knie
Von dem Orangenbaum und streichelt sie.

Ist es des Liebsten Hand? Und dünkt ihr nicht,
Daß er ihr bald Orangenblüten flicht?

*Tin-tun-ling*

## IN DEN WIND GESUNGEN

Wenn ich, an ihren Brüsten hingesunken,
Den heiligsten der Tränke tief getrunken:

Komm, Drache Tod, laß mit dem letzten Hauch
Uns in die Luft vergehn wie blauer Rauch,

Und laß uns noch nach hunderttausend Jahren
Vereint als Sturmwind durch die Lüfte fahren!

*Li-hung-tschang*

# Anhang

Politische
Dokumente

Die folgenden drei Dokumente, die nicht in engerem Sinne zu
Klabunds dichterischem Werk gehören, bezeichnen wichtige
Stationen politischer Entscheidungen.

Während seines Davos-Aufenthaltes 1917 verbrüderte sich Klabund mit René Schickele, Leonhard Frank und Ludwig Rubi-
ner, die in die Schweiz emigriert waren und von dort aus pazifistische Aufrufe erließen. Klabunds *Offener Brief an Kaiser
Wilhelm II.* erschien am 3. 6. 1917 in der *Neuen Zürcher Zeitung.*

## OFFENER BRIEF AN KAISER WILHELM II.

Majestät!
Mehr als Sie in Ihrer politischen und menschlichen Vereinsa-
mung und Einsamkeit ahnen: flehend, werbend, fordernd sind
die Blicke der ganzen Welt auf Sie gerichtet. Mag die Ihnen
feindliche Presse noch immer in Ihnen den Vandalen und
Barbaren an die Wand malen, mögen unfähige und fade Diplomaten und Staatsmänner, die besser als Staatskrüppel ge-
kennzeichnet wären, noch immer den irren Plan hegen, den
Teufel Militarismus durch den Beelzebub Imperialismus, den
Unterteufel Mechanismus durch den Oberteufel Rationalismus

auszutreiben: in allen Ländern blicken die Augen der Menschen, die Menschen geblieben sind, blicken auch die Augen der Muschiks, Poilus, Tommys, Hecht- und Feldgrauen und Olivgrünen auf *Sie*. *Denn Sie, Majestät, haben es in der Hand, der Welt den baldigen Frieden zu geben* ... Sie berufen sich darauf, daß Sie im November vorigen Jahres schon einmal bereit waren »zum Frieden«. In der Tat: Sie streckten dem Feind die Hand zum Frieden hin – aber die Hand war zur Faust gekrampft und war keine menschliche, blutdurchpulste Hand. Es war die eiserne Faust des Götz von Berlichingen.

Majestät: erkennen Sie die Zeit! In ihr: die Blüte der Ewigkeit! Erkennen Sie, daß *alle*, gleichviel welche, Machtideen in diesem Kriege Schiffbruch gelitten haben. Die Macht ist ein tönerner Götze, wenn Geist, Güte und Gerechtigkeit nicht mit ihr verbunden. *Endgültig* muß es vorbei sein mit den Prinzipien der Macht und ihren »Untergebenen«: Herrschsucht, Hoffart, Polizeigeist, Götzendienerei, Byzantinismus, Mammonismus ... (welch letztere beide immer parasitär nebeneinander wuchern).

Majestät, Ihre Osterbotschaft hat die Herzen der Deutschen erhellt und die Stirnen mit einem schwachen Strahle zukünftigen Lichtes beglänzt. Begreifen Sie aber, daß man zu einem Volk, das frei sein will und das man ehrt und achtet – als Freier zu den Freien sprechen sollte. Sie aber sprachen freiherrlich. Noch immer spukt in den öffentlichen und geheimen Kabinetten Berlins das »Untertanen«prinzip. Und Sie waren schlecht beraten, als Sie die Osterbotschaft auf den Ton der Gnade stimmten. *Rechte, Majestät, werden nicht verliehen. Sie sind ursprünglich da, sind wesentlich und existieren.*

Geben Sie auf den Glauben an ein Gottesgnadentum und wandeln Sie menschlich unter Menschen. Legen Sie ab den Purpur der Einzigkeit und hüllen Sie sich in den Mantel der Vielheit: der Bruderliebe. Errichten Sie das *wahre* Volkskönigtum der Hohenzollern. Machen Sie sich frei von den Ahnen; frei von dem Wahne, als könnten Sie sich auf eine kleine kapitalistisch-junkerliche Sippe, die Beamtentum und oberes Offizierskorps aus sich »rekrutiert«, stützen, die paukend und trompetend den Schmerzensschrei des Volkes übertönt. Die in Wahr-

heit den Thron zerspellen und den geblendeten Simson solange
peinigen wird, bis er einst die Säulen des Staates stürzt.

*Jetzt, Majestät, sind Sie ein Schattenkaiser!* Denn Sie stehen
im Schatten der autokratischen Barone und plutokratischen
Munitionsfabrikanten. Seien Sie Sie selbst: offenbaren Sie sich
als *erlauchter Christ*, indem Sie dem Volk, dessen Diener Sie
sein wollen (vergessen sei Ihre Inschrift in das Münchner Goldene Buch: regis voluntas suprema lex: Sie büßen sie willig
...), aus einem übervollen Herzen der Liebe heraus die Freiheit seines Willens und seiner Seele *schenken. Frei-willig
schenken.* Als Gnade nicht: als von einer mit dem Volke gleichen Stufe der Rechtlichkeit und Genossenschaft. Des wechsel-
seitigen Vertrauens. Der Brüderlichkeit. Was für ein unbe-
schreiblicher himmlischer Jubel würde durch die Lande gehen,
wenn es hieße: Wilhelm II. verzichtet auf das veraltete, unheil-
volle, unmenschliche Recht, allein unfehlbar über Krieg und
Frieden zu entscheiden. Er bedarf der Mitarbeit, der Zustim-
mung des Volkes bei solchen, das Volkswohl betreffenden,
schwerwiegendsten Entschlüssen. Er will nicht mehr der Herr,
er will der Diener der deutschen Seele sein. Das Heer werde
künftig vereidigt auf den Namen des Vaterlandes. Denn es ist
ein Volksheer. Unverzüglich sollen Abgeordnetenhaus und
Reichstag zusammentreten, die Umgestaltung der Verfassung
vorzubereiten: daß unter dem gleichen, direkten, allgemeinen
Proporzwahlrecht, in welchem die Majoritäten nicht mehr ver-
gewaltigt, die Minoritäten nicht unterdrückt werden können,
ein parlamentarisch und demokratisch regiertes Reich erstehe,
in dem die Minister vom Volkswillen ernannt und getragen
und vor ihm und nicht vor einem einzelnen mehr verantwortlich sind.

Denn das deutsche Volk ist in Jahren unsagbaren Leidens ge-
reift und den Kinderschuhen entwachsen: es braucht keine Be-
vormundung mehr. Es hat sie satt.

Majestät! Lastet das Gefühl der grenzenlosen Verantwort-
lichkeit in schlaflosen Nächten nicht manchmal schwer auf
Ihnen? Wie leicht würden Sie die Bürde erfinden, wenn das
Volk selbst Ihnen hülfe, sie zu tragen, teilhabend an der Ver-
antwortung, weil teilhabend an der Regierung.

*Majestät, Sie haben es in der Hand, den Frieden baldigst zu
beschwören.*

Der Friede eines solchen Krieges kann nicht geschlossen werden: zwischen den vom Volk gewählten und vor dem Volk verantwortlichen Leitern freiheitlich regierter Länder einerseits
und zwischen einem einzig autoritären Manne anderseits, der
verfassungsmäßig der einzig befugte zum Friedensschluß ist
und seine Macht nicht direkt vom Volk, sondern von der über-
natürlichen, übermenschlichen Idee des Gottesgnadentums
empfing. Die neue russische Regierung und Wilson in Amerika
– die friedensfreundlichsten Ihrer Feinde –, sie warten nur
darauf, daß Sie den Weg zur Freiheit Ihres Volkes beschreiten,
der es ihnen ermöglichen würde, die Stimme dieses Volkes zu
hören und mit seinen Erwählten zu verhandeln.

Denn darauf kommt es an: eine Basis zu finden, wo Mensch
zum Menschen sprechen kann. Nicht: Fürst zum Untertanen.
Nicht: Herr zum Diener. Nicht: Feind mehr zum Feinde.

Republik ist nur ein Wort: Wilson und Kerenski denken nicht
daran, sie für Deutschland zu propagieren. Sie wollen nur mit
einer vor dem Volke *verantwortlichen* Regierung Frieden
schließen: einen Frieden, den das ganze Volk vertritt.

*Die innerpolitische Frage in Deutschland – erkennen Sie das,
Majestät! – ist die wichtigste, um zu einem nahen Frieden zu
gelangen.* Bei weitem wichtiger als irgendein wahrscheinlicher
oder unwahrscheinlicher Sieg im Westen, den die deutsche Hee-
resleitung vielleicht noch immer für möglich hält. Denn in
einem künftigen Weltreich – es wird nur mehr einen Imperialismus der Menschlichkeit geben – wird es nicht mehr ankom-
men auf militärische Erfolge. Das militärische Zeitalter, in
dem es noch möglich war, Kriege durch Waffen zu entscheiden,
geht seinem Ende entgegen. Schon heute kämpfen nicht mehr
die Heere, sondern die Völker gegeneinander.

Wichtiger als Soldatenmacht ist Wirtschaftsmacht: Kultur-
macht.

Seien Sie der erste Fürst, der freiwillig auf seine fiktiven Rechte verzichtet und sich dem Areopag der Menschenrechte beugt.
Ihr Name wird dann als wahrhaft groß in den neuen Büchern
der Geschichte genannt werden, in denen man nicht mehr die

Koalitions-, sondern die Geistesgeschichte der Menschheit schreiben wird. Dann werden Sie das Volkskönigtum der Hohenzollern auf Felsen gründen; während es jetzt nur mehr ein Wolkengebilde ist, das, wenn Sie die Zeit nicht erkennen, wie bald im steigenden Sturm verflogen sein wird.
Ich bin Euer Majestät ergebenster

*Klabund.*

Die *Bußpredigt*, fast gleichzeitig mit dem *Offenen Brief an Kaiser Wilhelm II.* geschrieben, erschien August 1918 in René Schickeles Zeitschrift *Die weißen Blätter.*

## BUSSPREDIGT

### *Geschrieben Juni 1917*

Was tat ich, daß ich euch schöne Worte sang und Äolsharfen in den Wind hing? Ich bin so müde meines Seins, so müde der Tulpenglocken und der grünen Hirtenflöte ... Tut Buße! Tut Buße! Denn das Reich der Hölle ist nahe herbeigekommen. Eure Herzen wurden Schlangennester. Eure Augen trübe Pfützen des blutigen Lasters. Eure Hände, zu liebender Umarmung einst bestimmt, greifen in leere Luft. Das Eismeer trat über seine Ufer.
Erratische Blöcke zermalmen den blühenden Garten. Kometen schleifen feurige Schwänze wie Trauerschleppen durch die Straßen: und die Stadt steht steil in Brand. Schlagt euch an eure zerfallene Brust: ehemals göttlicher Dom, nunmehr eine knöcherne Ruine, darin jegliches Unkraut: Haß, Niedertracht, Neid, Unzucht, Lüge, Feigheit, Hochmut wuchert. Schreit, brüllt, kniet in den Kot eurer eigenen Leichen; schreit: Ich Sünder. Ich wandelnder Dreck. Eitriger Auswurf eines verwesenden Bonzen.
Seliger einst am Saume der Welt; saumseliger, seufzend im Süden, verweint in Nelkenduft, Falter, mit den Flügeln leiseatmend auf den Orangenbrüsten der blonden Frau.

Der Regen blutet aus meiner Wunde.

Die Sonne schlägt mich an feuriges Kreuz.

Ich schäume: rotes Meer. Ich schreie: ich Namenlos, ich Traum: bin schuld am Kriege.

Ein jeder: ich. Millionen Ich ... sind schuld, sind schuld. Die Geißel Gottes knallt.

Ich kenne, bekenne mich: zur Pflicht, zur Verpflichtung, zur Wahrheit, zum Geständnis. Es gilt, unsere Schuld in die Welt zu pauken, zu posaunen, zu läuten, zu zischeln, zu heulen: daß man uns, Geistige oder zum Geiste doch Gewillte, nicht für Söldner eines Machtgedankens, des Räuberrevolvers, mehr halte. Der Krieg wäre nie ein so widerlicher Koloß geworden, hätte er sich nicht an gewissen eitrigen Abszessen unserer Seele gemästet.

Reißt das Hemd auf. Schlagt euch an die Brust: bekennt: ich, ich bin schuldig. Will es büßen. Durch Wort und Tat. Durch gutes Wort und bessere Tat.

Dünke sich niemand zu niedrig, seine Schuld zu bekennen. Niemand zu hoch.

Wir schweigen von den Krieglingen aller Länder, die es heute noch gibt; ihnen kann man nicht ins Gewissen reden, denn sie haben keines. Aber ihr, die ihr, wie ich, längst erweckt seid – erwacht von einem üblen Traum, der wie ein Alp euch drückte – bekennt, aus falscher Scham bisher nur schweigend, daß dieser Traum ein Trugbild war, daß ihr Narren (und manche von euch, die sich für den Krieg als Krieg einsetzten, Schlimmeres als Narren) wart, als ihr an das Stahlbad der Seele, welches ein Blutbad wurde, als ihr an den Macht-, Nacht- und Bajonettgedanken, an den Krieg als ethischen Umwerter, an die deutsche, französische, englische »Sache« glaubtet, während ihr an die *menschliche Idee* hättet glauben sollen! Ob ihr eure damalige Meinung in Schrift und Sprache verteidigt habt, das gilt gleichviel. Ihr dachtet so: sie klang im Chorus mit.

Schwört ab den Taumel 1914! Die Resignation 1915! Die Skepsis 1916! Bekennt euch zu 1917! Bäumt euch! Zum neuen Willen einer neuen Zeit! Schnellt auf aus eurer Passivität wie ein lang angezogener Bogen zur Aktivität: der Anklage, der Buße, der Besserung. Es heißt, unsere jetzige Position deutlich zu bekennen – damit noch viele zu uns aufs Podium treten. Und ihrer seien tausend, zehntausend – und mehr. Vor dem Gedanken eines zweiten derartigen Krieges bekreuzt sich die ganze Welt. Fallen Mütter in Ohnmacht und Wahnsinn. Werden Kinder zu Verbrechern.

Es gibt in Deutschland eine mächtige Partei, die es wagt, in diesem Kriege vom nächsten Kriege zu sprechen. Ihr Gerede ist Blasphemie, Hochverrat am Geiste, Gottes- und Menschenlästerung. Die Desorganisation der Geistigen ist mit an diesem Krieg schuld. Wir alle sind am Krieg schuld, weil wir ihn kommen sahen und nichts dagegen taten und, als er ausbrach, uns über seine wahren Wege täuschen ließen.

Ein rasender Protest gegen den kriegerischen Gedanken und das kriegerische System in der ganzen Welt tut not.

Wir wollen nicht schweigen, nicht eines zweiten Weltkrieges schuldig werden.

Erreichen wir unser Ziel nicht, so sind wir umsonst am Leben geblieben und lägen besser, geruhig gehütet, bei den Toten von Ypern und Kowno, von Gallipoli und Görz.

Es geht um den Adel der Erde. Entthront wurde die ewige Kaiserin: die Natur. Die Erbsünde des abstrakten Menschen: der Zwiespalt zwischen Idee und Wirklichkeit: wird in die Weite getragen, droht die Erde zu zerreißen. Dies darf nicht sein: als Geistiger in hohen Wolken schweben, als Wirklicher Macht vor Recht setzen, Bajonett vor flehend gehobener Hand. Es darf nicht sein: das Gute in der Anschauung haben und begreifen, und schlecht handeln, schlecht sein. Ehe nicht die Idee des Guten in die Tat umgesetzt ist, ehe wir nicht danach streben, gut zu sein, anstatt Gutes zu denken, eher haben wir kein Recht, auf den wahren Sieg zu hoffen, den Sieg der Sonne, des Mondes, der blauen Berge und des roten Herzens.

Es ist entsetzlich zu sehen, wie kleine militärische Erfolge die Völker alsbald golden umnebeln: mit einem rein äußerlichen Siegesrausch, und sie vom Wesentlichen sofort wieder abziehen. Als ob es für die ethische Beendigung des Krieges von irgendwelcher Wichtigkeit wäre, noch einige Tausend Quadratkilometer zu erobern – um den Preis von hunderttausend hingeschlachteten Menschentieren. Als ob durch einen militärischen Sieg der einen Partei die moralischen und rechtlichen Fragen aus der Welt geschafft würden!

Es ist ein trauriges Zeichen unserer militarisierten Zeit, daß die Politiker ihre Direktiven von den Generalen empfangen – anstatt umgekehrt. Es fehlt an Verjüngung in Geist und Willen, an Vergeistigung in den Zielen und Mitteln. Zum Teufel mit der Realpolitik! Man treibe Ideenpolitik! Indem man sich nicht wie die Realpolitik von den Realitäten treiben läßt, sondern indem man aus der Kraft der Idee das Reale schafft.

Am Bahnhofsportal steht der Heilsarmeesoldat Posten, gehorsam dem Befehl des Generals.

Tausende rennen, rasen, schleichen, stolpern an ihm vorbei. Er hält den »Kriegsruf« in der Hand.

Stumm, die Zähne zusammengebissen, wartet der Heilsarmeesoldat. Er darf nicht schreien: Gott! Güte! Gerechtigkeit! Denn die Polizei hat es ihm verboten.

So ist es unsere Pflicht, die Pflicht der aus trübem Traum Erwachsenen, der Sinnenden, der Besonnenen, nicht mehr Getäuschten (nicht: Enttäuschten), der zum Geist Emporgerissenen: Verächter der Macht, der Nacht und des räuberischen Taumels: am Portal der Zukunft zu stehen, den Friedensruf, den Ruf des ewigen Friedens und der neuen Menschlichkeit auf den Lippen, Soldaten wir der Armee des einzigen Heils. Heute hört den Ruf nur einer, morgen sind es ein Dutzend, übermorgen Tausende.

Es gilt zu warten, die Zähne zusammengebissen.

Einmal wird das mythische Feuer herniederfahren und alle heute noch Irrenden und Schwankenden mit Erkenntnis beglänzen und zu entschlossener Tat entflammen.

Mag heute noch Gelächter oder Niedertracht wie Hagel auf uns niederprasseln: Soldaten der Seele, es heißt standgehalten. Einmal wird die rote Fahne, in unserem Blut getränkt, im Frühlingslicht flattern.

Ihr Sybariten des Blutes: dann seid verflucht!

Ihr Heuchler, ihr Unerwachten, ihr Trägen – dahin dann zu den Kröten in die Keller ewigen Todes.

Ihr aber, Unsterbliche, Unendliche, Legionäre der heiligen
Armee, auf, zu den Trommeln, zu den Flöten: Schwingt eure
Waffen: den Lilienstengel, die Weidenzweige, daran noch Kätzchen hängen, die Mimosenbüschel, die Sonnenblume. Gott
winkt! Uns, seinen silbernen Söhnen!

Klabunds *Offener Brief an die Nationalsozialistische Freiheitspartei* wurde am 24. 3. 1925 in der *Weltbühne* abgedruckt. Bei
dem beanstandeten Gedicht handelte es sich um *Die Heiligen
Drei Könige* aus der *Harfenjule*.

## GOTTESLÄSTERUNG?

*Offener Brief an die Nationalsozialistische Freiheitspartei
Deutschlands*

Meine Herren!
Sie erweisen mir die Ehre, sich in einem Antrag mit meiner
bescheidenen Person zu beschäftigen. Ein Gedicht von mir:
*Die Heiligen Drei Könige* hat, so erklären Sie, Ihr religiöses
Gefühl verletzt, und Sie rufen gegen dieses Gedicht, Kanonen
gegen einen Sperling, den Staatsanwalt auf. Ich bin, so darf
ich wohl sagen: entzückt, daß es in dieser stumpfen, dumpfen
Zeit noch Menschen gibt, die durch ein Gedicht, ein Kunstwerk also, im tiefsten Herzen erregt und erschüttert werden.
Die Aufgabe der Kunst ist ja grade, die Seele zu bewegen und
aufzuwühlen. Zu bewegen, wie der Wind die Blüte bewegt.
Aufzuwühlen, wie der Sturm das Meer aufwühlt. Während
der heutige Mensch allen möglichen mechanischen Reizen wie
Radio, Rassenhaß, Boxsport, Theosophie, Weltkrieg und Jazz
leicht zugänglich ist, verhärtet und verkrustet sich sein Inneres
immer mehr, und es muß schon allerlei geschehen, bis er vor
einem Kunstwerk, positiv oder negativ eingestellt, sich elek-
trisch oder explosiv entlädt. Was also, meine Herren von der
Reaktion, Ihre Reaktion auf mein Gedicht betrifft, so bin ich

durch sie sehr beglückt. Was aber nun die Folgerungen angeht, die Sie aus Ihrem erregten Zustand zu ziehen belieben, so muß ich vor allem meiner höchsten Verwunderung darüber Ausdruck geben, daß Sie, meine Herren vom Hakenkreuz, in deren Reihen dem altgermanischen Wodanskult das Wort geredet wird, für die das Paradies in Mecklenburg liegt und die sich über den schlappen Christusglauben so oft offenkundig lustig gemacht haben – daß Sie, meine Herren Heiden, die allenfalls für Wodanslästerung zuständig wären, daß ausgerechnet Sie für den von Ihnen immer über die Achsel angesehenen Christengott eintreten und über Gotteslästerung wehklagen. Und was ist das für eine »Gotteslästerung«? Ich kann in dem fraglichen, inkriminierten Gedicht weit und breit keine Gotteslästerung finden – dagegen finde ich bei Ihnen, die sich so gern als Deutscheste der Deutschen bezeichnen, ein gradezu hanebüchene Unkenntnis deutscher Volksbräuche. Denn das Gedicht *Die Heiligen Drei Könige* bezieht sich gar nicht, wie von Ihnen wohl angenommen, auf die drei Weisen aus dem Morgenland, sondern auf einen am Heiligendreikönigstag in vielen Gegenden Deutschlands geübten Brauch: da ziehen nämlich, als Heilige Drei Könige karikaturistisch kostümiert, drei Burschen im Dorf herum, um mit mehr oder weniger ruppigen Versen bei den Bauern Bier und Schnaps zu schnorren. Diese Verse sind derb, frech, witzig – aber gotteslästerlich? Du lieber Gott! Ich glaube, du hast deine rechte, recht göttliche Freude an ihnen. Denn du bist ja kein nationalsozialistischer Abgeordneter. Du hast ja sogar den Teufel geschaffen, weil dir in deiner ewigen Güte gar nicht wohl war und du eine Art Gegengewicht brauchtest. Ja, ohne den Teufel wärst du eigentlich gar nicht denkbar, gar nicht vorstellbar. Gott und Teufel, Tag und Nacht, Mann und Weib – eines wird erst am andern, an seinem Gegensatz recht sichtbar. Wie ja auch die Nationalsozialistische Freiheitspartei notwendig ist, damit man sieht, daß es auch gescheite Leute auf der Welt gibt. Diese, wozu hoffentlich auch der Staatsanwalt gehört, mögen der Partei klarmachen, sofern man den Dunklen etwas klarmachen kann: daß, wenn ein zwar derbes, aber harmloses Gedicht wie *Die Heiligen Drei Könige* eine Gotteslästerung sein soll (was dem einen sein Gott, ist dem andern sein Teufel), Goethes *Faust* von Gotteslästerungen nur so strotzt, daß Goethe auch ein Gedicht von den Heiligen Drei Königen geschrieben hat, *Epiphanias* betitelt, das für den Antrag auf Gotteslästerung vielleicht noch in Betracht kommt.

Neben Goethe auf der Anklagebank zu sitzen, würde sich zu einer besonderen Ehre schätzen

Ihr ergebener Klabund

Nachschrift

Um Weiterungen vorzubeugen: ich bin kein Jude! Ich habe keine jüdische Großmutter! Ich bin auch kein Mischling! Ich heiße nicht Krakauer und bin auch nicht aus Lemberg. Ich heiße schlicht mit bürgerlichem Namen Alfred Henschke. Und mein Großvater hat als Erzieher des ehemaligen Kaisers sein Bestes dazu beigetragen, daß wir den Krieg verloren, aber statt dessen die Nationalsozialistische Freiheitspartei gewonnen haben. Das nächste Mal wird es uns hoffentlich umgekehrt gehen.

Verzeichnis
der Werke
Klabunds

## SCHAUSPIELE

*Brigitta,* Dramatische Szene, Manuskript 1911
*Kleines Kaliber* (Einakterfolge mit Szenen aus dem Kriege), Manuskript 1914
*Die Nachtwandler,* Berlin 1919
*Der Totengräber* (Lyrisches Drama), Berlin 1919
*Hannibals Brautfahrt,* Berlin 1920
*Brennende Erde,* Manuskript Berlin 1920
*Cromwell,* Manuskript 1926
*Wedekind,* Manuskript 1926
X Y Z, Leipzig 1928

Nachdichtungen und Bearbeitungen:

*Das lasterhafte Leben des weiland weltbekannten Erzzauberers Christoph Wagner,* neu ans Licht gezogen von Klabund, Berlin 1925
*Der Kreidekreis,* Spiel nach dem Chinesischen, Berlin 1925
Christian Dietrich Grabbe, *Herzog Theodor von Gothland* (Rundfunkbearbeitung von Klabund und Alfred Baum), Berlin 1926
Edmond Rostand, *Der junge Aar* (Rundfunkbearbeitung), Berlin 1926
*Das Kirschblütenfest,* Spiel nach dem Japanischen, Wien 1927
*Die Liebe auf dem Lande,* Spiel nach dem Russischen, Manuskript Berlin 1928

## ROMANE

*Moreau*, Berlin 1916
*Die Krankheit*, Berlin 1917
*Mohammed*, Berlin 1917
*Bracke*, Berlin 1918
*Franziskus*, Berlin 1921
*Spuk*, Berlin 1922
*Pjotr*, Berlin 1923
*Borgia*, Wien 1928
*Rasputin*, Wien 1929
*Roman eines jungen Mannes*, Wien 1929

## ERZÄHLUNGEN

*Celestina. Alt-Crossener Geschichten*, Crossen 1912
*Klabunds Karussell*, Berlin 1914
*Der Marketenderwagen*, Berlin 1916
*Marietta*, Hannover 1920
*Der Neger*, Dresden 1920
*Heiligenlegenden*, Leipzig 1921
*Der Kunterbuntergang des Abendlandes*, München 1922
*Der letzte Kaiser*, Berlin 1923
*Die Silberfüchsin*, Manuskript 1927
*Kriegsbuch*, Wien 1929
*Novellen von der Liebe*, Wien 1930

## GEDICHTE

*Morgenrot! Klabund! Die Tage dämmern!*, Berlin 1912
*Klabunds Soldatenlieder*, Dachau 1914
*Kleines Bilderbuch vom Kriege*, München 1914
*Dragoner und Husaren*, München 1916
*Die Himmelsleiter*, Berlin 1916 (1917?)
*Irene oder Die Gesinnung*, Berlin 1918
*Irene auf das Grab gelegt*, Manuskript Davos 1918
*Die kleinen Verse für Irene*, Privatdruck Davos 1918
*Montezuma*, Dresden 1918
*Hört, hört!*, Mannheim 1919
*Die gefiederte Welt*, Dresden 1919

*Der himmlische Vagant,* Dresden 1919 (München 1919?)
*Dreiklang,* Berlin 1919
*Neue Oden auf Irene,* Manuskript Passau 1919
*Die Sonette auf Irene,* Berlin 1920
*Das heiße Herz,* Berlin 1922
*Gedichte,* Berlin 1926
*Die Harfenjule,* Berlin 1927
*Totenklage,* Wien 1928
*Chansons,* Wien 1930

## NACHDICHTUNGEN

*Dumpfe Trommel und berauschtes Gong,* Nachdichtungen chinesischer
   Kriegslyrik, Leipzig 1915
*Li-tai-pe,* Leipzig 1916
*Das Sinngedicht des persischen Zeltmachers,* München 1917
*Die Geisha O-sen.* Geisha-Lieder nach japanischen Motiven, Mün-
   chen 1918
*Der Feueranbeter,* Nachdichtungen des Hafis, München 1919
*Das Blumenschiff,* Nachdichtungen chinesischer Lyrik, Berlin 1921
*Das Buch der irdischen Mühe und des himmlischen Lohnes von
   Wang-Siang,* Hannover 1921
*Laotse, Sprüche,* Berlin 1921
*Dichtungen aus dem Osten,* Wien 1929
*Chinesische Gedichte,* Wien 1930

## ESSAYISTISCHE PROSA

*Deutsche Literaturgeschichte in einer Stunde, von den ältesten Zeiten
   bis zur Gegenwart,* Leipzig 1920
*Geschichte der Weltliteratur in einer Stunde,* Leipzig 1922 (Berlin
   1923?)
*Literaturgeschichte. Die deutsche und fremde Dichtung von den An-
   fängen bis zur Gegenwart,* Wien 1929
Aufsätze und Artikel u. a. in den Zeitschriften *Berliner Tage-Blatt,
   Das junge Deutschland, Der Revolutionär* (Berlin), *Die Dame*
   (Berlin), *Die literarische Welt, Die Weltbühne, Jugend* (München),
   *Neue Zürcher Zeitung, Pan* (Berlin), *Revolution* (München), *Lachen
   links* (Berlin). (Vollständiges Verzeichnis in: Joseph Tatzel, *Klabund.
   Leben und Werk Alfred Henschkes,* Diss. Wien 1954.)

## BRIEFE UND AUFZEICHNUNGEN

Offener Brief an Kaiser Wilhelm II., in: *Neue Zürcher Zeitung* vom
3. 6. 1917
Offener Brief an Wilson, in: *Neue Zürcher Zeitung* vom 9. 11. 1918
*Briefe an einen Freund*, Köln 1963
*Tagebuch im Gefängnis*, Wien 1946

## SAMMELWERKE

*Kleines Klabund-Buch*, Leipzig 1921
*Lesebuch*, Berlin 1926
*Gesammelte Werke in 6 Bänden*, Wien 1930
*Kunterbuntergang des Abendlandes*, Berlin 1967

## GEPLANTE UND BEREITS ANGEKÜNDIGTE WERKE

*Der Cherubim* (Gedichte)
*Das Glockenspiel* (Gedichte)
*Das ideale Kabarett* (Gedichte)
*Die Schießbude* (Arbeitstitel von *Kunterbuntergang des Abendlandes*)
*Der Andere (oder Der Rubin)* (vermutlich Arbeitstitel von *Roman eines jungen Mannes*)

## HERAUSGABEN

*Das deutsche Soldatenlied, wie es heute gesungen wird*, München
1915
*Das dunkle Schiff*. Sonette, Gedichte, Epigramme des Andreas Gryphius, München 1916
*Der Leierkastenmann*, Volkslieder, Berlin 1917 (enthält offensichtlich auch eigene Gedichte Klabunds)
*... Und alles für eine Kuh*. Ironisch-sentimentale Gedichte von Heinrich Heine, Berlin 1919
*Der Tierkreis, Das Tier in der Dichtung der Völker und Zeiten*, Berlin
1920
*Das trunkene Lied*. Die schönsten Sauf- und Trinklieder der Weltliteratur, Berlin 1920

Johann Wolfgang von Goethe, *Gedichte*, Berlin 1921

Alphonse Daudet, *Die Abenteuer des Herrn Tartarin aus Tarascon*, Berlin 1921

Heinrich Heine, *Es fällt ein Stern herunter* (Lieder und Balladen), Berlin 1923

Jos. Frh. von Eichendorff, *Es steht ein Berg im Feuer* (Gedichte), Berlin 1923

Eduard Mörike, *Morgenglocken* (Gedichte), Berlin 1923

Johann Wolfgang von Goethe, *Rastlose Liebe* (Lieder und Gedichte), Berlin 1923

Johann Wolfgang von Goethe, *Hinauf* (Hymnen), Berlin 1923

Johann Wolfgang von Goethe, *Der Sänger* (Balladen und Romanzen), Berlin 1923

Johann Wolfgang von Goethe, *Worte und der Seele Bild* (Gedichte), Berlin 1923

Giovanni Boccaccio, *Dekameron*, Berlin 1924

*Weib und Weibchen, Epigramme und Sprüche deutscher Dichter von Gottfried von Straßburg bis Klabund*, Berlin 1924

*Der Kavalier auf den Knien und andere Liebesgeschichten*, aus dem alten Englischen, Französischen, Italienischen und Spanischen, Berlin 1925

Felix Fürst Jussupoff, *Rasputins Ende*, Berlin 1928

Die Texte der vorliegenden Auswahl wurden folgenden Ausgaben entnommen: *Bracke* (GW* II), *Roman eines jungen Mannes* (GW I), *Erzählungen* (GW IV, Kunterbuntergang des Abendlandes, 1922, Klabunds Karussell, 1914), *XYZ* (Regie- und Soufflierbuch des Dreiklang-Dreimaskenverlags, München), *Gedichte* (GW V, Morgenrot! Klabund! Die Tage dämmern!, 1912, Die Himmelsleiter, 1916, Kleines Klabund-Buch, 1921, Dreiklang, 1919, Kunterbuntergang des Abendlandes, 1967), *Nachdichtungen* (GW VI), *Anhang* (Tagebuch im Gefängnis, 1946, Kunterbuntergang des Abendlandes, 1967).

* GW = Gesammelte Werke, 1930

# Inhalt

## SCHAUSPIEL

## GEDICHTE

NACHDICHTUNGEN

## ANHANG

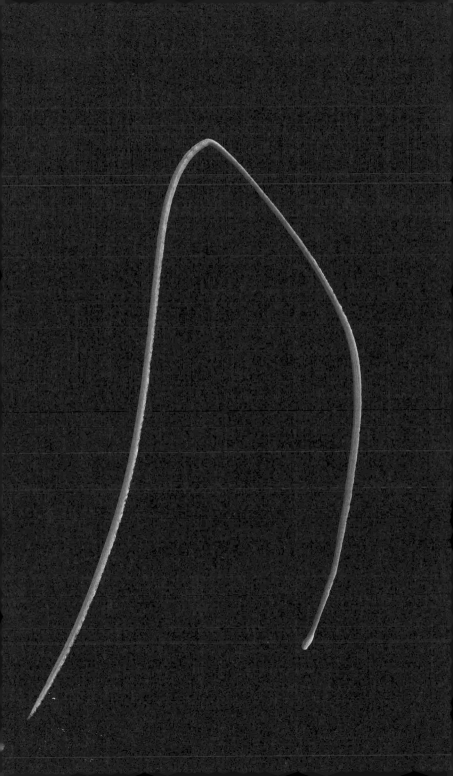

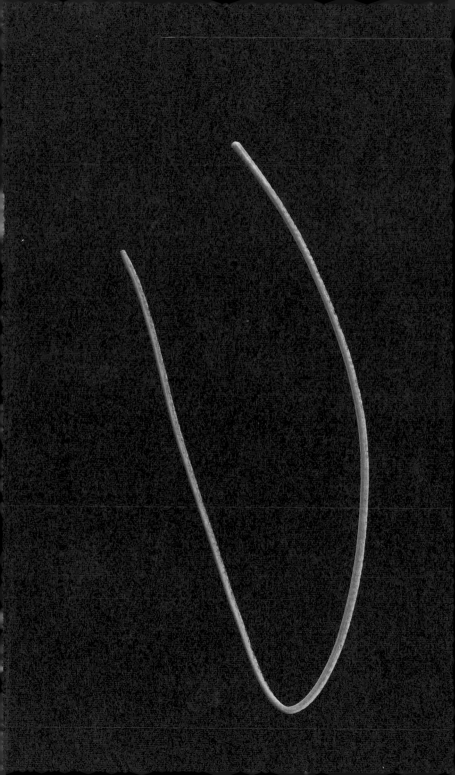